B E H E M O T H

베히모스

발 행 | 2024년 6월 24일
지은이 | 토머스 홉스
옮긴이 | 김주현
펴낸이 | 한건희
펴낸곳 | 주식회사 부크크
출판사등록 | 2014.07.15(제2014-16호)
주 소 | 서울특별시 금천구 가산디지털1로 119 SK트윈타워 A동 305호
전 화 | 1670-8316
이메일 | info@bookk.co.kr

ISBN | 979-11-410-9099-9

www.bookk.co.kr

베히모스

잉글랜드 내전에 관한 대화편

토머스 홉스 지음
김주현 옮김

BOOKK

토머스 홉스 (1588~1679)

(존 마이클 라이트, 1669~1670년경)

찰스 1세 (1600~1649)

(안토니 반 다이크, 1636년)

찰스 2세 (1630~1685)

(존 마이클 라이트, 1660~1665년경)

올리버 크롬웰 (1599~1658)

(사무엘 쿠퍼)

목차

일러두기 14

이단 및 그 처벌에 관한 역사론. 17

토머스 홉스의 명성과 충성심, 태도 및 종교에 관한 고찰 43

철학자와 학생 간의 잉글랜드 보통법에 관한 대화편 81

베히모스 241

서문 245

대화편 I. 257

대화편 II. 329

대화편 III. 391

대화편 IV. 447

수사술 509

제1권 515

제1장 수사학은 재판관의 정념을 움직이는 것뿐만 아니라, 주로 증명으로 구성되는 기술이라는 것, 그리고 이 기술은 유익하다는 것. 515

제2장 수사학에 관한 정의. 516

제3장 여러 종류의 연설에 관하여, 그리고 수사학의 원리에 대하여. 517

제4장 숙의의 주제에 관하여, 그리고 국가의 일을 숙의하려는 자에게 요구되는 능력에 관하여. 518

제5장 숙의에서 연설가가 제시함으로써, 권유하거나 만류하는 목적에 관하여. 520

제6장 선악과 관련한 특색 또는 공론에 관하여. 522

제7장 선악과 관련한 상대적인 특색 또는 공론에 관하여. 524

제8장 정부의 여러 종류에 관하여. 527

제9장 명예로움과 불명예스러움의 특색에 관하여. 528

제10장 해악의 정의와 더불어, 고발과 변론에 관하여. 531

제11장 쾌락에 관한 특색 또는 공론에 관하여. 533

제12장 해악을 가하는 인물로부터 도출되는 해악에 관한 추정, 또는 해악을 입한 인물의 적성에 관한 공론. 534
제13장 해악을 당하는 인물 및 해악의 문제에서 도출되는 해악에 관한 추정. 536
제14장 정당함과 부당함의 정의를 아는 데에 필요한 것에 관하여. 537
제15장 상대적인 해악과 관련한 특색 혹은 공론에 관하여. 539
제16장 인위적이지 않은 증명에 관하여. 540

제2권 **547**

제1장 개요. 547
제2장 분노에 관하여. 548
제3장 화해 또는 분노를 진정시키는 것에 관하여. 550
제4장 사랑과 친구에 관하여. 551
제5장 적의와 증오에 관하여. 553
제6장 두려움에 관하여. 553
제7장 확신에 관하여. 555
제8장 수치심에 관하여. 556
제9장 은혜 또는 호의에 관하여. 558
제10장 동정심 또는 연민에 관하여. 559
제11장 의분에 관하여. 560
제12장 시기심에 관하여. 562
제13장 경쟁심에 관하여. 563
제14장 청년기의 태도에 관하여. 564
제15장 노인의 태도에 관하여. 566
제16장 중년의 태도에 관하여. 567
제17장 태생이 훌륭한 자의 태도에 관하여. 568
제18장 부자의 태도에 관하여. 569
제19장 권력자의 태도, 그리고 그 번영에 관하여. 569
제20장 일어날 수 있는 것, 일어난 것, 일어날 것에 관한 공통의 요소 또는 원리, 혹은 가능한 사실 및 과거와 미래에 관하여. 또한 큰 것과 작은 것에 관하여. 570
제21장 예증과 비유, 우화에 관하여. 572
제22장 금언에 관하여. 573
제23장 생략삼단논법의 창안에 관하여. 575
제24장 명시적 생략삼단논법의 요소에 관하여. 577
제25장 불가능성으로 이어지는 생략삼단논법의 요소에 관하여. 581
제26장 외양상의 생략삼단논법의 요소에 관하여. 582

제27장 상대방의 논증에 반박하는 방법에 관하여. 585

제28장 과장과 축소는 일반적인 요소가 아니나. 논증을 반박하는 생략삼단논법은 해당 문제를 증명하거나 반증하는 것과 같다. 반론은 생략삼단논법이 아니다. 587

제3권 589

제1장 웅변술과 발음의 본질에 관하여. 589

제2장 단어와 형용어의 선택에 관하여. 590

제3장 연설을 밋밋하게 만드는 것에 관하여. 592

제4장 비유에 관하여. 592

제5장 언어의 정결함에 관하여. 593

제6장 언어의 충만함과 빈약함에 관하여. 594

제7장 웅변술의 편의성 또는 적절성에 관하여. 595

제8장 두 종류의 문체에 관하여. 596

제9장 연설을 우아하게 하고, 기쁘게 만드는 것에 관하여. 598

제10장 앞서 말한 것들에 의해 연설이 어떤 식으로 우아해지는가. 600

제11장 글에 쓰이는 문체와 변론에 쓰이는 문체 간의 차이에 관하여. 601

제12장 연설의 부분들과 그 순서에 관하여. 602

제13장 머리말에 관하여. 602

제14장 혐의제기와 무고주장의 요소. 605

제15장 서술에 관하여. 607

제16장 증명 또는 확인, 논박에 관하여. 609

제17장 심문과 답변, 농담에 관하여. 612

제18장 맺음말에 관하여. 613

궤변술 617

옮긴이의 말 629

연표 635

찾아보기 639

용어 639

인명 648

지명 658

문헌 663

일러두기

1. 『이단 및 그 처벌에 관한 역사론』과 『토머스 홉스의 명성과 충성심, 태도 및 종교에 관한 고찰』은 *The English Works of Thomas Hobbes of Malmesbury, vol. IV*, Edited by William Molesworth, London, 1840을 사용하였다.
2. 『철학자와 학생 간의 잉글랜드 보통법에 관한 대화편』, 『수사술』, 『궤변술』은 *The English Works of Thomas Hobbes of Malmesbury, vol. VI*, Edited by William Molesworth, London, VI, 1841을 사용하였다.
3. 『베히모스』의 경우, 본문은 *Behemoth or The Long Parliament*, Edited by Ferdinand Tönnies, London, 1889 판본을 사용하였으나, Molesworth판에서 누락된 일부 내용을 더했다.
4. 성경의 번역은 개역개정을 따랐다.
5. 볼드체는 원문에서 대문자로, 이탤릭은 원문에서도 이탤릭으로 강조된 것이다.
6. 본문 중 설명이 필요하다고 생각되는 부분, 또는 라틴어를 해석한 부분에는 역주를 달았다.
7. 인용된 문헌 중 기존의 한글번역본이 존재하는 경우에는 가급적 해당 번역을 따랐다.

이단 및 그 처벌에 관한 역사론.

"왜냐하면, 마치 어린아이들이 떨면서 깜깜한 어둠 속의
모든 것을 두려워하듯, 그렇게 우리는 때로 빛 속에서
두려워하니까, 어린 아이들이 어둠 속에서 몸서리치면서,
일어나리라고 그려보는 것보다
조금도 더 두려워할 필요가 없는 것들을."

루크레티우스, 『사물의 본성에 관하여』, 2권 55~58.[1]

---

[1] Nam veluti pueri trepidant, atque omnia caecis
In tenebris metuunt: sic nos in luce timemus
Interdum, nihilo quae sunt metuenda magis, quam
Quae pueri in tenebris pavitant, finguntque futura.
본 인용문의 번역은 <강대진 옮김, 아카넷, 2011.>을 그대로 따랐다.-역주

이단의 유충, 종파라는 놀라운 괴물
홉스가 그 성격을 하나씩 드러내노라.[2]

2 HAERESEWS LARVAS, SECTARUM IMMANIA MONSTRA
HOBBIUS INVICTO DISFULIT INGENIO.-역주

이단 및 그 처벌에 관하여.

*이단*이라는 단어는 그리스어로, 무언가를 취하는 것, 특히 의견을 취하는 것을 의미한다. 그리스에서 철학 연구가 시작된 후, 철학자들은 그들끼리 서로 의견이 맞지 않아, 자연적인 것 뿐만 아니라, 도덕적인 것과 시민적인 것에 관해서도 많은 의문을 갖기 시작했으니, 왜냐하면 만인이 원하는 의견을 취하였기에, 각각의 여러 의견을 *이단*이라 불렀는데, 이는 참 · 거짓과는 관련없이, 단지 사적인 의견을 의미했을 따름이었다. 이들 이단의 시초는 주로 피타고라스Pythagoras (BC 570?~BC 495?), 플라톤Plato (BC 428?~BC 348), 아리스토텔레스Aristotle (BC 384~BC 322), 에피쿠로스Epicurus (BC 341~BC 270), 제논Zeno (BC 490?~BC 430?))이었는데, 그들은 많은 오류를 범했으나, 그만큼 또한 온갖 종류의 학문에서 참되고 유용한 교리를 많이 발견하였고, 그러한 이유로 당대의 가장 위대한 인물들에게서 존경을 받았으며, 그 추종자 중 몇몇 일부도 마찬가지였다.

하지만 나머지, 무지한 자들, 그리고 아주 흔히 궁핍한 건달들은 이들 존경받는 철학자의 의견을 마음대로 배우고, 그 뒤를 좇는다 주장하면서, 어쩌다 그 위명과 사랑에 빠지게 된 부자의 자녀들을 가르침으로써 생계를 꾸려가는데 이를 이용하였다. 그들의 무례한 논변과 더럽고 우스꽝스런 예절로 인하여 피타고라스파든, 플라톤을 추종하는 아카데미파든, 아리스토텔레스를 추종하는 소요학파든, 에피쿠로스파든, 제논을 추종하는 스토아파든, 어떤 종파나 이단이든 일반적으로 경멸을 받았음에도 불구하고 말이다. 이들이 알렉산드로스Alexander the Great (BC 356~BC 323) 시대 이후부터 오늘날까지 많이 회자되는 이단, 또는 라틴어로는 *종파*, *세퀜도*sequendo

라 불리우는 명칭들로, 그들과 함께 살아가는 백성들을 끊임없이 괴롭히거나 속여왔으며, 원시 교회 시대 이상으로 넘쳐났던 때란 결코 없었다.

아리스토텔레스의 이단은, 시대의 변천에 따라 나머지보다 우세해지는 행운을 누렸다. 그러나 원래 *이단*이라는 이름에는 어떠한 불명예도 없었고, *이단*이라는 단어 자체가 사용되지도 않았다. 비록 여러 종파, 특히 에피쿠로스파와 스토아파는 서로 싫어했고, 스토아파는 더 지독한 자들이었기에, 자기들과 생각이 다른 이들에게 그들이 창안해낼 수 있는 가장 악랄한 말로 욕설을 하곤 했다.

이들 철학자로 가득 찬 로마 제국의 그리스 및 다른 지역에서, 그리스도의 사도와 제자들의 설교로 수천의 사람들이 기독교 신앙으로 개종했음에는 의심의 여지가 있을 수 없지만, 일부는 실제로, 일부는 가식으로, 당파적인 목적, 혹은 필요로 인하여 그러하였으니, 당시 기독교인들은 공동생활을 하고, 자선을 했기 때문이다. 그리고 이들 철학자 대부분은 일반인보다 논쟁과 웅변에서 더 나은 기술을 가졌고, 그럼으로써 복음을 옹호하고 전파하는 데에 더 나은 자질을 갖추었기 때문에, 원시 교회의 목사 대부분이 그러한 이유로 이들 철학자 중에서 다수 선택되었으리라는 데에 의심의 여지가 없으며, 그들이 존경했던 앞선 스승의 권위에 따라 취해진 많은 교리들을 여전히 유지하면서, 그들 중 많은 수가 성경을 각자 자신의 이단으로 끌어들이려 노력했다. 그리하여 처음 그리스도 교회에 이단이 들어왔다. 그러나 이 사람들은 처음 세례받았던 때와 마찬가지로, 모두 기독교인이었다. 그들은 비록 누차 앞서 품었던 철학에 경도되어 해석했지만, 사도와 전도사들이 남긴 글의 권위를 부인하지도 않았다. 그리고 그들 사이의 이러한 불화는 불신자들에게 대단한 추문이었으며, 복음의 길을 가로막았을 뿐만 아니라, 교회에 경멸과 더 큰 박해를 불러왔다.

이에 대한 구제책으로, 교회의 수석 목사들은 새로운 의견이 제기될 때, 이를 검토하고 결정하기 위해 스스로 회합하고는 했다. 해당 의견의 저자가 자기 잘못을 확신하게 되어, 회합한 교회의 선고를 받아들이면, 다시 모든 것이 좋아졌으나, 계속 고집하면 그들은 그를 제쳐 두고 이교도로 간주했을 뿐이었으니, 이는 거짓 없는 기독교인에게는 대단한 불명예요, 자기 교리를 더 제대로 고찰하게 하는 힘이었으며, 때로는 진리를 인정하게끔 했다. 하지만 그들은 어떤 다른 처벌도 가할 수 없었던 바, 이는 시민 권력에 부여된 권리였다. 고로 교회가 가할 수 있는 처벌이란 오직 불명예가 전부로, 이렇게 구성된 신앙인들 사이에서 그의 동료는 경건한 자들 모두에게서 기피되었고, 그 교리를 정죄하는 교회 전체에 반하여, 그 자신은 *이단*이라는 명칭으로 낙인 찍혔다. 따라서 *가톨릭*과 *이단*은 상대적인 용어였으며, 여기서 *이단*은 하나의 이름이자, 동시에 불명예의 이름이 되었다.

원시 교회의 최초이자 가장 골치 아픈 이단은 삼위일체에 관한 것이었다. 자연철학자의 통상적인 호기심에 따라, 그들은 *성부, 성자, 성령의 이름으로* 세례를 받는, 기독교의 제1원칙에 대해 이의를 제기하지 않을 수가 없었기 때문이다. 어떤 이들은 이를 우화적으로 만들었다. 다른 이들은 선에 대하여 하나의 창조주를, 악에 대하여 또 다른 창조주를 만들었는데, 이는 사실상 서로 반대되는 두 분의 하나님을 세우는 것으로, 악의 원인을 불경 없이는 하나님께 귀속시킬 수 없다는 가정이었다. 이 교리는 현재 죄스런 행위의 제1원인이 각자 모든 이의 죄에 있다고 하는 교리와 그리 멀지 않다. 다른 이들은 하나님께 얼굴과 손, 전면부, 후면

부처럼 유기적인 부분을 갖는 육신이 있어야 한다고 하였다. 또 다른 이들은 그리스도께서는 어떤 실제적 육신도 없고, 단지 허상일 뿐이라 하였는데, 당시에는 못배우고 미신적인 사람들이 실재하고 실존하는 것을 허상으로 여겼고, 그 이후로도 그래왔다. 다른 이들은 그리스도의 신성을 부인했다. 다른 이들은 그리스도께서는 하나님이시자 인간으로, 두 인격이라 했다. 다른 이들은 그분이 하나의 인격이며, 따라서 하나의 본성만을 갖는다고 공언했다. 그리고 여타 수많은 이단은 당대의 철학을 지나치게 고수하는 데에서 생겨났는데, 그 중 일부는 사도 요한St. John (6?~100?)이 복음을 발표함으로써 한동안 억제되었고, 일부는 그 자체의 불합리함으로 사라졌으며, 일부는 콘스탄티누스 대제Constantine the Great (272?~337) 시대와 그 이후까지도 지속되었다.

콘스탄티누스 대제는 기독교 병사들의 조력과 용맹으로 유일한 로마 황제가 되었을 때, 그 스스로도 기독교인이 되어, 이교도 신들의 사원을 철거하고, 공공에 유일한 종교로 기독교를 승인했다. 하지만 그의 시대 말기로 향하면서, 알렉산드리아 시에서 알렉산더 주교Pope Alexander I (?~326)와 해당 도시의 장로 아리우스Arius (256?~336) 사이의 분쟁이 일어났는데, 아리우스는 처음에 그리스도께서는 그 아버지 아래에 계신다 주장했고, 이후에는 그리스도의 말, *아버지는 나보다 크심이라*[3]를 내세우면서, 그분은 하나님이 아니라 주장했다. 주교는 반대로 사도 요한의 말, *이 말씀은 곧 하나님이시니라*[4]를, 그리고 사도 도마St. Thomas (?~72)의 말, *나의 주님이시요 나의*

---

[3] 요한복음 14:28.-역주

[4] 요한복음 1:1.-역주

하나님이시니이다[5]를 내세웠다. 이 논쟁은 곧 알렉산드리아의 주민과 병사 사이에 다툼의 원인이 되어, 도시 안팎에서 유혈사태를 일으켰고, 그 후에 그랬듯, 더 확산될 가능성이 높았다. 이것이 시민 통치와 관련되는 한, 황제는 로마 제국 전역의 모든 주교와 여타 저명한 신학자들로 구성된 공의회를 소집하여, 니케아 시에서 만나야 할 필요가 있다고 생각했다. 그들은 회합하자, 황제에게 서로에 대한 비방문을 진상했다. 그는 이 비방문을 손으로 받고는, 회합한 교부들에게 연설을 하여, 신앙 조문의 결의에 합의하고, 그에 따르도록 권고하였으니, 그것이 그들을 모이게 한 이유였기 때문이었고, 말하기를, 그들이 거기에 무엇을 정하든 지켜지게 하리라 하였다. 이는 아마도 오늘날 승인되는 것보다 더 큰 무관심으로 보일지도 모른다. 하지만 역사는 그러하며, 구원에 필요한 신앙 조문은 이후 로마 교회에서 정의된 바와는 달리, 당시에는 그리 많으리라 생각되지 않았다.

콘스탄티누스는 연설을 끝내자, 앞서 말한 비방문을 불속에다 던져 넣고는, 현명한 왕이자 자비로운 기독교인이 되었다. 이 일이 끝나자, 교부들은 자기들 일에 뛰어들어, 이제는 보통 *사도신경*이라불리는 앞선 신경의 방식에 따라, 신앙고백을 했다. 즉, **한 분이신 하느님을 저는 믿나이다. 전능하신 아버지, 하늘과 땅과 유형무형한 만물의 창조주를 믿나이다.**[6] 이렇게 이방인의 다신교를 정죄한다. **또한 한 분이신 주 예수 그리스도, 하느님의 외아**

---

[5] 요한복음 20:28.-역주

[6] 이하 굵은 글씨로 표기된 니케아 신경의 번역은 천주교 번역문을 따랐다. 또한 영문본과 한글번역본 사이의 어순 차이로 인해 본문의 문장 순서를 일부 변경하였다.-역주

들, 영원으로부터 성부에게서 나신 분을 믿나이다. 하느님에게서 나신 하느님. 이렇게 이교의 다수 신의 다수 자손에 대해 반대하고, 아리우스파에 반대한다. **빛에서 나신 빛**. 이는 설명을 위해 삽입되었는데, 테르툴리아누스Tertullian (155~220)가 이전에 그러한 목적으로 사용하곤 했다. **참 하느님에게서 나신 참 하느님으로서**. 이렇게 발렌티누스파에 반대하고, 그리스도를 단순한 환상으로 만들었던 아펠레스Apelles 및 여타 이단에 대해 반대한다. **창조되지 않고 나시어 성부와 한 본체로서**. 이렇게 다시 아리우스의 교리를 정죄한다. 라틴어로는 *콘수흐스탄티알리스*consuhstantialis, 그리스어로는 *호모우시우스*ὁμοούσιος, 즉 *동일체*를 뜻하는, *한 본체*라는 단어는 아리우스파를 가톨릭교도와 구별하기 위한 시금석으로 놓였으며, 그로 인한 많은 소란이 있었다. 콘스탄티누스 본인은 이 신경을 통과시키면서, 과격한 단어라는 점을 알아차렸지만, 그러면서도 승인하면서 말하기를, 신성한 신비에는 *divina et arcana verba*, 즉 신성하고 인간의 이해로는 닿지 않는 말을 사용함이 적절하다 하였다. *호모우시우스*라는 말은 신성한 성경에 있기 때문이 아니라, (거기에 없으므로) *아르카눔*arcanum, 즉 충분히 이해되지 않았기 때문에 신성하다 불린다는 것이다. *그리고 여기에서 황제의 무관심, 그리고 총회의 소집 목적이 진리이기보다는, 교리의 통일성과 그에 의존하는 백성의 평화였다는 점이 다시금 드러났다*. *호모우시우스*라는 단어가 모호한 이유는 소요학파 철학에서 그리스어와 로마 방언 사이의 차이로부터 주로 비롯되었다. 모든 민족에게 종교의 제1원칙은 *하나님이 계시다는 것*, 즉 말하자면 하나님은 단순한 공상이 아니라, 실제로 존재하는 무언가라는 것이다. 하지만 실제로 존재하는 무언가라는 것은 그 자체로 *어딘가에* 존재하는 것으로서, 단독자에 상응한다. 어떤 인간이 실재하는 것이라는 의미에서, 나는 그 외에 다른 것이 *존재함*을 고려하지 않고서도, 그가 *존재한다*고 생각할 수 있기 때문이다. 그리고 같은 이유로, 땅과 공기, 별, 하늘 및 그 부분들은 모두 실재하는 것이다. 그리고 여기나 저기, 어디에서나 실재하는 것이라면 무엇이라도 차원, 즉 말하자면 크기를 갖기 때문에, 가시적이든 비가시적이든, 유한하든 무한하든, 크기를 갖는 것을 배운 자들은 전부 *체*라 부른다. 따라서 모든 실재적인 것은 *어딘가에* 존재한다는 점에서, 유형적이다. 반대로 본질, 신성, 인간성 등의 이름은 일단 *존재*ens, 신, 인간 등이 존재한다고 간주하지 않고서는, 어떠한 의미도 생각될 수 없다. 또한 *희거나 검고, 뜨겁거나 차가운* 실재의 어떤 것이 있다면 그 자체로 고려될 수 있지만, 흼과 검음, 뜨거움, 차가움은 귀속되는 어떤 실재적인 것을 먼저 간주하지 않는 한, 생각될 수 없다. 이러한 실재적인 것을 라틴 철학자들은 *엔티아*entia, *수벡타*subjecta, *수브스탄티아이*substantiae라 불렀고, 그리스 철학자들은 *타 온타 이포케이메나*τὰ ὄντα ὑποκειμενα, *이포스타메나*ὑποστάμενα라 하였다. 무형의 다른 것에 대해서는, 그리스 철학자들은 *오우시아 심베비코타*οὐσία συμβεβηχότα, *판타스마타*φαντάσματα라 불렀지만, 대부분의 라틴 철학자들은 *오우시아*를 *실체*로 변환하여, 실제적인 유형의 것을 무형의 것과 혼동하곤 하는데, 이는 옳지 않다. 본질과 실체는 다양한 것을 의미하기 때문이다. 그리고 이러한 실수가 받아들여져, 여전히 철학과 신학의 모든 논쟁에서 이런 부분이 계속되고 있다. 진실로 *본질*이란 존재하는 것의 존재성에 대해 우리가 우스꽝스레 말하게 되는 것 이상의 무엇도 의미하지 않기 때문이다. **만물을 창조하셨음을 믿나이다**. 이는 요한복음 1장 1 · 2 · 3절과 히브리서 1장 3절, 그리고 다시 창세기 1장에서도 하나님 말씀만으로 만물을 창조하셨노라 말씀하신 데에서 증명된다. *빛이 있으라 하시니 빛이 있었더라*[7]는 말씀처럼 말이다. 그리고 그리스도께서 그 말씀이시며, 태초에 하나님과 함께 계셨음을 모세와 다윗, 다른 선지자들의 여러 언급에서 찾을 수 있다. 아리우스파를 제외하고는, 기독교인들 사이에서 그리스도께서 영원한 하나님이시며, 그분의 육화가 영구히 공포되었음에 의문이 제기된 바 없다. 하지만 이 신경에 대해 해설을 쓴 모든 교부는 이에 대해 철학하기를 금할 수 없었고, 그 대부분은 아리스토텔레스의 원리에서 벗어나지 않았는데, 이는 현재 학자들이 사용하는 것과 같다. 이로써 부분적으로 드러나듯, 아타나시우스Athanasius (296?~373)와 다마스쿠스의 요한John Damascene (675?~749)처럼, 그들 중 많은 수가 종교에 관한 논문에서 아리스토텔레스의 의미에 따라 논리학과 물리학의 원리를 발표하는 데에 영향을 미쳤다. 고로 후대의 주목할 만한 신학자들은 여전히 구체적인 것을 추상적인 것과, *신*deus을 *신성*deitas과, *존재*ens를 *본질*essentia과, *지혜로움*sapiens을 *지혜*sapientia와, *영원함*aeternus을 *영원*aeternitas과 혼동한다. 정확하고 엄격한 진리를 위해서라면, 그들은 왜 거룩함이란 거룩한 자라고, 탐욕이란 탐욕스런 자라고, 위선이란 위선자라고, 술취함이란 술고래라고, 그처럼 말하는 것이 오류일 뿐이라 말하지 않는가? 교부들은 하나님의 지혜가 만물을 지으신 하나님의 영원한 아들이요, 추상적인 의미로는 성령으로 육화하셨다는 데에 동의한다. 추상화된 *신성*이 *신*이 되면, 우리는 하나에 대해 두 하나님을 만들기 때문이다. 이는 요한 다마스쿠스가 니케아 신경을 해설한 논문, 『정통신앙론De Fide Orthodoxa』에서 잘 이해되었다. 여기에서 그는 *신성*이 *신*이라는 것을 절대적으로 부인하는데, 그렇지

[7] 창세기 1:3.-역주

않으면 하나님께서 인간이 되셨으니, 그에 따라 신성이 인간이 되는데, 이는 니케아 교부의 교리와 상충된다. 그러므로 하나님의 속성은 추상적으로, 하나님을 위해 쓰일 때 *환유적으로* 쓰이는데, 이는 성경에서 흔한 일이다. 예를 들어, 잠언 8장 25절은 이렇게 말한다. *산이 세워지기 전에, 언덕이 생기기 전에 내가 이미 났으니*. 여기서 말하는 지혜란, 하나님의 지혜이며, 지혜로우신 하나님과 같은 것을 의미한다.[8] 이런 종류의 말하기는 모든 언어에서 또한 통상적이다. 이를 고려하면, 그런 추상어가 비록 하나님에 대한 영원한 숭배의 언어에서, 그리고 모든 경건한 담론에서 회피될 수 없으며, 신경 그 자체가 교부들의 설명보다는 그 자체의 어휘로 동의의 어려움이 덜해진다 하더라도, 논쟁에서, 특히 우리의 신앙 조문을 연역하는 데에 쓰여서는 안 된다. **성자께서는 저희 인간을 위하여, 저희 구원을 위하여 하늘에서 내려오셨음을 믿나이다. 또한 성령으로 인하여 동정 마리아에게서 육신을 취하시어 사람이 되셨음을 믿나이다.** 이에 대해서는 어떠한 예외도 읽어본 적이 없다. 아타나시우스가 자신의 신조에서 독생자에 대해 말하는 구절, *창조되지 않고 나시어*라는 말에서 독생자는 영원하신 하나님으로 이해되는 반면, 여기에서 독생자는 인간인 것처럼 이야기된다. 그리고 독생자에 대해서도, 또한 그분이 인간인 것처럼, 성령으로 나셨다 이야기될 수 있으니, 이는 여자가 잉태하는 것이 아니라 잉태된 자로 말미암아 나시니, 이 또한 확인된다(마태복음 1:20). *그에게 잉태된 자는 (그 탄생이*$_{\text{τύ γενεθεν}}$*) 성령으로 된 것이라*. **본시오 빌라도 통치 아래서 저희를 위하여 십자가에 못박**

[8] 나 지혜는 명철로 주소를 삼으며 지식과 근신을 찾아 얻나니. 잠언 8:12.-역주

혀 수난하고 묻히셨으며, 성서 말씀대로 사흗날에 부활하시어 하늘에 올라 성부 오른편에 앉아계심을 믿나이다. 그분께서는 산 이와 죽은 이를 심판하러 영광 속에 다시 오시리니 그분의 나라는 끝이 없으리이다. 신경의 이 부분의 대해 어떤 의심을 품은 어떤 기독교인도 만난 적이 없다. 여기서 니케아 공의회는 일반적인 신앙고백으로 나아갔을 뿐, 그 이상은 아니었다.

이 일이 끝나자 공의회에 참석한 주교 중 일부는 (17명 혹은 18명, 카이세리 주교 유세비우스Eusebius (260?~339)도 그 중의 하나였다) 충분히 만족하지 못하고, *호모우시우스*의 교리가 더 제대로 설명될 때까지 동의하기를 거부했다. 이에 공의회는 하나님께서는 부분들로 되어 계시다라고 말하는 누구라도 저주받으리라 공포하였고, 이에 해당 주교들은 동의하였다. 그리고 유세비우스는 공의회의 명령에 따라 서신을 써서, 그 사본이 자리에 없는 모든 주교에게 보내졌고, 그 동의 이유에 만족한다면, 그들 역시 동의해야 했다. 그들이 동의한 이유는, *이제 교회의 평화를 침해하지 못하도록, 원칙적으로 스스로를 인도할 수 있는 말의 형태로 정해졌기 때문*이었다. 이로써 교회가 정한 형식에 명백하고 직접적인 말로 반대하는 자 이외에는 누구도 이단자가 아니었으니, *결과적으로* 누구도 *이단자*가 될 수 없었음이 명백하다. 그리고 해당 형식은 신경 본문에 포함된 것이 아니라, 단지 주교들에게 지시되었을 뿐이기에, 그에 반대하는 말을 하는 어떠한 평신도에 대해서도 처벌할 이유가 없었다.

하지만 *하나님께서는 부분들로 되어 계시지 않다*고 말하는 이 교리의 의미란 무엇인가? 실제적 실체이신 하나님은 *여기*나 *저기*, 혹은 어디든, 장소의 일부로 간주되거나 이야기될 수 없다고 말하는 것을 이단으로 만들고자 함인가? 혹은 모든 면에서 길이가 없는 실제의 것, 즉 말하자면, 어떠한 크기도 없으며, 유한하지도 무한하지도 않은 무엇이 존재한다고 말하는 것에 대해서인가? 아니면 이분된 두 부분이나 삼분된 세 부분이 그 전체와 같지 않은 어떠한 전체가 있다는 것인가? 혹은 아펠레스와 당시의 다른 이단자를 논박했던 테르툴리아누스의 논증, 즉 *유형의 것이 아닌 무엇이든, 유형의 것이 아니라 허상에 불과할 뿐*이라는 논증을 이단으로 정죄하겠다는 의미였는가? 그렇지 않다. 확실히 어떤 신학자도 그렇게 말하지 않는다. 그들은 *삼위일체 안에서 하나의 단일한 하나님*의 교리를 확립하고, 실체 안에서 *여기*와 *저기*를 구별하지 않고, 하나님 안에서 종의 다양성을 철폐하고자 했다. 사도 바울St. Paul (5?~64?)이 고린도인들에게 *그리스도께서 어찌 나뉘었느냐*[9]라고 물었을 때, 그는 그들이 그분께서 손과 발을 가지신 것으로 여길 수 없었다고 생각했던 것이 아니라, 아리우스가 그랬듯, 이교도의 풍속을 따라, 하나님의 독생자가 아니라, 하나님의 아들 중 하나로 여겼다고 생각했을 뿐이었다. 그리하여 또한 그 공의회에 참석했던 아타나시우스의 신조에도 이러한 말로 설명되어 있다. *인격들로 혼동되지도, 실체들로 나누지도 아니한다*, 즉 말하자면 인간이 베드로와 야고보, 요한으로 나뉘어지듯, 하나님께서는 세 인격으로 나뉘지 않으며, 세 인격이 하나의 동일 인격도 아니라는 것이다. 하지만 아리스토텔레스와 그에게서 비롯된 모든 그리스 교부, 그리고 다른 학식 있는 자들은 단어의 일반적인 범위를 구별할 때를 일컬어, 이를 구분이라 한다. *동물*을 인간과 짐승으로 구별할 때 이를 *아이디*ειδη, 즉 *종*species이라 부르고, 그리고 다시 인*종*을 베드로와 요한으로 나눌 때 이를 *메리*μέρη, 즉 *개별*partes

[9] 고린도전서 1:13.-역주

individuae이라 부르는 것과 같다. 그리고 이렇게 실체의 구분과 단어의 구별을 혼동함으로써, 여러 사람들이 전혀 어떠한 실체에 대한 명칭이 아닌 명칭, 즉 *무형의* 명칭을 하나님께 귀속시키는 오류에 빠지게 되었다.

이러한 말로, *하나님께서는 부분들로 되어 계시지 않는다*고 설명되므로, 첫 문장, *한 분이신 하느님을 저는 믿나이다*에 따라 당시 합의된 *신경*의 일부와 함께, 콘스탄티누스가 통치하기 30여년 전에 등장했던 마네스[10]의 신조처럼, 그 1차 공의회 이전에 있었던 수많은 이단이 정죄되었다. 비록 다른 말들로, 죄를 범하고자 하는 의지와 목적이 만물의 원인이신 하나님에게서 비롯되는 것이 아니라, 인간 자신이나 악마에게서 기원하는 것처럼, 의지의 자유를 인간에게 귀속시키는 로마 교회의 교리에 여전히 머물고자 하는 듯 보이지만 말이다. 어떤 이에게는 어쩌면 신인동형론자의 말들도 또한 정죄된 듯 보일지 모른다. 그리고 분명, 부분으로 개별 인격이 아니라, 조각을 의미했다면, 그들도 정죄되었다. 얼굴, 팔, 발 등은 조각이기 때문이다. 하지만 신인동형론자는 발렌스 황제 Valens (328~378) 시대까지는 나타나지 않았는데, 이는 니케아 공의회 이후 4~50년 사이로, 콘스탄티노플에서의 제2차 공의회까지 정죄되지 않았다.

콘스탄티누스에 의해 제정된 이단자 처벌에 관해서는 무엇도 읽어본 바 없지만, 교회 관료, 주교 및 여타 설교자들이 이 신앙에 동의하기를 거부하거나, 그와 반대되는 교리를 가르칠 경우, 처음 잘못하면 직분을 박탈당하고, 두번째에는 추방당했다. 따라서 처

---

10 Manes. 사랑하는 망자의 영혼을 뜻하는 말로, 고래 로마의 개인숭배신앙 중 하나이다.-역주

음에는 사건에 대한 명칭이었고, 어떠한 범죄도 아니었던 이단은 오로지 교회의 평화를 위해 만들어진 황제의 법에 따라, 목사에게 범죄가 되어, 처음에는 박탈로 처벌되고, 다음으로는 추방되었다.

이렇게 신경의 일부가 확립된 후, 곧 새로운 많은 이단이 생겨났으니, 부분적으로는 그 해석에 관한 것이었고, 부분적으로는 니케아 공의회가 결정하지 않은 성령에 관한 것이었다. 확립된 부분과 관련하여, 그리스도의 본성과 *위격*, *즉*, 실체라는 단어에 대한 논쟁이 일어났다. 인격에 대해서는 아직 어떠한 언급도 이루어진 바가 없었고, 신경은 그리스어로 쓰여졌는데, 그 언어에는 라틴어 단어 *페르소나*persona에 대응하는 단어가 없었기 때문이었다. 그리고 교부들이 그리스도 안의 인간적 본성과 신적 본성의 결합을 *위격적*이라 칭했으므로, 에우티케스Eutyches (380?~456?)와 그 이후의 디오스코루스Pope Dioscorus I (?~454)는 그리스도 안에 오직 하나의 본성이 있을 뿐이라 확언하고, 언제든 두 가지가 합쳐진다면 하나라 생각했다. 그리고 이는 콘스탄티노플 공의회와 에베소 공의회에서 아리우스주의로 정죄되었다. 다른 이들은 하나님과 인간처럼, 살아있는 두 이성적 실체는 또한 두 가지 *위격*이 필요하다 생각했으므로, 그리스도께서는 두 가지 *위격*을 가지신다 주장했지만, 이 역시 함께 정죄된 두 이단이었다. 그런 다음 성령에 관하여, 콘스탄티노플의 주교 네스토리우스Nestorius (386?~451?)와 몇몇 이들은 그에 대한 신성을 부인했다. 니케아 공의회가 열리기 약 70여년 전에 카르타고에서 지역 공의회가 열렸는데, 거기서 박해 중에 그리스도 신앙을 부인한 기독교인들은 다시 세례를 받지 않고서는 다시 교회에 받아들여질 수 없다고 공포되었으나, 그 공의회에서 의장이 가장 신실하고 경건한 기독교인, 키프리아누스Cyprian (210?~258)였음에도, 이 또한 정죄되었다. 그리고 마침내 칼케돈 공의회에서 이런 말이 추가되어, 우리가 갖게 된 대로 신경 전체가 완성되었다. **또한 주님이시며 생명을 주시는 성령을 믿나이다. 성령께서는 성부와 성자에게서 발하시고, 성부와 성자와 더불어 영광과 흠숭을 받으시며, 예언자들을 통하여 말씀하셨나이다. 하나이고 거룩하고 보편되며 사도로부터 이어오는 교회를 믿나이다. 죄를 씻는 유일한 세례를 믿으며, 죽은 이들의 부활과 내세의 삶을 기다리나이다**. 이러한 추가에서 첫번째로 네스토리우스파와 몇몇 이들이 다음의 말에 따라 정죄되었다. **성부와 성자와 더불어 영광과 흠숭을 받으시며**. 그리고 두번째로 카르타고 공의회의 교리는 다음의 말에 따라 정죄되었다. **죄를 씻는 유일한 세례를 믿으며**. 한 번의 세례는 여러 종류나 여러 방식의 세례에 반하는 것이 아니라, 그 반복에 반하는 것이기 때문이다. 성 키프리아누스는 성부, 성자, 성령의 이름이 아닌 세례를 허용하는 것보다는 더 나은 기독교인이었다. 니케아 신경이라 불리는 신경에 포함된 일반적인 신앙고백에는 *위격*이든, 위격적 결합이든, 유형적이든, 무형적이든, 부분적이든, 그에 대한 언급이 없으며, 이러한 말들은 평민들이 아니라 오직 목사들에게만 필요한데, 그들의 의견충돌은 교회를 곤혹스레 할지도 모르며, 구원에 필요한 것이 아니라, 배움의 과시나 사람들을 현혹하여, 자기네들의 목적을 향해 그들을 이끌어가고자 하는 계획으로 퍼져 나갔다. 가톨릭과 아리우스파 사이에 제국 내 우위의 변화, 그리고 가톨릭교도 중 가장 극렬한 자, 대 아타나시우스가 콘스탄티누스에게 어떻게 추방되어, 이후 복권되고, 다시 추방되었는지에 대해서는 넘어가고자 한다. 다만 기억해야 할 것은, 아타나시우스가 (추방되어) 로마에 있을 때, 리베리오 Pope Liberius (310~366)가 교황이었던 당시에 자기 신조를 만들었다고 추정된다는 것으로, 그는 아타나시우스 신조에서 그러하듯, *위격*이라는 단어를 싫어했을 가능성이 높았던 인물이었다. 로마 교회는 결코 그것을 받아들일 수 없었지만, 대신 자기 자신들의 용어인 *페르소나*를 사용했다. 하지만 그 신조의 첫 마디와 마지막 마디는 로마 교회가 거부하지 않았으니, 그들은 모든 조문을 신조 본문의 조문 뿐만 아니라, 니케아 교부들이 정의한 전부를, 인간이 이 모두를 굳게 믿지 않는 한, 구원받을 수 없는 것처럼 만들었기 때문이다. 오로지 평화를 위해서, 분쟁이 제국의 평화를 위태롭게 할 가능성이 있는 성직자들의 마음을 결속시키기 위해 만들어 졌음에도 불구하고 말이다. 이 네 차례의 첫 공의회 이후, 로마 교회의 권력은 급속도로 자라나, 후임 황제들의 태만이나 약점으로 인해, 교황은 종교에서 원하는 대로 했다. *교회 권력에, 혹은 성직자의 경외심에 도움이 되는 교리란 없었고, 그에 따른 모순은 이런 저런 공의회에서 이단으로 규정되지 않았으며, 황제에게 추방이나 죽음으로 임의로 처벌받지도 않았다.* 그리고 마침내 왕들 자신과 코먼웰스[11]는 영내에서 이단자를 숙청하지 않는 한, 교황에 의해 파문당하고, 성무가 정지되고, 그 신민들이 풀려나게 되었다. 독창적이고 진지한 기독교인에게 자기 구원과 성경에 대한 질문만큼 위험한 일이란 없었다. 무관심하고 냉담한 기독교인은 안전했으며, 숙련된 위선자가 성인이었다. 하지만 이는 너무나도 잘 알려져 있는 이야기이므로, 더 논할 필요가 없지만, 이곳 잉글랜드의 이단자를 살펴보고, 의회법으로 그들에게 무슨 처벌이 정해졌는가

---

[11] Commonwealth. 흔히 연방으로 번역되지만, 본뜻은 공화국에 가까우며 공동체라는 의미를 갖기도 하는 단어이다. 홉스에게는 단일인격으로 표상되는 정치공동체 내지는 국가를 뜻하므로, 그대로 음차하여 코먼웰스로 번역되어왔고, 여기에서도 같은 역어를 따르기로 한다.-역주

에 대해 논하려 한다. 이 전기간에 걸쳐 이단자에 대한 형법은 여러 군주와 국가가 자기들 영내에서 제정하는 편이 적절하다 여겨졌다. 황제의 칙령은 그 처벌을 극형으로 삼았으나, 그 처형 방식은 속주 행정관에게 맡겼고, 다른 왕과 국가가 로마 교회의 법에 따라 이단자를 절멸하고자 할 때, 그들이 원하는 대로 그 처벌을 정했다. 롤라드파라 불리우며 법령에 언급되는 이단자들을 처벌하기 위해 여기서 만들어진 최초의 법률은 리처드 2세 폐하Richard II (1367~1400?) 통치 5년에 존 위클리프John Wycliffe (1328?~1384)와 그 추종자들의 교리에 의해 발생했는데, 위클리프는 아직 의회에서 그를 처벌할 법률이 제정되지 않아, 에드워드 3세 폐하Edward III (1312~1377) 통치기 동안, 국왕 폐하의 아드님이신 곤트의 존John of Gaunt (1340~1399)의 호의로 도망칠 수 있었다. 하지만 다음 국왕이신 리처드 2세 5년에, 의회법이 다음의 취지로 통과되었다. 보안관과 그 외 일부는 고위 성직자에게 이단의 설교자로, 그 조력자로, 주창자로, 방조자로 인정된 자들을 체포하여, 거룩한 교회의 율법에 따라 그들이 스스로를 정당화할 때까지, 단단한 감옥에 가두어야 할 임무가 있다는 것이었다. 따라서 그때까지 잉글랜드에는 이단자가 교회와 화해할 때까지 투옥시키는 것 이외에는, 이단자를 사형에 처하거나 다른 방법으로 처벌할 수 있는 어떠한 법도 없었다. 이후, 다음 국왕 폐하의 통치기에, 위클리프에게 호의를 베풀었던 곤트의 존의 아드님이시자, *왕관에 대한 열망으로 주교들의 선의가 필요하셨던* 헨리 4세 폐하Henry IV (1367?~1413) 통치 2년 차에 법이 만들어진 바, 모든 평신도를 그분 앞에 소집하여 이단으로 의심되는 인물을 투옥하고, 완고한 이단자는 백성들 앞에서 화형을 당하도록 제정되었다.

다음 국왕이신 헨리 5세 폐하Henry V (1386~1422) 통치 2년차에, 의회법이 제정되었는데, 그 법률은 롤라드파라 불리는 이단자들의 의도가 기독교 신앙과 하나님의 율법, 교회, 왕국을 전복하고자 하는 것으로, 이단자 죄인은 화형에 처해질 뿐만 아니라, 모든 무상토지상속권과 재산, 동산을 몰수당하게 된다고 선언했다. 또, 헨리 8세 국왕 폐하Henry VIII (1491~1547) 5년과 20년에, 이단자 죄인은 이단을 포기해야 하며, 그러기를 거부하거나 되돌아가면, 다른 이들의 전례와 같이 공개장소에서 화형에 처해진다는 법령이 제정되었다. 이 법안은 교황의 권위를 끌어내린 후에 만들어졌으며, 이로써 헨리 8세 국왕께서는 그분의 올바른 교회를 회복하는 것 외에는, 종교에 더 이상의 변화를 않으시려던 것으로 보인다. 하지만 아드님이신 에드워드 6세 국왕 폐하Edward VI (1537~1553) 첫 해에, 이 법안 뿐만 아니라, 교리나 종교 문제에 관한 이전의 법안 일체를 폐지하는 법안이 만들어졌으므로, 현재 이단을 처벌하는 법은 전무하다.

다시금, 메리 여왕 폐하Mary I (1516~1558) 첫 해와 두번째 해 의회에서, 에드워드 4세 1년의 이 법안이 폐지되지는 않았지만, 헨리 8세 25년 법령이 부활하여 자유로이 집행됨으로써 무용지물이 되었는데, 여왕 폐하의 누이이셨던 엘리자베스 왕녀 전하Elizabeth I (1533~1603)를 상대로 그 법령을 집행해야 하는가의 여부가 논의될 정도였다.

엘리자베스 왕녀께서는 오래지 않아, 메리 여왕 폐하의 붕어로 왕위에 오르셨고, 통치 5년차에 의회법으로 메리 여왕 폐하의 모든 교회법과 이단자 처벌에 관한 여타 앞선 법률 일체를 폐지하셨으며, 그 자리에 다른 처벌을 정하시지도 않았다. 두번째로 제정된 것은, 여왕께서 특허장에 따라 폐하의 이름으로 다른 특정인물들과 더불어, 주교들에게 교회 권한을 집행할 수 있는 임명장을 수여하시는 것이었는데, 이 임명장에서 위원들은 첫 네 차례의 공의회에서 이단으로 선언되지 않았던 어떤 것도 이단으로 판단 내리지 못하도록 금지되었다. 하지만 공의회에 대한 언급은 없었고, 단지 *고등판무관*이라 보통 불리는 임명장을 승인하는 법조문만 있었으며, 그 임명장에는 이단자가 어떻게 처벌받아야 하는 가에 관한 내용도 없었다. 다만 그들에게 허락된 것이란, 첫 네 차례의 공의회에서 이단으로 정죄된 교리들 중 무언가를 원하는 대로, 이단이나 이단이 아니라고 선언하거나 선언하지 않을 수 있다는 것이었다. 고로 해당 고등판무관이 존재하는 동안에는, 교회의 통상적 질책 이외에는, 이단을 다른 식으로 처벌할 수 있는 어떠한 법령도 없었고, 위원들이 실제로 선언하고 발표하지 않는 한, 그 네 차례의 공의회에서 이단으로 규정된 전부가 현재에도 또한 이단이어야 한다는 교리로도 이단을 설명하지 못한다. 하지만 그러한 선언이 선포되거나, 교회에 기록되거나, 공공에 인쇄되었다는 말을 들어본 적이 없으니, 형법에서 요구하듯, 이에 대한 위반은 무지로 변명된다. 게다가 만약 이단이 극형을 받거나, 민사적으로 달리 처벌받으려면, 그 네 차례의 공의회 자체나, 아니면 적어도 거기에서 정죄된 요점이 영어로 인쇄되거나 교구 교회에 게시되어야 했는데, 왜냐하면 그러지 않고서는 누구도 이를 위반하지 않도록 조심할 방법을 알 수 없었기 때문이다.

어떤 이들은 어쩌면 고등판무관 시대에 이단으로 정죄되어 화형에 처해진 자가 없었는지 물을 지도 모른다.

나는 그런 일이 있었다 들었으며, 그러한 처형을 승인한 자들은 어쩌면 나보다 더 나은 근거를 알지도 모르겠지만, 그러한 근거는 이후 조사해볼 만한 가치가 아주 높다.

마지막으로, 찰스 1세 국왕 폐하Charles I (1600~1649) 통치 17년에,

스코틀랜드인들이 스코틀랜드에서 주교제 정부를 반란으로 무너뜨린 직후, 잉글랜드 장로교도들도 여기에서 같은 일에 매진했다. 국왕께서는 반란군이 전장에 나설 준비가 되었음을 보셨음에도, 이에 굴하지 않으셨으며, 그들을 달래시고자 고등판무관을 폐지하는 의회법안을 통과시키는 것으로 만족하셨다. 하지만 고등판무관이 철폐되었음에도, 의회는 장로교도들을 세우는 것 이외에 다른 목적을 갖고는, 반란을 추구하여 주교제와 군주정을 모두 무너뜨리고, 스스로는 *코먼웰스*라 자칭하고, 다른 이들은 *잔부파*the Rump라 불렀던 권력을 세운 바, 사람들은 의무가 아니라 두려움으로 인해 순종하였으며, 누군가가 좋을 대로 종교에 관한 교리를 설교하거나 저술하지 못하도록 제지할 어떠한 인법도 시행되지 않게 되었다. 그리고 이 전쟁의 열기 속에서, 국가의 평화를 방해하기란 불가능하였는데, 당시 그런 것이란 존재하지 않았기 때문이다.

그리고 이 시기에 『리바이어던Leviathan』이라 하는 책이 주교제에 반대하거나, 여느 주교에 반대하거나, 교회의 공적 교리에 반대하는 말을 하지 않으면서, 국왕 폐하의 현세적 · 영적 권력을 옹호하기 위해 쓰여졌다. 이 *잔부파*의 찬탈 이후 약 12년이 지나, 가장 은혜로우신 폐하를 그 부친의 왕좌로 복위함이 하나님을 기쁘게 하였으니, 곧 폐하께서는 주교를 복권하시고, 장로교도들을 사면하심이라. 하지만 전쟁 전 주교들이 이단이란 무엇인지를 선언한 적이 없었던 때, 설령 그랬다 한들, 장로교도의 고집으로 고등판무관의 폐지에 따라 무효화되었던 때, 의회에서 이편 저편 모두가 이 책을 이단이라 고발했다. 사람들은 대부분, 배움이나 권력을 다투는 분쟁에서 사나워져서, 법에 대해서는 생각하지 않고, 기분이 상하자마자 *십자가에 못박으라*고 외치며, 심지어는 고집스레 잘못을 고수하는 경우에도 사도 바울이 말한 바를 잊어버린다

(디모데후서 2:24~25). *주의 종은 마땅히 다투지 아니하고 모든 사람에 대하여 온유하며 가르치기를 잘하며 참으며 거역하는 자를 온유함으로 훈계할지니 혹 하나님이 그들에게 회개함을 주사 진리를 알게 하실까* 함이라. 니케아 공의회 이전부터 오늘날까지 신학자들의 논쟁에서 나타나는 바와 같은 그러한 격렬함이란 이러한 권고를 위반하는 것이다.

끝.

맘스베리의 토머스 홉스가

식자에게 부치는 편지처럼 손수 작성한

토머스 홉스의 명성과 충성심, 태도 및 종교에 관한 고찰

(존 윌리스John Wallis (1616~1703) 헌정)

독자들에게, 서적상의 광고.

여기에 삽입된 편지의 일부 구절에서 볼 수 있듯이, 우연히 사본을 입수한 이들에 의한 『잉글랜드 내전에 관한 대화편Dialogue of the Civil Wars of England』의 출간은 그의 의사에 절대적으로 반하는 일이었으므로, 불완전한 원고로 출간된 바 없는 홉스 씨의 저술 한 편을 나는 여기에서 소개하고자 한다.

1679년 6월의 편지에서 그는 말했다.

“저는 오래 전에 기꺼이 『잉글랜드 내전에 관한 대화편』를 출간하고자 하였으며, 이를 위해 폐하께 진상드렸습니다. 그리고 며칠이 지나 폐하께서 읽어보셨으리라 여겨, 겸허히 폐하께 인쇄를 허락해주십사 간청하였으나 폐하께서는 비록 상냥하게 들어주시기는 하셨습니다만, 단호히 출간을 거부하셨습니다. 그러므로 저는 본고를 가져와, 선생께서 그 사본을 가져 가시도록 하였습니다. 선생께서 그리 하신 후, 명예롭고 학식 있는 친구에게 원본을 주었는데, 그는 약 1년 후에 세상을 떠났습니다. 국왕께서 저보다 서책의 출간에 대해 더 많이 아시고 관심이 많으시니, 그런고로 그분의 노여움을 사지나 않을지 저어되어 감히 그 일에 뛰어들 수가 없겠습니다. 그러므로 청컨대 선생께서도 공연히 그 일에 끼어드시지 않으셨으면 합니다. 인쇄를 진행하거나 후원할 방법을 생각하기 보다는, 그로부터 얻으리라 예상하실 수 있는 가치의 20배 등등을 잃더라도 저는 만족하려 합니다. 나쁘게 받아들이지 않으셨으면 합니다. 저는 아마 사는 동안 그만큼 팔리는 다른 무언가를 보내드리고는, 불쾌감 없이 영면을 취할 수 있겠지요.

챗스워스에서, 1679년 6월 19일.

선생의 무척 겸손한 종, 토머스 홉스."

(1679년 7월, 그의 편지 중 일부)

"제가 인쇄할 만한 가치가 있는 원고를 남긴다면, 원하실 경우 가져가시라는 말을 남기고자 합니다. 선생의 겸손한 종,

챗스워스에서, 1679년 7월 21일.

토머스 홉스."

(1679년 8월, 그의 편지 중 일부)

"선생님,-잉글랜드 내전 등등에 관한 제 저서의 인쇄에 대해 동요하지 말라고 조언해 주시니 감사드립니다. 저는 선생께서 영어 등등으로 인쇄하실 수 있도록 쓰는 중입니다. 선생의 겸손한 종,

챗스워스에서, 1679년 8월 18일.

토머스 홉스."

향후에는 고인이 된 저자를 참칭하는 가짜 자식들이 없도록, 그가 여러 차례 내게 보낸 편지 중 이 구절들을, *글자 그대로* 인쇄하였고, 그 원본은 나에게 있다. 나는 그를 기억함에 너무나도 공정하여, 완벽하고 출판에 적절한 것 이외에는 무엇도 인쇄치 않으려 한다. 그리고 이전에 인쇄되지 않았던 어떤 책이 그의 이름으로 인쇄된 경우, 내가 인쇄하지 않았다면, 여러분은 그의 것이 아니라고 확신할 수 있으리라.

윌리엄 크룩William Crooke.

토머스 홉스의 명성 등등에 대한 고찰.

선생님, 저는 선생의 글에 감탄하는 자들 중의 하나입니다. 그리고 선생의 『홉스의 자책Hobbius Heauton-timorumenos』을 읽고는, 제가 그 책에 감탄하는 이유에 대해 몇 가지 설명 드리지 않을 수가 없습니다. 그리고 일단 선생께서 그의 불충실함에 대해 어찌 다루시는지 이 말(5쪽)에서 고찰해보았습니다. *그가 주력을 다했던, 그의 위대한* 『리바이어던』*은 이제 다소 시기가 지났고, 곤경에 처하신 군주 전하를 저버림에, (그는 국왕 폐하의 교사라 주장하지만, 이를 알 만한 최고의 이성을 가진 자들로부터, 그러한 주장의 근거를 거의 찾을 수 없으므로) 올리버*Oliver Cromwell (1599~1658)*의 직함을, 또는 어떤 수단으로든 최고위에 도달할 수 있는 자를 옹호하기 위해 쓰여졌다. 모든 통치권을 단지 힘에만 두고는, 폐하께서 순종을 강제할 현존하는 역량이 없으실 때마다 모든 신민에게 충성을 면해주면서 말이다.*

제가 여기에서 관찰하고 감탄하는 것이란 일단, 선생께서 이 구절을 빼놓으시지 않는 이유는 두 가지인데, 하나는, 홉스 씨가 근래의 반란기 동안, 본인과 선생의 작은 이야기를 세상에 말할 기회 이외에는 무엇도 바랄 수 없었기 때문입니다.

1640년 4월에 시작되어 다가오는 5월에 해산되었던 의회가 열리고, 왕국의 평화와 폐하의 신변상 안전에 필요한 왕권의 많은 부분이 논란에 휩싸여 부정되었을 때, 홉스 씨는 영어로 소논문을 썼는데, 거기서 그는 해당 권력과 권리가 주권과 불가분의 관계를 맺음을 명시하고 증명했던 바, 그들은 당시 주권이 국왕께 있음을 부인하지 않았으나, 그 불가분성에 대해서는 이해하지 못했거나,

이해하려 하지 않는 듯 보입니다. 이 논문은 인쇄되지는 않았으나, 많은 젠틀맨[12]이 사본을 가지고 있어, 저자에 대한 많은 이야기가 오갔고, 폐하께서 의회를 해산하시지 않았더라면, 그의 목숨이 위험에 처했겠지요.

그는 국왕 폐하를 옹호하여 글을 쓰는 모험을 감행했던 첫번째 인물이었고, 특별한 이해관계 없이, 자신의 의무와 형평성 원칙에 대한 지식 이외에는 다른 어떠한 근거를 갖지 않고, 모든 면에서 완벽히 충성스러웠던 극소수 가운데에 하나였습니다.

다가오는 11월 3일에 새로운 의회가 시작되었는데, 백성들이 국왕 폐하의 이해관계에 대한 혐오감만으로 선출했던 인물들로 대부분 구성되었습니다. 이들은 맨처음부터 그들이 또한 빼앗고자 했던 권력의 어느 부분을 옹호하여 글을 쓰거나 설교하는 자들에 대해 매우 격한 반응을 보였으며, 선동으로 인해 국왕께서 불명예를 안긴 자들에게 은혜를 베풀었으므로, 홉스 씨는 그들이 그를 어찌 이용할지 의심하여 프랑스로 건너갔으니, 모든 도망자 중 최초의 인물로, 11년 동안 이어져 그 손해는 수천 파운드에 달했습니다. 박사님, 이 시기가 선생께는 수확기였습니다. 선생은 그들 편에 서셨는데, 그 후 드러났듯 거기엔 아무런 선도 없었습니다.

파리에서 있으면서, 그는 선생과 선생의 공동언약자들이 잉글랜드에서 하고 있는 일을 듣게 될 온민족이 선생을 혐오할 수 있도록 『시민론De Cive』을 라틴어로 써서 출간하였는데, 제가 믿기로

---

[12] Gentlemen. 신사로 흔히 번역되는 이 단어는 잉글랜드의 신분제도에서 지배계층의 하나를 뜻하는 말로, 보통 귀족 작위를 받지 못한 상류계층을 의미한다. 젠트리Gentry도 비슷한 의미이나, 보통 젠틀맨으로 구성된 계급을 지칭하는 경우에 사용된다.-역주

그들은 그랬습니다. 바다 너머에서 이보다 더 중대한 책을 알지 못하니까요.

이제는 폐하가 되신 그분께서 파리로 오셨을 때, 홉스 씨는 그분을 수학에 입문시키는 명예를 누렸지만, 결코 선생처럼 스스로를 국왕 폐하의 교사라 자칭하거나, 그리 여길만큼 뻔뻔스럽거나 무지하지는 않았던 바, 대학에서 나온 그 단어가 무엇을 의미하는지 이해하지 못하고 거짓되게 그분께 책임을 요구하거나, 폐하의 가내시종 중 하나라 말하지도 않았습니다. 이 참에 그는 파리 근교에서 머물면서, 잉글랜드 귀환을 위한 격려도 욕망도 갖지 못한 채로, 폐하께 불이익을 준다던가, 아니면 귀향길을 열고자 3~4년쯤 후에야 호국경이 되는 올리버에게 아첨한다던가 하는 의도와는 거리가 먼 『리바이어던』을 써서 출간하였습니다. 거기에는 그와 선생, 그리고 선생 같은 다른 이 모두를 선생 같은 지독한 위선과 극악함으로 신랄하게 꾸짖지 않는 페이지란 거의 없으니까요.

폐하께서 스스로 아시듯, 선생께서 거짓되게 비난하는 것처럼, 그는 폐하를 저버리지도 않았습니다. 선생께서 무례하게 칭하듯, 폐하께서 *곤경에 처하시도록* 하지도 않았습니다. 폐하께서는 국왕의 직함과 권리, 경외심을 지니셨으며, 성실한 종신들을 거느리고 계셨습니다. 홉스 씨가 귀국한 것은 사실이지만, 이는 프랑스 성직자들에게 안전을 맡길 수 없었기 때문입니다.

그가 귀국하기 전이나 후에, 올리버에게서, 혹은 그의 당파 중 누군가에게서 어떤 편익을 추구한 적이 있었습니까, 아니면 그 내각 중 누군가와 어떤 식으로든 친분을 다졌던 적이 있었습니까, 아니면 선생께서 부의장 오언John Owen (1600~1666)에게 책을 헌정했듯, 그들 중 누군가에게 아첨으로 호의를 구했던 적이 있었습니까?

폐하께서 그에게 행하신 무언가를 나쁘게 받아들였다거나, 폐하의 가장 훌륭한 종신들이 말하는 바와는 달리 말했다거나, 아니면 어떤 무리에서 어떤 경우든 폐하를 찬양할 때 그가 찌푸리거나 침묵하거나 말을 아낀 적이 있는지 들으신 바가 있으십니까?

그는 누가 자신의 적이며, 무슨 근거에서 자신의 글을 오해하고 있는지 알았습니다.

하지만 선생의 무분별함은 선생께서 해오신 일을 반복하고, 그에 대해 고찰하리라 공언함으로써 그에게 선생을 *고찰*할 기회를 주는 데에서 보다 분명하게 나타납니다. 선생께서 사면받은 모든 일에 대해, 거짓되게 주장되며, 같은 사면으로 용서받은 그의 잘못을 선생께서 발표한다면, 무슨 형평성으로 그가 선생의 명백하고 끔찍한 범죄를 되뇌이지 않도록 거부할 수 있겠습니까?

그가 말하고 발표하기를, 선생께서 국왕 폐하와 그 당파의 편지를 해독하여, 그럼으로써 폐하의 비밀을 적들에게 전하고, 그분의 친우를 단두대로 보내고, 그로써 온세상에 대학 도서관에 보존될 만한 가치가 있는 기지의 기념비처럼, 라틴어 저술로 선생의 산술을 자랑했다 한다면, 반역자이자 배신자였노라는 비난을 받으심에, 어찌 스스로를 정당화하겠습니까? 선생이나, 선생을 위해 몇몇은 이제 선생께서 그 편지를 국왕께 유리하게 해독했다 할지도 모릅니다. 하지만 그렇다면 선생은 의회라는 선생의 주인에게 불충실했던 것이니, *반역*을 *배반*으로 변명하고, 이중 스파이가 되기 위한, 아주 정직하고도 용감함으로 가득 찬 주장입니다. 게다가, 누가 그걸 믿겠습니까? 누가 선생이 국왕께 그런 호의를 베풀 수 있도록 해주었겠습니까? 왜 선생은 그분의 적과 무리를 이루었습니까? 일단 국왕 폐하를 저버리고는, 전쟁을 일으킨 자 이외에, 국왕께서 그런 동료의 호의를 필요로 하시도록 이끈 자는 누구이며, 선생의 친구이자 홉스 씨에게 적이란 어느 쪽이겠습니까? 아니 더욱이, 홉스 씨에게는 당시 적이 하나도 없었지만, 그러한 자들은 우선 국왕 폐하의 적이었고, 국왕 폐하의 적이었으니, 따라서 그의 적이었습니다. 선생께서 해독하지 않으면서, 그 당파에 있는 것은 탈주에 지나지 않습니다. 당시 주교들 중, 부분적으로는 그들을 위해 선생께서는 전쟁을 일으켰는데, 그들은 국왕 폐하를 사랑했지만, 그분을 따라 이 땅을 떠난 자는 없었고, 처음에는 의회의 보호 아래, 나중에는 (직함과 행동이 똑같이 부당했던) 올리버의 보호 아래 배반을 일으키지 않고 조용히 살았습니다. 이것은 마치 그들이 투항했다가, (홉스 씨의 경우처럼) 다시 쫓겨난 것만큼이나 나쁘지 않습니까? 저는 선생이 그들 전부를 탈주자라 부르지 않으시기를 희망하오니, 왜냐하면 그들이 여기에서 공개적으로 머무름으로써 의회와 올리버의 보호를 받아들였고, 주권 권력에 대한 올리버나 의회의 직함을 옹호하였기 때문입니다.

애초에 그 의회에서 그들의 숱한 부당한 행동에 동의하면서, 실로 자발적으로 국왕 폐하를 저버린 자가 얼마나 많았습니까? 나중에 이 중 많은 수는 더 나은 판단에 따라, 혹은 그 파벌을 기꺼워하지 않았기 때문에, (핌John Pym (1584-1643)의 음모에 속하지 않는 자들이 의회에 기꺼워하기란 어려운 문제였기에) 또는 다른 어떤 사적 목적으로 의회를 버렸고, 그 중 일부는 있던 자리에 머물렀을 때보다 국왕께 더 많은 해를 끼쳤습니다. 그들은 선생 같은 이들로 인해 폭정에 대한 정신없는 공포로 너무나도 겁에 질려서, 타협과 나눔을 통해 그분을 돕고자 하였으니, 오직 그분의 권리를 복원하고자 했던 군대에 정당하고도 필요한 분노를 누그러뜨렸으니까요.

스코틀랜드 민족과 국왕께 반하는 언약을 맺은 것 바로 그 자체가 매우 큰 범죄이니, 선생은 그에 대하여 유죄입니다. 약정의 부과도 그러하며, 당시의 의회가 그랬듯, 민주적 원칙을 승인하신 것 또한 유죄입니다.

선생은 또한 *예배규칙서*를 만든 신학자 총회를 도왔는데, 나중에 그들은 대사직을 날조했다는 이유로 올리버에게 끌어내려졌습니다. 그리고 이는 국왕께서 살아 계시던 때였고, 선생 본인의 노력으로 선생을 보호할 수 있었던 군대의 수장이셨습니다. 국왕께서 잉글랜드 교회의 수장이시니, 국왕 폐하의 권위 없이 선생 자신의 공상으로 *예배규칙서*를 만들고, *교회 통치권*을 변경하고, 하나님을 섬기는 새로운 형태를 세우는 것이 어떤 범죄인지는, 법률가들이 말씀드릴 수 있습니다. 그리고 그로 인해 어떠한 처벌을 예상해야 하는지는, *공동기도서* 앞에 인쇄된 법령에서 보실 수 있습니다.

더욱이 올리버가 저지르거나, 혹은 올리버나 의회의 권위에 따라 자행된 모든 반역과 살인, 약탈에 대해, 그분은 실로 선생이 유죄라 말씀하실 수 있으니, 지난 고난 동안, 올리버와 백성 모두를 미치게 한 자들이란 선생의 원칙을 설교한 자들 이외에 누구이겠습니까? 하지만 사악함 외에도, 그 어리석음을 보시지요. 선생께선 그들을 미치게 만들고자 하셨지만, 자기 입장에 맞을 만큼, 즉 말하자면 딱 본인의 현명함만큼 미치게 하려 하셨지요. 광기를 다스리려 생각하시다니 너무 무모하지 않습니까? 그들이 바울은 알았지만, 누가 선생을 알았습니까? 전에는 너무나도 약하고 너무나도 미약하여 무슨 큰 해악을 저지를 수 없었던 올리버의 손에 그들이 군대를 맡기게 한 것은 바로 선생이었던 바, 그는 그 군대로 이곳과 스코틀랜드에서 선생 같은 자들을 처형하였는데, 이는 하나님의 정의가 요구하는 것이었습니다.

그러므로 그 반란에서 이루어진 모든 범죄 중에서 대죄에 대해서는 예외 없이 선생은 유죄입니다. 선생, 그러니까, 박사님께서 그들의 대의에 선의로 기여하신 무력이나 기지가 무엇이든 얼마나 적을까요. 국왕께서는 산에서 메추라기처럼 쫓기셨고, 비록 사냥개들은 교수형에 처해졌지만, 사냥꾼들도 그들처럼 유죄이며, 마찬가지로 처벌되어야 마땅합니다. 그리고 해독자들과 나팔을 불었던 모두가 사냥꾼으로 간주되어야 합니다. 아마도 선생은 사냥감을 죽이기 보다는 길들였을 겁니다. 그러나 누가 알 수 있겠습니까? 신하에게 권력을 박탈당한 왕들 중에 그 후 오래 살아남은 이들이란 제가 거의 읽어본 바가 없으니, 그 이유는 만인이 능히 짐작할 수 있으니까요.

이 모두가 어떤 증인도 필요치 않을 만큼 너무나도 명백합니다. 그동안 홉스 씨, 그의 행동은 이러하였던 바, 그 무대에 등장했던 자들 중에서 부끄러워할 만한 일을 하지 않은 그와 같은 원칙을 가진 사람은 소수를 제외하고, 제가 알기론 오직 그 뿐이었습니다. (그들이 전장에서 국왕께 의지했더라면, 보호를 받을 수 있었을 때) 폐하 본인이나 그 친우에 대해, 그들 중 일부는 특별한 봉사로 인해 총애를 받을 자격이 있었음에도 불구하고, 폐하의 이익에 반해 필요 없이 언약으로, 행동으로, 돈이나 금속판으로, 혹은 투표로 반역적인 의회를 돕는 것과 같은 그런 일 말이지요. 하지만 그게 선생께 무슨 의미가 있습니까? 선생은 그들 중의 누구도 아니며, 그럼에도 선생은 선생의 설교가 그토록 나쁜 결실을 낳은 후에도 마치 설교가 충분히 뻔뻔스러운 일이 아니었다는 양, 감히 무고한 이들을 꾸짖습니다.

그토록 초월적인 범죄를, 교수대에 대한 그토록 큰 빚을 용서받았음에도, 선생은 『리바이어던』에서 말 한마디를 이유로 홉스 씨의 멱살을 잡고는, 악의적이거나 지나치게 성급한 구성으로 잘못을 저질렀다 하시니, 더욱 존경스럽습니다. 그럼으로써 복음에 나오는 무자비한 채무자처럼, 제 의견으로는 사면을 몰수당하셨기에, 새로운 사면 없이는 여전히 교수형에 처해질지도 모르니까요.

*그는 올리버의 직함을 옹호하고자 『리바이어던』을 썼다*는 다른 혐의에 대해, 그는 선생의 양심이 그것이 거짓임을 아시리라 말할 겁니다. 그 책이 나왔을 때, 올리버는 무엇이었습니까? 때는 1650년이었고, 홉스 씨는 1651년 이전에 귀국하였습니다. 올리버는 당시 선생의 주인인 의회 휘하의 대장일 뿐이었고, 아직 그들의 찬탈 권력을 속인 적도 없었습니다. 그것은 2~3년 후인 1653년에야 이루어졌으니, 그도 선생도 예측할 수 없었던 일이었으니까요. 그런데 그가 무슨 올리버의 직함을 정당화하고자 주장할 수 있었을까요? 하지만 선생께선 그가 통치권리를 어디든 힘이 있는 곳에다 두었고, 따라서 결과적으로 올리버에게 두었다고 말씀하실 겁니다. 그게 전부입니까? 그렇다면 그의 『리바이어던』은 주로 선생의 주인인 의회를 위해 의도되었으니, 왜냐하면 당시 그들에게 힘이 있었기 때문입니다. 왜 그들과 올리버는 자기 차례마다, 그에게 감사하지 않았답니까? 저기, 박사님, 선생께선 잘못 해독하셨습니다. 그것은 전쟁에 참여했거나, 반란군에 맞서 폐하의 권리와 인격을 지키고자 최선을 다했던, 폐하의 많은 충실한 신하와 신민들, 그로 인하여, 다른 보호수단이라든지, 대개는 생계수단도 없었기에, 선생의 주인과 연합하고, 자신들의 생명과 재산을 구하기 위해 순종을 약속할 수밖에 없었던 이들을 대신하여 쓰여졌기 때문입니다. 그 책에서 그는 그들이 합법적으로 그럴 수 있고, 결과적으로 승자에 맞서 합법적으로 무기를 들 수는 없다고 확언하였습니다. 국왕 폐하에 대한 의무를 다하려 최선을 다한 그들은 할 수 있었던 모든 의무를 다하였으며, 결과적으로 어디에서든,

그리고 배반없이, 자기들의 생명과 생계의 안전을 추구할 자유가 있었습니다. 하지만 그 책에는 국왕께서 의회나 올리버에게 쫓겨나신 후, 선생이나 선생 같은 이들이 그들에게 복종하는 것을 정당화하는 내용이란 전무합니다. 선생은 국왕 폐하의 적이었고, 선생 스스로 거부하고, 부인하고, 맞서 싸우고, 파괴했던 보호의 필요를 주장할 수는 없으니까요. 누군가가 선생에게 빚을 졌는데, 선생이 그를 강탈하거나 다른 해를 가하여 빚을 갚지 못하게 한다면, 잘못은 선생 자신에게 있으며, *채권자가 그를 강탈하지 않는 한*과 같은 예외는 채권의 조건으로 기입할 필요도 없습니다. 보호와 순종은 상대적입니다. 누군가가 보호의 필요로 적에게 복종할 수도 있다고 말한다면, 순종 이외의 다른 의미로는 결코 해석될 수 없습니다. 하지만 그가 자연법을 내세우면서 했던 말을 고찰해 보시지요(vol. iii. p. 703)[13]. *모든 사람은, 평화시에 자신을 보호해준 권력이 전쟁을 치를 경우, 그 권력을 힘껏 도울 자연적 의무가 있다.* 저는 이것이 불경하거나 불합리한 원칙이 아니라 생각합니다. 이를 확언하기 위해, 그는 어떤 시점에, 신민이 불의한 정복자에게 순종해야 할 의무를 지게 되는지를 정의하는데, 그 정의란 이렇습니다. *피정복자가 정복자에게 복종하는 시점은, 복종을 선택할 자유를 가진 상태에서 그의 백성이 되겠다고 명시적인 언어로, 혹은 기타 충분한 표지로 의사표시를 한 때이다.*

박사님, 저는 어떻게 옛 주인을 위해 최선을 다하지 않은 자에게 새로운 주인에게 복종할 자유가 있을 수 있는지, 혹은 그가 최선을 다한 경우, 왜 그러한 자유가 거부되어야 하는지 모르겠습니

---

13 『리바이어던』, 「재검토 및 결론」. 이하 인용문의 번역은 <진석용 옮김, 나남, 2008.>을 참조하였다.-역주

다. 만약 어떤 사람이 투르크인에게 사로잡혀서, 공포에 질려 전 주인에 맞서 싸우게 되었다면, 그가 적으로 죽임을 당할 수는 있을지도 모르지만, 범죄자로서 그럴 수는 없다고 보며, 복종할 자유를 갖는 자가, 어떻게 동시에 복종하지 않아야 할 의무를 갖는지도 모르겠습니다.

하지만 선생은 아마도 그가 자유의 때를 올리버에게 유리하게 정의했다고 말하겠지요. 그는 이렇게 말합니다. *평범한 백성으로서 그의 생명의 수단들은 모두 적의 감시와 통제 아래 놓이게 되고, 보호를 받을 수 없게 된다. 이런 때에는 적에게 세금을 낼 수밖에 없다*. 선생과 그의 다른 적들이 *그들이 스스로 반역하여 그 경비대와 주둔군에 들어가지 않는 한*이라는 예외를 두어 주장하듯이, 그에게는 그토록 대단한 이해력이 있는 사람들에게 이를 설명할 필요가 없습니다. 올리버 당파가 올리버에 대한 복종을 이유로, 그러한 보호의 필요를 주장할 수 있었으리라 생각하십니까?

그러므로 그 말 자체는 예외 없이 다음의 말 이상을 의미하지 않습니다. *전쟁에서 국왕 폐하를 보호하기 위해 거짓말을 한 자는 누구라도 이후 얻을 수 있는 것과 같은 보호를 스스로 마련할 자유를 갖는다는 것*, 생명의 수단이 올리버의 경비대와 주둔군 내에 있는 자들은 올리버의 보호에 있었습니다.

전투에서 패배하여, 적의 자비에 있을 때, 순종을 조건으로 숙영지를 받는 것이 불법적이라 생각합니까? 아니면 그 조건을 받아들인 경우, 약속을 어기고 목숨을 살려준 자를 배신하고는 살해하는 것이 정직하다 생각합니까? 그것이 훌륭한 교리라면, 누군가에게 숙영지를 마련해준 적은 어리석은 자겠지요.

그렇다면 올리버에 대한 복종이나 선생의 다음 주인에 대한 복종은 홉스 씨 그의 교리에 따라, 국왕 폐하의 충실한 당원에게만 허용될 뿐, 어떻게 채색하든, 국왕 폐하와 의회를 위해 싸웠다고 말하면서 그분께 맞서 싸웠던 누구에게도, 그분의 대의에 반하는 글을 쓰거나 설교하거나, 혹은 그분의 대적자를 고무했던 누구에게도, 그분의 고문역을 배신했거나, 아니면 교회적으로든 시민적으로든, 폐하의 권력을 어떤 식으로든 약화시키는 데에 기여했던 누구에게도 허용되지 않습니다. 또한 그들 중 누구도 신하의 의무에서 면제되지도 않습니다. 누군가가 찬탈자에게 억지로 복종함으로써 폭력적인 죽음에서 스스로를 구하는 것을 그토록 가혹한 범죄로 만드신 바, 찬탈자 의회에 자발적으로 복종하는 것은 무슨 범죄일지 고려해 보셨어야 합니다.

게다가 그 말이 왜 그가 재검토라 부르는 마지막 장에 들어갔는지 말씀드릴 수 있습니다. 그 당시에는 명예로운 인물들이 많았던 바, 국왕께 충실하고 흠 없는 신하와 군대 내 병사들은 그 재산이 몰수되어, 그 중 일부는 도망쳤으나, 그들 모두의 운명은 올리버가 아니라 의회의 자비에 놓였습니다. 이들 중 일부는 타협이 허용되었으나, 일부는 그렇지 않았습니다. 타협한 자들은 버텼을 경우 몰수로 주었을 것보다, 타협으로 의회에 더 적은 도움을 주었지만, 특히 잃을 재산도 없고, 타협의 희망도 없는 자들에게 악담을 들었습니다. 그리하여 그는 전에 썼던 것에, 타협하고자 한다면 배반의 의도 없이 *선의*bona fide로 그리 해야 한다는 경고를 더했습니다. 그는 이전의 순종과 현재의 필요에 따른 복종을 정당화했으나, 배신은 비난했습니다. 반면 선생은 무신론을 혐오한다 주장하면서, 필요로 인해 행한 바를 비난하고, 배반을 정당화합니다. 선생께는 그럴 만한 이유가 있었으니, 다른 식으로는 스스로를 정당화할 수가 없었겠지요. 그후에 일어난 투쟁으로 폐하께서는 훌륭하고 유능한 신민을 많이 잃으셨고, 그 재산을 몰수하여 올리버가 강성해졌으니, 만약 그들이 적의 불화에 참여했더라면, 구제받을 수 있습니다.

아마도 선생은 폐하께서 홉스 씨에게 불쾌해 하셨음을, 나쁜 뜻의 징후로 여기겠지요. 그리고 진실로 그분께서는 잠시동안 불쾌해 하셨지만, 그리 길지는 않았다 믿습니다. 그의 글에 대해 불평하고 곡해한 자들은 폐하의 훌륭한 신민들이었고, 현명하고 배웠다고 평가받는 자들이었으므로, 잠시 동안은 그들의 곡해가 믿어졌지만, 그가 떠난 바로 다음 여름, 궁정에서 두 명예로운 인물이 잉글랜드로 건너와, 그에게 폐하께서 그에 대해 호평하신다고 확신케 했고, 그후 다른 이들이 제게 말하기를, 폐하께서는 공개적으로 홉스 씨는 결코 자기를 해치고자 하지 않는다 생각하노라 말씀하셨다고 했습니다. 게다가 폐하께서는 그토록 겸손한 인물이자, 선생께서 그토록 대단한 범죄자로 만들고자 했던 인물에게 통상 하시던 것보다 더욱 은혜로이 그를 쓰셨고, 하사품으로 그에 대한 존경심을 증언하셨습니다. 폐하께서 고발인보다 그의 글에 대한 더 나은 이해자이셨음을 뒷받침하기에 이보다 더 나은 논증이란 이제 무엇이 있을 수 있겠습니까?

저는 다른 곳에서 선생이 그를 비난하는 근거와, 『리바이어던』을 무신론이라 승인한 자들 모두에게 감탄합니다. 저는 한때 그러한 비방이 선생이 그의 새로운 신학이라 부른다는 점에서, 확고하지는 않더라도, 어느 정도의 근거가 있다 생각했습니다. 하지만 그 점에 대해 그는 『리바이어던』에서 이런 말로 주장하겠지요 (p. 438)[14]. *이 구절로 미루어보아, (이 구절의 해석이나, 혹은 성*

[14] 같은 책, 「제38장 성경에서 영생, 지옥, 구원, 내세 및 속죄의 의미에 대하여」.-역주

경의 모든 문제에 관하여, 나는 코먼웰스의 백성이므로, 코먼웰스가 공인한 성경 해석을 따르겠지만,) 등등. 이 말에 겸손과 순종 이외에 무엇이 있습니까? 하지만 이때 선생은 실제 반란을 일으켰습니다. 종교를 법이라 주장하는 홉스 씨는 법에 반하는 자기 의견의 유지를 정죄하기 위해 그리하였으니, 그에 대해 비난하는 선생도, 그의 유일한 증거인 성경이 그에 의해 잘못 인용되거나 잘못 해석되었음을 선생 자신의 배움에 따라, 선생 자신의 설명으로 보여주어야 합니다. (그는 법에, 즉 말하자면 선생의 교리가 아니라 국왕 폐하의 교리에 복종했으니까요.) 그리고 법, 당시 선생이 그에 대해 적이었던 법의 힘으로 얻은 승리를 모욕해서는 안 됩니다.

선생은 무신론에 대한 또 다른 논증으로 그가 *비물질적*이거나 *무형적 실체*를 부정하는 데에서 가져옵니다. 이제 바로 이 척도에 따라, 누군가에게 그의 종교와 선생의 종교를 불편부당하게 비교하여, 둘 중 어느 쪽에서 무신론의 풍미를 느끼는지 판단케 해보시지요.

모든 기독교인들이 고백하는 바, 하나님은 *불가해*합니다. 즉 말하자면, 그분의 이름에서 *모양*이나 *색깔*, *신장*, *본성*에서 그분을 닮은 것이란, 우리들 상상 속에서 어떤 것도 떠오를 수 없으며, 그분에 대해 전혀 모릅니다. 그분은 우리가 생각할 수 있는 무엇인가가 아닌 듯 합니다. 그렇다면 우리가 그분에 대해 무엇을 말해야 합니까? (우리 생각과 다르게도, 적절하다 여기는 바와 다르게도 말하지 않으면서) 그분을 공경하고자 하는 자들이 그분께 무슨 속성을 부여해야 하겠습니까? 홉스 씨가 쓴 것처럼, 즉 영광의 징표로 사람들 사이에서 사용되어, 결과적으로 *선함*과 *위대함*, *행복*을 의미하는 경외심의 표현을 제외하고는 아무 것도 없습니다.

그리고 *선한, 거룩한, 강력한, 복된, 정의로운, 현명한, 자비로운* 등등은 절대급으로, *가장 선한, 가장 위대한, 가장 강력한, 전능한, 가장 거룩한* 등등은 최상급으로, *무한한, 영원한* 등과 같은 완전하지 못한 무엇이라면 부정형으로 사용하는데, 이성이나 성경이 영광스럽다고 승인하지 않은 것들은 제외하면서 말이지요. 이것이 홉스 씨가 『리바이어던』과 『시민론』, 양 저술에서 썼으며, 기회가 될 때면 주장하는 교리입니다. 말씀을 청하오니, *비물질적*, 혹은 *무형적 실체*란 무슨 종류의 속성입니까? 성경 어디에서 찾으셨습니까? 수면 중에 보이는 뇌의 가느다란 거주자들을 수많은 *무형적* 인간으로 착각하고, 그럼에도 그에 오직 *유형의* 것에만 적합한 움직임을 허용했던 플라톤과 아리스토텔레스, 이교도들에게서 오지 않았습니까? 이들 중의 하나가 되는 것이 하나님께 영광이라 생각하십니까? 그리고 플라톤과 아리스토텔레스에게 기독교를 배우시겠습니까? 하지만 성경에 그런 단어란 없으니, 어떻게 이를 자연적 이성으로 보증하시겠습니까? 플라톤이나 아리스토텔레스도 *무형의 영혼*에 대해 쓰거나 언급한 적이 없습니다. 그들 말로는 영혼을 *프네우마*πνεῦμα라 하는데, 우리 말로는 *바람*을 뜻하니, 어떻게 영혼이 *무형적*일 수 있는지 상상할 수가 없었기 때문입니다. *실체*와 *무형적인 것* 간의 관계를 이해하십니까? 그러시다면, 영어로 설명 보십시오. 그 단어는 라틴어이니까요. 선생께서는 무언가 *본체 없이 이해되는* 존재라고 말하겠지요-무엇이 이해된다는 말입니까? *우연으로 이해된다* 하시겠습니까? 교회의 거의 모든 교부가 선생께 반대할 것이요, 그렇다면 선생은 무신론자입니다. 홉스 씨가 오직 성경이 하나님께 귀속시키는 것, 내지는 어디에서나 영광 이외의 의미로는 결코 받아들여지지 않는 것을 하나님께 귀속시키는 방식은, 우리를 향한 하나님의 *본성*을 고찰하고 해독하려 하는, 선생의 대담한 사업보다 훨씬 더 낫지 않습니까?

무신론에 관한 세번째 논증으로, 선생은 그가 이렇게 말했다 하였습니다. *세계의 창조 이외에는 신성을 증명할 어떠한 논증도 없다.* 그리고 *세상에 태초가 있었다는 것은 어떠한 논증으로도 증명될 수가 없다는 것*, 그리고, *그것이 있었는지 없었는지는, 논증이 아니라, 치안판사의 권위에 따라 결정된다는 것* 말이지요. 성경에 의해 결정될 수 있음을 그는 결코 부인하지 않았으므로, 또한 선생은 그를 중상하였습니다. 그리고 자연적 이성에서의 논증에 관해서는, 선생도, 다른 누구도 지금까지, 창조를 제외하고는, 많은 사람들에게 이전에 비해 더 많은 의심을 품게 하지 않는 어떠한 논증도 제시하지 못했습니다. 『체론De Corpore』에서 그러한 논증에 관해 쓴 것에 대해, 그는 이렇게 말합니다(vol. i. p. 412). *지혜의 열매 중 으뜸으로서, 무한하고 영원한 본성에 관해서는, 하나님께서 스스로를 위해 유보하시고, 종교의 질서를 세우는 데 쓰시고자 하는 사역자들을 그 재판관으로 삼으셨으니, 그러므로 자연적 이성으로 세상의 태초를 입증했다 자랑하는 자들을 나는 칭찬할 수가 없다.* 그리고 다시 말합니다(vol. i, p. 414). *그러므로 나는 성경에서 배우고, 기적에서, 내 나라에서 쓰임에서, 법에 빚진 경외심에서 확인된 대로, 세상의 태초와 크기에 관한 그러한 교리로 만족하면서, 무한과 영원에 관한 질문을 넘어가고자 한다.* 박사님, 이것은 잘못된 말이 아님에도, 선생이 비뚤어진 자의적 해석으로 사악하게 숨기려 드는 중상의 근거 전부입니다.

이러한 의견은, 말씀드리건대, 하나님께서 종교의 질서를 맡기신 자들, 즉 교회의 최고 통치자, 즉 잉글랜드에서는 국왕께 판단되어야 한다는 것이니, 말씀드리건대, 그분의 권위로 그 질문에 대해 사람들이 무엇을 생각할지가 아니라, 무어라 말해야 하는지가 결정되어야 한다는 겁니다. 그리고 제 생각에, 선생께선 이를 감히 부인해서는 안 되니, 그것은 선생의 앞선 범죄로 명백히 되돌아가는 것이기 때문입니다.

그런데 선생은 왜 국왕 폐하를 *치안판사*magistrate라는 이름으로 꾸밉니까? *치안판사*라는 단어는 주권권력을 갖는 인물을 의미합니까, 아니면 주권자의 관료를 의미합니까? 그리고 저는 선생이 이를 알고 있다 생각하나, 선생과 선생의 동료들은 (구별할 수 없을 만큼 같은 범죄의 오물로 온통 뒤덮인 모든 이들을 저는 선생의 동료라 부릅니다) 의회를 주권자로, 국왕 폐하를 *치안판사*로 만들고자 하였습니다. 기회가 주어진다 하더라도, 여전히 그러려는 의도를 갖지 않으셨기를, 하나님께 기도 드립니다.

지금까지 홉스 씨의 교리에는 어떠한 무신론의 징후도 나타나지 않았으며, *무형적 실체*에 대한 부인으로부터 추론될 수 있는 것이란 무엇이든, 가장 오래된 교부 중의 하나인 테르툴리아누스와 그리스 교회의 박사 대부분을 그와 마찬가지로 무신론자로 만듭니다. 테르툴리아누스는 『그리스도의 육신에 관하여De Carne Christi』라는 논문에서 분명히 말합니다. *omne quod cst, corpus est sui generis. Nihil est incorporale, nisi quod non est*. 즉 말하자면, *무엇이든 존재하는 것은 그 종류의 몸체가 있다. 존재하지 않는 것 외에는, 어떤 것도 무형적이지 않다*. 그는 같은 목적으로 다른 많은 곳에서 그렇게 썼습니다. 그리스도께서는 육신을 갖지 않고 *영*일 따름이라 하면서, 또한 그가 말하는 영혼을, 보이지 않는 육신이라 주장하는 그들 이단을 논박하는 데에 그 교리가 도움이 되었기 때문입니다. 그리고 동방 교회의 교리 요약이 있는데, 여기에서 그들은 천사와 영혼이 유형적이라 생각했고, 그 육신이 우리와 같지 않기 때문에 *무형적*이라 불렀을 뿐이었습니다. 그리고 콘스탄티노플의 어느 총대주교가 그곳에서 열린 공의회에서 이로부터, 천사를 *유형적*으로 그리는 것이 합법적이라 주장했다고 들었습니다. 어떤 동료들이 홉스 씨와 함께 무신론에 동참했는지를 보셨습니다.

여러분 본인의 종교가 얼마나 거짓 없는지는, 제가 이미 읊은 여러분의 행동에서 강력하게, 실증적으로 논증될 수 있습니다. 그토록 가증스러운 죄를 저지른 여러분은, 병약함이나 갑작스런 열정의 발로가 아니라, 계획적으로, 고의적으로, 20년 동안 함께 해오셨으니, 여러분이 천국과 지옥에 대해 설교할 때, 이성적인 누군가가 여러분이 여러분 자신을 믿으리라고, 여러분이 서로를 사기꾼이자 협잡꾼이라 믿지 않으리라고, 여러분을 믿는 자를 어리석다 비웃지 않으리라고, 혹은 그에 대해 여러분 본인의 기지에 박수를 보내지 않으리라고 생각할 수 있다 여기십니까? 제 입장에서는 악한을 만드는 데에 그토록 많은 기지가 필요하다고는 결코 상상할 수 없지만 말이지요. 그리고 여러분 중 대부분은 설교단에서 선동을 설교하고 도덕적 미덕을 외침으로서, 기독교에 추문을 일으켰습니다. 여러분은 불의한 *야심*, *탐욕*, *탐식*, *악의*, *정부에 대한 불순종*, *사기*와 *위선*에 맞서 설교해야 해야 했으나, 대부분은 누가 최고가 되어야 하는가에 관한 논쟁이나, 다른 무익하고 교화되지 않은 교리를 설교했습니다. 여러분 중 누가 언제 *위선*에 맞서 설교하였습니까? 제 생각을 말하자면, 여러분은 교회를 웃음거리로 만들지 않도록, 감히 설교단에 서지 않아야 합니다. 특히 설교에서 호메로스Homer에겐 *생각*σοψιης이 없다고 말했을 때 말이지요. 그것이 사실이라 한들, 거짓과 마찬가지로 그로부터 백성들이 무슨 교화를 얻을 수 있을까요. 『일리아스Iliad』, 15권 412절

[15]에 있으니까요. 또 다른 이는 이 교리에 대한 설교 절반을 *하나님께서 결코 큰 구원이 아니라 큰 위험 속으로 보내셨다*라 하는 것을 들었는데, 위험의 거대함이 구원의 거대함을 만드므로, 실로 참되지만, 같은 이유로 우스꽝스러우며, 나머지 절반은 그리스어 본문을 해석하는 데에 썼음에도, 그러한 설교는 많은 갈채를 받았습니다. 하지만 왜일까요? 첫째로, 그들은 백성들이 어떠한 악도 부끄러워하지 않게 하기 때문입니다. 둘째로, 그들은 설교자가 정부나 통치자의 잘못을 찾고는 한다는 이유로, 설교자를 좋아하기 때문입니다. 셋째로, 그들이 열성으로 착각하는 격렬함 때문입니다. 넷째로, 자기 목적에 대한 열성을 하나님 숭배에 대한 열성으로 착각하기 때문입니다. 저는 광신자와 젊은이들, 그리고 설교와 그 습관으로 인해 견습생이라 생각되었던 이들이 행한 다양한 설교를 들었으며, 그들의 설교와 여러분 같은 이들의 설교 간에, 지혜나 웅변, 격렬함, 서민들의 박수갈채와 관련하여, 거의 차이를 발견하지 못했습니다.

그러므로 저는 여러분이 교회 의식에서 베품을 청하는 청원에서 그러하듯, 어떻게 순응하는 자들보다 더 나은 설교자라고, 다른 사람들보다 더 온화한 양심을 가졌다고 주장할 수 있는지 궁금합니다. 성경의 거룩한 말씀으로 그런 어두운 계획을 덮은 여러분이, 또한 왜 마음 속에서 어두운 가운을 하얀 중백의[16]로 덮을 수가 없겠습니까? 혹은 법이 명할 때, 십자가를 긋는 것에서 무슨

---

15 "고통스런 화살이 뒤에서 그의 목덜미를 맞혔기 때문이다." 『일리아스』, 15권 451~452절의 내용이지만, 홉스가 직접 영문으로 번역한 『일리아스』에서는 412절이다. 본 인용문의 번역은 <천병희 옮김, 도서출판 숲, 2007>을 그대로 따랐다.-역주

16 기독교의 전례복의 한 종류.-역주

우상숭배를 찾으시겠습니까? 저는 여러분이 죄 없이 순응할 수 있다 생각하나, 여러분이 교회 조문에 동의한 다른 목사들과 같은 방식으로 베푼다면, 여러분 또한 죄 없이 베품 받으실 수 있으리라 생각합니다. 그리고 양심의 온화함이 선한 탄원이라면, 여러분뿐만 아니라, 홉스 씨에게도 또한 그의 새로운 신학에 양심의 온화함을 탄원할 수 있도록 해주어야 합니다. 저는 또한 한데 모인 군중이 무엇을 말해야 하는지 폐하에게서 제한받지 않은 채로, 어떻게 여러분 중 누군가가 그들에게 감히 말해도 되는지가 궁금합니다. 특히 현재 우리는 이에 대해 현명하다 느껴왔으나, 왕이나 다른 시민 통치자에게 너무 가까이 애착을 갖지 못하도록 백성들을 분리할 필요가 있는 교황의 교회 정책의 유물일 뿐입니다.

하지만 여러분의 친구도 아니며, 홉스 씨가 그 직무에 반대하여 어떤 글도 쓴 적이 없는 나머지 성직자와 주교, 주교제감독원들은 여러분보다 그의 종교에 대해 더 잘 이야기할 수 없다고 아마 말씀하실 지도 모르겠습니다.

그는 주교제에 반대하는 글을 썼던 적이 없으며, 현재 잉글랜드에 있는 것과 같은 주교제가 기독교도 국왕이 그리스도의 양떼를 다스리는 데에 사용하기에 가장 넉넉한 것이며, 주교들이 국왕 폐하와 하나님께 자기들의 실정에 대해 답해야 하듯, 국왕께서도 그리스도에게 실정에 대해 답해야 한다는 것은 그의 개인적인 의견입니다. 그는 그들 중 누구에 대해서도, 그 인격에 관해서는 나쁘게 말한 바가 없으므로, 그들 중 일부의 무자비한 비난에 대해 더욱 궁금해지나, *영적* 권능과 *시민* 권력 사이의 선동적인 *구별* 및 *구분*에 숨어있는, 교황파의 야심이라는 독이 여전히 묻어 있는 유물을 보게 되니, 이는 로마 성직자들이 갈릴레오Galileo Galilei (1564~1642)를 해쳤듯, 학식에서 그들과 경쟁하는 모든 이를 해치는 권력을 사랑하는 자들이 기꺼이 버리지 않는 것이지요. 모든 주교가 모든 점에서 서로 같지는 않습니다. 어떤 이들은 국왕 폐하의 특허장에서 비롯된 권위를 보유하는 데에 만족하며, 이들은 홉스 씨에게 화를 낼 이유가 없습니다. 다른 이들은 신성한 권리가 무엇인지 모르므로, 자기들 권력이 국왕 폐하로부터 비롯되었음을 인정치 않고, 그리스도께 직접 받았다 하여, *안수*와 *축성* 덕택에 통치하는 것 이상의 무언가를 필요로 하게 됩니다. 그리고 아마도 그들이 국왕께 불만스러워 하는 자들이니, 그분께서 도울 수도 없고, 그래야 할 이유도 없는 바, 오직 국왕 폐하만이, 공유자 없이, 영토 내 모든 교회의 수장이시라 믿는 모두를 위하실 따름입니다. 그리고 성경이나 자연적 형평성에 반하지 않는 의식이나, 그 밖의 무언가를 베푸실 수 있으며, 귀족원과 서민원의 동의는 현재 그분께 권력을 드릴 수 있는 것이 아니라, 백성들을 위하여 그에 대한 조언과 동의를 선언하는 것입니다. 또한 그는 국가의 안전이 교회의 안전, 그러니까 성직자의 안전에 달려있다고 믿게 할 수도 없습니다. 성직자는 코먼웰스에 필수불가결하지 않으며, 선동을 설교하는 그 목사들은 최고의 성직자가 아님은 물론, 성직자도 아니라 주장하기 때문입니다. 그는 오히려 교회의 안전이 국왕 폐하의 안전과 주권 권력의 완전성에 달려 있다 믿으며, 국왕께서는 목자가 양떼의 일부가 아니듯, 여느 목사나 주교의 양떼 중 일부가 아니라, 오직 그리스도의 양떼이시며, 백성 뿐만 아니라 모든 성직자도 국왕 폐하의 양떼라 믿습니다. 또한 그의 적대자들의 외침으로 홉스 씨가 스스로를 그들 중 최고보다 못한 기독교인이라 여기게 하지도 못합니다. 그리고 여러분이 *시민*법이나 *교회*법에 대한 그의 불순종이나, 무슨 추한 행동으로 이를 어찌 반증하겠습니까? 혹은 불의에 대한 경멸에서 비롯된 순종이 처벌에 대한 두려움이나 편익에 대한 희망에서 비롯된 것보다, 하나님께 덜 받아들여진다고 어찌 증명하겠습니까? 인간을 향해 쾌활하고 자비로우며 올곧은 행동이 논쟁의 여지가 있는 교리를 열성적으로 주장하는 것보다 더 나은 종교의 징표이듯, 후원의 중함과 무거움은 하나님의 총애를 확신할 만큼 괜찮은 표지가 아닙니다. 그러므로 저는 여러분이나 그들을 불쾌하게 한 것은 그의 신학이 아니라, 여러분이 주장하고 싶어하지 않는, 다른 무엇이라 진실로 확신합니다. 여러분 당파에 관해 말하자면, 저는 여러분을 화나게 한 것이 『리바이어던』의 이 구절이라 믿습니다(vol. iii. p. 160)[17]. *또한 어떤 사람들은 주권자에 대한 불복종의 근거로서, 인간이 아닌 하느님과의 새로운 신의계약을 내세우는데, 이것 역시 불법이다. 왜냐하면 하느님의 인격을 대리하는 자의 중개에 의하지 않는 한, 하느님과의 신의계약은 있을 수 없기 때문이다. 이 일을 할 수 있는 사람은 하느님의 가호 아래 주권을 지니고 있는, 하느님의 대리인 이외에는 아무도 없다. 하느님과 새로운 신의계약을 체결했다고 주장하는 것은 너무도 명백한 허위이기 때문에,* (이 부분이 여러분을 화나게 했겠지요) *심지어 그렇게 주장하는 자 자신의 양심에 비추어서도 허위이기 때문에, 불법일 뿐만 아니라 비열하고 비겁한 행위이다.*

게다가 설교되거나 출간된 교리를 국왕께서 판단하시게 한 것도 여러분을 불쾌하게 하였으니, 또한 모든 *성직*권한을 시민 주권자에게 귀속시킨 것도 마찬가지입니다. 그런데 이는 어쩌면 주권이 여왕께 있을 때 힘들어 보일지도 모릅니다. 하지만 그것은 비록

[17] 같은 책. 「제18장 설립에 의한 주권자의 권리에 대하여」-역주

*인간은 남성*과 *여성*일지라도, *권위*는 그렇지 않음을 여러분이 알아챌 만큼 섬세하지 않기 때문입니다. 어느 쪽도 만족시키기란 쉽지 않으나, 여러분이 여러분들 사이에서 더 나은 합의를 얻을 수 없다면, 양쪽 모두를 만족시키기란 불가능합니다. 마치 요크와 랭커스터에서 부활한 가문들처럼[18], 여러분들 간의 차이는 왕국을 혼란케 하였습니다. 특히 외세로부터의 위험에 처했을 때 국왕 폐하와 의회가 여러분을 조용히 시킬 수 없었던 것처럼, 성경이 영어로 된 경우에도 어떻게 약간의 라틴어와 그리스어가 그리 강력히 작동하게 되는지, 누군가는 궁금해하겠지요. 만약 다툼이 필요하다면, 여러분들끼리 결정하고, 백성들을 여러분 당파로 끌어들이지는 마십시오.

또한 스콜라 철학자들을 비난하고, 다음과 같은 훌륭한 일들을 부인한 데에 여러분은 화를 냈습니다. *육신의 종류나 모양은 우리의 관찰에서 비롯된다는 것, 즉 눈으로 들어와 우리에게 보여지며, 이해로 들어와 우리에게 이해되며, 기억으로 들어와 우리에게 기억된다는 것, 육신은 예전과 꼭 같을 수도 있지만, 더 크거나 더 작을 수도 있다는 것, 영원은 영속적인 현재라는 것* 등 말이지요. 그리고 여러분이 적절하다 생각했던 것 이상으로 로마 성직자의 사기를 감지해냈으니까요. 그의 신학에 대한 혐오감은 여러분이 그를 무신론자라 칭하는 최말단의 이유였습니다. 하지만 이제 더 이상은 안됩니다.

여러분의 불손함 중 다음 항목은 그를 경멸스럽게 만들고, 보일 씨Robert Boyle (1627~1691)가 그를 동정하게 하는 것입니다. 이는 너무

---

[18] 장미 전쟁Wars of the Roses (1455~1487)으로 잉글랜드 왕위를 놓고 내전을 벌인 가문들이다.-역주

많이 두들겨 맞은 욕설법이라 기지 있다 생각하기 어렵습니다. 그 일 자체에 관해서는 여러분의 지능이 좋지 않다고 의심하며, 대수학자와 비국교도 여러분들은 서로를 위로하기 위해 그런 척 가장하고 있을 뿐입니다. 여러분 입장에서는, 그를 비난하지 않거나, 아니면 책 제목을 *홉스 씨의 고찰*로 끝맺어, 이로써 그가 여러분에게 충분히 중요하다는 것을 입증하는, 아주 어리석은 일을 하여야 했겠지요. 게다가 수십 차례의 설교로 여러분을 굶주리게 할 만큼 수많은 분노의 문장들을 그에게 보내는 것이란, 경멸에 대한 논증이 아닙니다. 만약 그를 진심으로 경멸했다면, 여러분처럼 그를 욕했던 워드 박사Seth Ward (1617~1689)나 백스터 씨Richard Baxter (1615~1691), 파이크 씨William Lucy (1594~1677) 등에게 그가 그랬듯, 그를 그냥 내버려두었겠지요. 바다 너머 그의 명성에 관해서라면, 아직 사라지지 않았습니다. 그리고 아마도 여러분이 그에 대해 알 방법이 없을 테니, 학식 있는 프랑스인이 프랑스의 저명한 인물에게 쓴 서신에서 한 구절을 읊어 드리기로 하지요. 지금 문제시되는 점과 무관하지 않은 구절입니다. 그것은 서간집에서 네번째 순서이며, 화학자들에 관한 말로, 이와 같습니다(p. 167)[19]. *진실로, 선생님, 그들이 증류기를 멋지게 연주하고, 용액을 걸러내고, 용광로를 짓는 모습을 보며 감탄하게 되는 만큼, 자기 작업의 주제에 대해 논의하는 것을 들을 때에는 그들을 싫어하게 되는데, 그들은 자기들이*

[19] 프랑스의 의사이자 철학자, 사뮈엘 소르비에르Samuel Sorbière (1615~1670)의 『호기심을 끄는 다양한 문제에 관한 소르비에르 씨의 관계 및 서간과 담론Relations, Lettres et Discours de Mr Sorbière sur diverses matières curieuses』에 나오는 내용이다. 소르비에르는 홉스의 『리바이어던』과 토머스 모어Thomas More (1478~1535)의 『유토피아Utopia』 등을 프랑스어로 번역하고 소개하였다.-역주

하는 모든 일이 하는 말과는 아무런 관련이 없다고 생각합니다. 저는 그들이 덜 수고스럽고, 부담이 덜하기를 바라오며, 작업 후 손을 씻으면서, 그들의 논의를 연마하는 데에 참여하는 자들, 그러니까 갈릴레오와 데카르트René Descartes (1596~1650), 홉스, 베이컨Francis Bacon (1561-1626), 가상디Pierre Gassendi (1592~1655)에게 그들 작업에 대해 추론하도록 맡기고, 사물의 차이를 분별할 때에 그러하듯, 학식 있고 현명한 자들이 말하는 바를 듣기를 바랍니다. 저는 각자 자신이 아는 대로 기꺼이 기술을 실천해야 한다 생각합니다[20]. 그리고 같은 목적으로 더 많은 구절이 있습니다.

여기서 화학자에 관해 이야기된 내용은 다른 모든 공학자에게도 적용 가능합니다.

여윳돈이 있는 누구라도 용광로를 구하고, 석탄을 살 수 있습니다. 여윳돈이 있는 누구라도 거대한 주형을 만드는 일을 맡을 수 있고, 일꾼을 고용하여 유리를 갈 수 있으며, 그리하여 가장 훌륭하고 거대한 망원경을 가질 수 있습니다. 그들은 제조한 기관을 가지고, 이들 별에 적용할 수 있으며, 제조한 수신기로 결론을 시도해볼 수 있지만, 그들은 결코 이 모두에 대해 더 나은 철학자가 아닙니다. 고백하건대, 호기심이나 유용한 즐거움에 돈을 쓰는 것은 칭찬할 만하지만, 이는 철학자에 대한 칭찬과는 무관합니다. 그러나 대중은 판단할 수 없기 때문에, 자연철학의 모든 부분에서 능숙한 이들에 대해 미숙한 이들과 함께 인정하게 됩니다. 그리고 지금 들으니, 하위헌스Christiaan Huygens (1629~1695)와 유스타치오 디비니Eustachio Divini (1610~1685)가 자기들 유리로, 둘 누가 더 *광학*에 능숙한

---

[20] Quam scit uterque libens censebo exerceat artem. 호라티우스Quintus Horatius Flaccus (BC 65~BC 8)의 서간집에 나오는 구절이다.-역주

지를 시험받는다 하는데, 제 입장으로는 홉스 씨가 『인간론De Homine』을 내놓기 전에는, 그 주제에 대해 명료하게 쓰여진 어떤 것도 본 적이 없습니다. 여러분의 습관적인 독창성에 따라, 마치 제가 *기하학*과 *광학*을 구분하지도 못하는 양, 유클리드Euclid, 비텔리우스Vitellio (15~69), 그리고 다른 많은 이들의 *광학*을 본 적도 없을 것이라 말하지는 마시지요.

다른 모든 기술에 대해서도 마찬가지입니다. 그러므로 바다 너머에서 새로운 기중기나, 다른 기발한 장치를 가져오는 모두가 철학자는 아닙니다. 그런 방식으로 생각한다면, 약제사와 정원사 뿐만 아니라, 다른 많은 종류의 일꾼도 자청하여 상을 얻게 되겠지요. 그렇다면, 그레셤 칼리지의 젠틀맨이 운동에 대한 교리에 스스로를 바치는 것을 볼 때, (그들이 원한다면, 그리고 예의 바른 한, 홉스 씨는 이미 그래왔듯, 그들을 도울 준비가 되어 있었겠지요) 저는 그들로부터 자연적 사건의 몇 가지 원인과 전에는 없었던 그 기록을 알고자 할 겁니다. 자연은 운동 이외의 무엇으로도 행하지 않으니까요.

유리방울이 왜 그토록 많은 부분으로 산산조각 나는지 홉스 씨가 그토록 궁금해하여, 그 중 작은 일부를 깨뜨려 그 이유를 설명한 내용이 타당하다 인정되어, 그들 대학에 등록되었다 들었습니다. 하지만 그는 그것을 호의로 받아들일 이유가 없었습니다. 왜냐하면 앞으로 그 발견은 그를 위한 것이 아니라, 그들을 위한 것으로 취해질 수 있기 때문입니다.

선생의 나머지 비방에 대한 답변은 짧고, 쉽사리 예견하실 수 있는 바와 같습니다. 그리고 일단 그의 배움을 자랑하는 것에 대해 말하자면, 이런 말로 잘 요약됩니다. *이름을 명명하지 않을 어떤 한가로운 자가 그의 저서 전부를 읽고는, 오만하고 거만한 연*

섭을 한데 모아, 그 스스로에게 갈채를 보내고, 다른 모든 사람을 경멸하는 것을 하나의 개요로 제시하여, 『홉스 그 자체Hobbius de se』라는 제목을 붙이자는 제안을 하였습니다. 이것이 얼마나 멋진 구경거리가 될지는, 선생의 생각에 맡겨 두겠습니다.

그러니 말씀드립니다. 이제 홉스 씨가, 혹은 제가 그를 대신하여 말씀드리니, 선생의 한가로운 자가 그리 하도록 내버려두고, 그가 쓴 것 이외에는 적지 마십시오. 그것이 높이 평가받는 만큼, 그는 자기 손으로 썼음을 인정하고, 그에 대해 칭찬을 받을 것이며, 선생은 조롱받게 될 테니까요. 어떤 로마 원로원 의원이 민중회의에서 무언가를 제안했는데, 이를 싫어하는 백성들이 소란을 피우자, 그들에게 담대하게 침착하라 명하면서, 자신이 그들 전부보다 코먼웰스를 위해 무엇이 더 좋은지를 더 잘 안다 말했습니다. 그의 말은 그의 미덕에 대한 논증으로 우리에게 전해집니다. 진실성과 허영심이 자화자찬의 색조를 그리 크게 바꾸는 것이지요. 게다가 선생은 도덕에 대한 재능을 거의 갖지 못하니, 그의 자기 변호에서 어떤 사람이 자신을 칭찬하는 것에 대해서는 물론, 다른 무엇에 대해서도 정의로움을 보시지 못합니다. 그리고 선생을 그토록 불쾌하게 하는 일에다 그를 가둬 두기에는, 선생에게 사려분별이 부족합니다. 그의 자화자찬에서 선생을 가장 불쾌하게 하는 부분은 『리바이어던』의 말미에 이러한 말로 되어 있습니다(p. 713)[21]. *그러므로 나는 이 책의 출판이 이로운 일이라고 생각하거니와, 대학의 당국자들이 필자의 견해에 공감하여 대학의 교재로 채택한다면 더욱 이로운 일이 될 것이다.* 누구든 이에 대한 진실성을 고찰케 하십시오. 그 목사들이 그들의 선동적인 교리를

[21] 같은 책, 「재검토 및 결론」.-역주

어디서 배웠으며, 그곳 이외에 어디에서 설교하였습니까? 그러하니 설교자들이 그곳 이외의 어디에서 충성심을 가르치는 법을 배워야 하겠습니까? 그리고 선생의 원칙이 내전을 만들어냈다면, 평화를 만들어 내기 위해서는, 그 반대의 원칙, 즉 그의 원칙이어야 하지 않겠습니까? 결과적으로 그의 책은 시민적 교리를 다루는 한, 그곳에서 가르칠 만합니다. 하지만 언제 그리 될 수 있을까요? 선생이 백성들에게 감염시켜온 사악한 교리를 주장할 준비를 갖춘 군대를 선생이 더 이상 보유하지 않을 때입니다. 준비된 군대란, 충분한 무기와 자금, 병력을 갖추었다는 의미인데, 아직 녹봉을 받지 못했더라도, 장교 아래 배치되어, 한 장소나 도시에 모여, 장교 휘하에 배치되어, 무장을 갖추고 어떤 돌발사태시 녹봉을 받게 됩니다. 인구가 많은 대규모 도시의 백성들처럼 말이지요. 모든 대도시는 상비군과 같아서, 주권자의 지휘 하에 있지 않을 경우, 백성들은 비참해 집니다. 그들이 그렇다면, 대학에서 안전하고 손쉽게 자기들 의무를 배우고, 행복해집니다. 저는 폭군이었던 기독교도 왕에 대해 읽은 바가 없으니, 최고의 왕들이 그렇게 불리어 오기는 했지만 말이지요.

그렇다면 선생이 그를 *음울하고 짜증낸다*는 이유로 비난하더라도, 그를 친숙하게 아는 모든 이들은 그것이 거짓 비난임을 압니다. 그런데 오직 그의 의견에 반대하는 자들을 향해서만 그렇다는 의미일 수도 있겠지만, 마찬가지로 사실이 아닙니다. 전에 그가 모르는 허영심 많고 무지한 학자들이 그와 논쟁하기 위해, 그리하여 어리석은 의견으로 박수를 짜내기 위해 왔으며, 그 목적에 실패하면, 무분별하고 무례한 표현에 빠져들었고, 그러면 그는 아주 만족스럽지 않은 듯 보였습니다. 비난받아야 할 것은 그의 *음울함*이 아니라, 그들의 *허영심*입니다. 하지만 선생이 터무니없는 *산파*

술Elenchus로 그러했듯, 그가 결코 해를 끼치거나 보거나 들은 적도 없는 선생이 그에게 그렇듯 무례하고 유해하고 광대 같은 말을 사용하니, 그것이 음울함과 짜증이 아니라면 무슨 유머이겠습니까? 선생의 의견에 반대하는 것을 보고 조바심을 내지 않았던가요? 홉스 씨가 도발한다면 그 펜이 선생만큼이나 날카로움을 아시게 되겠지만, 그는 언제나 누군가를 도발하는 것과는 거리가 멀었습니다.

또, 선생이 그의 나이로 그를 질책하고, 심적 재능을 손상시킬지도 모르는 어떤 이유를 보여주지도 않으면서, 그저 나이로만 그리할 때, 선생이 세상에 그만큼 나이먹은 노인들을 질책하면서, 모든 젊은이들이 그들 스스로 정의할 특정 시점에 선생을 *바보*라 칭할 것이 보장된다는 점을 어찌 보지 못하는지 감탄스럽습니다. 노년에 대한 선생의 혐오감은, 선생이 이를 피하기 위해 그렇게 상당한 모험을 했다는 데에서도 또한 다른 식으로 충분히 표현되었습니다. 하지만 그것은 훨씬 더 큰 비난의 표식을 그토록 많이 지닌 이에게는 그리 대단한 문제가 아닙니다. 경험에서 신중함을, 나이에서 경험을 도출하는 홉스 씨의 계산에 따르면, 선생은 아주 젊은 분입니다. 그러나 선생 자신의 계산에 따르면, 이미 므두셀라[22]보다도 더 늙었지요.

마지막으로 그가 글에서 결코 언급한 적이 없는 보일 씨에게 맞서 글을 썼고, 이는 보일 씨가 선생과 친분이 있기 때문이라고 누가 말했는지요? 저는 그 반대로 압니다. 저는 그가 더 낮은 신분의 인물이었기를 바랬다고 들은 바, 그가 반대하는 교리의 저자이며, 따라서 그것이 거짓이기 때문에, 그리고 다른 식으로는 본인

[22] 그는 구백육십구 세를 살고 죽었더라. 창세기 5:27.-역주

의 교리를 옹호할 수 없기 때문에 반대했다는 것이지요. 그런데 제 생각에, 그는 선생을 배운 자로 착각했으니, 결코 자기 판단이 더 낫다고 생각하지 않았음이 사실입니다. 이것이 제가 그와 그의 태도에 대해 대답하기에 적절하다 여기는 전부입니다. 나머지는 그의 기하학과 철학에 대해서인데, 선생의 책에는 논박의 여지가 너무 많아서, 거의 모든 문장이 반증되거나, 질책받아야 한다는 점만 말해두기로 하지요. 요컨대, 마치 천한 자가 배가 너무 꽉 차서 방귀를 날리듯, 모두 오류와 욕설, 즉 악취나는 바람입니다. 끝났습니다. 저는 지금 선생을 고찰했지만, 선생의 친구가 선생께 어떤 출세길을 주선하든, 다시 그러고 싶지는 않습니다.

철학자와 학생 간의 잉글랜드 보통법에 관한 대화편

보통법에 관한 대화편

이성의 법칙에 관하여.

법률가. 법률 연구가 수학 연구보다 덜 합리적이라 말씀하시는 이유가 무엇인지요?

철학자. 그런 말이 아닙니다. 모든 연구는 합리적이며, 그렇지 않다면 무가치하지요. 허나 말씀드리건대, *수학*의 위대한 대가들은 위대한 법학 교수들만큼 자주 오류를 범하지는 않습니다.

법률가. 이성을 법률에 쓰셨더라면, 아마도 다르게 생각하셨겠지요.

철학자. 어떤 연구에서든, 제 추론이 합리적인지 검토하고, 마그나 카르타Magna Charta부터 현재까지 법령의 표제를 살펴보았습니다. 하나도 빼놓지 않고 읽었으니, 저 사신과 관련이 있을 수 있다고 생각했기 때문이요, 제게는 이로 충분하였으니, 저 자신 이외의 누구에게도 변론하고자 하지 않았으니까요. 허나 그 중 무엇이 얼마나 합리적인지는 그다지 검토하지 않았습니다. 왜냐하면 논쟁하기 위해서가 아니라, 그에 순종하기 위해 읽었으며, 그 모두에서 순종하기에 충분한 이성을 보았고, 법령 자체는 바뀌었더라도 그 이성은 변함없이 유지되었기 때문입니다. 저는 또한 저명한 법률가 에드워드 코크 경Edward Coke (1552~1634)의 주석과 함께 리틀턴Thomas de Littleton (1407?~1481)의 소작권Tenures에 관한 책을 부지런히 읽었는데, 거기에서 법률에 관해서가 아니라, 법률로부터의 추론에 관해서, 특히 이성의 법칙인 인간 본성의 법칙에서 대단한 난해함을 발견하였음을 고백합니다. 그리고 그가 책의 에필로그에서 말했던 것, 즉 법률상의 논증과 이성으로, 인간은 법의 확실성과 지식에 보다

빠르게 도달하게 된다는 것이 진리임을 고백합니다. 그리고 저는 에드워드 코크 경에게 동의하는데, 그는 본문에서 더 나아가 말하기를, 이성이란 법의 영혼이며, 138절에서 *nihil, quod est contra rationem, est licitum,* 즉 말하자면, 이성에 반하는 법이란 없다고 하였으며, 이성은 법의 생명이요, 아니 보통법 그 자체가 이성 이외에 다른 무엇도 아니라 하였고, 21절에서 *æquitas est perfecta quædam ratio, quæ jus scriptum interpretatur et emendat, nulla scriptura comprehensa, sed solum in vera ratione consistens*, 즉, 형평성이란 성문화된 법을 해석하고 수정하는 어떤 완전한 이성으로, 그 자체는 성문화되지 않으며, 올바른 이성 이외의 무엇으로도 구성되지 않는다는 것이지요. 제가 이를 고찰하여 참임을 깨닫고, 올바른 분별력이 있는 누구라도 부인할 수 없을 정도로 분명함을 알게 되자, 저 자신의 이성이 불확실한 상태에 처해있음을 깨닫게 되었으니, 그것은 세상의 모든 법을 좌절시키기 때문입니다. 이를 근거로, 어떤 법이든 상관없이, 누구나 그것이 이성에 반한다고 말할 수 있으며, 따라서 불순종을 위한 구실을 만들 수 있기 때문입니다. 청컨대, 이 구절을 명확히 하여, 우리가 계속 진행할 수 있도록 해주셨으면 합니다.

법률가. 그러므로 에드워드 코크 경을 따라(『법학제요』 1권, sect. 138), 이를 분명히 하려 하는 바, 이것은 만인의 자연적 이성이 아니라, 오랜 연구와 관찰, 경험으로 얻은, 이성의 인위적인 완성으로 이해되어야 합니다. *누구도 장인으로 태어나지 않기*nemo nascitur artifex 때문이지요. 이 법적인 이성은 *총체적 이성*summa ratio이니, 그러므로 여러 숱한 머리에 분산되어 있는 모든 이성이 하나로 합쳐진다면, 잉글랜드의 법률과 같은 법을 만들 수 없습니다. 왜냐하면 아주 오랜 세월에 걸쳐 무수히 진지한 식자들에 의해 정

제되고 다듬어졌기 때문입니다.

철학자. 이로 인해 부분적으로는 모호하고, 부분적으로는 사실이 아닌 지점들이 명확해지지는 않습니다. 법의 생명인 이성이 자연적이서는 안 되고 인위적이어야 한다니, 이해할 수가 없습니다. 저는 법에 대한 지식이 다른 모든 과학처럼 많은 연구로 얻어지며, 연구하여 획득될 때, 여전히 인위적인 이성에 의해서가 아니라 자연적인 이성에 의해 이루어진다고 이해합니다. 법에 대한 지식이 기술이라는 점을 인정하지만, 한 사람 혹은 수많은 이의 기술이 아무리 지혜로운들, 또는 한 사람 이상의 장인들의 작업이 아무리 완벽한들, 법은 아니지요. 법을 만드는 것은 지혜가 아니라, 권위입니다. *법적 이성*이라는 단어 또한 모호합니다. 지상의 피조물에게는 이성이 없지만, 인간에게는 이성이 있습니다. 헌데 그는 국왕 폐하를 제외하고 재판관이나 모든 재판관의 이성을 합하여 곧 *총체적 이성*이자 바로 법이라 의미했던 것 같으니, 저는 부정하는 바, 왜냐하면 입법권력을 가진 자 이외에는 누구도 법을 만들 수 없기 때문이지요. 법이 진지한 식자들, 즉 법학 교수들에 의해 정제되어 왔음은 명백히 사실이 아닙니다. 잉글랜드의 모든 법률은 잉글랜드의 국왕들이 의회에서 귀족 및 서민들과 상의하여 만들어왔는데, 그 중 이십 분의 일도 학식 있는 법률가가 아니었으니까요.

법률가. 선생께서는 성문법에 대해 이야기하시지만, 저는 보통법에 대해 이야기하고 있습니다.

철학자. 저는 법 일반에 대해 이야기하고 있습니다.

법률가. 지금까지 선생께 동의하는 바, 성문법이 없어지면, 여기든 어디서든, 세상 어디에서도 국가의 평화를 이끄는 법이란 전무하게 됩니다만, (신성하고 영원한 법률로, 언제 어디서든 만인

에게 의무를 지우는) 형평성과 이성은 여전히 남아있을 것이나, 소수만이 순종할 것이요, 이를 위반하더라도 현세에서는 처벌받지 않되, 내세에서는 충분히 처벌받게 되겠지요. 에드워드 코크 경이 자기 직군 사람들에게 합법적으로 할 수 있는 한 많은 권위를 부여한 것은 비난받을 일이 아니라, 법 제정에서 주권을 보유하신 국왕 폐하의 권위에, 재판관의 중량과 학문을 더한 것입니다. 이러한 이성의 법칙에 관하여, 모든 신민은 자기 기지로 위험에 주의해야 하는데, 왜냐하면 이성은 자기 본성의 일부이며, 계속해서 들고 다니면서, 원할 때 읽을 수 있기 때문입니다.

철학자. 참으로 그렇지요. 그리고 이 근거에 따라, 만약 제가 한두 달 이내에 저 스스로 재판관의 직무를 수행할 수 있게 되었노라 주장하더라도, 오만이라 생각치 마십시오. 선생께서는 다른 이들에게 뿐만 아니라, 제게도 보통법인 이성에 대한 주장을 허용하셔야 합니다(기억하실 테니, 이성이 보통법이라는 점을, 다시 상기시켜드려야 할 필요는 없겠지요). 그리고 성문법의 경우, 인쇄되어, 그 안에 포함된 모든 문제에 대해 알려주는 색인이 있으므로, 인간은 두 달 이내에 그 안에서 아주 많은 이익을 거둘 수 있으리라 생각합니다.

법률가. 하오나 선생께서는 서투른 변호인이 되실 뿐입니다.

철학자. 변호인은 일반적으로 의뢰인의 편익을 위해 할 수 있는 모든 말을 해야 한다고 생각하므로, 말뜻을 진정한 의미에서 캐내는 재능, 배심원을, 때로는 재판관마저 유혹하는 *수사학*의 재능, 그리고 제가 갖고 있지도 않으며, 연구할 의향도 없는 다른 많은 기술을 필요로 합니다.

법률가. 하지만 얼마나 그 추론을 훌륭하다 여긴들, 재판관은 법문에서 너무 많이 벗어나지 않도록 주의해야 하겠지요. 위험이

없지 않으니까요.

철학자. 법의 의미와 뜻에서 벗어나지 않는 한, 법문에서 위험없이 물러설 수도 있습니다. (재판관이 보통 그렇듯) 식자에 의해, 머리말과 그것이 만들어진 시기, 그것이 만들어내는 불편함이란 쉽사리 찾아질 수 있지요. 하지만 이성의 법칙이 발생할 수 있는 모든 논쟁에 적용되어야 하므로, 어떠한 목적으로 성문법이 제정되었는지를 말씀해 주셨으면 합니다.

법률가. 재물과 권력, 감각적인 쾌락에 대한 불규칙한 식탐의 힘이 어떻게 최강의 이성을 지배하고, 불순종과 살육, 사기, 위선, 그리고 온갖 악습의 뿌리가 되는지, 그리고 인간의 법률이 악행에 대해 비록 그 열매는 벌할 수 있더라도, 마음 속의 뿌리는 뽑을 수 없음을 모르시지 않겠지요. 증인이 주의를 기울일 수 있는 어떠한 행위로 선언되기도 전에, 어떻게 탐욕이나 시기, 위선, 또는 다른 사악한 습관으로 어떤 인간을 기소할 수 있겠습니까? 선생께서 처벌에 지치시고, 마침내 그에 반대하는 모든 권력이 파괴될 때까지, 뿌리가 남은 채로, 새로운 열매가 열리겠지요.

철학자. 그렇다면 여느 국가 내에서, 혹은 한 국가와 다른 국가간에 지속적인 평화를 유지하는 데에 무슨 희망이 있겠습니까?

법률가. 두 국가 간에 그러한 평화를 기대하시면 안 됩니다. 왜냐하면 이 세상에는 그들의 불의를 벌할 어떠한 공동의 힘도 없기 때문입니다. 상호 두려움으로 한동안은 조용히 지낼 지도 모르지만, 가시적인 이점이 있을 때마다 서로를 침략할 것이며, 가장 가시적인 이점이란, 한 국가는 국왕에게 순종하고, 다른 국가는 그러지 않을 때 있게 됩니다. 하지만 서민들이 자기들 주권자에 대한 순종과 애착으로 얻게 될 편익을 보게 될 때, 그리고 개혁이나 정부 교체의 약속으로 그들을 속이는 자들에게 참여함으로써 겪어

야 할 해악을 보게 될 때, 국내의 평화는 영속성을 얻게 되리라 기대할 수 있습니다. 그리고 이는 신학자들에 의해, 이성 뿐만 아니라 거룩한 성경에서 비롯된 논증으로 적절히 이루어져야 합니다.

철학자. 말씀하시는 바는 사실이오나, 잉글랜드의 법률에 관해 저 자신을 깨치고자 하는 대화에서, 제가 목표로 하는 바와는 별로 관련이 없습니다. 그러므로 다시 질문드리건대, 성문법의 목적이란 무엇인지요?

주권 권력에 관하여.

법률가. 그렇다면 모든 인법의 목표란 평화, 모든 국가에서 그들 사이의 정의, 그리고 외적에 대한 방어라 말씀드립니다.

철학자. 헌데 정의란 무엇일까요?

법률가. 정의란 만인에게 각자의 것을 주는 것입니다.

철학자. 정의하신 바는 훌륭하나, 아리스토텔레스의 것입니다. 보통법의 과학에서 원칙으로 합의된 정의는 무엇인지요?

법률가. 아리스토텔레스의 것과 같습니다.

철학자. 법률가 선생, 선생께서 얼마나 철학자에게 신세를 지시는지 보십시오. 그리고 그것은 이성일 따름입니다. 온 세상의 보다 일반적이고 고상한 과학과 법률이란 진정한 철학이며, 잉글랜드의 보통법은 그 중 아주 작은 일부이기 때문입니다.

법률가. 철학이 이성에 대한 연구라는 의미일 뿐이라면, 그렇습니다. 제 생각도 같습니다.

철학자. 정의란 만인에게 각자의 것을 주는 것이라 말씀하셨는데, 각자의 것이란 무엇을 의미하는지요? 이미 제 것인데, 어떻게 제게 주어질 수가 있겠습니까? 혹은, 제 것이 아닌 경우, 어떻게 정의가 제 것으로 만들어줄 수 있겠습니까?

법률가. 법률 없이는, 만물이 만인의 것이요, 이성이 다른 방법으로는 안전하게 살아갈 수 없노라 말한다면, 만물과 토지, 짐승, 과실, 심지어는 다른 이의 육신마저도, 누군가에게 아무런 잘못없이 취하여 소유하고, 누릴 수 있습니다. 인간의 삶을 보존하고 개선하는 데에 도움이 되지 않는다면, 이성의 명령이란 거의 가치가 없기 때문입니다. 인법 없이는 만물이 공동의 것이 되어, 이 공동체가 서로에 대한 침해와 시기, 살육, 끊임없는 전쟁의 원인이 되니, 똑같은 이성의 법칙이 인류에게 자기보존을 위해 토지와 재화의 분배를 명하여, 각자 자신에게 적합한 바를 알 수 있기에, 다른 누구도 그에 대해 권리를 주장하거나, 그것을 사용하는 데에 방해가 되지 않도록 할 것입니다. 이 분배가 정의이며, 우리가 자신의 것이라 말하는 것과 전적으로 같습니다. 이로써 전 인류의 보존을 위해, 성문법의 필요성이 얼마나 큰 지를 보시게 됩니다. 또한 이성의 법칙이 명하건대, 성문법은 현세에서 인간의 안전과 복지에 필요한 수단이며, 이성의 법칙에, 그것이 하나님의 법이므로, 국왕이든 신민이든 모두가 순종해야 하듯, 모든 신민이 순종해야 합니다.

철학자. 이 모두는 매우 합리적이오나, 인간들 대부분이 그토록 불합리하고, 그토록 본인에게 편파적인데, 어떠한 법률로 한 인간을 다른 이로부터 보호할 수 있겠으며, 그 법률이란 죽은 글자들일 뿐이므로, 그 자체로는 인간에게 본인이 원하는 바와는 다른 것을 하게 할 수도, 그가 악행을 범했을 때 처벌하거나 해를 가할 수도 없지 않습니까?

법률가. 제게 법률이란, 살아있고 무장한 법률을 의미합니다. 전쟁으로 정복자에게 절대 복종하는 국가는, 복종을 강요한 바로 그 무기로 인해, 법에 순종하도록 강요된다고 상정하셔야 하기 때

문입니다. 또한 어떤 국가가 법에 따라 자신들을 통치할 인간이나 인간집단을 뽑은 경우, 그에게 무장 병력과 자금, 그리고 직무에 필요한 모든 것을 제공해야 합니다. 그렇지 않으면 법에는 아무런 효력이 없으며, 그 국가는 이전과 마찬가지로 혼란 속에 남아있게 됩니다. 그러므로 법에 효과를 부여하는 것은, 법률상의 말이 아니라 국가의 힘을 갖는 자의 권력입니다. 아테네의 법률을 만든 것은 그것을 고안했던 솔론Solon (BC 630?~BC 560?)이 아니라 인민최고재판소이었고, 유스티니아누스Justinian I (482~565) 시대에 제국법을 만들었던 것은 로마의 법률가들이 아니라 유스티니아누스 자신이었습니다.

철학자. 그렇다면 이로써, 누가 펜을 들었든 잉글랜드에서 법을 만드는 것은 국왕 폐하라는 것에, 병사들을 징집할 권한 없이는 국왕께서 법에 효과를 부여하시거나, 적에 맞서 백성들을 지키실 수 없다는 것에, 결과적으로 국왕께서 군대를 일으킬 필요가 있노라 생각하시는 한, (어떤 경우에는 아주 대군이겠으나) 적법하게 이를 일으키시고, 유지할 자금을 거두실 수 있다는 것에 우리는 동의하는군요. 저는 의심스럽지 않으나, 선생께서는 이것이 법률에 따라, 적어도 이성에 의해 인정하시겠지요.

법률가. 저로서는 인정합니다. 하오나 근래의 곤경을 겪기 전과 후에 백성들이 어떻게 다른 마음을 갖게 되었는지를 들어보셨겠지요. 그들의 말에 따르자면, 국왕께서 본인을 재판관으로 삼는 필요성에 대한 구실로, 우리에게서 그분이 바라시는 것을 빼앗아 가시지 않을까요? 우리가 적으로 인해 무슨 더 나쁜 상황에 처할 수 있겠습니까? 그들이 나열한 것 이상으로 우리에게 무엇을 더 빼앗아갈 수 있겠습니까?

철학자. 백성들의 추론은 서투릅니다. 그들은 정복자 시절에,

잉글랜드인이라는 것이 수치스러웠던 그때에, 우리가 어떠한 상황에 처해있었는지를 모릅니다. 노르만족 주인들이 세운 집무실에서 불평을 하더라도, *그대는 잉글랜드인일 뿐이니라*라는 것 이외의 어떤 다른 대답도 얻지 못했습니다. 백성들도, 그들의 불순종을 희화화하는 사람도, 대단한 필요가 있는 경우를 제외하고는, 국왕 본인에 의하든 의회의 동의에 의하든, 과도한 금액을 모금하는 국왕의 전례를 제시할 수 없으며, 또한 그들 중 누구도 그리 제의할 수 있는 이유를 보여주지도 못합니다. 그들이 자기들 국왕의 무절제에 대해 제기했던 가장 큰 불만이란, 가끔씩 총신을 부유하게 만들어주는 것에 대해서였는데, 이는 왕국의 부를 고려하지 않은 것이었고, 부러움에 불과한 불만이었습니다. 헌데 이 징병이라는 점에서, 말씀해주시지요, 성문법은 무엇입니까?

법률가. 이와 관련된 마지막 법령은 *찰스 2세* 13년, 6조[23]인데, 잉글랜드의 민병대에 관한 최고 통치권과 지휘권 및 처분권은 잉글랜드 국왕의 오랜 권리로 전달되어 왔고, 언제나 그러하였습니다. 하지만 또한 동일한 법안에, 이로 인하여 국왕께서 신민을 왕국 밖으로 추방하시거나 행군하도록 강요하실 수 있다는 선언으로 해석되어서는 안된다라는 단서가 있는 반면, 그것이 불법적이라 선언되지도 않습니다.

철학자. 그것은 또 왜 결정되어 있지 않습니까?

법률가. 제가 속았을지도 모르지만, 그럴 만한 충분한 이유를 상상해볼 수 있습니다. 우리는 우리의 국왕 폐하를 우리 가운데에서 갖기를 좋아하며, 우리 자신이든 다른 국가든, 어느 대리인에

---

[23] 13 *Car*. II. cap. 6. 민병대에 관한 국왕의 단독 권리 법안, 1661년.-역주

게 다스려지고자 하지 않습니다. 그런데 저는 진정으로 믿건대, 외적이 우리를 침략하거나, 잉글랜드나 아일랜드, 스코틀랜드의 침략을 준비할 경우, 어떤 의회도 가만 앉아있지 않을 것이요, 국왕께서 그곳으로 잉글랜드의 병사들을 파견하신다면, 의회는 그에 감사드리겠지요. 알렉산드로스 대제의 영광에 영향을 받아, 그 행동을 모방하는 왕의 신민들은 늘 최고의 평온한 삶을 얻지 못하며, 그런 왕들은 대개 정복을 그리 오래 누리지 못합니다. 그들은 마치 한가운데만 지탱되는 판자 위에 있듯, 끊임없이 왔다 갔다 진군하며, 한쪽 끝이 올라가면, 다른 쪽 끝이 내려가게 되지요.

철학자. 그렇지요. 헌데 국왕 폐하의 양심적 판단에 따라, 국내의 반란이나 모반처럼, 실로 병사들이 필요한 경우, 상당한 군대를 준비하여 봉급을 주지 않으면서 어찌 왕국이 보존되겠습니까? 특히 국고의 부족으로 이웃 왕의 침략과 다스리기 어려운 신민들의 반란을 초래할 때, 어찌 군대를 일으킬 자금을 모으겠습니까?

법률가. 말씀드릴 수가 없겠습니다. 그것은 법률이 아니라, 정책의 문제입니다. 하지만 제가 알기로, 국왕께서는 결코 의회의 동의 없이 신민들에게 세금을 부과하지 마셔야 함을 명시한 법령이 있습니다. 그 법령 중의 하나는 *에드워드 1세* 25년, 6조[24]로, 이와 같습니다. *우리는 우리와 우리의 상속자들, 뿐만 아니라 대주교와 주교, 수도원장, 신부, 여타 거룩한 교인들, 또한 백작과 남작, 그리고 이 땅의 모든 서민들에게, 앞으로 어떠한 일에 대해서도 왕국 일반의 동의에 의하지 않고서는, 그러한 상납금이나 노역, 포상금을 받지 않으리라. 에드워드 1세*Edward I (1239~1307)의 또 다

[24] 25 *Edw.* I. c. 6. 1297년.-역주

른 법령(*에드워드 1세* 25년, 1조[25])은 이러합니다. *대주교와 주교, 백작, 남작, 기사, 시민, 이 땅의 여타 자유민들의 선의와 동의 없이는, 우리 왕국에서 우리나 우리의 상속인들에게 어떠한 공납이나 상납금도 취하거나 부과할 수 없다.* 이 법령은 이후 여러 다른 왕들에게 확정되었고, 현재 군림하시는 국왕께서 마지막으로 그리하셨지요.

철학자. 저는 이 모두를 알고 있으며, 만족스럽지 않습니다. 저는 서민의 한 사람으로, 국왕과 여타 주권자들의 복리를 위해 하나님께서 정하신, 거의 무한한 수의 인간 중 하나입니다. 하나님께서는 백성을 위해 국왕을 만드셨지, 국왕을 위해 백성을 만들지는 아니하셨으니까요. 다른 언어를 말하고, 우리를 경멸하면서, 우리를 노예로 만들고자 하는 교만하고 건방진 이방인의 횡포로부터 제가 어떻게 방어할 것이요, 내전에서 파벌의 잔인함으로 인해 발생할 수 있는 파괴를 제가 어떻게 피하겠습니까? 말씀처럼, 이를 막을 수 있는 민병대를 징집하고 처분할 권리를 오직 홀로 가지시는 국왕께, 어떤 경우든 당장의 방어나 백성들의 평화를 위해 필요한 만큼 병사를 무장하고 봉급을 지급하기 위해 준비된 자금이 없으시다면 말이지요. 저와 선생은 물론, 만인이 파멸하지 않겠습니까? 의회가 열리지 않거나 존재하지도 않을 때, 흔히 일어날지도 모를 일에 대해서는 말씀도 마시지요. 1640년 11월 3일에 열렸던 의회에서 그랬듯, 의회가 존재할 때 연설하고 지도하는 인물들이 군주정을 무너뜨리려는 의도를 갖게 될 경우, 백성의 안전을 위해 전능하신 하나님께 응답하셔야 하며, 이를 위해 군복무를

[25] 25 *Edw.* I. c. 1. 1297년. 원문에는 34 *Edw.* I. stat. 4이라 되어 있는데, 이는 홉스의 오기로 보인다.-역주

부과하고 처분할 권한을 위임받으신 국왕께서는, 선생께서 인용하신 의회법 덕분에 직무를 수행하실 수 없게 되지 않겠습니까? 이것이 이성이라면, 백성들을 포기하거나, 마지막 한 사람까지 서로 죽일 자유에 맡기는 것 또한 이성이요, 만약 그것이 이성이 아니라면, 선생께서는 그것이 법이 아님을 인정하신 것입니다.

법률가. *올바른 이성*recta ratio을 의미하셨다면 사실이겠으나, 에드워드 코크 경이 말했듯(『법학제요』 1권, sect. 138), 제가 법이라 인정하는 *올바른 이성*이란 오랜 연구와 관찰, 경험을 통해 얻은, 이성의 인위적인 완성이지, 만인의 자연적 이성은 아닙니다. *누구도 장인으로 태어나지 않기* 때문이지요. 이 법적인 이성은 *총체적 이성*이니, 그러므로 만약 여러 숱한 머리에 분산되어 있는 모든 이성이 하나로 합쳐진 경우, 잉글랜드의 법률과 같은 법을 만들 수 없습니다. 왜냐하면 여러 세대를 이어 무수히 많은 진지한 식자들에 의해 정제되고 다듬어져 왔기 때문이지요. 그리고 이것이 그가 보통법이라 부르는 것입니다.

철학자. 선생께서는 이를 훌륭한 교리라 생각하시는지요? 이성을 사용하면서 태어나는 인간이란 없다는 것이 사실이더라도, 모든 인간은 법률가처럼 이성을 성장시킬 수 있으며, 에드워드 코크 경 본인이 어느 정도로 이성을 사용했든, 그로 인하여 재판관이 되었던 것이 아니라, 국왕께서 그를 그리 삼으셨기 때문이었듯, 그들이 자신들의 이성을 법에 적용한다면, (법을 공부하기 전이건, 혹은 공부한 법이 아니건) 사법권에 적합한 유능함을 갖출 수 있습니다. 그리고 그가 말하기를, 그토록 많은 여러 머리에 분산될 만큼 많은 이성을 가지는 인간은 이 잉글랜드의 법률과 같은 법을 만들 수가 없다고 하는데, 만약 그에게 누가 잉글랜드의 법률을 만들었는지를 묻는다면, 일련의 잉글랜드 법률가나 재판관이라 하

겠습니까, 아니면 오히려 일련의 국왕들이라 하겠습니까? 그리고 그것은 재판관이나 다른 법학 교수 없이, 오롯이 그들 자신의 이성에 따른 것입니까, 아니면 의회 귀족원 및 서민원의 조언을 동반하는 것입니까? 그러므로 크든 작든, 국왕 폐하의 이성이 *법의 영혼*anima legis, 즉 *최고법*summa lex이니, 에드워드 코크 경의 말처럼, 재판관의 이성이나 학문, 지혜가 아니지요. 허나 선생께서는 그의 『법학제요Institutes of Law』 전반에서, 그가 끊임없이 의회나 왕실 고문의 현자라 부르는, 법률가의 학문을 과장하는 경우가 잦다는 것을 아실 수 있습니다. 그러므로 달리 말씀하시지 않는 한, 말씀드리건대, 국왕 폐하의 이성이 조언과 숙고에 따라 공개적으로 선언될 때, 그것이 곧 *법의 영혼*이요, 즉 *총체적 이성*이니, 즉 잉글랜드가 기독교국이 된 이래로 성경 이외에는, 모두가 이성의 법칙으로 동의하는 형평성이 잉글랜드에서 현재이든 과거이든 법이라 하는 것의 전부입니다.

법률가. 해군성에서 사용되는 제국법, 특정 지역의 관습, 그리고 기업과 사법 재판소의 부칙과 마찬가지로, 교회 정경 또한 잉글랜드 법률의 일부가 아닌가요?

철학자. 왜 아니겠습니까? 그 모두가 잉글랜드 국왕들에 의해 제정되었고, 해군성에서 사용되는 시민법은 처음에는 로마 제국의 법령이었지만, 국왕 폐하의 권위 이외의 다른 어떤 권위로도 효력이 없기 때문에, 이제는 국왕 폐하의 법이며, 국왕 폐하의 법령입니다. 정경에 대해서도 똑같이 말할 수 있습니다. 우리가 보유한 것 중 로마 교회가 만들었던 정경은 엘리자베스 여왕 폐하의 통치초 이래로, 오롯이 잉글랜드 대인장으로 인해, 잉글랜드에서 법률이 아니었고, 아무런 효력도 없었습니다.

법률가. 말씀하신 법령에서 의회의 동의 없는 과세를 제한함에

있어, 무엇을 예외로 받아들이실 수 있는지요?

철학자. 없습니다. 저는 그러한 자유를 부여하는 국왕께서 죄 없이 행할 수 있으신 한, 그들에게 유익하도록 만들 의무가 있으시다는 것에 만족하지만, 만약 그러한 부여로 인해 국왕께서 신민들을 보호하실 수 없게 된 경우에도 그러한 부여를 유지하신다면, 죄를 저지르시는 것이므로, 말씀하신 부여에 신경 쓰시지 않을 수 있으며, 그러하셔야 합니다. 국왕께 받은 그러한 부여는 오류이거나 잘못된 제안이므로, 법률가들이 고백하듯, 무효이며 효과가 없으므로, 회수되어야 합니다. 또한 국왕께서는 모든 수족이 공언하듯이, 외적에 맞서 백성들을 보호하고, 왕국 내에서 그들 사이에 평화를 유지해야 할 책임을 지시며, 만약 그 책임을 다하고자 최선을 다하지 않으신다면, 국왕 폐하도 의회도 적법하게 범할 수 없는 죄를 범하는 것입니다.

법률가. 제 생각에, 이를 부정할 사람은 없겠지요. 세금 부과가 필요한데, 의회에서 거부한다면 죄악이요, 불필요한데 부과한다면 국왕 폐하와 의회 모두의 죄악이니까요. 하지만 해외에서의 경험과 임무에 따라, 그리고 서신이나 다른 수단으로 얻은 정보에 따라, 적의 힘과 장점, 계획, 그리고 그로부터 발생할 수 있는 위험의 방식과 정도에 대해 어느 정도 지식을 쌓은 이와 상의 없이, 하나의 인간이든 하나의 집단이든, 온 국가의 안전을 위임받아 주권 권력을 갖는 어떤 자가 만약 성급하게, 그리고 자기 본연의 자력에 의존하여 전쟁이나 평화를 맺는다면, 죄가 될 수 있으며, 저는 그렇다고 생각합니다. 국내에서 반란이 일어난 경우, 군사적 상황에 대하여 상의하지 않을 때에도 이와 마찬가지이며, 만약 상의한다면, 모든 적과 반란군을 적법하게 진압할 수 있으리라 저는 생각하며, 병사들은 나라 안이냐 아니냐를 묻지 않고 나아가야만

합니다. 민병대를 징집하여 지휘하고, 처분할 권리를 갖는 자 이외에, 누가 반란을 진압해야 하겠습니까? 지난 장기의회는 이를 부정했지요. 하오나 왜일까요? 왜냐하면 반란이 그들 의결 중 과반에 따라 군주정을 무너뜨릴 계획으로 일어났고, 그 목적으로 유지되었기 때문입니다.

철학자. 또한 저는 이로써 국왕 폐하와 그 선조분들의 그러한 부여에 대해 어떠한 비방도 하고자 하지 않습니다. 그 법령은 그 자체로 국왕 폐하와 백성들에게 매우 좋은 것이지만, 정복의 영광을 위해 신민의 생명과 재산 중 일부를 다른 국가를 범하는 데에 쓰고, 나머지는 국내에서 파벌로 자멸하도록 놓아두는 것과 같은 종류의 어려움을 국왕께 초래할 수 있습니다. 제가 여기에서 찾아낸 잘못은, 그 법령과 다른 법령을 왜곡하여, 우리 국왕들이 자신과 백성을 방어하는 데에 필요한 군대를 사용하지 못하도록 구속한 것입니다. 1648년에 그들의 국왕을 (백성들에게 관대해지고 잉글랜드 국교회의 경건한 수호자가 되는 것 이외에, 지상에서 어떠한 더 큰 영광도 추구하지 않으셨던 국왕을) 살해했던 지난 장기의회는, 자기 재량껏 백성들에게 세금을 부과하는 것 이상으로, 얼마 지나지 않아 주권 권력을 탈취하였습니다. 신민 중 누가 그들의 권력에 이의를 제기했는지요? 그들은 아일랜드를 진압하기 위해 바다 너머로 병사들을 보내고, 네덜란드인들과 싸우기 위해 바다로 또 다른 병사들을 보내지 않았습니까? 또한, 주권 권력이 누구에게 거하든 절대적인 권리로서, 그들이 명하는 모든 것에 대해 아무런 의심없이 순종하도록 만들지 않았습니까? 그들의 행동을 인정하고자 이를 말씀드린 것이 아니라, 바로 직전에 자기네들의 주권으로 인정했던 그분에 대해 그 같은 권력을 부정했던 바로 그 인물들의 입에서 나온 증언이야말로, 가장 무지하고 가장 대담

한 입담꾼들이 보통 가장 큰 특혜를 얻는 인민 정부로 국가와 교회를 뒤집으려던, 선동적인 교사들과 다른 수다쟁이들에게 속아넘어가기 전까지, 잉글랜드 백성들은 군대의 유지를 위해 세금을 부과하는 국왕의 권리를 결코 의심해본 적이 없으리라는 충분한 증거이기 때문입니다. 또, 그들의 새로운 공화국이 올리버에 의해 군주정으로 회귀했을 때, 누가 감히 *마그나 카르타*나 선생께서 인용하신 다른 의회법을 구실로 그에게 자금제공을 거부하였습니까? 그러므로 선생의 모든 책에 대해서는, 잉글랜드의 국왕께서 언제든 본인의 양심에 따라 백성을 지키는 데에 필요하다 여기실 때마다, 기꺼우신 만큼 병사를 징집하고 세금을 부과하실 수 있으며, 스스로를 그 필요의 재판관으로 여기시는 것이 좋은 법이라 생각하시면 되겠지요.

법률가. 문 앞에서 엿듣는 이가 아무도 없겠지요?

철학자. 무엇이 두려우십니까?

법률가. 저도 선생께서 말씀하신 바와 같은 것을 말씀드리고 싶으나, 내전의 재앙이나 앞선 사면으로도, 광기가 완전히 치유되지 못한 채, 이전의 원칙을 고수하는 이들이 여전히 매우 많습니다.

철학자. 서민들은 그들이 지혜롭다 여기는 이들, 즉 어떤 부류의 설교자나 법에 대해 배운 듯 보이는 몇몇에게 마음이 기울어, 그에 따라 통치자의 악에 대해 말할 뿐, 이러한 본성에 대해 듣는 것에 결코 주의하지 못합니다. 허나 만약 국왕께서 백성들에게 큰 위험이 닥친 것을 보시거나 염려하시면서, (그 이웃이 정복 중인 적의 물결에 휩쓸릴 때처럼) 자기 백성들도 같은 불행에 처하게 될지도 모른다 생각하신다면, 자기 백성과 그분 자신이 예속되지 않도록 예방하시고저, 그 약한 이웃을 돕기 위해 병사들을 징집하여 봉급을 주고, 보내시려 하지 않겠습니까? 그것이 죄일까요?

법률가. 첫째로, 이웃에 대한 전쟁이 정당하다면, 그 권리에 반해 그들을 돕는 것이 형평성에 어긋나는지 아닌지 의문을 제기해 볼 수 있습니다.

철학자. 저로서는, 침략자가 저를 안전하게 보호할 능력과 의지가 없다면, 또한 그분이나 그 후계자가 제 이웃을 정복하여 얻은 이점으로 향후 제게도 그 같은 일을 행하려 하지 않는다면, 아무런 의문도 제기하지 않습니다. 허나 그들을 평화로 묶을 어떠한 공동의 힘도 없습니다.

법률가. 둘째로, 그러한 일이 일어나면, 의회는 본인들과 온 나라의 안전을 위해 자유로이 기여하기를 거부하지 않을 겁니다.

철학자. 그럴 수도 있고, 아닐 수도 있습니다. 만약 그때 의회가 열리지 않았다면, 반드시 소집됩니다. 6주의 시간이 필요한데, 주어진 바를 논의하고 집중하는 데에 그만큼의 시간이 필요하며, 이 시간 동안 아마도 기회를 잃겠지요. 게다가, 지난 고난에서 야비한 영혼들이 말하는 것을 얼마나 많이 들어야 했습니까? 누가 승리를 얻는지가 무슨 상관이겠습니까? 우리는 그들이 요구하고자 하는 대로 지불할 수 있을 뿐이며, 현재 우리는 너무 많이 지불하고 있습니다. 그리고 그들은 지금까지 그래왔듯, 누가 다스리든, 탐욕과 무지를 한데 고수하는 한, 불평하겠지요. 이성과 종교 모두에서, 더 나은 질서를 의무로 가르침 받지 않는다면, 최후의 날까지 그럴 겁니다.

법률가. 이 모든 것으로 인해, 국왕께서 필요를 구실로, 원하시는 바를 신민들에게서 취할 권리를 가지시기란 다소 어려우리라 생각합니다.

철학자. 이 점에서 무엇이 선생의 양심을 괴롭히는지를 압니다. 모든 사람은 자기 바람이 어긋날 때 괴로워하나, 그것은 우리 자

신의 잘못입니다. 첫째로, 우리는 불가능을 소망합니다. 우리는 대가를 지불하지 않고, 재산권으로 온 세상에 맞서 우리의 안전을 확보하고자 합니다. 이것은 불가능하지요. 우리는 뿐만 아니라 물고기와 닭고기가 저절로 삶아지고 구워지고 접시에 담겨 식탁에 오르기를, 포도가 저절로 우리 입 안으로 들어가기를, 어느 쾌활한 인물이 코카뉴의 땅에 대해 이야기한 다른 모든 만족과 편안함을 얻기를 기대하는지도 모릅니다. 둘째로, 주권을 가진 자 혹은 그런 자들이 자기 안전을 위해 필요하다고 생각할 때, 해당 국가의 방위를 위해 원하는 자금을 취하지 않는 국가란 세상 어디에도 없습니다. 지난 장기의회는 이를 부인했습니다만, 왜일까요? 왜냐하면 그들 간에 국왕 폐하를 폐위하려던 계획이 있었기 때문이었습니다. 셋째로, 제가 읽어온 바에 따르면, 잉글랜드의 국왕 중 어느 분도 양심에 반하여 세금 부과의 필요성을 주장하셨던 전례가 없습니다. 당시의 화폐 가치를 지금과 비교해보면, 가장 큰 금액을 부과하셨던 분은 에드워드 3세 국왕 폐하와 헨리 5세 국왕 폐하이셨는데, 지금 우리가 영광스레 기리면서, 그 행동을 잉글랜드 역사에서 대단한 광휘로 여기는 국왕들이시지요. 마지막으로 때때로 총신을 부유하게 만드는 것에 관해서는, 그것은 왕국에 대단치도 않으며, 그로 인하여 어떤 보물을 왕국 밖으로 유출하는 것도 아니며, 다시 서민들에게 흘러내려 소비됩니다. 인간이라는 우리의 조건이 어떠한 불편함에도 종속되어서는 안 된다고 생각하는 것은, 우리 자신의 잘못으로 전능하신 하나님과 다투는 해로운 일입니다.

법률가. 무슨 말을 해야 할지 모르겠군요.

철학자. 제가 말씀드린 바를 인정하신다면, 백성들은 어느 누군가의 뜻에 따라 과세된 적이 없었으며, 그럴 것이며, 그러해야 한

다고 말해야겠지요. 만약 내전이 일어나면, 그들이 가진 전부가, 어느 한쪽이나 다른 쪽, 혹은 양쪽 모두에게 징수될 것이 틀림없습니다. 말씀드리건대, 국왕께 붙으면 승리가 고난의 끝이요, 그분의 적에게 붙으면 끝이란 없습니다. 전쟁은 영속적인 분열로 지속되어, 그것이 끝나더라도, 이전과 똑같은 상태에 있게 되니까요. 그들은 흔히 지혜로워 보이는 자들에게 속임을 당하는데, 그들의 지혜란 은혜를 받아 수익성 있는 직무에 종사하는 자들에 대한 시기심 이외의 무엇도 아니며, 그런 사람들은 자기 목적을 위해 서민들을 속이면서, 공공의 안전에 맞서는 사인의 예의범절을 세울 뿐입니다. 헌데 또 말씀드리건대, 국왕께서는 쓰여졌든 쓰여지지 않았든, 하나님의 율법에 복종하시되, 다른 것에는 그러지 않으셨고, 정복자 윌리엄William the Conqueror (1028?~1087)께서도 그리하셨으며, 그로부터 현왕께 권리 일체가 이어져 내려왔습니다.

법률가. 형평성이라는 이성의 법칙에 관해서라면, 입법자는 오직 한 분으로 족하니, 하나님이십니다.

철학자. 그렇다면 선생께서 보통법이라 부르시는 것은 성문법과 구별되며, 하나님의 율법 이외에 무엇도 아닙니다.

법률가. 어떤 의미로는 그렇지요. 하오나 그것은 복음이 아니라, 자연적 이성이며, 자연적 형평성입니다.

철학자. 만인이 다른 만인에게 본인의 특정한 이성을 법칙으로 단언케 하시려는지요? 주권 권력을 가진 자의 이성 이외에는, 어느 국가에서도 사람들 사이에 합의된 보편적 이성이란 존재하지 않습니다. 그런데 그의 이성은 한 인간의 이성일 뿐이나, 복음에서 우리 구주께서 우리에게 설명하신, 보편 이성이 그 자리를 채우기 위해 세워집니다. 그에 따라 우리 국왕께서는 우리에게 성문법과 보통법, 모두의 입법자이십니다.

법률가. 예, 저는 교황권이 폐지된 이래로 왕국에서 법률이 된 영적 율법이 국왕 폐하의 법률임을, 그리고 이전에 만들어진 것 또한 알고 있습니다. 로마 교회의 정경은 여기에서나, 교황의 현세적 지배권이 없는 다른 어디에서도, 법률이 아니며, 왕과 국가가 각자의 여러 지배권에서 각각 그리 만든 것과는 동떨어져 있지요.

철학자. 인정합니다. 허나 선생께서도 영적 율법이 영적 율법의 입법자들에 의해 만들어졌음을 인정하셔야 합니다. 그리고 모든 왕과 국가가 귀족원 및 서민원의 동의로 법을 만들지는 않음에도, 여기 우리의 국왕께서는 백성들의 선과 안전에 도움이 되리라 판단하심에, 지금까지 그들의 동의에 구속되셨습니다. 예를 들어, 귀족원 및 서민원이 메리 여왕 폐하 시대에 시행되었던 영적 율법을 복원하도록 조언한다면, 저는 국왕께서 다른 하나님 율법의 도움 없이, 이성의 법칙에 따라 그러한 조언을 무시하셔야 할 의무가 있으시다 생각합니다.

법률가. 저는 국왕께서 유일한 입법자이심을 인정하오나, 만약 그분이 의회 귀족들과 상의하지 않으시고, 자신들의 욕구를 가장 잘 알고 있는, 서민들의 불만과 보고를 듣지 아니하신다면, 비록 무기와 무력으로 신민들에게 무엇도 강요하실 수는 없다 하더라도, 하나님께 반하는 죄를 지으시는 것이라는 제한을 두어야 하겠습니다.

철학자. 우리는 이미 그에 동의하였습니다. 따라서 국왕께서 유일한 입법자이시므로, 국왕께서 유일한 최고재판관이셔야 하는 이유도 여기에 있다 생각합니다.

국왕께서 최고재판관이시다.

법률가. 그에는 의심의 여지가 없습니다. 그렇지 않으면 판결이

법과 부합하지 않을 테니까요. 저는 또한 그분이 현 의회법에 의해서 뿐만 아니라, 보통법에 의해서도, 모든 인격에 대해, 그리고 지배권 내의 모든 민사 및 교회 소송에서 최고재판관이심을 인정합니다. 양쪽 판사석의 재판관들은 국왕 폐하의 특허장의 의해 직분을 맡으며, 고로 사법권에 관해서는 주교직을 맡습니다. 또한 대법관은 국왕 폐하로부터 잉글랜드 대인장을 수령함으로써 직무를 맡지요. 그리고 한번에 말씀드리자면, 국가나 교회에서, 평시에나 전시에나, 사법권이든 집행권이든, 국왕 폐하로부터 권위를 부여받지 않고서는, 어떠한 치안판사나 공무상의 위원도 있을 수 없습니다.

철학자. 사실입니다만, 어쩌면 다르게 생각하실 수도 있습니다. 그러한 의회법을 읽으시면서, *엘리자베스 1세* 1년, 1조[26]에서 "전하, 전하의 상속인, 그리고 후계자인, 이 왕국의 왕이나 여왕들이 이 법안 덕택으로 잉글랜드 대인장 아래의 특허장에 의해, 지정된 완전한 권한과 권위를 갖게 되실 것, 등등"이라 했던 것처럼, 국왕께서 그 법안 덕택으로 이렇게 저렇게 할 권한과 권위를 갖게 되셨다고 말이지요. 바로 이 의회가 여왕께 권위를 부여하지 않았던가요?

법률가. 아닙니다. 이 조항의 법령은 에드워드 코크 경이 말하곤 했듯, 보통법을 확약한 데에 지나지 않으니까요. 여왕께서는 잉글랜드 교회의 수장이셨기에, 아시겠지만, 마치 교황이 하나님의 율법에서 권리를 주장하듯 자유로이, 교회 사안을 결정하기 위해 위원을 세우실 수 있었습니다.

철학자. 우리는 지금까지 법의 본성과 본질을 전혀 고려하지 않

---

[26] 1 *Elizabeth* c. I. 수장령, 1558년.-역주

은 채로 법에 대해 말해왔으니, 이제 *법*[27]이라는 단어를 정의하지 않고서는, 모호함과 오류 없이 더 나아갈 수 없으며, 이는 시간낭비에 지나지 않겠지요. 반면, 그와 반대로 단어에 대한 합의는 우리가 이제부터 말할 모든 것에 빛을 비추어 줄 겁니다.

법률가. 어떤 법령에 *법*이 정의되어 있는지 기억나지 않는군요.

철학자. 저도 그리 생각합니다. 법령은 권위에 의해 만들어졌고, 백성의 안전을 돌보는 것 이외의 여느 다른 원칙으로부터 도출되지 않기 때문입니다. 법령은 보통법이나 다른 논쟁의 여지가 있는 기술처럼, 철학이 아니라, 순종해야만 하는 명령 또는 금령이며, 여기 잉글랜드에서는 정복자에게, 다른 코먼웰스에서는 주권 권력을 갖는 누군가에게 복종함으로써 동의했기 때문에, 고로 모든 곳에서 실정법이란 법령입니다. 그러므로 법에 대한 정의는 비록 법의 의미를 가르치는 자들에게는 매우 필요하더라도, 법령 제정자에게는 불필요하였습니다.

법률가. 브랙튼Henry de Bracton (1210?~1268)이 법에 대해 명확하게 정의 내린 바 있는데, 에드워드 코크 경은 이를 인용합니다. *Lex est sanctio justa, jubens honesta, et prohibens contraria.*

철학자. 즉 말하자면, 법이란 정의로운 법령으로, 정직한 일을 명령하고, 그 반대의 일을 금지한다는 겁니다. 그러므로 어떤 경우든 명령을 법으로 만드는 것은 정직이거나 부정직이니, 아시겠지만, 사도 바울이 말했듯, 율법으로 말미암지 않고서는 내가 죄를 알지 못하였노라[28]는 것이겠지요. 따라서 이 정의는 법에 대한

[27] 본문에서 법, 법률, 율법, 법칙은 모두 law라는 단어를 번역한 것으로, 맥락에 따른 차이가 있을 뿐 모두 같은 의미이다.-역주

[28] 로마서 7:7.-역주

더 이상의 논의를 위해 어떠한 근거도 되지 않습니다. 게다가 정직과 부정직의 규칙은 명예를 의미하며, 법이 존중하는 것은 오로지 정의와 불의 뿐입니다. 허나 이 정의에서 제가 가장 반대하는 것은, 어떤 국가의 주권 권력이 제정한 법령이 부당할 수도 있다고 가정하는 것입니다. 인간이 만든 성문법에서는 실로, 부정은 발견될 수 있으나, 불의가 발견되지는 않습니다.

법률가. 다소 의뭉스럽군요. 분명하게 다루어 주셨으면 합니다. 불의와 부정 사이에 무슨 차이가 있습니까?

철학자. 바라옵건대, 사법 재판소와 형평 재판소 사이에 무슨 차이가 있는지, 먼저 말씀해 주시겠습니까?

법률가. 사법 재판소는 이 땅의 실정법에 따라 마무리되어야 할 소송에 대하여 심리하는 곳이며, 형평 재판소는 형평성, 즉 말하자면 이성의 법칙에 따라 결정되어야 하는 소송이 속하는 곳입니다.

철학자. 그렇다면 불의와 부정 간의 차이를 이렇게 보시는 군요. 불의란 성문법의 위반이요, 부정은 이성의 법칙을 위반하는 것입니다. 허나 아마도 선생께서는 보통법을, 법 자체가 아니라, 사실의 문제에 관하여 12인의 유권자[29]에 의해 법에 따라 진행되는 방식이라 말씀하시는 것이겠지요. 무엇이 정의로운지 부당한지가 아니라, 단지 그것이 행해졌는지 아닌지를 결정할 따름이므로, 그들 12인은 형평 재판소도 사법 재판소도 아니며, 그들의 판단은 증인들의 판단이 적절함을 확정하는 것 이외의 무엇도 아님에도 말이지요. 정확히 말하자면, 사실에 관해서는 증인 이외에 어떠한

[29] 중세 잉글랜드의 법원에서는 12명의 배심원단이 판결을 내렸다.-역주

재판관도 있을 수가 없습니다.

법률가. 선생께서는 법을 어찌 정의하시고자 합니까?

철학자. 따라서, 법이란 주권 권력을 가진 자 또는 그런 자들의 명령으로, 그 신민인 자들에게 주어져, 그들 모두가 무엇을 할 수 있고, 무엇을 못하도록 금지되어야 하는가를 공개적으로 분명하게 선언한 것입니다.

법률가. 모든 재판관이 모든 재판소에서 이성의 법칙인 형평성에 따라 판결해야 하는 것으로 보아, 보통법과 형평성은 같은 법이므로, 별도의 형평 재판소는 불필요해 보이며, 백성들에게 부담일 따름입니다.

철학자. 재판관이 오류를 범할 수 없다면 실로 그렇겠지만, 그들은 오류를 범할 지도 모르며, 국왕께서는 형평성 법칙 이외의 다른 어떠한 법에도 구속되시지 않으므로, 재판관의 무지나 부패로 인해 피해입은 자들을 구제하는 것은 오롯이 국왕께 속합니다.

법률가. 선생이 정의하신 법에 따르면, 잉글랜드 대인장 아래 국왕 폐하의 포고령이 법입니다. 그것은 공개적으로, 신민에 대해 주권자가 내린 명령이니까요.

철학자. 국왕께서 신민들의 선을 위해 필요하다 생각하셨다면 왜 안 되겠습니까? 이는 에드워드 코크 경 본인이 주장한 보통법상의 격언이니까요(『법학제요』 1권, sect. 306). *법이 무언가를 허가할 때, 그것은 그에 도달하는 방법도 허용하는 듯 보인다*[30]는 것입니다. 그리고 선생께서는 동저자에게서, 잉글랜드의 여러 국왕들이 의회의 청원에 대해, *우리 왕권을 구하기 위해 꼭 필요한*

---

[30] Quando lex aliquid concedit, concedere videtur et id per quod devenitur ad illud.-역주

*경우가 아니라면*과 같은 예외를 부속하여 허락하는 경우가 잦은데, 저는 이런 것이 명시되지 않더라도 늘 이해되어야 한다 생각합니다. 그리고 일반 법률가들도 그리 이해하며, 그들은 국왕께서 기만당하여 허락하신 것이라면 취소하실 수 있다는 데에도 동의하지요.

법률가. 다시금, 법률의 본질을 백성들에게 공개적으로 명백하게 선언하는 것으로 만들고 계시지만, 저는 그럴 필요를 모르겠습니다. 신민의 동의 없이 어떠한 법안도 통과될 수 없다면, 모든 신민이 모든 의회법에 대해 주의해야 하지 않습니까?

철학자. 만약 어떤 법안도 그들이 모른 채로 통과될 수 없다고 말씀하신 거라면, 실로 그들은 그에 대해 주의해야만 하겠지요. 허나 의회의 의원들 이외에는 누구도 알지 못하므로, 나머지 백성들은 면제됩니다. 그렇지 않다면 하원의원은 귀향하면서 백성들의 부담으로, 의회법을 충분히 복사하여 백성들에게 제공해야 하며, 만인이 그에 의지하여, 자신이나 친구들이 의무를 다하도록 주의해야 합니다. 다른 식으로는 그들이 순종하기가 불가능하니까요. 그리고 어떤 인간도 불가능한 일을 할 의무가 없음은 에드워드 코크의 관습법상 격언 중 하나입니다. 저는 대부분의 법령이 인쇄되어 있음을 알고 있으나, 만인에게 법령집을 사야 한다거나, 웨스트민스터나 런던탑에서 이를 찾아봐야 한다거나, 아니면 그 대부분에 채워진 언어를 이해해야 할 의무가 있는 것 같지는 않습니다.

법률가. 저는 그것이 자신들 잘못에서 비롯되었음을 인정하지만, 어린이와 광인, 바보를 제외하고는 누구도, 이성의 법칙에 대한 무지로 인하여, 즉 말하자면, 보통법에 대한 무지로 인하여 면제될 수 없습니다. 그런데 선생께서는 성문법에 대한 주의가 거의

불가능하다는 듯 강요하십니다. 모든 곳에서 충분한 수의 형법을 갖는 것으로 충분치 않습니까?

철학자. 충분합니다, 만약 그들이 그들 가까이에 형법을 갖고 있다면요. 헌데 성경이 널리 퍼져 있듯, 법령집이 그래서는 안 되는 이유를 알려주실 수 있겠습니까?

법률가. 저는 글을 읽을 수 있는 모든 이가 법령집을 갖는 편이 좋다고 생각합니다. 인간의 생명과 재산에 위험을 불러올 수 있는 법에 대한 지식은 아무래도 모자라기 때문이지요. 저는 법에 대한 선생의 정의에서 큰 잘못을 찾아냈습니다. 즉 모든 법이 무언가를 금하거나 명한다는 것입니다. 도덕법이 언제나 명령 또는 금령이거나, 적어도 이를 암시하는 것은 사실입니다. 하지만 양을 훔친 자는 네 배로 갚으라는 레위 율법에서, 이 말 어디에 명령이나 금령이 있습니까?

철학자. 그러한 문장은 그 자체로 일반문이 아니라, 판결입니다. 그럼에도 불구하고, 그 말에는 재판관에게 4배의 배상을 하도록 만들라는 명령이 내포되어 있습니다.

법률가. 맞습니다.

철학자. 이제 정의란 무엇인지, 그리고 어떤 행동과 어떤 인간이 정의롭다 할 수 있는지 정의해주시지요.

법률가. 정의란 만인에게 각자의 것을 주려는 끊임없는 의지, 즉 말하자면, 만인에게 각자의 권리인 것을, 같은 것에 대하여 다른 모든 이의 권리를 배제하는 방식으로 주는 것입니다. 정당한 행동이란 법에 어긋나지 않는 것입니다. 정당한 인간이란 정의롭게 살아가려는 끊임없는 의지를 가진 자입니다. 더 많은 것을 요구하신다면, 그러한 정의 내에 살아있는 인간이 포함될 수 있을지 의심스럽습니다.

철학자. 선생께서 정의한 바에 따르자면, 정당한 행동이란 법에 어긋나지 않는 것이며, 법이 있기 전에는 불의가 있을 수 없음이 명백하므로, 법은 본성상 정의와 불의에 선행합니다. 그리고 무슨 법이든 있기 전에, 그 결과로 무슨 정의든 있기 전에, (인간의 정의 말입니다) 입법자가 있어야 하며, 선생께서 *자기 것*으로 칭하시는 것이나, *내 것*meum, *네 것*tuum, *다른 누군가의 것*alienum으로 구별되는 재화나 토지 재산 이전에 입법자가 있어야 함을 부정하실 수 없겠지요.

법률가. 그것은 인정되어야 합니다. 성문법 없이는, 만인이 만물에 대한 권리를 가지니까요. 그리고 우리는 내전으로 우리의 법이 침묵했을 때, 어떠한 재화에 대해서도 확실히 자기 것이라 말할 수 있는 사람이 없었던 경험을 하였습니다.

철학자. 아시다시피, 어떤 사인도 국왕 폐하나 주권 권력을 가진 자 이외에는 어느 누구의 어떤 칭호에서도, 여느 토지나 다른 재화에 대해 소유권을 주장할 수 없으니, 왜냐하면 만인이 원하는 대로 침입하여 소유하지 못하는 것은 주권 덕분이며, 결과적으로 주권자가 주권 권력을 유지하는 데에 필요한 무언가를 거부하는 것은, 자기가 주장하는 소유권을 파괴하는 것입니다. 다음으로 질문드리고 싶은 것은 법과 권리, 즉 *렉스*lex와 *유스*jus를 어떻게 구별하는가입니다.

법률가. 에드워드 코크 경은 여러 곳에서 *렉스*와 *유스*를 같은 것으로 삼고는, *렉스 콤무니스*lex communis와 *유스 콤무니스*jus communis를 매한가지로 여겼으며, 저는 어디에서도 그가 이를 구별하는 모습을 찾아내지 못했습니다.

철학자. 그렇다면 제가 이를 구별해보려 하니, 그 구별이 보통법 저자들이라면 알아 두어야 할 필요가 없는지를 판단해주시지

요. 법은 무언가를 행하도록 의무를 부여하거나, 행하지 못하도록 금하므로, 제게 의무를 부과합니다. 허나 저의 권리는 법이 금하지 않는 무언가를 행하고, 법이 명하지 않는 무언가를 하지 않아도 되도록, 법이 제게 남겨둔 자유입니다. 에드워드 코크 경은 구속됨과 자유로움 사이에 어떠한 차이도 없다고 보았는지요?

법률가. 그가 무엇을 보았는지는 모르겠으나, 그에 대해 언급한 적은 없습니다. 인간이 자신의 자유는 버릴 수 있더라도, 법에 대해서는 그리할 수 없습니다.

철학자. 허나 국내의 반란무리나 국외의 적이 재화를 빼앗거나, 선생께서 권리를 가진 땅을 빼앗는다면, 무엇이 선생의 권리에 더 나을까요? 국왕 폐하의 힘과 권위 없이, 보호되거나 보상받을 수 있겠습니까? 그러니 자기 소유권을 보존하고자 노력하는 사람이, 그를 보호하거나 그에게 보상할 힘에 대해 부인하거나 악의적으로 굴어야 할 무슨 이유가 있을 수 있겠습니까? 이제 선생의 책이 이에 대해 말하는 바와, 주권의 권리에 대해 다른 점을 살펴보기로 하지요. 보통법에 대해 가장 정통한 저자인 브랙튼은 이렇게 말합니다(fol. 55). *Ipse Dominus Rex habet omnia jura in manu sua, sicut Dei vicarius; habet etiam ea quæ sunt pacis; habet etiam coercionem, ut delinquentes puniat; item habet in potestate sua leges. Nihil enim prodest jura condere, nisi sit qui jura tueatur.* 즉 말하자면 이렇습니다. 우리의 주군 국왕께서는 자기 손 안에 모든 권리를 가지신다. 하나님의 대리자요, 평화와 관련된 일체를 가지신다. 범죄자를 처벌할 권능을 가지신다. 모든 법이 그분의 권능 내에 있다. 법을 제정하더라도, 순종케 할 누군가가 없다면, 아무런 소용이 없다. 저와 선생께서 생각하듯, 만약 브랙튼의 법이 합리적이라면, 국왕께서 갖지 못하시는 현세적 권

력이란 무엇이 있겠습니까? 오늘날 브랙튼이 교황에게 인정한 모든 영적 권능이 왕관에 복원되었으니, 하나님 율법에 어긋나는 죄를 범하지 않는다면, 국왕께서 행하실 수 없는 일이란 무엇이 있겠습니까? 바로 그 브랙튼이 이렇게 말합니다(*lib.* ii. c. 8, fol. 5). *Si autem a Rege petatur, cum breve non currat contra ipsum, locus erit supplicationi quod factum suum corrigat et emendet; quod quidem si non fecerit, satis sufficit ei ad pœnam, quod Dominum expectet ultorem: nemo quidem de factis suis præsumat disputare, multo fortius contra factum suum venire.* 즉 말하자면 이렇습니다. 만약 국왕께 무언가가 요구되어, 영장이 그분께 반하지 않는다면, 청원으로 그 행위를 바로잡고 고치도록 간구할 여지가 있다. 만약 그분이 이를 행하시지 아니하더라도 충분한 형벌이니, 주님의 처벌을 기다리시게 되는 것이다. 누구도 그분이 행하시는 바에 논쟁할 수 없으며, 저항하기란 더더욱 불가능하다. 이로써, 장기의회가 그토록 외쳤던 주권 권리에 관한 이 교리가 오랜 보통법이며, 잉글랜드 국왕께 주어지는 유일한 굴레란 하나님께 대한 경외여야 함을 아시게 됩니다. 그리고 또 브랙튼은 왕관의 권리는 포기될 수 없다고 말합니다(*lib.* ii. c. 24, fol. 55). *Ea vero quæ jurisdictionis sunt et pacis, et ea quæ sunt justitiæ et paci annexa, ad nullum pertinent nisi ad coronam et dignitatem Regiam, nec a corona separari poterunt, nec a privata persona possideri.* 즉 이런 말입니다. 관할권과 평화에 속한 것, 정의와 평화에 수반되는 것들은 왕관과 국왕 폐하의 존엄 이외의 무엇에도 속하지 않으며, 왕관과 분리될 수도, 어떤 사인이 소유할 수도 없다. 또한, 에드워드 2세 국왕 폐하Edward II (1284~1327) 시기에 쓰여진 법률서인 『플레타Fleta』에 따르면, 비록 국왕 폐하께서 자유를 부여하셨더라도, 그것이 정의를 방해하거나 왕권을 파괴하는 경향이 있다면, 사용되어서도, 허용되어서도 안 됩니다. 그 책에서 말하기를(*lib.* i. c. 20, § 54), 순회재판관이 조사해야 하는 왕관과 관련된 조문 중 54번째 조문은 이와 같습니다. *자유 중에서 공동의 정의를 방해하고, 왕권을 파괴하는 자유가 부여되었는지*[31], 조사해야 합니다. 그럼 신민이 국왕께서 반란을 진압하거나 예방하는 데에 요하시는 자금 조달을 방해하여, 정의를 파괴하고, 주권 권력을 파괴하는 것보다, 더 크게 공동의 정의를 방해하는 것이란 무엇이며, 더 크게 왕권을 파괴하는 것이란 무엇이겠습니까? 더욱이, 국왕께서 "*짐과 짐의 상속자들을 위해*pro me et hæredibus meis … *전에 등등*coram etc … *주고 등등*Dedita etc"과 같은 말로 특허장을 부여하실 때, 에드워드 코크 경이 리틀턴에 대한 주석에서 말하듯, 보통법에 따른 수여자는 자신의 선물을 보증하는 것이며, 선물이 지불된 대가를 고려한 경우라면, 특히 그러하다 생각합니다. 외국이 본 왕국에 대하여 점유권을 제기한다고 가정해보면, (제가 묻는 질문에서, 그 요구가 부당한지는 상관없습니다) 국왕께서 잉글랜드의 모든 유권자에게 그러한 특허장에 따라 그들이 보유한 토지를 어떻게 보증하시겠습니까? 국왕께서 세금을 부과하실 수 없다면, 그들의 재산은 상실될 것이요, 국왕 폐하의 재산도 그렇겠지요. 그리고 국왕 폐하의 재산이 사라진다면, 보증에 따른 가치를 어떻게 보상하실 수 있겠습니까? 제가 알기로, 국왕 폐하의 특허장은 법이 아니듯 단순한 허가가 아니라, 국왕 폐하의 모든 신민 일반이 아닌, 관료만을 대상으로

---

[31] de libertatibus concessis quæ impediunt communem justitiam, et Regiam potestatem subvertunt.-역주

말씀하시는 것과 같은 법률이며, 해당 허가와 상충되는 무언가를 판결하거나 실행하지 못하도록 금합니다. 무엇이 올바른 이성이고, 무엇이 아닌지를 판단할 역량을 갖춘 사람은 많으니, 이들 중 누구라도 왕국 내에서 상급자도 동료도 없음을 알게 되면, 그는 왕국의 무슨 법에 따라 구속될 수 있음을 거의 납득하지 않게 되거나, 또는 하나님 이외의 누구에게도 복종하지 않는 자라면 스스로 법을 만들 수 있는데, 이를 만들었을 때처럼 쉽사리 폐지할 수는 없습니다. 군중이 그토록 많이 취하는 주요 논증은 자기 목적을 위해 손을 쓰고자 하는 이들이 그들 마음에 불필요한 두려움을 심는 데에서 비롯됩니다. 그들이 말하길, 법에도 불구하고 국왕께선 원하는 대로 하실 수 있으며, 저세상에서 맞이할 처벌에 대한 두려움 이외에는 그분을 제지할 무엇도 없다면, 그러한 처벌을 두려워하지 않는 왕이 나올 경우, 그는 우리의 땅과 재화, 자유 뿐만 아니라, 그러고자 한다면 우리의 생명마저 빼앗아 갈지도 모른다는 겁니다. 그리고 그들은 참이라 말하지만, 본인 이익이 되지 않는 한, 그가 그러리라 생각할 이유가 없으니, 그는 자기 권력을 사랑하기에 그럴 수 없으며, 그의 신민들이 멸망하거나 약해진다면, 그 수와 힘으로 권력을 누리고, 신민 모두가 그의 재산이니, 그 권력이 어찌 되겠습니까? 그리고 마지막으로, 국왕께서는 법이 지켜지도록 하시는 것뿐만 아니라, 스스로 이를 지키시는 것에도 또한 구속된다고 그들은 때때로 말하는데, 저는 법이 지켜지도록 하시는 것이 곧 국왕 스스로 이를 지키시는 것과 같다고 생각합니다. 장기의회가 선량하신 찰스 국왕께 반기를 들기 전에는, 국왕께서 기소되시거나, 소송에 휘말리시거나, 영장을 발부받으실 수 있다는 것이 좋은 법으로 간주된다 들어본 적이 없으니까요. 그들 중 여럿은 처형되었고, 나머지는 우리의 현왕[32]께서 사면하셨지요.

법률가. 국왕 폐하와 의회에 의한 사면이었습니다.

철학자. 그러고자 하신다면 의회 내에서 국왕께서라고는 하실 수 있으나, 국왕 폐하와 의회라고는 하실 수 없습니다. 피해에 대한 사면은 피해를 당한 사람에게 속한다는 것을 부정하실 수 없으며, 반역, 그리고 평화에 반하고 주권자의 권리에 반하는 범행은 국왕께 가한 상해이므로, 그러한 범행을 사면받은 이는 누구라도 오롯이 국왕께 사면을 빚지고 있음을 인정해야 합니다. 허나 살인죄와 중범죄, 여느 신민에게 가해진 다른 상해에 관해서라면, 제 아무리 심술궂더라도, 그러한 사면이 허용되기 전에 피해를 입은 당사자가 만족할 수 있어야 가장 합리적이라 생각합니다. 그리고 소생이 불가능한 인간의 죽음에 대해, 친구나 상속자, 혹은 소송할 수 있는 다른 당사자가 다른 방법으로 합리적으로 만족할 수 있는 것 이상으로 무엇을 요구할 수 있겠습니까? 아마도 목숨에는 목숨이라는 것 이외에는 만족하지 못하겠지만, 그것은 복수이며, 이는 하나님에게, 하나님 아래 국왕 폐하에게, 그 외에는 누구에게도 속하지 않으므로, 만약 합리적인 만족이 제공된다면, 제 생각으로는, 국왕께서 죄 없이 사면하실 수 있습니다. 만약 이러한 사면이 죄라면, 국왕 폐하도, 의회도, 지상의 어떠한 권력도, 그럴 수 없으리라 확신합니다.

법률가. 선생 본인의 논증으로, *망각*법안이 의회 없이는 통과될 수 없었음을 보시게 됩니다. 왜냐하면 국왕 폐하 뿐만 아니라, 대부분의 귀족과 다수의 서민들도 피해를 당했기에, 그들 자신의 동의 없이는 사면될 수 없었고, 이는 절대적으로 의회에서 귀족원

---

[32] 찰스 2세를 말한다.-역주

및 서민원의 동의에 따라 이루어져야 했기 때문입니다.

철학자. 인정합니다. 허나 간청드리건대 일반 사면과 *망각*법안 사이의 차이가 무엇인지를 알려주시겠습니까?

법률가. *망각*법안이라는 단어는 우리의 책에는 전에 결코 없었지만, 선생의 책에는 있었으리라 믿습니다.

철학자. 오래 전 아테네에서 내전을 폐하기 위해 합의되었던 법안이 있었는데, 해당 시점 이후로는, 누구도 그에 앞서 이루어진 행위로 인하여, 그것이 무엇이든 예외 없이 괴롭힘 받아서는 안 되었는데, 이 법안의 제정자들은 이를 *망각*법안이라 불렀고, 이는 모든 피해가 잊혀져야 한다는 것이 아니라, (그렇다면 우리는 결코 그 이야기를 할 수 없을 테니까요) 누구에게도 재판을 요구해서는 안 된다는 것입니다. 그리고 이 법안을 모방하여, 로마 원로원에서 율리우스 카이사르Julius Caesar (BC 100~BC 44)가 사망했을 때, 비록 효과는 없었지만 유사한 법안이 제안되었습니다. 그러한 법안에 따라, 과거의 범죄에 대한 모든 비난이 완전히 죽어 묻혔다고 쉽사리 상상하실 지도 모르겠습니다. 그러나 우리는 사면된 피해로 인해 서로에 대해 반감을 갖는 것이, 법안 자체에 명시적으로 드러난 것을 제외하고는, 그 법안을 위반했다고 생각할 만한 대단한 이유가 없습니다.

법률가. 그렇다면 *망각*법안은 일반사면 이상의 무엇도, 그와 성격이 다른 것도 아닌 듯합니다.

재판소에 관하여.

철학자. 모든 논쟁에서 사법권은 본래 국왕께 속한다는 것을 인정하시니, 그리고 누구도 그토록 많은 일을 집무실에서 직접 처리할 수는 없으니, 그토록 많고 그토록 다양한 논쟁을 결정하기 위해서는 어떤 질서를 취해야 하겠습니까?

법률가. 여러 종류의 논쟁이 있는데, 그 중 일부는 토지와 재화에 대한 권리에 관한 것이며, 어떤 재화는 토지와 화폐, 가축, 옥수수 등과 같이, 다루거나 볼 수 있는 유형의 것이요, 어떤 것은 특권과 자유, 존엄, 직책, 그리고 다른 숱한 좋은 것들처럼, 단지 법의 피조물에 불과하여, 다루거나 볼 수 없는 무형의 것이니, 이 두 종류 모두 *내 것*과 *네 것*에 관련됩니다. 그 외에도 여러 방식으로 처벌가능한 범죄에 관한 것이 있으며, 이 중에는 처벌의 일부로 국왕께 벌금을 내거나 몰수당하는데, 국왕께서 당사자를 고소하시는 경우에는 왕관의 탄원이라 하며, 다른 경우에는 사적인 탄원일 뿐이니, 이를 소송이라 하지요. 소송에서 판결에 따라 국왕께서 몰수하실 지라도, 왕관이 이를 소송하는 경우 이외에는, 이를 왕관의 탄원이라 부를 수 없습니다. 또한 종교와 덕성 있는 삶을 위해, 교회 통치권에 관한 다른 논쟁이 있습니다. 왕관과 교회 율법에 반하는 범행은 모두 범죄이지만, 어떤 신민에 대한 다른 신민의 범행은, 왕관에 대해서가 아니라면, 국왕께서는 피해입은 신민에 대한 배상 이외에는 그 탄원에서 무엇도 주장하시지 않습니다.

철학자. 범죄란 그 종류를 막론한 범행을 말하며, 이에 대한 형벌은 이 땅의 법률로 규정됩니다. 허나 피해입은 당사자에게 주어지는 손해배상은 형벌의 본질과는 아무런 공통점이 없으며, 이성의 법칙에 따라 슬픔에 잠긴 당사자에게 치러야 할 배상이나 변제에 불과하므로, 결과적으로 빚을 갚는 것 이상의 처벌이 아니라는 점을 이해하셔야 합니다.

법률가. 범죄에 대한 이러한 정의에 의하자면, 선생께서는 범죄와 죄를 구분하시지 않는 것 같습니다.

철학자. 모든 범죄는 실로 죄이지만, 모든 죄가 범죄는 아니지

요. 죄는 인간의 사고나 은밀한 목적에 있을 수도 있으며, 재판관도, 증인도, 어느 누구도 알아차리지 못할 수 있으나, 범죄는 법에 위배되는 행동으로 구성된 죄이며, 그 행동으로 인해 기소되어 재판관에게 재판을 받고, 증인에 의해 확정되거나 혐의를 벗을 수 있습니다. 더 나아가, 그 자체로는 죄가 아니더라도, 실정법에 따라 죄나 다름없어지는 것도 있습니다. 마치 누구도 비단 모자를 착용하지 말라는 법령이 시행되자, 이전에는 죄가 아니었으나, 그 이후에는 비단 모자의 착용이 죄가 되었듯 말이지요[33]. 아니, 때로는 그 자체로는 선한 행위가 성문법에 따라 죄가 될지도 모릅니다. 마치 건장하고 튼튼한 거지에게 자선을 베풀지 못하도록 금하는 법령이 만들어진다면, 그러한 자선은 그 법 이후에는 죄가 되지만, 전에는 그 목적이 빈자의 체력이나 다른 자질이 아니라, 가난이었으므로 자선행위였고, 죄가 아니듯 말이지요. 또, 메리 여왕 폐하 시기에 교황이 잉글랜드에서 어떠한 권위도 갖지 못한다고 말하는 자는, 화형에 처해졌겠지만, 엘리자베스 여왕 폐하 시기에 똑같은 것을 말한 자는 칭찬받았겠지요. 이로써 보셨듯, 그 자체의 성격 때문이 아니라, 권위를 가진 자들의 다양한 의견이나 이해관계에 따라 만들어진 법의 다양성으로 인해 많은 일들이 범죄가 되기도 하고, 범죄가 되지 않기도 합니다. 그러나 지금까지 교황의 이해관계에 따라 혐오스러운 이단으로 불렸듯, 선하든 악하든, 그 자체로는 경건하고 적법한 견해 중 많은 수가, 평민들에게 그 자체로 가증스러운 범죄라고 추악한 용어로 자주 읊어 들려

[33] 1509년 의류법(1 *Hen. 8.* c. 14)을 비롯하여, 헨리 8세와 엘리자베스 여왕 재위기에는 사치금지를 명분으로 여러 차례에 걸쳐 복식과 관련된 법안이 통과되었다.-역주

준다면, 그리 받아들여지겠지요. 한편, 어떤 논쟁은 바다에서 벌어진 일이요, 다른 것들은 육지에서 벌어진 일입니다. 이토록 많은 종류의 논쟁을 결정하려면 많은 재판소가 필요합니다. 어떤 질서에 따라 그 분배가 이루어지는지요?

법률가. 잉글랜드에는 엄청나게 많은 수의 재판소가 있습니다. 일단, 현세적 사안에서 법과 형평성을 위한 국왕 재판소가 있는데, 여기에는 대법관청과 왕립재판소, 일반탄원재판소, 그리고 국왕 폐하의 수입을 위한 국고재판소가 있으며, 런던과 다른 특권적 장소에 있는 재판소처럼, 특권에 의한 신민들의 재판소가 있습니다. 그리고 남작재판소이라 불리우는 지주재판소, 그리고 보안관 재판소처럼 신민들의 다른 재판소도 있습니다. 또한 영적 재판소는 이전에는 교황 재판소였으나, 오늘날에는 국왕 재판소입니다. 그리고 국왕 재판소에서는, 어떤 이는 직책으로, 어떤 이는 임무로 사법권을 가지며, 어떤 이는 심리하고 결정할 권한을, 어떤 이는 단지 심문하거나, 다른 재판소에 인증할 권한만을 갖습니다. 이제 각 재판소에서 재판할 수 있는 탄원의 분배에 대해 말하자면, 왕관의 탄원 전부와 평화에 반하는 범행 일체는 왕립재판소나 위원들이 보통 맡습니다. 브랙튼은 말했습니다. *Sciendum est, quod si actiones sunt criminales, in Curia Domini Regis debent determinari; cum sit ibi pœna corporalis infligenda, et hoc coram ipso rege, si tangat personam suam, sicut crimen læsæ majestatis, vel coram justitiariis ad hoc specialiter assignatis.* 즉 말하자면 이렇습니다. 탄원이 범죄라면, 우리의 주군 국왕 폐하의 재판소에서 결정되어야 하는데, 왜냐하면 거기에 체벌을 가할 권한이 있기 때문이다. 그리고 반역죄처럼, 그분의 인격에 반하는 범죄라면, 국왕 폐하 앞에서 직접 결정되어야

하며, 만약 사인에 대한 것이라면, 배정된 판사, 즉 말하자면 위원들 앞에서 결정되어야 한다. 이로써, 전에는 국왕께서 자기에게 반하는 반역죄의 탄원을, 본인 인격에 따라 심리하고 결정하셨던 것 같지만, 오래도록 그러지 않았고, 지금도 마찬가지입니다. 왜냐하면 이제 귀족에 대한 재판에서 해당 건을 위해 특별히 임명된 위원에 의해 탄원을 판단하는 것이 잉글랜드 시종장의 직무이니까요. *내 것*과 *네 것*과 관련된 소송에서, 피처버트Anthony Fitzherbert (1470~1538)가 『자연법 개요Natura Brevium』에서 국가귀속 영장에서 보여주었듯, 국왕께서는 왕립재판소나 일반탄원재판소에서 소송을 제기하실 수 있습니다.

철학자. 본인의 소송에서 본인이 직접 판단하는 듯 보이지 않도록, 왕은 아마도 자기 인격에 반하는 반역죄 소송을 결정하는 자리에 있지는 않겠지만, 본인이 세운 재판관이 판결하는 것은 결코 피할 수가 없으니, 이는 본인이 재판하는 것이나 매한가지입니다.

법률가. 제 생각으로는, 무엇이 되었든 평화를 깨뜨리는 모든 종류의 위반을 심리하고 결정하는 일 또한 왕립재판소에 속합니다. 원하실 때, 언제든 국왕께서 위원들을 통해 같은 일을 하실 수 있도록 하는 것을 제외하고 말이지요. (브랙튼이 글을 썼던 때인) 헨리 3세 폐하Henry III (1207~1272)와 에드워드 1세 폐하 시절에, 국왕께서는 보통 매 7년마다 순회재판관이라 불리는 위원들을 나라에 내려 보내어, 형사와 민사 모두에서, 현세적 소송 거의 전부를 심리하고 결정하도록 하셨는데, 그 자리는 오랫동안 *오이어*oyer와 *터미너*terminer의 평화, 그리고 감옥 이송의 위임장을 받아, 어사이즈 재판관들이 맡아왔습니다.[34]

---

[34] 어사이즈assize는 지방순회재판소를 의미한다. 그리고 오이어와

철학자. 헌데 왜 국왕께서만 왕립재판소나 일반탄원재판소에 소송을 제기하실 수 있고, 다른 이들은 그 같은 일을 할 수가 없는지요?

법률가. 그에 반대되는 법령은 없으나, 보통법이 된 듯 합니다. 에드워드 코크 경(『법학제요』 4권)은 왕립재판소의 관할권을 정하여 말하기를, 첫째로는, 왕관의 탄원 일체에 대한 관할권입니다. 둘째로는, 국고재판소를 제외하고, 판결과 절차 모두에서, 다른 판사와 재판관이 저지르는 모든 종류의 오류를 바로잡는 것은, 그가 말하기를, 이 재판소의 *네번째 속성*[35]입니다. 셋째로는 평화를 침해하거나, 신민을 억압하거나, 파벌이나 논쟁, 논란 내지는 다른 종류의 실정을 발생시키는 경향이 있는 모든 경범죄를 *초법적으로* 바로잡을 권한을 갖는다는 것입니다. 넷째로는, *힘과 무기* vi et armis로 행해진 모든 불법행위에 대해 대법관청의 영장에 따른 탄원을 판단할 수 있습니다. 다섯째로는, 채무와 구금, 언약, 약속 및 다른 모든 개인 소송에 대해 법안에 따라 탄원을 판단할 권한을 갖습니다. 허나 실제 소송에서 영장이 일반탄원재판소의 판결에 따라 취소되고, 왕립재판소에서 오심영장으로 그 판결을 뒤집을 경우, 왕립재판소가 영장에 따라 절차를 진행할 수 있다는 점을 제외하고는, 실제 소송에서 왕립재판소의 관할권에 대해서는 아무런 말도 하지 않았습니다.

철학자. 헌데 관행은 어떤가요?

터미너는 심리하고 결정한다라는 뜻의 프랑스로, 어사이즈 재판관에게 심리하고 결정할 권한을 부여하는 위원회이다.-역주

[35] proprium quarto modo. 스콜라 철학에서 말하는 개념으로, 본질을 구성하지 않되, 언제나 종 구성원 전체에 속하는 특성이다. 웃음이 대표적인 예로 제시된다.-역주

법률가. 실제 소송은 일반탄원재판소 뿐만 아니라 왕립재판소에서도 보통 결정됩니다.

철학자. 국왕께서 서면 권한으로 왕립재판소의 수석재판장을 임명하실 때, 무엇을 위해 그를 임명하는지 적어 두시지 않습니까?

법률가. 에드워드 코크 경은 오래전에 수석재판장을 정했던 특허장을 적어 두었는데, 거기에는 그가 어떤 목적으로 직무를 맡는지 명시되어 있습니다. *즉, pro conservatione nostra et tranquillitatis regni nostri, et ad justitiam universis et singulis de regno nostro exhibendam, constituimus dilectum et fidelem nostrum* P. B. *Justitiarium Angliæ, quamdiu nobis placuerit, Capitalem, 등등.* 즉 말하자면, 우리 자신의 보존, 우리 왕국의 평화, 그리고 우리의 모든 개별 신민에게 정의를 실현하기 위해, 우리는 우리가 원하는 동안, 우리의 소중하고 충실한 P. B.를 잉글랜드의 수석재판관으로 임명하노라. 등등입니다.

철학자. 제 생각으로는, 이 특허장에 따라, 국고재판소에 속하는 탄원을 제외하고, 왕국 내의 모든 현세적 소송이 이 수석재판장에 의해 결정되리라는 것이 매우 분명합니다. 형사 소송과 평화와 관련된 소송에 관해서는, "우리 자신의 보존, 우리 왕국의 평화"를 위한다는 말로 부여되었는데, 여기에는 범죄에 대한 탄원 전부를 포함하며, 국왕 폐하의 모든 개별 신민에게 정의를 실현한다는 것은 민사 탄원 전부로 이해됩니다. 그리고 일반탄원재판소에 관해서는, *마그나 카르타* 2조[36]에 따라 국고재판소의 탄원을 제외하고는, 모든 종류의 민사 탄원을 판단할 수 있음이 명백합니다. 고로 민사 탄원과 관련된 모든 본 영장은 각 해당 재판소에

36 봉건적 상속에 관한 조항이다.-역주

반환할 수 있습니다. 헌데 현재 수석재판장은 어떻게 임명되는지요?

법률가. 특허장에 이런 말이 있습니다. *Constituimus vos Justitiarium nostrum Capitalem ad placita coram nobis tenenda, durante beneplacito nostro.* 즉 말하자면, 우리는 우리가 원하는 동안, 우리 앞에서 탄원을 판단하도록, 그대를 수석재판관으로 임명하노라. 그런데 이 영장이 더 짧더라도, 앞서 가졌던 권한을 전혀 축소하지는 않습니다. 그리고 일반탄원재판소장의 특허장은 이렇습니다. *Constituimus dilectum et fidelem, etc., Capitalem Justitiarium de Communi Banco, habendum, etc., quamdiu nobis placuerit, cum vadiis et fœdis ab antiquo debitis et consuetis.* *즉, 다시 말해*Id est, 우리는 우리의 소중하고 충실한, 등등을 우리가 원하는 동안 지금까지의 마땅하고 통상적인 방법과 녹봉에 따라 일반탄원재판소장으로 임명하노라, 등등입니다.

철학자. 역사적으로, 잉글랜드에는 언제나 대법관과 잉글랜드 수석재판관이 있어왔으나, *마그나 카르타* 이전에 일반탄원재판소에 대한 언급은 찾아볼 수 없었습니다. 일반탄원은 제 생각으로는 여기 뿐만 아니라 모든 국가에 있어왔으며, 일반탄원과 민사탄원이 같은 것이라 생각합니다.

법률가. 마그나 카르타 법령 전에는, 에드워드 코크 경이 인정했듯(『법학제요』 2권, p. 21), 일반탄원은 왕립재판소에서 판단되었는데, 그 재판소는 국왕 폐하의 의지로 없앨 수 있었으며, 영장 환송은 *잉글랜드 어디에 있건 코람 노비스*[37]였으므로, 이로 인

[37] Coram nobis ubicunque fuerimus in Anglia. 코람 노비스는 '우리 앞에', 즉 '왕 앞에' 라는 뜻으로, 본래의 판결에서 오

하여 배심원에게는 커다란 수고가, 당사자에게는 커다란 비용이, 그리고 정의의 지연이 있었습니다. 그리고 이러한 이유로 일반탄원은 국왕 폐하를 따라다니는 대신, 일정한 장소에서 판단되어야 한다고 정해졌습니다.

철학자. 이에 에드워드 코크 경은 당시 일반탄원이 왕립재판소에서 판단될 수 있었을지도 모른다고 말하면서, 어떠한 일반탄원도 그곳에서 판단될 수 없다는 의견을 밝힙니다. 그러나 이는 *마그나 카르타* 이전의 잉글랜드에 일반탄원재판소가 있었음을 입증하는 증거가 될 수 없습니다. 배심원의 부담을 덜어주고, 당사자의 비용을 경감시키며, 정의의 탐구를 위한 이 법령은, 만약 당시 일반탄원재판소가 있었더라면 헛되었겠지요. 대법관청과 왕립재판소처럼, 그러한 재판소는 국왕 폐하를 반드시 따라다녀야 할 필요가 없었으니 말입니다. 게다가, 왕립재판소가 어디에 있든, 민사소송 탄원을 판단하지 않는 한, 이 법령으로 신민의 부담은 전혀 덜어지지 않았습니다. 국왕께서 요크에 계신다고 가정한다면, 요크 근교의 백성들이 런던에 가기 전에 겪었던 것처럼, 런던 근교에 있는 국왕 폐하의 신민, 배심원과 당사자들은 요크로 가기 위해 많은 수고와 비용을 들여야 하지 않았겠습니까? 그러므로 저는 일반탄원재판소의 설립이 *마그나 카르타* 법령 11조의 취지와는 다른 무엇이라 결코 믿을 수 없습니다. 그리고 제 생각일 뿐이지만, 그전에는 그것이 존재하지 않았으나, 거대한 왕국에는 소송이 넘쳐났으므로 필요해지게 되었습니다.

법률가. 아마도 선생께서 생각하시는 것만큼 그리 크게 필요치는 않았습니다. 당시에는 법이 대부분은 정착되었다기보다는 정착

류가 발견되었을 때 이를 정정하도록 허용하는 영장이다.-역주

중이었고, 유산과 관련된 옛 색슨족 법이 당시 시행되었는데, 그 법에 따라 나머지 유권자들에게 지주였던 남작 재판소에서, 그리고 남작들에 대한 소송은 카운티 재판소에서, 국왕 폐하의 영장으로 신속하게 정의가 집행되었고, 매우 드물었으나 그런 하급재판소에서 정의를 얻을 수 없을 때 국왕 재판소에서 소송이 처리되었습니다. 하지만 오늘날 국왕 재판소에는, 여느 한 재판소에서 해치울 수 있는 것보다 더 많은 소송이 있습니다.

철학자. 왜 소송이 이전에 비해, 현재 더 늘어났는지요? 이 왕국은 지금처럼 당시에도 백성들이 많았다 믿으니까요.

법률가. 에드워드 코크 경은 여섯 가지 원인을 지목합니다(『법학제요』 4권, p. 76). 1. 평화. 2. 풍요. 3. 수도원이 해산되고, 그 토지가 수많은 여러 인물들 사이에서 나뉘어진 것. 4. 다수의 정보원들. 5. 수많은 은닉자들. 6. 다수의 변호인들이지요.

철학자. 저는 에드워드 코크 경이 본인의 직군 종사자들에게 어떠한 잘못도 두지 않으려는 마음을 품고 있으며, 악행의 원인으로, 고칠 수 있는 악행과 사악함 같은 것들을 지목한다고 생각합니다. 만약 평화와 풍요가 이러한 악의 원인이라면, 전쟁과 구걸 외에는 이를 제거할 수 없고, 종교인의 땅을 둘러싸고 벌어지는 다툼은 땅에서 비롯된 것이 아니라, 그저 법에 대한 의심에서 비롯되었을 따름입니다. 그리고 정보원의 경우, 법령에 의해 권한을 부여받았으며, 그 법령의 집행을 위해서는 그들이 필요하므로 그 수가 과할 수 없고, 만약 과하다면, 잘못은 법 자체에 있습니다. 수많은 은닉자는 실로 수많은 사기꾼들이며, 법은 이를 쉽사리 바로잡을 수 있습니다. 그리고 마지막으로, 다수의 변호인들에 대해 말하자면, 그들을 인정하거나 거부할 권한을 갖는 자들의 잘못입니다. 저로서는, 오늘날의 인간들이 전보다 법령의 말에 대해 트

집잡는 기술을 더욱 잘 배웠으며, 그로 인해 그들 자신과 다른 이들에게 별다른 이유 없이 소송을 걸도록 장려한다고 믿습니다. 또한 보통법 판결의 다양함과 모순은 자주 사람들에게 아무런 합리적 근거 없이, 승소의 희망을 갖게 합니다. 또한 천에 하나도 형평성에 대해 연구한 바가 없으므로, 자기 소송에서 무엇이 형평성인지에 대해 무지하기도 하지요. 그리고 법률가 본인들은 자신들의 판단을 자기 가슴이 아니라, 이전 재판관들의 전례에서 구합니다. 옛적의 재판관들이 자신들의 이성이 아니라, 제국법에서 똑같이 추구했듯 말이지요. 또 하나, 그리고 아마도 수많은 소송의 가장 큰 원인은 토지가 있는 마을에서 쉽게 이루어질 수 있는 토지양도 등기가 부족하기 때문으로, 소송을 제기하지 않고서는 쉽사리 구매할 수 없으니까요. 마지막으로, 저는 법률가들의 탐욕이 고난으로 가득했던 고대에는 평화의 시기만큼 그리 크지 않았다고 믿는데, 그런 때에는 사람들이 사기를 연구할 여가가 있고, 논쟁을 조장할 수 있는 이들에게 고용될 수 있기 때문입니다. 그리고 그들이 이 신비를 행사해야 하는 분야가 얼마나 충분한지는, 이로부터, 즉 그들이 법령이나 특허장, 양도증서, 임차권, 다른 증서들과 증거 내지는 증언 상의 모든 말을 검토하고 해석할 권한을 갖는다는 데에서 명백해집니다. 허나 왕립재판소의 관할권으로 돌아오자면, 말씀하셨듯, 그곳은 절차와 판결 모두에서, 다른 모든 재판관들의 오류를 정정하고 수정할 권한을 갖는데, 일반탄원재판소의 재판관들은 다른 재판소에서 받은 오심영장 없이, 자기들 재판소에서 절차 상의 오류를 정정할 수 없는지요?

법률가. 있지요. 그리고 많은 법령이 그들에게 그리 하라 명합니다.

철학자. 절차상의 오류이든 법률상의 오류이든, 왕립재판소에서

오심영장이 나오면, 누구의 비용으로 이루어지는지요?

법률가. 의뢰인의 비용입니다.

철학자. 그 이유를 모르겠군요. 의뢰인에게는 잘못이 없는데, 그는 법을 배운 고문역의 조언 없이는 결코 소송을 시작하지 않았을 테고, 주어진 고문역에게 대가를 지불했을 뿐이니까요. 이는 그 고문역의 잘못 아닙니까? 또한 일반탄원재판소의 재판관이 잘못된 선고를 내렸을 때, 왕립재판소의 재판관이 언제나 판결을 뒤집을 가능성이 있지도 않습니다(의문의 여지가 없더라도, 브랙튼과 다른 학자들에게서 보실 수 있듯이, 그에겐 그럴 권한이 있습니다). 왜냐하면 그들은 똑같은 보통법 교수이기에, 대부분 똑같은 판결을 내리도록 설득되기 때문이지요. 예를 들어, 에드워드 코크 경이 일반탄원재판소에서 수석재판장으로 재임했던 마지막 임기에, 잘못된 판결을 내렸다면, 그가 해임되어, 왕립재판소의 수석재판관이 되었을 때, 해당 판결을 번복할 가능성이 있을까요? 그럴지도 모르지만, 가능성이 그리 높지는 않습니다. 그러므로 저는 왕립재판소와 일반탄원재판소 모두에서 잘못된 판결을 뒤집기 위해, 국왕께서 규정하신 다른 권한이 있노라 믿습니다.

법률가. 저는 그리 생각치 않습니다. *헨리 4세* 4년, 23조[38]에서 다음과 같은 말로 제정된 반대 법령이 있으니까요. 우리의 주군 국왕 폐하의 재판소에서 내려진 판결 이후, 개인 탄원과 마찬가지로 실제 탄원에서도, 당사자들은 때로는 국왕 폐하 앞에서, 때로는 추밀원 앞에서, 때로는 의회에서, 그에 대해 새로이 답변하는 것으로 인해, 앞서 언급한 당사자들의 대단한 궁핍함으로 인해, 그리고 이 땅의 보통법의 파괴로 인해 극심한 고통을 겪게 되는

[38] 4 *Henry IV*, cap. 23. 1402년.-역주

바, 우리의 주군 국왕 폐하의 재판소에서 내려진 판결 이후, 당사자들과 그 상속인들은 선왕 폐하들의 시기의 법률에 따라 그러하였듯, 그에 오류가 있을 경우, 사권박탈이나 오심으로 인하여 판결이 취소될 때까지 그곳에 평화로이 있어야 함을 규정하고 확립하는 바이다.

철학자. 이 법령은 제가 말씀드린 바와 그리 모순되지 않으며, 명시적으로 똑같은 것을 확정하기 위해 만들어진 듯 보입니다. 이 법령의 요지는 왕립재판소나 일반탄원재판소에서 판결이 오심으로 취소되거나 부패가 입증되기 전에는, 당사자 중 어느 쪽도 판결된 무언가에 대해 소송을 제기해서는 안 된다는 것입니다. 그리고 이는 이 법령이 제정되기 전의 보통법이었는데, 이 법령 이전에는 원고에 의해 배당될 오심에 대해 조사하고 정정할 권한이 있는 재판소가 존재하지 않고서는, 소송이 제기될 수 없다는 것이었습니다. 이 법령으로 시정되어야 했던 불편이란 이런 것이었던 바, 흔히 국왕 재판소, 즉 왕립재판소와 일반탄원재판소이라는 장소에서 판결이 내려지면, 판결을 받은 당사자가 새로운 소송을 시작하여, 상대방을 국왕 폐하 앞에 나오게 하였다는 것입니다. 여기에서, 국왕 폐하에 의한다는 말은 국왕 폐하께서 직접이라는 의미로 이해되어야 합니다. 영장에서는 *코람 노비스*라는 말을 왕립재판소로 이해하지만, 법령에서는 결코 그렇지 않으니까요. 또한 제임스 국왕 폐하James VI and I (1566~1625)처럼 때때로, 당시에는 보통 국왕께서 소송을 심리하시기 위해 추밀원과 함께 재판소에 자리하셨던 것으로 보아, 이는 이상하지 않습니다. 그리고 때때로 해당 당사자들은 설령 국왕께서 부재하시더라도 추밀원 앞에서 소송을 시작했고, 때로는 앞선 판결을 여전히 고수하는 의회 앞에서 그리하였습니다. 이에 대한 대책으로, 이 법령에 의해 누구도 앞선 판결이

사권박탈이나 오심으로 취소되기 전에는 소송을 재시작하지 못하도록 규정되었는데, 앞서 말씀드린 두 재판소 이외에 오심을 배당하고 검토하고 판단할 재판소 없이는, 판결의 번복이란 불가능하였으니, 어떠한 재판소도 법에 있어서나 이성에 있어서나, 자신의 오류에 대해서는 유능한 재판관으로 간주될 수 없으니까요. 그러므로 이 법령 이전에도 오류를 심리하고 잘못된 판결을 번복하기 위한 다른 재판소가 존재하였습니다. 이것이 어떤 재판소인지는 제가 아직 알지 못하나, 의회나 추밀원, 또는 잘못된 판결을 내린 재판소, 그 어느 쪽일 수도 없다 확신합니다.

법률가. 이 법령의 「박사와 학생」 논의(cap. 18 et seq.)는 선생의 말씀과는 퍽이나 다릅니다. 그 책의 저자가 말하기를, 이 법령이 잘못된 판결에 대한 모든 대책을 앗아갔다 하였습니다. 이성으로도, 왕의 직책으로도, 어떠한 실정법으로도, 부당한 선고에 대한 구제는 말할 것도 없고, 피해에 대한 구제를 금지할 수 없지만, 그는 인간의 양심이 법보다 우선해야 한다는 많은 법령을 보여줍니다.

철학자. 그는 무슨 근거로 이런 경우에 이 법령에 따라 모든 대책이 금지되어 있노라 주장할 수 있습니까?

법률가. 그는 국왕 재판소에서 내린 판결을 대법관청이나 의회 내지는 다른 어디에서도 검토하지 못하도록 제정되었다 말합니다.

철학자. 이 법안에 대법관청에 대한 언급이 있습니까? 국왕 폐하와 추밀원 앞에서, 혹은 의회 앞에서 검토될 수는 없으나, 이 법령이 있기 전에 어디에선가 검토되었고, 이 법령에 따라 다시 그곳에서 검토되리라는 것을 아시겠지요. 그리고 형평성 문제에 대해서는 대법관청이 왕국 내에서 최고의 사법 관청이었으며, 대법관청이 다른 모든 재판소의 판결을 조사하지 못하도록 금지되어

있지 않은 것으로 보아, 적어도 이 법령으로 이를 빼앗기지는 않았습니다. 허나 「박사와 학생」이라는 장에서, 법과 양심, 내지는 법과 형평성이 서로 반대되는 듯 보일 때, 성문화된 법을 우선해야 함을 입증할 수 있는 어떤 사례가 있는지요?

법률가. 피고가 실제 채무에 대해 제기된 부채소송에서 법을 이행하는 경우, 원고는 *소환장*subpœna으로든 다른 방법으로든, 채무를 강제할 아무런 수단도 갖지 못하지만, 피고는 양심에 따라 지불해야 할 의무가 있습니다.

철학자. 제가 보기에, 여기에서 법이 양심이나 형평성 이상으로 우위에 있지 않습니다. 이 경우에 원고는 법이나 형평성 중 어느 하나가 부족해서가 아니라, 증거 부족으로 채무를 상실했으니까요. 법도 형평성도 증명되지 않는 한, 권리를 줄 수 없기 때문입니다.

법률가. 또한 사권박탈에서 대배심이 소배심이 내린 잘못한 평결을 확정하는 경우, 당사자의 양심 이외에는 더 이상의 구제책이 없습니다.

철학자. 여기서도 다시금 증거 부족이 구제책의 부족입니다. 같은 평결이 다시 확정되었을 때 당사자가 자신이 입은 피해와 괴로움으로 인해 상대방을 만족시킬 것이 확실한 경우, 만약 그가 내려진 평결이 거짓임을 증명할 수 있다면, 국왕께서는 그가 스스로 최선이라 생각하는 방식대로 구제책을 내어 주실 수 있으며, 그리하셔야 합니다.

법률가. 하지만 이후에 제정된 법령, 즉 *엘리자베스 1세* 27년, 8조[39]가 있는데, 이는 *헨리 4세* 4년, 23조의 법령을 부분적으로 대

[39] 27 *Eliz. c.* 8. 왕립재판소에서의 오심, 1584년.-역주

체하였습니다. 그 법령에 의하면, 왕립재판소에서 내려진 잘못된 판결은 오심영장에 따라 국고청에서, 일반재판소판사들과 재무재판관 앞에서 검토됩니다. 그리고 이 법안의 서문에 의하면, 잘못된 판결은 오직 의회의 고등재판소에서 교정될 수 있을 뿐이라 명시되어 있습니다.

철학자. 허나 여기에는 일반탄원재판소에서 내린 판결을 국고청에서 검토해야 한다는 언급이 전무합니다. 그러니 왜 대법관청이 일반탄원재판소에서 내린 판결을 검토하면 안 되겠습니까?

법률가. 선생께서는 부인하시지만, 잉글랜드의 고대법에 따라, 왕립재판소는 일반탄원재판소에서 내린 판결을 검토할 수 있습니다.

철학자. 사실이지요. 허나 잘못된 판결이 법문이 아니라 형평성에 반하는 경우에 특히, 대법관청이 또한 그 같은 일을 해서는 안 될 이유가 없지 않겠습니까?

법률가. 해당 재판소가 법령의 문언과 형평성을 모두 검토할 수 있으니, 그럴 필요가 없습니다.

철학자. 이로써, 의회에서 국왕 폐하에 의하지 않고서는 재판소의 관할권이 쉽사리 구별될 수 없음을 보셨습니다. 법률가 스스로는 그리 할 수 없으니, 재판소들 사이에서, 뿐만 아니라 특정인들 사이에서 어떤 다툼이 있는지 보셨으니까요. 그리고 *헨리 4세* 4년, 23조의 법이 *엘리자베스 1세* 27년, 8조로 대체되었다고 하셨지만, 저는 그렇다고 생각치 않습니다. 전자의 법령 제정자와 후자 사이에, 후자의 서문과 전자의 결론에서 저는 실로 다양한 의견을 발견하였습니다. 후자의 서문은 왕립재판소라 불리는 재판소에서 내린 잘못된 판결은 오직 의회의 고등재판소에서만 교정될 수 있다는 것이요, 전자의 결론은 선왕 폐하들의 시대에는 그 반

대가 법이었다는 것입니다. 이는 그 법률들의 일부가 아니라, 그 경우에 있어 오랜 관습과 관련되어, 다른 시대에 법률가들의 서로 다른 의견에서 비롯된 의견일 뿐이며, 비록 법령 자체에 어떤 것은 그러한 탄원을 의회에 제기하는 것을 금하고, 다른 것은 금하지 않더라도, 명하거나 금하는 무엇인가가 아닙니다. 그러나 *헨리 4세* 법령 이후에도, 그러한 탄원이 의회에 제기되었다면, 의회는 이를 심리하고 결정해왔겠지요. 법령은 이를 금하지 않으며, 의회를 국왕 폐하와 만백성, 귀족과 서민 모두의 재판소로 보니, 어떤 법률도 그들이 맡기를 원하는 어떠한 관할권에 대해서도 방해할 강제력을 갖지는 못합니다.

법률가. 그렇더라도, (에드워드 코크 경이 『법학제요』 4권, p. 71에서 확언하였듯) 국왕께서 모든 사법 권한을, 일부는 이 재판소에, 일부는 저 재판소에 맡기셨으니, 마치 누군가가 스스로를 국왕 폐하의 판단에 양도하더라도, 국왕께서 다른 이에게 사법 권한 일체를 맡기신 경우, 그러한 양도는 아무런 효과가 없습니다. 그리고 p. 73에서 그는 더 나아갑니다. 이 재판소에서 이 왕국의 국왕들이 고위 재판관이 되고, 저 재판소의 재판관들은 그 발치 아래 하급심이 되지만, 사법권은 오직 저 재판소의 재판관들에게 속하여, 그의 면전에서 그들은 모든 신청에 답하였다.

철학자. 에드워드 코크 경이 아무리 본인과 다른 보통법 판사들의 권위를 증진시키고자 하였던들, 왕립재판소에서 국왕께서 구경꾼으로만 자리하셔야 하며, 소송을 보셨더라도, 재판관들이 답변한 신청에 일체 응답하셔서는 안 된다고 했다고는 믿을 수가 없습니다. 국왕께서 현세의 모든 소송에서 최고재판관이시며, 이제는 현세와 교회 양자의 모든 소송에서 그러하심을, 그리고 이를 부인하는 자에게는 법으로 정해진 엄청난 형벌이 있음을 알았으니까

요. 허나 에드워드 코크 경은 (보시다시피) 이전에 많은 곳에서 그랬듯, 위임과 양도를 구별하지 않음으로써, 스스로를 잘못에 빠뜨렸습니다. 자기 권한을 양도하는 자는 본인 스스로 그 권한을 박탈하는 것이지만, 다른 이에게 이를 위임하여 자기 이름으로 자기 하에서 행사하도록 하는 자는, 여전히 같은 권한을 소유하고 있는 것입니다. 그러므로 만약 누군가가 스스로를 양도하면, 즉 말하자면, 무엇이든 어느 재판관에게서 국왕께로 항소하면, 국왕께서는 그 항소를 받으실 수 있으며, 이는 효력을 갖게 됩니다.

법률가. 잉글랜드의 보통법에 따라 이 두 재판소, 즉 왕관의 탄원을 위한 왕립재판소와 민사소송을 위한 일반탄원재판소 외에, 민사 및 형사 소송을 관할하면서, 적어도 일반탄원재판소만큼이나 오래된 재판소가 있으니, 즉 제독재판소입니다. 하지만 그 절차는 로마 제국의 법에 따르며, 거기에서 결정되는 소송은 해상에서 발생하는 종류입니다. 여러 법령으로 정해져, 숱한 선례로 확정되었기 때문이지요.

철학자. 법령에 관해서라면, 그것은 언제나 법이자, 또한 이성입니다. 이는 왕국 전체의 동의로 만들어졌으니까요. 허나 선례는 판결이요, 서로 상충됩니다. 다양한 시대의 다양한 인물들이, 동일한 사건에 대해 다른 판결을 내린다는 의미이지요. 그러므로, 국왕 폐하께서 내리시는 것 이외의 판결에 관하여, 법의 타당성에 대해 다시 한 번 선생의 의견을 묻고자 합니다. 헌데 제독재판소와 보통법 재판소의 절차 사이에 무슨 차이가 있는지요?

법률가. 하나는, 제독재판소가 기소를 위한 대배심이나, 선고를 위한 소배심없이, 두 명의 증인에 의해 진행된다는 것, 그리고 옛날에는 이 모든 유럽 지역에서 시행되었고, 현재에는 여느 다른 황제나 외세의 의지가 아니라, 자기 영토에서 강제력을 부여하는

잉글랜드 국왕의 의지에 의해 법률이 된 제국법에 따라 재판관이 선고를 내린다는 것입니다. 그 이유는 해상에서 발생하는 소송이 우리와, 그리고 대부분 꼭 같은 제국법으로 다스려지는 다른 국가 백성들 사이에 아주 흔하기 때문인 듯 합니다.

철학자. 해상에서, 특히 매우 거대한 강 하구 근처에서, 소송이 해상의 일인지, 육지 내의 일인지, 어떻게 정확히 결정지을 수 있을까요? 강 또한, 뿐만 아니라 그 강둑 역시, 한 나라나 다른 나라의 내부이거나 일부이니까요.

법률가. 이 문제는 참으로 어려우며, 그에 관한 숱한 소송이 있어왔으니, 그 문제란 누구에게 관할권이 있는지에 대한 것이었습니다.

철학자. 또한 제독경의 특허장으로 선언되지 않은 경우, 국왕폐하께 의하지 않고, 그것이 어떻게 결정될 수 있는지도 모르겠습니다.

법률가. 하지만 해군성과 관련된 법령 중 무엇과도 상충되지 않는 어떤 특정 사건에서 소송을 판단할 권한이 특허장으로 주어져 있더라도, 보통법 판사는 법령상의 *불복조항*[40]에도 불구, 탄원절차를 진행하기 위해 해당 재판소에 금지명령을 보낼 수 있습니다.

철학자. 제 생각에 그것은 어떤 신민도 빼앗아갈 수 없는 왕관의 권리에 반하게 됩니다. 국왕께서 모든 사법권한을 포기하셨다는 에드워드 코크 경의 논증은 일고의 가치도 없습니다. 왜냐하면 앞서 말씀드렸듯, 국왕께서는 본질적인 왕관의 권리를 포기하실 수 없으며, 권한을 부여하면서 속임을 당하지 않으셨음을 *불복조*

[40] non-obstante. 중세에 왕에게 법령과는 상충되는 조치를 허용하던 조항.-역주

항으로 선포하시기 때문입니다.

법률가. 하지만 에드워드 코크 경이 주장한 선례에 따르면, 그 반대가 영속적으로 행해져 왔다고 보실 수도 있습니다.

철학자. 저는 그것이 영속적으로 보이지 않습니다. 누가 알 수 있겠습니까만, 그러한 경우 기록이 보존되지 않았거나, 아니면 자신의 의견에 반하기 때문에 에드워드 코크 경이 주장하지 않았던, 다른 판결이 내려졌을 가능성이 있지 않을까요? 매우 그럴 법하다 인정하고 싶지 않으시더라도, 이는 가능한 일이니까요. 그러므로 저는 그저 이렇게 주장하는 바, 법에 따라 앞선 판결을 번복할 수 있을 때까지 항소 중인 당사자를 제외하고는, 어떠한 판결 기록도 법이 아닙니다. 그리고 배심원 없이 두 명의 증인만으로 충분한 절차에 관해서는, 그로 인하여 코먼웰스에 무슨 해를 끼칠 수 있는지도, 결과적으로 보통법의 정의가 해군성의 절차에 대해 가질 수 있는 어떠한 정당한 다툼의 여지도 보지 못했습니다. 양 재판소에서 사실의 증명은 단지 증인에게 달려있을 뿐이며, 제국법에서는 재판소의 재판관이 증인의 증언을 판단하고, 보통법 재판소에서는 배심원이 그리 한다는 것 외에는 별다른 차이가 없으니까요. 게다가 만약 보통법 재판소가 우연히 제독의 관할권을 침해하게 된다면, 그가 보통법 재판소에 그 절차진행을 금하는 금지명령을 보낼 수 있지 않겠습니까? 말씀해주시기를 바라옵건대, 한 쪽이 다른 쪽보다 더 나은 이유란 무엇인지요?

법률가. 제 생각으로는 그랬던 적이 없으므로, 오랜 관습 이외에는 전혀 모르겠습니다. 잉글랜드에서 최고위의 일반재판소는 대법관청이며, 여기에는 대법관, 즉 대인장상서가 유일한 재판관입니다. 이 재판소는 에드워드 코크 경이 에드거 왕Edgar the Peaceful (944?~975), 에설레드 왕Æthelred the Unready (966?~1016), 에드먼드 왕Edmund

Ironside (990?~1016), 에드워드 고백왕Edward the Confessor (1003?~1066)의 대법관을 호명하는 데에서 드러나듯(『법학제요』 4권, p. 78), 아주 오래되었습니다. 그의 직무는 특허장 없이 국왕 폐하께서 그에게 잉글랜드 대인장을 전달하심으로써 주어지며, 잉글랜드 대인장을 보관하는 자라면 누구라도 해당 권한과, *엘리자베스 1세* 5년, 18조[41] 법령에 의해, 그에 따라 선포된 대로 대법관이 가져왔던 관할권 일체를 갖는 바, 이러한 것이 보통법이며, 언제나 그러하였습니다. 그리고 에드워드 코크 경은 자기 관할관의 최고지점에서, 즉 *취소하는 자*cancellando, 즉, 국왕 폐하의 특허장을 격자처럼 획을 그어 취소하는 데에서 대법관이라는 명칭을 얻었노라 말합니다.

철학자. 그럴싸하군요. *칸켈라리우스*Cancellarius는 한때 이 섬이 속해 있었던 로마 제국 휘하의 위대한 관료였으며, 그 직책이 로마 정부와 함께, 혹은 이를 모방하여 본 왕국에 들어왔음은 충분히 잘 알려져 있습니다. 또한 이 관직이 로마 속주에서 만들어진 것은 12인의 카이사르 시대[42]보다 한참 후의 일이었습니다. 셉티미우스 세베루스Septimius Severus (145~211) 시대 이후까지, 황제들은 법무관 재판소에서 내린 판결에 대한 모든 소송과 고소를 충분히 부지런히 심리했는데, 이는 보통법 재판관들이 이곳에서 하는 바와 같은 일을 로마에서 했던 것이었지요. 허나 이후 황제 선출을 위한 끊임없는 내전으로 인하여, 그 부지런함은 차츰차츰 중단되었습니다. 그 후, 제가 로마 민법을 다룬 아주 훌륭한 저자에게서

---

[41] 5 *Eliz.* c. 18. 대인장상서법, 1562년.-역주

[42] 수에토니우스Suetonius (69?~122?)가 『카이사르의 삶에 대하여De vita Caesarum』에서 다루었던 12명의 황제, 율리우스 카이사르부터 도미티아누스Domitian (51~96)까지의 시기를 말한다.-역주

읽었듯, 고소의 수가 크게 증가하고, 황제가 해치울 수 있는 것 이상으로 많아져, 이러한 청원을 받기 위해 그는 관료를 서기로 임명하였습니다. 그리고 이 서기는 편의실에 칸막이를 세워, 사람 키높이만한 이 칸막이벽에 편리한 간격으로 빗장을 설치했으므로, 고소인이 서기에게 와서 청원을 전할 때 그는 때때로 부재중이었으니, 그 빗장 사이로 청원을 던져 넣는 것 이상의 무엇도 하지 못했고, 이를 라틴어로 적절히 *칸켈리*cancelli라 불렀습니다. 공간 전체가 열려 있었더라도, 청원은 던져 넣어질 수 있었기 때문에, 그 빗장이 여느 특정한 형태를 해야 한다던가, 꼭 빗장이 필요했던 것도 아니었으니, 그것이 *칸켈리*였기 때문에, 거기에 자리하여 집무실을 지키는 서기를 *칸켈라리우스*라고 불렀지요. 그리고 어떤 재판소의 빗장이든 충분히 적절히 *칸켈리*라 불리울 수 있는데, 이는 격자를 의미하지 않습니다. 그것은 역사나 문법에 근거하지 않은 단순한 추측일 뿐이며, 아마도 *칸켈리* 외에는 사전에서 격자에 대한 다른 단어를 찾을 수 없었던 어떤 소년이 처음에 그리 붙였겠지요. 이 대법관직은 처음에는 황제의 편의를 위해 청원 문제를 간략히 처리하기 위한 것일 뿐이었지만, 고소는 날로 늘어나, 너무 많아졌고, 황제가 결정해야 하는 더욱 긴요한 다른 일들을 감안하여, 다시금 황제는 대법관에게 그 결정을 맡기게 되었습니다. 에드워드 코크 경이 대법관 관할권의 최고지점이란 그 주인의 인장으로 봉인된 그 주인의 특허장을 취소하는 것임을 증명했다고 주장하는 이유가 무엇인지요? 대법관이 그 타당성이나, 그에 담긴 주인의 의도, 그 은밀한 입수, 또는 그 남용과 관련된 탄원을 판단하지 않는 한, 이는 모두 형평성에 대한 소송이지 않습니까? 또한 대법관은 어떤 지시나 재판 절차에서의 제한도 받지 않으면서, 오직 대인장의 전달로만 직무를 맡으니, 심리하는 모든 소송에서 그가 법령의 정확성과 신속성, 형평성에 가장 적합하다 생각하는 방식으로, 배심원을 두거나 두지 않은 채, 증인을 심리하고 조사하는 절차를 진행할 수 있음이 명백합니다. 그러므로, 보통법 재판소에서 잉글랜드의 관습에 따라, 만약 그가 배심원에 의한 절차 진행 관습이 보다 형평성에 가깝다고 생각한다면, 이는 세상 모든 재판관들의 목표이거나, 그러해야 하므로, 그 방법을 사용해야만 하며, 만약 그가 다른 절차가 더 낫다고 생각한다면, 법령으로 금지되지 않는 한 그 방법을 쓸 수 있습니다.

법률가. 이에 관해서라면 선생의 추론이 충분히 훌륭하다 생각합니다. 하지만 불합리하지 않은 관습에 대한 경건한 존중도 또한 있어야 하므로, 저는 에드워드 코크 경의 말이 틀리지 않다 생각하는 바, 대법관이 보통법 규칙에 따라 절차를 진행할 경우, 그는 왕립재판소에 기록을 전해야 하며, 또한 대법관이 법령상의 제한을 넘어서지 않도록 주의해야 할 필요가 있습니다.

철학자. 어떤 법령으로 그의 관할권이 제한되는지요? 제가 알기로는 *엘리자베스 1세* 27년, 8조에 따라, 그는 채무, 불법 점유 등에 대해 왕립재판소에서 내린 판결을 번복할 수 없으며, 그 법령 전에도 왕관의 탄원에서 그러한 탄원을 인정하는 왕립재판소에 의해 내려진 판결을 자기 직권으로 번복할 수 없었습니다. 그는 그럴 필요도 없으니, 왜냐하면 재판관 본인이, 악한 증인이나, 배심원을 압도하는 거물의 권력, 또는 배심원의 잘못으로 억압받는 사람을 구제할 필요가 있다고 생각하면, 중범죄의 경우라 하더라도, 형을 멈추고 국왕 폐하께 알릴 수 있으며, 국왕께서는 형평성에 따라 구제하시게 됩니다. 관습에 대해 따라야 할 점에 관해서는, 나중에 고찰하기로 하지요.

법률가. 리처드 2세 국왕 폐하 13년에 열린 의회에서 처음으로,

서민원이 국왕께 청원드리기를, 현 대법관도 다른 어떤 대법관도, 보통법에 반하는 명령을 내리거나, 법 절차에 따르지 않은 채로 어떠한 판결을 내려서는 안된다는 것이었습니다.

철학자. 이는 불합리한 청원이 아닙니다. 보통법은 형평성 이외에 다른 무엇이 아니며, 이 법령에 따르자면 해당 법령 이전에 대법관은 나중에 보통법 재판소에서 그랬던 것보다 더욱 대담했던 것으로 보이니까요. 허나 이 법령에서 보통법은 대체로 왕국의 현세적인 법 이외의 다른 무언가를 의미하지는 않았던 듯 보이며, 이 법령이 인쇄된 적이 없는 까닭에, 주의 깊게 살펴볼 수가 없었습니다. 헌데 그것이 법령인지 아닌지는, 의회가 이 청원에 응답했던 바를 말씀해주실 때까지는, 알 수가 없습니다.

법률가. 국왕 폐하의 대답은 국왕 폐하의 존엄이 지켜지도록, 지금까지의 용례가 그대로 유지되리라는 것이었습니다.

철학자. 이는 대법관청과 관련하여, 에드워드 코크 경에게 명백히 반하는 것입니다.

법률가. 리처드 2세 17년[43], 다른 의회에서는 거짓된 제의에 근거한 영장에 따라, 백성들이 왕립재판소나 대법관청에 강제로 와야 했다면, 그러한 제의가 정식으로 거짓이라 밝혀져 입증된 직후, 대법관이 잠시동안 재량에 따라, 앞서 말씀드렸듯 부당하게 여정을 꾸려야 했던 자에게 손해배상을 명령하고 배상하도록 할 권한을 갖도록, 서민원의 청원으로 제정되었습니다.

철학자. 이 법령에 따라, 부당한 제의에 대해 대법관청에 고소가 제기되면, 대법관은 해당 제의를 검토하고, 제의가 거짓인 경우 손해배상을 할 수 있으며, 고로 또한 실제 소송이든 개인 소송

[43] 17 *Rich. II.* c. 6. 1393년.-역주

이든, 소송 결정 과정에 대해 절차를 진행할 수 있으므로, 범죄가 되지 않습니다.

법률가. 또한 서민원은 (인쇄되지 않은) *헨리 4세* 2년[44]의 의회에서, 국왕 폐하와 추밀원 앞에서든, 혹은 보통법의 통상적인 절차에 반하는 다른 어디에서도, 와병일에 대법관청이나 국고청, 혹은 다른 곳에서 영장이나 옥새로 고소하지 않기를 청원하였습니다.

철학자. 이 청원에 대해 국왕께서 어찌 답하셨는지요?

법률가. 그러한 영장이 필요없이 허가되어서는 안 되노라 하셨지요.

철학자. 여기서 다시금 아실 수 있듯이, 국왕께서는 의회에서 어떤 청원이든 거부하거나 허가하실 수 있는데, 이곳에서처럼 필요하다 생각하시거나, 아니면 존엄에 해를 끼치거나 그렇지 않다고 여기시는 데에 따르며, 앞선 청원에 대한 응답처럼, 이는 입법 권력의 일부 내지는 존엄의 여느 다른 본질적인 부분을 법령으로 앗아갈 수 없다는 충분한 증거이지요. 이제 형평성이 이성의 법칙과 같은 것이라는 점이 인정되므로, 그리고 에드워드 코크 경(『법학제요』 1권, sec. xxi.)이 형평성이란 성문화된 법을 해석하고 개정하는 오직 올바른 이성으로 구성될 뿐, 어떠한 글줄로 이해되어야 할 이유가 없다고 정의하므로, 저는 형평 재판소가 어떤 목적으로 민사 재판관이나 일반탄원 재판관 이외에, 대법관이나 다른 어떤 인물을 앞에 두어야 하는지 기꺼이 알고 싶습니다. 아니, 하급재판소 판사가 내린 오심을 구제하기 위해, 보통법 재판소보다 더 고위의 형평 재판소가 필요하다는 것, 그리고 대법관

---

[44] 2 *Hen. IV.* 1400년.-역주

청의 오심은 의회나, 국왕께서 그에 대해 임명하신 특별위원회를 제외하고는 되돌릴 수 없다는 것, 이 이외의 무엇도 주장하실 수 없으리라 확신합니다.

법률가. 하지만 에드워드 코크 경은 사실관계는 보통법에 따라 12인의 배심원에 의해 심의될 수 있으므로, 이 재판소가 *아드 알리우드 엑사멘*ad aliud examen, 즉 또 다른 종류의 검토, 즉 배심원에게 증거가 될 증인의 증언에 이 문제를 끌어들여서는 안 된다고 합니다.

철학자. 증인의 증언이 대법관에게는 증거가 아니랍니까? 그러므로 이는 또 다른 종류의 검토가 아니며, 배심원이 대법관 이상으로 정식으로 증인을 검토할 역량을 갖고 있지도 않습니다. 게다가 모든 재판소는 형평성에 따라 판단할 의무가 있고, 형평성에 대한 사례에서 모든 재판관이 때로 속임을 당할 수 있으니, 재판관이 형평성에, 뿐만 아니라 재판관이 보통법에 종속되었다고 한들, 어떤 사람이나 국가에 무슨 해가 있겠습니까? 의회법으로 규정되었으므로, 번거로움을 피하기 위해, 만약 사안이 법안에 포함되어 있는 경우가 아니라면, 손해와 비용으로 인해 슬픔에 빠져 괴로워하는 당사자를 만족시킬 만큼의 확실성이 발견될 때까지 소환장은 허락되지 않아야 하겠지요.

법률가. 헨리 6세 31년, 2조[45]의 또 다른 법령이 있는데, 여기에는 에드워드 코크 경이 인용했듯, 이런 조항이 있습니다. "*왕국의 법에 따라 결정될 수 있는 어떠한 사안도 해당 법안에 의해 국왕 재판소에서 동일한 법 절차를 거쳐, 동일한 법으로 결정되는 것 이외의, 다른 형식으로 결정되지 아니한다.*"

---

[45] 31 *Hen. VI.* c. 2. 1452년.-역주

철학자. 이 법은 7년 동안만 제정되었고, 어떤 다른 의회에서도 지속되지 않았으며, 이 법의 동기는 존 케이드Jack Cade (1420?~1450)의 반란기 동안 있었던, 대봉기, 강탈, 억압 등등과, 그리고 찬탈된 권위에 의한 부당한 기소와 유죄선고였지요. 그리고 이에 의회는 다음 7년 동안 누구도 대인장 아래 국왕 폐하의 영장에 불순종하거나, 추밀원이나 대법관청에 출두하여 폭동, 강탈 등등에 답하기를 거부해서는 안 된다는 것, 처음으로 패소하는 경우 등등을 규정하였습니다. 그 전에는 왕립재판소나 특별위원 이외에는 심리될 수 없었던 범죄를 판단하기 위해, 대법관청과 국왕 폐하의 추밀원에 주어진 비상권한을 제외하면, 여기에는 대법관청 내지는 여느 다른 재판소의 관할권과는 전혀 관련이 없었습니다. 법안은 말씀드린 케이드의 권위 하에서 행동한 자들이 저지른 수많은 범죄를 처벌하기 위해 명시적으로 제정되었습니다. 이 법안에는 여기서 언급한 조항이 추가되었는데, 이는 그 대법관청과 추밀원에서의 절차는 이 법안이 만들어지기 전, 해당 소송이 속한 재판소에서 쓰이던 종류여야 한다는 것이었습니다. 즉 말하자면, 소송이 형사적이라면, 왕립재판소의 질서에 따라야 하며, 소송이 형사적인 것이 아니라 단지 형평성에 대한 것이라면, 대법관청의 방식이나, 어떤 경우에는 국고청의 절차에 따라 심리되어야 한다는 거지요. 저는 왜 에드워드 코크 경이 이처럼 만료된 지 2백년이 넘은 법령을, 그리고 국왕께서 통과시키시지 않은 두 건의 청원을 마치 법령인 양 인용하는지 궁금합니다. 그가 제요 전반을 통해 그러려 애쓰듯, 국왕 폐하의 권위를 약화시키거나, 백성들 사이에 이 땅의 법률에 대한 본인의 의견을 스며들게 하려는 목적이 아니라면 말이지요. 또한 그는 본문과 난외 모두에 라틴어 문장을 삽입하려 애썼는데, 옛 법률가의 권위라든지, 이성 자체의 확실성이라고는

없이, 마치 그것이 이성의 법칙에 따른 원칙이라도 되는 양, 사람들에게 잉글랜드 법률의 근간이라 믿도록 하기 위해서였지요. 이제 선생께서 관습에 부여하시는 권위에 관해서는, 어떤 관습이 그 자체의 본질로 법의 권위에 상당할 수 있음을 저는 부정합니다. 만약 관습이 불합리하다면, 선생께서는 다른 모든 법률가들과 함께 그것은 법이 아니라, 폐지되어야 하는 것일 뿐이라고, 그리고 만약 관습이 합리적이라면, 그것은 관습이 아니라, 법으로 만들어야 하는 형평성이라 공언하셔야 합니다. 이성의 법칙이 영원하건만, 언제까지 무슨 관습으로 이성의 법칙을 만들 필요가 있겠습니까? 게다가, 비록 재판관이 판결을 내리며 따라야 하는 것으로 흔히 *법과 관습*lex et consuetudo이 언급되더라도, 어떤 법령에서도 *콘수에투디네스*consuetudines, 즉 말하자면, 관습이나 관행이 예전에 오래 지속되었음을 의미했다고는 찾으실 수 없을 겁니다. 그것은 그러한 법령이 제정되기 직전에 있었던 것과 같은 절차상의 용법과 관습을 의미했을 뿐이지요. 또한 어느 법령에서도 보통법이라는 말을 찾으실 수도 없는데, 이는 잉글랜드의 현세적 법률 중 무엇에 대해서도 제대로 해석되지 않을 수 있습니다. 이를 구별하여, 국가 전체의 법률과는 다른 법으로 만들 수 있는 것은 어느 재판소에서 쓰이는 절차의 특이성 때문이 아니니까요.

법률가. 선생의 생각처럼, 모든 재판소가 형평 재판소이라면, 코먼웰스에 불편하지 않을까요?

철학자. 저는 아니라 생각합니다. 심리해야 할 소송이 많든 적든, 재판관들은 국왕께 동일한 봉급을 받으므로, 본인들의 편의를 위해 자기들이 심리해야 하는 소송을, 다른 재판소로, 정의의 지연과 소송 당사자의 손해로, 너무 많이 미루는 경향이 있다고 아마도 말씀하시지 않는 한 말이지요.

법률가. 선생께서는 그에 엄청나게 속고 계십니다. 반대로, 관할권에 대한 재판정 간의 다툼은 누가 자기 앞에 가장 많은 소송을 가져오게 되느냐에 대한 것이니까요.

철학자. 자비를 구합니다. 냄새를 맡지 못했군요.

법률가. 또한 모든 재판관이 형평성에 따라 선고를 해야 하니, 만일 성문화된 법이 형평성이라는 이성의 법칙에 반하게 된다면, 그러한 경우에 어찌 판결이 정의로울 수 있는지 상상도 안됩니다.

철학자. 성문화된 법은 이성에 반하게 될 수 없습니다. 만인이 스스로 동의한 법에 순종해야 하는 것 이상으로 더 합리적인 것은 없으니까요. 허나 그것은 언제나 문자의 *문법적* 구성으로 표시되는 법이 아니라, 입법자가 그럼으로써 의도한 바가 효력이 있어야 하며, 그 의도는, 고백컨대, 법령의 단어에서 뽑아내기가 매우 어려운 문제이기 십상이며, 구제를 위해서는 새로운 법이 필요하듯, 그렇게 결합된 상황과 불편함에 대해 더 큰 숙고와 고려를 요구합니다. 그로부터 소송이 잊혀졌을 때, 무지한 문법학자 내지는 트집잡는 논리학자가 정직한 사람을 해치거나, 억압하거나, 어쩌면 파멸시키고자 왜곡하지 못하도록, 그리 명확히 쓰여진 것이란 거의 없으니까요. 그리고 이런 이유로 재판관은 그들이 누리는 명예와 수익에 대한 자격을 갖습니다. 각각의 재판소마다 어떤 소송을 심리해야 하는지에 대한 결정은 아직 충분히 설명되지 않은 일로, 법의 현인들 본인들에게도 그러하듯, 그 자체로 너무 어려워서, (에드워드 코크 경이 법 자체에 맡겨 두는 이유기도 하지요) 아직 그에 대해 합의된 바 없으니, 직업 법률가도 심오한 법률가도 아닌 사람이 어떻게 어떤 재판소에서 적법하게 소송을 시작할 수 있는지 주의하거나, 그에 대하여 의뢰인에게 조언을 제공할 수 있겠습니까?

법률가. 고백컨대, 모든 재판소가 자기들끼리 합의하기 전에는, 누구도 재판소의 관할권에 대해 주의해야 할 의무가 있을 수 없습니다. 하지만 성문화된 법에 결코 모순되거나, 입법자를 불쾌하게 하지 않도록, 판결을 내리기 위해 재판관이 어떤 규칙에 따라야 하는지는 모르겠습니다.

철학자. 무고한 사람을 처벌하지도, 대부분의 합리적이고 편견 없는 사람들에게, 제 의견으로는 그리 어렵지 않은, 합당한 이유 없이 악의적으로 고소하는 자로 인한 손해배상을 박탈하지도 않도록, 선고에 주의를 기울인다면 두 가지 모두를 피할 수 있다고 생각합니다. 그리고 모든 사람이 그렇듯, 재판관도 판결에 잘못을 범하겠지만, 잉글랜드 법에는 대법관청 내지는 그들 자신이 뽑고, 국왕께서 권위를 부여하신 위원에 의해 당사자들을 만족시킬 만한, 그러한 권한이 언제나 있습니다. 만인에겐 자기가 선택한 재판관의 선고를 묵인할 의무가 있으니까요.

법률가. 어떤 경우에 문자의 실제 구성이 입법자의 의도와 상충될 수 있을까요?

철학자. 매우 많으나, 에드워드 코크 경은 그 중에서 세 가지를 언급하는 바, 사기와 사고, 배임입니다. 허나 더욱 많습니다. 거의 모든 일반적인 규칙마다, 규칙제정자가 예견할 수 없었던 합리적인 예외란 엄청나게 많으며, 모든 법령마다, 특히 길이가 길다면, *문법*상의 의미는 모호하더라도, 법령이 무슨 목적으로 만들어졌는지를 잘 아는 자에게는 충분히 명료한 단어가 아주 많으며, 비록 입법자의 의도는 결코 그리 명료하지 않더라도, *문법학자*가 트집잡을 만한 의심스러운 참조 관계도 많지요. 그리고 이는 재판관들이 숙달해야 할 어려움이며, 그들이 선택된 역량을 고려하면 이를 할 수 있으며, 뿐만 아니라 그렇게 기대될 수도 있습니다.

그러나 다른 사람도 똑같이 할 수 있으며, 그렇지 않다면 재판관의 자리가 수시로 채워질 수 없겠지요. 주교는 보통 가장 유능하고 합리적인 사람들이며, 형평성은 하나님의 율법이기에, 업으로 이를 연구해야 할 의무가 있으므로, 형평 재판소에서 재판관이 될 역량이 있습니다. 그들은 백성들에게 죄가 무엇인지 가르치는 사람들입니다. 즉 말하자면, 양심의 사례에 있어 박사들입니다. 그렇다면 헨리 8세 국왕 폐하 시절 전에 흔히 그랬고, 그리고 이후 제임스 국왕 폐하 통치기에도 한 차례 그랬듯, 주교가 대법관이 되는 것이 왜 코먼웰스에 부적절하고 해가 되는지, 이유를 보여주실 수 있겠습니까?

법률가. 하지만 에드워드 경은 법학교수가 아닌 자가 대법관으로 임명된 직후, 왕국 전체에 통탄스러운 불만을, 그리고 왕국 내에서 가장 현명하고 유능한 자를 대법관으로 선출해달라는 청원을 의회에서 무더기로 발견했노라 말합니다.

철학자. 그 청원은 합리적이었으나, 누가 보통법 재판관이나 주교로 더 유능한 인물인지에 대해서는 말하지 않습니다.

법률가. 그것은 재판관의 능력에 관한 대단한 의문이 아닙니다. 이쪽이든 저쪽이든, 모두 나름대로 유능한 인물들이지요. 하지만 형평성 재판관이 이성의 법칙으로서 또한 성문법을 고려해야 할 필요가 있을 때, 거의 모든 경우입니다만, 성문법에 있어서도 준비되어 있지 않은 한, 자기 직무를 완벽하게 수행할 수 없습니다.

철학자. 저는 그다지 그가 성문법에 준비되어야 있어야 하는지 모르겠습니다. 소송을 심리하면서, 재판소에서 무엇이 성문법인지 보통법 재판관이 변호인에게 고합니까, 아니면 변호인이 재판관에게 고합니까?

법률가. 변호인이 재판관에게 고합니다.

철학자. 왜 그들이 대법관에게 고하지 않겠습니까? 영어로 읽히는 것을 들을 때, 그것이 의미하는 바를 주교는 법률가만큼 이해하지는 못한다고 말씀하시지 않는다면 말이지요. 아닙니다. 아니지요. 이쪽이건 저쪽이건 양쪽 모두 충분히 유능하지만, 사건의 어려움 뿐만 아니라, 재판관의 열정 또한 극복되어야 한다면, 충분히 유능하다는 것만으로는 충분치 않습니다. *에드워드 3세* 36년, 9조[46] 법령에 대해 말씀드리는 걸 잊어버렸군요. 상기의 조항이나 여러 법령에 포함된 다른 조항 중 무엇과 상충되어 자신이 괴로움을 겪는다고 생각하는 누군가가 대법관청 같은 곳으로 와서 고소를 제기할 경우, 그는 곧 다른 데에서 구제책을 구하지 않으면서, 해당 조항이나 법령의 힘에 따라 구제받게 됩니다. 이 법령이 말하는 바에 따르면, 제 견해로는, 보통법으로 재판가능한 경우에도, 대법관청은 괴로움을 겪는 당사자의 고소에 따른 탄원을 판단할 수 있음이 아주 명백합니다. 왜냐하면 당사자는 다른 데에서 구제책을 구하지 않으면서, 이 법안의 힘에 따라, 해당 재판소에서 곧 구제받게 되기 때문이지요.

법률가. 그렇지요, 하지만 에드워드 코크 경은 이 이의에 대해 이렇게 답합니다(『법학제요』 4권, p. 82). 그가 말하길, *구제받게 된다*는 말은 곧 그 법령에 근거한 구제영장을 받아야, 보통법에 따라 구제해줄 수 있다는 의미에 지나지 않는다 합니다.

철학자. 에드워드 코크 경이 생각했던 바란 바로 이와 같으니, 당사자는 영장을 받자마자, 다른 어디에 고소하지 않으면서 주머니에 영장을 보관하더라도, 구제책을 갖는다는 것으로, 즉 보통법 재판소란 대법관청 이외의 다른 어떤 곳이 아니라는 생각이지요.

---

[46] 36 *Edw. III*, c.9. 1362년.-역주

법률가. 그렇다면 재판소는-

철학자. 이쯤에서 멈추기로 하지요. 저는 정의와 형평성을 구별하는 것 이상으로 나아가고자 하지 않으며, 선생께서 말씀하신 바로 만족하니, 저는 이로부터 정의가 법을 채우고, 형평성이 법을 해석하며 같은 법에 따라 내려진 판결을 수정한다고 결론 내리겠습니다. 여기에서 저는 에드워드 코크 경에게서 인용한 형평성에 대한 정의에서 크게 벗어나지 않습니다(『법학제요』 1권, sec .xxi). 즉 형평성이란 성문화된 법을 해석하고 개정하는 어떤 완전한 이성이라는 것으로, 제가 그의 해석과는 약간 다르게 해석하더라도, 법을 만들 수 있는 자 이외에는 누구도 법을 고칠 수 없으므로, 저는 그것이 법이 아니라, 단지 판결이 잘못되었을 때 그 판결만을 고칠 뿐이라 말합니다. 그러면 이제 우리는 특정한 범죄, 그로 인하여 일반적으로 왕관의 탄원이라 불리는 탄원과 그에 속하는 처벌에 대해 고찰해보기로 하지요. 그런데 최악의 범죄 중 으뜸은 대역죄입니다. 말씀해주시지요. 대역죄란 무엇입니까?

극형에 처해지는 범죄에 관하여.

법률가. 무엇이 대역죄인지를 선언하는 첫 법령은 *에드워드 3세* 25년[47]의 법령인데, 이런 내용입니다. “이 시점 전에는 어떤 경우에 반역죄라 해야 하고, 어떤 경우에는 안 되는지에 대해 다양한 의견이 있었으나, 귀족원과 서민원의 요청에 따라, 다음과 같이 선언한다. 즉 말하자면, 누군가가 우리의 주군 국왕 폐하와 우리의 귀부인 왕비 전하, 그분들의 장남과 후계자의 죽음을 도모하거나 꿈꾸는 경우, 혹은 누군가가 국왕 폐하의 동반자나 국왕 폐하의 미혼 장녀, 또는 국왕 폐하의 장남의 처자를 범하는 경우, 혹

---

[47] 25 *Edw. III*. 반역죄법, 1351년.-역주

은 누군가가 왕국에서 우리의 주군 국왕께 맞서 전쟁을 일으키거나, 왕국 내에서 국왕 폐하의 적과 한편이 되어, 왕국 내든 다른 어디에서든 그들에게 도움과 편의를 제공한 경우, 그리고 그로 인하여 아마도 그러한 상황에 처한 백성들에 의해 공개적으로 사권이 박탈된 경우, 그리고 누군가가 국왕 폐하의 대인장이나 옥새, 화폐를 위조한 경우, 그리고 누군가가 러쉬버그Lushburgh라 회자되는 화폐처럼 거짓된 화폐를 잉글랜드의 화폐로 위조하여 왕국 내로 들여와서는, 그 화폐가 거짓임을 알면서도 우리의 주군 국왕 폐하와 그 백성을 속이고는 상품화하여 지불하는 경우, 그리고 누군가가 자리를 맡아 직무를 행하는 대법관이나 재무장관, 또는 국왕 폐하의 여느 재판관이나 에어Eyre 재판관, 어사이즈 재판관, 그리고 심리하고 결정하도록 지정된 다른 모든 재판관을 살해한 경우이다. 그리고 상기 열거한 경우에 대해 이해되어야 하는 바는, 그것이 반역죄로 판결되어야 하며, 이는 우리의 고귀하신 주군 국왕 폐하와 그분의 위엄에까지 미친다는 것, 그리고 그러한 반역죄에 대하여 귀속에 따른 몰수품은 우리의 주군 국왕께 속하며, 본인뿐만 아니라 다른 자에게 보유된 토지와 임차지 역시 그러하다는 것이다. 이에 더하여 또 다른 반역이 있으니, 즉 말하자면, 하인이 주인을 살해하거나, 아내가 남편을 살해하거나, 세속적으로든 종교적으로든 누군가가 자신의 신앙과 순종을 빚진 성직자를 살해하는 것으로, 이러한 반역들에 대하여 귀속물은 각 영지의 주인들에게 속해야 한다. 그리고 지금 현시점에 누군가가 생각하거나 선언할 수 없는 다른 유사한 반역 사건이 향후 일어날 수 있으므로, 상기에 특정되지 않았으나 반역이라 여겨질 만한 어떤 사건이 재판관 앞에서 벌어지면, 반역죄나 여타 중범죄로 판결되어야 하든 그렇지 않든, 국왕 폐하와 의회 앞에 소송이 제시되어 선언될 때까지, 재판관은 어떠한 반역죄 판결도 내리지 말고 기다려야 한다."

철학자. 저는 무엇이 반역죄인지 이해하기를 바라온데, 열거된 범행으로는 만족스럽지 않습니다. 반역죄는 그 자체로 범죄이며, *악 그 자체*malum in se이므로, 보통법상 범죄이고, 대역죄는 보통법에서 가능한 것 중 최악의 범죄입니다. 그러므로 법령 뿐만 아니라, 법령이 없더라도 이성으로도 이는 범죄가 됩니다. 그리고 이는 다양한 의견에도 불구하고, 비록 반역죄가 무엇을 의미하는지 몰랐으며, 국왕께서 이를 결정하시도록 요청할 수밖에는 없었더라도, 모든 사람이 이를 반역죄라는 명칭으로 유죄 판결을 내렸음을 암시하는 서문으로 나타나지요. 제가 알고 싶은 바는, 단순히 천부적인 이성 이외에는 반역에 대해 정의할 별다른 재능 없는 인간이, 어떻게 법령 없이 반역죄를 정의할 수 있었느냐 하는 겁니다.

법률가. 법률가 중 누구도 그랬던 적이 없건만, 제가 갑자기 그 일을 맡아야 한다 기대하셔선 안 됩니다.

*철학자. 살루스 포풀리*salus populi가 *수프레마 렉스*suprema lex이니, 즉 말하자면, 백성의 안녕이 최고법이요, 왕국 백성의 안녕이란 국왕 폐하의 안녕이니, 외적과 반란을 일으킨 신민에게서 자신의 백성을 방어하시는 데에 필요한 힘으로 구성됨을 아시겠지요. 그리고 이로부터 저는, 현존하시는 국왕 폐하의 죽음을 도모하는 것은, 즉 계획하는 것은 내전과 백성의 파멸을 계획하는 것으로, 이 법령이 만들어지기 이전부터 대역죄였으리라 추론합니다. 2. 국왕 폐하의 아내를 죽이거나, 혹은 그녀의 정조를 더럽히고자 계획하는 것은, 또한 국왕 폐하의 후계자나 미혼의 장녀의 정조를 더럽히고자 하는 것으로, 국왕 폐하의 후사에 대한 확실성을 파괴하고, 결과적으로 왕관에 관한 분쟁을 야기하여 내전으로 이어지는

시기 동안 백성들을 파멸로 이끄므로, 이 법령 이전부터 대역죄였습니다. 3. 왕국 내에서 국왕께 맞서 전쟁을 일으키고, 왕국 안팎에서 국왕 폐하의 적을 돕는 것은, 국왕 폐하의 멸망이나 폐위로 이끄는 것으로, 이 법령 이전부터 보통법에 의해 대역죄였습니다. 4. 국왕께서 백성들을 다스리시는 왕국의 주요 인장을 위조하는 것은 정부에 혼란을 초래하고, 결과적으로 백성을 파멸로 이끄므로, 이 법령 이전부터 반역죄였습니다. 5. 만약 병사가 전투 중에 장군이나 다른 장교를 죽이려고 계획한다든가, 아니면 지휘관이 승리를 거둘 가능성이 높은 자의 호의를 얻으려는 의도로 자기 분대와 함께 의심스레 돌아다니고 있다면, 이는 국왕 폐하와 백성 모두를 파멸로 이끄니, 국왕께서 계시든 안 계시든, 이 법령 이전부터 대역죄였습니다. 6. 만약 누군가가 국왕 폐하의 신병을 감옥에 가두었다면, 국왕께서 그 백성을 지키실 수 없도록 만든 것이니, 이 법령 이전부터 대역죄였습니다. 7. 만약 누군가가 국왕께 맞서 반란을 일으키려는 의도로, 문언이나 조언을 통해 국왕께서 적법한 국왕으로 통치하심을 부인한 경우, 그러한 말을 쓰거나 설교하거나 이야기한 자가 국왕 폐하의 법의 보호 아래 살아가고 있다면, 앞서 말씀드린 이유로 인하여 이 법령 이전부터 대역죄였습니다. 그리고 아마도 이 법령에 따라 다른 경우들이 있을 지도 모르지만, 현재로서는 생각나지가 않는군요. 허나 재판관이나 다른 장교를 죽이는 것은 법령에 의해 결정된 바와 같이, 오직 법령에 의해서만 대역죄가 됩니다. 그리고 보통법에 따라 다른 모든 하급 범죄를 반역죄와 구별하기 위해, 우리는 만약 그러한 대역죄가 효력을 발휘할 경우, 모든 법을 단번에 파괴할 것이요, 어떤 신민에 의해 행해지는 경우, 배반으로 인해 적대감으로 되돌아가는 것이므로, 결과적으로 반역자는 이성의 법칙에 따라 비열하고 믿을 수 없는 적으로 취급될 수 있지만, 여타 범죄 중에서는 가장 큰 것도 대부분 고작 하나 내지는 겨우 아주 적은 수의 법률 위반일 뿐이라는 점을 고려해야 합니다.

법률가. 선생의 말씀이 참이든 거짓이든, *메리 여왕* 1년과 2년에 제정된 법령에 따라, 법은 현재 의문의 여지가 없으며, *에드워드 3세* 25년의 법안에서 특별히 언급된 몇 가지 범행 이외에는 반역으로 간주되어야 할 것이 없습니다.

철학자. 이 대죄 중 가장 큰 죄는 죽이고자 하는 이에게 신뢰받고 사랑받던 자가 저지른 것이니, 인간은 자신이 의무를 지웠다고 생각하는 자에게는 좀처럼 주의할 수 없는 반면, 공공연한 적은 행동하기 전에 경고를 주기 때문이지요. 그리고 이는 법령이 선언한 바, 하인이 그 주인이나 여주인을 죽이거나, 아내가 남편을 죽이거나, 교회 서기가 성직자를 죽이는 것은 다른 종류의 반역입니다. 그리고 법령상의 문언에는 없으나, 저는 경의와 충성서약으로 영지를 보유하는 소작인이 그 영주를 죽이는 경우도 또한 소반역죄라 생각하는 바, 충성서약이란 영주에게 신하의 의무를 맹세하는 것이기 때문인데, 다만 국왕께 반하는 일이라면 어떤 맹세라도 지킬 수가 없겠지요. 경의란 *에드워드 2세* 17년의 법령에서 표현되었듯, 한 사람이 다른 사람에게 할 수 있는 최대의 복종이니까요. 소작인은 그 지주의 손 사이에 자기 손을 모으고는 이렇게 말하겠지요. 소인은 이날부터 목숨으로, 수족으로, 세속의 명예로, 나으리의 사람이요, 우리 주권의 주인이신 국왕 폐하와 다른 많은 영주들께 소인이 빚진 신의를 제외하고는, 소인이 보유할 나으리의 땅에 대해 신의를 다하겠나이다. 경의란, 국왕께라면 단순한 순종의 약속과 같고, 다른 영주에게라면 국왕에 대한 신하의 의무 이외에는 무엇도 아니니, 충성서약이라 불리우는 것은 맹세로 확

정되는 것과 똑같을 따름입니다.

법률가. 허나 에드워드 코크 경은 반역자가 법적으로 국왕 폐하의 적으로 이해되는 것을 부정합니다(『법학제요』 4권, p. 11). 그가 말하기를, 적이란 국왕 폐하에 대한 신하의 의무에서 벗어난 자들입니다. 그리고 그 이유는 신민이 외적과 합세하여 잉글랜드로 쳐들어와서, 여기에서 포로로 잡히면, 몸값이 지불되거나 적으로 처리되는 것이 아니라, 국왕에 대한 반역자로 사로잡히기 때문입니다. 반면 적이 공공연한 적대감을 갖고 쳐들어와 사로잡힌 경우, 계엄령에 따라 처형되거나 몸값을 지불받아야 하는데, 그는 국왕께 보호받으며 충성을 바쳐야 했던 적이 없었으므로 반역죄로 기소될 수 없으며, 반역죄의 공소장에는 *정당하게 인정된 바에 반하여*contra ligeantiam suam debitam라 적혀 있으니까요.

철학자. 이는 가장 저열한 법률가마저도 할 만한 논증이 아닙니다. 에드워드 코크 경은 누군가가 국왕께 공공연한 적임이 명백히 입증되었을 때, 국왕께서 기소 없이 어떤 식으로든 그를 적법하게 죽이는 것이 불가능하다고 생각했나요? 기소는 잉글랜드 국왕의 명령에 의한, 잉글랜드에 특유한 고발 형식 중 하나이며, 여전히 그러하므로, 이 나라 잉글랜드에 대한 법입니다. 허나 어떤 인간을 기소 이외의 다른 식으로 처형하는 것이 적법하지 않다면, 다른 국가에서는 우리처럼 기소로 처리하지 않으므로, 어떠한 적도 처형될 수 없습니다. 또한, 공공연한 적이 사로잡혀 계엄법의 판결로 처형되는 경우, 적이 이처럼 처리되는 것은 장군이나 전쟁평의회의 법이 아니라, 그 임무에 포함된 국왕 폐하의 법이니, 공공연한 적이 사로잡혔을 때 그가 처형되어야 할지 말지, 그리고 어떤 식으로 처형당할지, 몸값을 지불받아야 할지 말지, 그리고 그 대가는 얼마일지는, 국왕께서 수시로 적절하다 여기시는 대로, 언

제나 그분의 뜻에 달려있습니다. 그렇다면 반란에 의한 반역의 본질이란, 적의로 귀착되지 않겠습니까? 반란이 그 외의 무엇을 의미할까요? 정복자 윌리엄께서는 이 왕국을 정복하시어, 일부는 죽이시고, 일부는 향후 순종하리라는 약속 하에 자비를 베푸셨으며, 그들은 그의 신민이 되어, 신하의 의무를 맹세했습니다. 그러므로 그들이 다시 그분과 전쟁을 시작한다면, 다시금 공공연한 적이 되지 않겠습니까? 혹은 그분의 법 아래 숨어있던 그들 중 누구라도 그분을 은밀히 살해할 기회를 추구하다 발각된다면, 비록 계획했던 일을 저지르지는 않았더라도, 분명히 적대적인 계획을 갖고 있는 적으로 처리해야 하지 않겠습니까? 장기의회는 선왕께 맞서는 자기네들의 절차를 반대했던 모든 이를 국가의 적으로 선언하지 않았습니까? 허나 에드워드 코크 경은 하나의 동일한 사물에 두 가지의 여러 명칭이 있을 때, 이를 잘 구별하지 못합니다. 하나가 다른 하나를 포함하더라도, 마치 하나의 동일한 인물이 적이자 배신자가 될 수는 없다는 양, 언제나 이를 다르게 만들지요. 하오나 이제 이 법령에 대한 그의 논평으로 들어가보지요. 법령은 (영어로 인쇄된 대로) 누군가가 우리의 주군 국왕 폐하의 죽음 등등을 도모하거나 꿈꾸는 경우라 말합니다. 도모하거나 꿈꾼다는 단어의 의미는 무엇입니까?

법률가. 여기에서 에드워드 코크 경은 말하기를, 이 법안이 입안되기 전에, *윌룬타스 레푸타바투르 프로 팍토*voluntas reputabatur pro facto, 즉 행위에는 의지가 담긴다고 하였습니다. 고로 브랙튼은 이렇게 말합니다. *의지가 중요하되, 결과는 그렇지 않다, 누구를 죽이든, 동기를 제공하든 차이가 없다*[48], 즉 말하자면, 살해 원인

[48] spectatur voluntas, et non exitus; et nihil interest utrum

이지요. 이제 에드워드 코크 경은 이것이 법령 이전의 법이었으며, 살해 원인이 된다고 함이란 그 의도의 실행으로 이끌거나 사망 원인이 될 수 있는 어떤 공개적인 행위로 해당 내용을 선언하는 것이라 말합니다.

철학자. 인간의 죽음을 초래하는 것과 해당 내용을 선언하는 것이 매한가지라니, 어떤 잉글랜드인이 이해할 수 있겠습니까? 그리고 만약 이것이 사실이고, 법령 이전의 보통법이 그러하다면, 법령상의 어떠한 말로 사라지겠습니까?

법률가. 사라지는 것이 아니라, 증명 방식이 무기 제공이나 화약, 독약, 갑옷 검사, 서신 발송 등과 같이 공개적인 행위로 증명되는 식으로 결정되어야 한다는 것 뿐이지요.

철학자. 헌데 이 법령이 반역죄로 삼는 범죄란 무엇인지요? 국왕 폐하의 죽음 등을 도모하거나 꿈꾸거나 하는 등등의 말을 제가 이해하기로는, (그리 쓰여져 있듯) 대역죄가 되는 유일한 일이란 도모하는 것입니다. 따라서 살인 뿐만 아니라, 계획도 대역죄가 됩니다. 혹은 프랑스의 기록에서처럼, *도모하는 행위*fait compasser, 즉 말하자면, 다른 이에게 국왕 폐하의 죽음을 도모하거나 계획하도록 초래하는 것이 대역죄이며, 그리고 *명백한 행위*par overt fait라는 말은 어떤 반역이나 다른 범죄의 구체화로서가 아니라, 오직 법이 요구하는 증거의 구체화로서 덧붙여졌습니다. 그렇다면 범죄란 국왕 폐하를 살해하거나, 국왕께서 살해당하시도록 초래하려는 계획과 목적이며, 이는 피고인의 가슴에 숨겨져 있으니, 발설되거나 쓰여진 말 이외에 다른 무슨 증거가 있을 수 있겠습니까? 그러므로, 그가 말로 그러한 계획을 가졌노라 선언했음을 드러낼 충분

---

quis occidat, aut causam præbeat.-역주

한 증인이 있다면, 의문의 여지없이, 법령 내에서 이해될 수 있습니다. 에드워드 코크 경은 다만, 만약 그가 이 계획을 말이나 글로 자인하는 경우, 법령 내에 있음을 부인하지 않습니다. 흔한 말로, 단순한 말은 이단을 만들 뿐 배신자를 만들지 않는다는 것인데, 에드워드 코크 경이 이런 상황에 사용하곤 했으나, 별 의미는 없지요. 이 법령은 말이 아니라 의도를 대역죄로 만들며, 그에 따라 말은 단지 증언일 뿐이며, 그 흔한 말은 일반적으로 말해지듯 거짓입니다. 비록 지금은 사라졌지만, 그 후 아무런 다른 행위가 없더라도 단순한 말을 반역죄로 만들고자 했던 다양한 법령이 제정되었으니까요. *엘리자베스 1세* 1년, 6조[49]와 *엘리자베스 1세* 13년, 1조[50]처럼, 만약 누군가가 국왕 폐하를 찬탈자라고, 혹은 왕관의 권리가 군림하시는 국왕 폐하가 아니라 여느 다른 자에게 속한다고 공개적으로 설교할 경우, 여전히 유효한 두 법령, 에드워드 3세 폐하의 법령 뿐만 아니라, *에드워드 6세* 1년, 12조[51] 법령으로도, 이것이 반역죄라는 데에는 의심의 여지가 없습니다.

법률가. 뿐만 아니라, 어떤 신민이 다른 사람에게 국왕 폐하나 왕비 전하, 또는 왕위 계승자를 죽이라 조언한다면, 오늘날 대역죄로 판결되겠으나, 단순한 말에 지나지 않습니다. 제임스 국왕 폐하 3년에, 예수회 신부였던 헨리 가넷Henry Garnet (1555~1606)은 화약음모[52]의 반역자 중 일부가 고해성사로 자기네들의 계획을 밝혔음

---

[49] 1 *Eliz.* c. 6. 선동적인 말에 대한 법안, 1558년.-역주

[50] 13 *Eliz.* c. 1. 반역죄법, 1571년.-역주

[51] 1 *Edw. VI*, c. 12. 반역죄법, 1547년.-역주

[52] Gunpowder Plot. 1605년 일부 가톨릭 신자가 제임스 1세를 암살하고 가톨릭 군주제를 복원하려 했던 사건. 음모는 실패하였고 이로 인해 잉글랜드에서 가톨릭에 대한 관용도가 크게 위축되었

에도, 그들의 목적을 단념시키기 위한 경고라든지, 위험에 대한 별다른 대책 없이 죄를 사하여 주었고, 따라서 그러한 죄사함이 단순한 말 이외에 무엇도 아니었음에도, 반역자로 유죄를 받아 처형되었습니다. 또한 아일랜드 법무장관 존 데이비스 경John Davies (1569~1626)의 보고에 따르면, 헨리 6세 국왕 폐하Henry VI (1421~1471) 시절, 어떤 사람이 국왕이 타고난 바보이며, 다스리기에 부적절하다 말했다는 이유로 반역죄에 대하여 유죄를 받았다 합니다. 그러나 이는 *에드워드 3세*의 법령에 있는 이 조항, 즉 거기서 언급된 도모함이란 어떠한 *명백한 행위*로 증명되어야 한다는 것은 법령 입안자들의 대단한 지혜와 선견지명이 없이는 삽입되지 않았겠지요. 에드워드 코크 경이 매우 잘 관찰했듯이, 증인은 단지 말에 대해 조사받을 때, 절대로, 혹은 거의, 자신들이 맹세했던 말에 대해 명확하게 동의하지 않으니까요.

철학자. 그것이 충분히 현명하게 이루어졌음을 부정하지 않습니다. 허나 여기서 문제는 반역죄가 범행인지 계획인지가 아니라, 증거에 대한 것이며, 그것이 의심스러울 때, 12인의 적법한 인물로 구성된 배심원단에 의해 판단됩니다. 그럼 누군가의 살해의도를 드러내는 증거로, 본인의 입으로 해당 내용을 선언하여 목격되었을지도 모르는 것, 또는 무기나 화약, 독약, 무장을 제공하는 것 중 어느 쪽이 더 낫다고 생각하시는지요? 그가 말로 계획을 토로한다면, 배심원은 증인의 적법성, 증언의 조화로움 내지는 그 말이 조심스레 발설되었는지를 고려하는 것 이외에는 더 이상 할 일이 없습니다. 논쟁에서 단지 연습삼아 발언되었을 수 있으며,

---

다. 이들 음모자 중 가이 포크스Guy Fawkes (1570~1606)가 여러 대중문화에서 가면으로 유명세를 얻었다.-역주

아니면 그 말을 하면서 이성을 사용하지 않았거나, 어쩌면 말한 바를 실천하기 위한 아무런 계획이나 소망도 갖지 않았을 수도 있기 때문이지요. 허나 갑옷을 제공하거나 구입하는 데에서, 또는 화약을 구입하는 데에서, 그 자체로는 반역죄가 아닌 다른 명백한 행위에서, 어떤 말로 또한 그가 그러한 목적으로 준비했음을 드러내지 않는 한, 배심원단이 어떻게 국왕 폐하를 시해하려는 계획을 추론할 수 있는지, 저는 쉽사리 생각할 수가 없군요. 그러므로 배심원단은 말과 행동, 전체 사정을 바탕으로, 계획적이었는가 아닌가에 관한 판단의 근거를 삼아야 하므로, 이성에 따라 평결을 내려야 합니다. 하지만 대인장이나 옥새를 위조하는 반역죄에 이르러서는, 협잡꾼이 이 인장을 이용하여 국왕 폐하와 그 백성을 속여넘기는 방법이 아주 많으니, 어찌 거짓 인장을 만드는 것 뿐만 아니라 그러한 남용 전부 역시 대역죄이지 않겠습니까?

법률가. 그렇지요. 에드워드 코크 경은 특허권이 만료된 대인장을 가져다가 돈을 거두기 위해 위조 수수료를 붙인 자를 끌어다 교수형에 처한 일을 기록했으니까요. 하지만 그는 그 판결을 승인하지 않았는데, 왜냐하면 그것은 소반역죄에 대한 판결이기 때문이며, 또한 배심원단이 기소장에 적힌 범죄, 즉 대인장의 위조에 유죄판결을 내리지 않았으면서도, 범죄자를 끌어다 교수형에 처하기 위해 특별한 문제로 인정했기 때문입니다.

철학자. 어떤 문서에서 대인장을 떼어다, 다른 문서에 붙인 이 범죄가 배심원단에게 대역죄로 인정되지 않았고, 해당 법령에 언급된 다른 종류의 반역죄가 될 만한 특별한 문제가 없었는 데에도, 어떤 근거로 배심원단이 반역죄를 인정하거나, 혹은 재판관이 그렇게 선고를 내렸답니까?

법률가. 말씀드릴 수가 없습니다. 에드워드 코크 경은 그것을

거짓 기록이라 생각했던 듯 합니다. 독자들을 훈계하는 식으로, 이로써 사건을 귀로 듣는 것이 얼마나 위험한지가 드러난다고 말했으니까요.

철학자. 사실입니다만, 그는 이 사건이 그릇되게 보고되었지를 명백히 하지 않았으며, 반대로 같은 기록을 쫓았노라 자인하였고, 허위를 증명하지 않고 행해질 수 있다면, 누군가는 어떤 기록에 대해서도 같은 이의를 제기할 수 있습니다. 저로서는, 이 범죄가 위조에서 일어나는 바와 같은 해악을 만들어 냈으므로, 이를 법령 내에서 이해하는 것이 이성이라 생각하며, 처벌상의 차이에 대해서는, 양쪽 모두 극형인데, 죽음은 *궁극적인 형벌*ultimum supplicium로, 에드워드 코드 경 본인이 다른 곳에서 확언하였듯, 법에 대한 변제이니, 이를 견지할 만한 가치는 없다고 생각합니다. 그러면 이제 다른 범죄로 넘어가기로 하지요.

법률가. 이에 부수되는 또 다른 범죄는 반역은닉죄라 불리는데, 이는 어떤 사람이 이를 알면서도 숨기는 것이며, 프랑스어로는 은닉을 *미프리저*mespriser라 하는데, 경시하거나 과소평가함을 의미합니다. 국왕 폐하의 신변에, 그리고 결과적으로 온 왕국에 알려진 위험을 마음 속에 두는 것은, 그가 아는 것 뿐만 아니라, 그 같은 일을 의심하는 것을 밝히지 않는 것처럼, 여느 신민에게도 작은 범죄가 아니므로, 진상이 조사될 수 있습니다. 하지만 그러한 발견이 비록 거짓으로 판명나더라도, 제 생각으로는 발견자가 직접 확언하는 바에 대해 합리적인 증거와 의심할 만한 개연성을 제시한다면, 거짓고발자로 간주되어서는 안 됩니다. 그렇지 않으면 고통과 손해로부터 스스로를 보호하려는 모든 인간에게 허용되는 이해관계에 따라, 은폐가 정당화될 수 있는 듯 보이게 될테니까요.

철학자. 이에 동의합니다.

법률가. 다른 모든 범죄는 단지 현세적으로, 중범죄나 위법행위로 이해됩니다.

철학자. 중범죄라는 말의 의미가 무엇인지요? 그 자체의 본질상 범죄인 무엇입니까, 아니면 어떤 법령에 의해 범죄가 되었을 뿐인 무언가를 의미합니까? 저는 왕국 바깥으로 말이라든지, 다른 여러 사물을 운송하는 일을 중범죄로 삼는 일부 법령을 기억하니까요. 그러한 법령이 만들어지기 전이나, 해당 법령이 폐지된 후에 운송은 상인의 여느 다른 통상적인 교통 이상으로 대단한 범죄가 아니었습니다.

법률가. 에드워드 코크 경은 생물의 쓸개를 뜻하는 라틴어 단어 *펠*fel에서 중범죄라는 단어를 파생시켰으며, 이에 따라 중범죄를 *아니모 펠레오*animo felleo한 행위, 즉 말하자면, 쓰라리고 잔혹한 행위로 정의합니다.

철학자. 어원은 정의가 아니지만, 참일 때에는, 정의를 찾는 데에 상당한 빛을 비춰주지요. 허나 에드워드 코크 경의 이 말은 그럴 가능성이 거의 없으니, 성문법에 의해 중범죄로 규정된 많은 일들이 전혀 마음의 쓰라림에서 비롯되지 않으며, 많은 수가 그 반대에서 비롯되니까요.

법률가. 이는 역사와 외국어에 대한 지식에서 뜻을 이해해야 하는 비평가의 문제이며, 아마도 선생께서 저보다 더 많이 아시겠지요.

철학자. 저나, 제 생각에는 다른 이가 이 문제에 대해 말할 수 있는 전부는 합리적인 추측에 지나지 않으며, 법에 대한 논점을 유지하기에는 불충분합니다. 이 단어는 램바드 씨William Lambarde (1536~1601)가 설명한 옛 색슨족 법률 중 어디에서도, 마그나 카르타 이전에 인쇄된 어떠한 법령에서도 찾을 수 없습니다. 마그나 카르

다는 앙주 공작 헨리 2세 폐하Henry II (1133~1189)의 손자이신 헨리 3세 폐하 시절에 만들어졌는데, 헨리 2세께서는 프랑스 태생으로 프랑스 심장부에서 자라셨으며, 그분의 언어는 우리가 게르만 색슨족에 대해 그러하듯, 게르만 프랑크족 선조의 수많은 말을 아주 잘 간직하셨을 것이며, 또한 갈리아인들이 마르세유에 정착한 그리스 식민지의 많은 말을 간직하였듯, 또한 갈리아인의 언어에서도 많은 말을 간직하셨겠지요. 허나 분명한 것은, 오늘날 프랑스 법률가들은 우리의 법률가들이 사용하는 것처럼, 중범죄자라는 단어를 사용하는 반면, 프랑스의 서민들은 *필루*filou라는 단어를 그 같은 의미로 사용합니다. 하지만 *필루*는 그들이 중범죄라 부르는 것과 같은 행위를 저지른 사람이 아니라, 일반적으로 모든 법률을 어기고 경시함으로써 자기 생계를 꾸려가는 자를 의미하며, 사기꾼과 소매치기, 금고털이, 캐치클록[53], 위조화폐범, 위조범, 도둑, 강도, 살인자라 불리우는 모든 제멋대로의 인물들, 그리고 누가 되었건 육상이나 해상에서 불법을 생업이나 생계로 삼는 자라고 이해됩니다. 호메로스가 살았던 아시아 해안의 그리스인은 마르세유 식민지를 개척했던 자들이었지요. 그들은 중범죄자라는 의미로 *필리티스*φιλήτης라는 단어를 사용하였고, 호메로스의 *필리티스*는 우리에게 중범죄자가 의미하는 것과 정확히 같은 의미로 사용됩니다. 그러므로 호메로스는 아폴론이 메르쿠리우스[54]를 *필리틴*φιλήτην과 *아르콘 필리톤*ἄρχον φιλήτων이라 부르게 하지요. 이 어원

[53] Catchcloaks. 단어의 의미를 확인하기가 어려워 단순 음역하였다.-역주

[54] 각각 로마 신화의 태양신 아폴로와 교역의 신 헤르메스에 대응한다.-역주

의 진실성을 주장하고자 하는 바는 아니나, 에드워드 코크 경의 *아니무스 펠레우스*animus felleus보다는 확실히 보다 합리적입니다. 그리고 문제 자체에 대해 말하자면, 우리가 지금 살인, 강도, 절도 및 다른 중범죄자의 업이라 부르는 것은, 중범죄라고 부르는 것과 같으며, 법령의 도움 없이도 그 자체의 본질에 따라 범죄임이 충분히 분명합니다. 또한 어떤 범죄의 본질을 다른 범죄와 구별하는 것은, 처벌 방식이 아니라, 범죄자의 마음과 그가 의도한 악행이며, 인격 및 때와 장소의 사정을 함께 고려합니다.

법률가. 중범죄 중, 가장 큰 범죄는 살인입니다.

철학자. 그러면 살인이란 무엇인지요?

법률가. 살인이란 무기나 독극물, 내지는 어떤 방법으로든 악의를 품고 사람을 죽이는 것으로, 사전 모의에 따라 이루어질 경우, 냉혈한에 의한 살인이 됩니다.

철학자. 살인에 대한 정의는 *헨리 3세* 52년, 25조[55] 법령에 잘 명시되어 있다고 생각하는데, 이렇습니다. 이제부터 살인은 단지 불운으로 밝혀지면 우리 재판관들 앞에서 판결되지 않을 것이며, 다른 경우가 아니라, 중범죄로 살해된 경우에 맡겨져야 한다. 그리고 에드워드 코크 경은 이 법령을 해석하면서 말하기를(『법학제요』 2권, p. 148), 이 법령 이전에 불행이란 법에 어긋하지 않는 어떤 행위를 하여, 그 의도와는 달리 누군가의 죽음으로 이어짐으로써, 불운하게 사람을 죽인 자가 살인으로 판결되었던 것이라 합니다. 허나 저는 그가 주장하는 증거를 찾지도, 램바드 씨가 설명한 색슨족 법률에서 그러한 법을 찾아내지도 못했습니다. 그

---

[55] 52 *Henry III*, c. 25. 말브릿지 법령Statute of Marlborough, 1267년.- 역주

단어는 에드워드 코크 경이 지적했듯, 옛 색슨족 단어이며, 그들 사이에서 이는 들판이나 다른 데에서 살해되어, 그 죽음의 원인이 알려지지 않은 사람이라는 의미에 지나지 않았습니다. 그리고 이에 따라 마그나 카르타 시대를 살았던 브랙튼은 이렇게 정의합니다(fol. 134). 살인은 살인자와 그 동료 이외에는 누구도 보거나 알지 못할 때, 어떤 사람을 은밀히 죽이는 것이므로, 누가 했는지 알 수도 없고, 행위자를 쫓아 새로운 소송이 제기될 수도 없다. 그러므로 중범죄에 의했는지 아닌지를 알 수 있기 전에, 그러한 모든 죽음을 살인이라 불렀는데, 인간은 스스로 목숨을 끊어 죽은 채로 발견되거나, 다른 자에 의해 적법하게 죽음을 당할 수도 있으니까요. 이 살인이라는 명칭은 비밀스레 행해졌을 때, 더욱 끔찍해졌는데, 왜냐하면 만인에게 자기 위험에 주의하게 만들고, 사체를 보는 자는 말이 죽은 말을 보듯, 펄쩍 뛰게 되기 때문이지요. 그리고 그 같은 일을 막기 위해, 그들은 법에 따라 목숨값으로 정의된 금액으로, 그러한 일이 일어난 경우 재산형을 부과하는 법을 시행했습니다. 그 시절에는, 모든 종류의 인간 목숨이 돈으로 가치가 매겨졌고, 그 값은 성문화된 법으로 정해졌으니까요. 따라서 에드워드 코크 경은 말브릿지 법령 이전에 불운으로 인간을 죽이는 것이 살인으로 판결되었다 생각하였기에, 실수를 저질렀습니다. 그리고 그러한 비밀스런 살인은 백성들에게 가중스레 여겨졌는데, 그 이유는 악인을 도망치게 한 대가로 막대한 금전적 처벌을 받아야 했기 때문이지요. 허나 이러한 불만은 카누투스 Canutus (994~1035)가 군림했을 때, 곧 완화되었습니다. 그는 법을 만들기를, 이러한 경우 카운티는 살해당한 자가 잉글랜드인이 아닌 한, 기소해서는 안 되며, 살해자가 도망쳤더라도 만약 그가 (모든 외국인으로 이해되는 명칭이자, 특히 노르만인을 뜻하는) 프랑스인이라면, 카운티가 재산형을 부과해서는 안 되었지요. 그리고 잉글랜드인이 살해당했을 때, 그가 잉글랜드인이었음을 그 친구가 증명하기란 매우 어렵고 큰 비용이 들어가는 일이었으며, 또한 이방인에 대한 정의를 부인하는 것 또한 불합리하였지만, 이 법은 *에드워드 3세* 14년까지 폐지되지 않았습니다. 이로써 살인이 법령 없는 보통법에 의하는 것이 아니라, 성문법에 의해 타살과 구별되며, 중범죄라는 일반적인 명칭 하에 이해됨을 보셨습니다.

법률가. 그리고 또한 소반역죄도 그러하며, 저는 대역죄 역시 그렇다 생각합니다. 앞서 말씀드렸던 반역죄에 관한 *에드워드 3세* 25년의 법령에는 이런 조항이 있습니다. 그리고 장차 유사한 다른 많은 반역이 일어날 수 있으나, 현재로서는 누구도 생각하거나 선언할 수 없으므로, 상기에 명시되지 않았으나 반역으로 추정되는 다른 사건이 재판관 앞에 발생하면, 반역죄이건 아니면 다른 중범죄이건, 국왕 폐하와 의회 앞에서 그 원인이 드러나고 선언될 때가지, 재판관은 조금이라도 반역죄로 판단을 내리지 말고 기다려야 한다. 이로써 국왕 폐하와 의회는 반역죄를 중범죄의 일종으로 생각했음을 보여줍니다.

철학자. 저도 그리 생각합니다.

법률가. 하지만 에드워드 코크 경은 오늘날 그렇다는 것을 부인합니다. 중범죄라는 단어에 대해 말하기를(『법학제요』 1권, *sec.* 745), 고대에는 이 *중범죄*라는 단어가 대역죄를 포함할 만큼 무척 광범위하였으나, 이후 국왕 폐하의 사면이나 헌장에서, 이 *중범죄*라는 단어는 일반적인 중범죄로 제한되어야 한다고 결정되었고, 오늘날 중범죄라는 단어에는 법에 따라, 소반역죄, 살인, 타살, 주택 방화, 주거침입, 강도, 강간 등등, 우발적인 살해, *정당방위* se defendendo, 그리고 소절도가 포함된다 하였습니다.

철학자. 이 문제가 결정되었다고 하는데, 누구에 의해 말입니까?

법률가. 난외에서 보이듯, 헨리 4세 폐하 시절에 어사이즈 재판관에 의합니다.

철학자. 어사이즈 재판관이 그 임무로 이 땅의 언어와 받아들여지는 단어의 의미를 바꾸는 데에 무슨 권한을 갖는다는 말입니까? 혹은 어떤 사건이 반역죄라 이야기되어야 하는지를 물을 때 에드워드 3세 폐하의 법령에 따라 의회로 회부되듯, 어떤 사건이 중범죄라 이야기되어야 하는지를 물을 때에는 재판관에게 이를 결정하도록 회부되어야 한다는 걸까요? 저는 아니라 생각하나, 모든 중범죄를 언급하면서 반역죄를 지칭하지도, 범행에 대해 어떠한 설명도 명시하지 않으니, 어쩌면 그들에겐 반역죄의 사면을 허용하지 않을 의무가 있을지도 모르지요.

법률가. 또 다른 종류의 타살은 단순히 그렇게, 또는 과실치사라는 이름으로 불리며, 살인죄가 아닙니다. 즉, 누군가가 갑작스런 다툼에서 피가 끓어오르는 동안 다른 사람을 살해한 경우입니다.

철학자. 두 사람이 길거리에서 만나 누가 성벽에 더 가까이 다가 가느냐로 다투다 싸움이 벌어져, 그 중 한 사람이 다른 이를 죽이게 된다면, 저는 진실로 처음 칼을 뽑은 자가 비록 사전에 오래 생각하지는 않았더라도 사전에 악의를 품었다고 믿습니다만, 중범죄인지 아닌지 의심스러울 수도 있겠지요. 중범죄로 자행된 바와 같은 해를 끼쳤음은 사실이지만, 의도의 사악성은 그만큼 크지 않습니다. 그리고 그것이 중범죄로 자행되었다 가정하면, 말브릿지 법령에 따라 바로 살인죄임이 분명합니다. 그리고 누군가가 한마디 말이나 사소한 일로 칼을 뽑아 다른 사람을 죽인 경우, 누

가 어떠한 사전 악의도 없었노라 상상할 수 있겠습니까?

법률가. 크든 작든 악의가 있었을 가능성이 매우 높으므로, 범죄자가 성직의 편익[56]을 누려야 하는 경우를 제외하고, 법은 살인죄와 동등한 처벌을 정했습니다.

철학자. 성직의 편익은 다른 이유에 연유하며, 범죄에 대해 어떠한 정상참작 사유도 되지 않습니다. 그것은 단지 옛날에 강탈된 교황 특권의 유물일 뿐이며, 이제는 많은 법령으로 소수의 범죄에만 적용될 만큼 축소되었으며, 성직자 뿐만 아니라 평신도에게도 자비를 베푸는 합법의 일종이 되었습니다.

법률가. 아시다시피, 재판관 일이란 매우 어려우며, 보통의 판단으로는 같다고 생각하는 사건들에서 차이점을 제대로 구별하는 재능을 가진 인물이 요구됩니다. 사소한 상황이 큰 변화를 가져올 수 있으므로, 제대로 분별할 수 없는 인물이 재판관직을 맡아서는 안 됩니다.

철학자. 매우 잘 말씀하셨습니다. 만약 재판관이 판례로 서로의 판단을 따른다면, 세상의 모든 정의는 결국 소수의 배우거나, 못 배우거나, 무지한 인물들의 선고에 의존하게 되며, 이성의 연구와는 무관하게 되겠지요.

법률가. 세번째 종류의 타살은 누군가가 불운하게, 혹은 본인이나 국왕 폐하, 법률을 방어하는 데에 필요하여 다른 자를 죽이는 경우입니다. 에드워드 코크 경이 말하듯(『법학제요』 3권, p. 56), 누군가가 다른 사람을 죽이면서 하는 행동이 불법적일 경우, 살인죄가 된다는 점을 제외한다면, 이러한 살해는 중범죄도 범죄

---

[56] Benefit of Clergy. 잉글랜드 법제에서 교회가 세속 법원의 기소에서 면제되었던 관행.-역주

도 아니니까요. 만약 A가 B의 수렵지에서 사슴을 훔치려는 의도로, 사슴을 쏘았는데 화살이 빗나가 수풀 속에 숨어있는 소년을 죽였다면, 이 행위는 불법적이므로 살인죄가 되지만, 만약 수렵지의 주인이 같은 행동을 했다면, 본인 소유의 사슴을 쏜 것이므로, 불운한 사고로 중범죄가 되지 않습니다.

철학자. 이는 여느 법령으로도 그리 구별되지 않으며, 단지 에드워드 코크 경만의 *보통법*일 따름입니다. 저는 한 마디도 믿지 않습니다. 만약 어떤 소년이 사과나무를 털다가 그 아래 서 있던 사람에게 떨어져 목을 부러트리고, 그러한 우연으로 제 목숨을 구한 경우, 마치 그가 미리 준비된 악의에 빠지기라도 한양, 에드워드 코크 경은 그를 교수형에 처할 것 같습니다. 이 일에서 범죄라 부를 수 있는 전부는 아마도 6펜스나 1실링 정도의 피해에 불과한, 단순한 무단침입입니다. 무단침입이 법을 어긴 범죄임을 자인하지만, 추락은 어떤 범죄도 아니며, 그 사람이 살해당한 것은 무단침입이 아니라 추락에 기인하였으니, 살해에 대해서는 용서받아야 하듯, 무단침입에 대해서는 배상을 해야 합니다. 허나 저는 에드워드 코크 경이 실수한 이유가 난외에 인용한 브랙튼을 제대로 이해하지 못했기 때문이라 믿습니다. 그는 이렇게 말합니다(fol. 120 b. lib. iii. cap. 4). *Sed hic erit distinguendum, utrum quis dederit operam rei licitæ, vel illicitæ; si illicitæ, ut si lapidem projiciebat quis versus locum per quem consueverunt homines transitum facere, vel dum insequitur quis equum vel bovem, et aliquis a bove vel equo percussus fuerit, et hujusmodi, hoc imputatur ei.* 즉 이런 말입니다. 그러나 여기서 우리는 누군가가 합법적인 일을 하는가 불법적인 일을 하는가를 구별해야 하는데, 만약 불법이라면, 마치 사람이 지나다니는

곳에 돌을 던지는 것이나, 혹은 우마를 쫓아가서 그로 인하여 우마에 치이는 것과 같으니, 이는 그에게 귀속된다. 그리고 그것이 가장 합리적입니다. 여기서 의미하는 바와 같은 불법 행위를 하는 것은 중범죄적 목적, 또는 최소한 누군가나 다른 이를 죽이려는 희망에 대한 충분한 논거이며, 그는 대상을 가리지 않았으니, 특정한 상대의 죽음을 획책하는 것보다 더 나쁜 일로, 어찌되었든 살인죄이니까요. 또한 반대로, 누군가가 하는 일이 합법적이면서, 때때로 그로 인하여 어떤 사람이 살해당할 가능성이 있더라도, 그러한 죽음이 중범죄일 수 있습니다. 만약 어떤 마부가 칩사이드 Cheapside[57]에서 수레를 몰면서 많은 사람들 사이를 지나다가, 그로 인하여 어떤 사람을 죽였다면, 비록 아무런 악의가 없었더라도, 매우 큰 위험이 있음을 알았으므로, 비록 해당 대상을 죽이고자 하지는 않았더라도, 누군가나 다른 이의 죽음에 모험을 걸었노라 합리적으로 추론될 수 있기 때문이지요.

법률가. 자발적으로 자신을 죽이는 자 또한 중범죄자이며, 일반법률가 뿐만 아니라, 다양한 성문법에서도 *자살자*felo de se라 불렸습니다.

철학자. 그 또한 그렇지요. 법령으로 부과된 명칭은 정의된 바와 같습니다. 허나 저는 어떤 사람이 *짐승의 영혼*animum felleum 내지는 자발적으로 자신을 가해할 만큼, 심지어는 죽일 만큼, 본인을 향해 그토록 많은 악의를 품을 수 있는지 상상이 가지 않습니다. 모든 인간의 의도는 자연스럽고도 필연적으로 자신에게 좋은 무언

[57] 시장 거리를 의미하는 일반적인 용어이면서, 동시에 이러한 기원에서 현재 중요한 금융중심지로 성장한 영국 런던의 특정 거리를 의미하기도 한다.-역주

가를 목표로 하며, 자기 보존으로 이끈지요. 그러므로 제 생각에, 누군가가 자살한다면, 그가 *온전한 정신*compos mentis이 아니라, 죽음보다 더 나쁜 무언가로 인한 내적 고통이나 불안에 의해 괴로움을 겪는다고 추정해야 합니다.

법률가. 아니요, 에드워드 코크 경이 말했듯(『법학제요』 3권, p. 54), 그가 *온전한 정신*이 아니라면, *자살자*가 아니므로, 일단 *온전한 정신*이라는 점이 증명되지 않는 한, *자살자*로 판단될 수 없습니다.

철학자. 죽은 사람에 대해, 특히 죽기 직전에 그가 다른 사람들이 말하듯 말했음을 어떠한 증인도 증명할 수 없는 경우에, 어떻게 증명될 수 있겠습니까? 이는 어려운 지점이며, 이를 보통법으로 받아들이시기 전에, 먼저 정리되어야 필요가 있겠습니다.

법률가. 그에 관해 생각해보지요. *헨리 7세* 3년, 14조[58] 법령이 있는데, 이에 따르면 귀족 휘하 왕실 시종 중 누군가가 추밀원 중 누군가의 죽음을 도모하는 것을 중범죄로 규정합니다. 그 말은 이렇습니다. 지금부터 한동안 왕가의 청지기, 재무관, 감사관 또는 그 중 한 명이 명예로운 왕실 명부에 등재된 침착하고 신중한 12인, 어떤 시종이든 시종 맹세가 인정되어 그 이름이 명부에 기재된 이들을 통해 조사할 완전한 권위와 권한을 가지니, 국왕 폐하나 이 왕국의 귀족 내지는 추밀원에 맹세한 어떤 다른 인물, 혹은 왕가의 청지기나 재무관, 감사관을 파멸시키거나 살해하기 위해, 누군가와 동맹을 맺거나 도모하거나 음모를 꾸미거나 꿈꾼 자라면 누구라도, 어떤 방식이나 직책, 자리로 봉사하면서 명성을 얻었든, 귀족 영지를 보유하거나 차지했든 상관이 없다. 그리고 만약

[58] 3 *Hen. VII*, c. 14. 왕실법, 1487년.-역주

그러한 잘못을 저지른 자가 자백 등으로 유죄로 인정될 경우, 해당 범죄는 중범죄로 판단되어야 합니다.

철학자. 이 법령에 의하면, 말씀처럼, 추밀원 뿐만 아니라, 왕국의 어떤 귀족의 죽음을 도모하는 것은 중범죄이며, 만약 왕실 시종 중 누군가가 그리 할 경우, 귀족이 아닙니다.

법률가. 아니지요. 에드워드 코크 경은 *이 왕국의 어떤 귀족 내지는 추밀원에 맹세한 어떤 다른 인물*이라는 말에서, 이러한 귀족은 오직 추밀원으로 이해되어야 한다고 추론합니다(『법학제요』 3권, p. 38).

철학자. 의회의 귀족에게 이 특권을 금지하기 위해, 제 의견으로는, 그는 이 법령 그 자체로 닿는 정도 이상으로 조금 더 멀리 끌고 갑니다. 헌데 이러한 중범죄는 어떻게 심리됩니까?

법률가. 기소는 왕가의 청지기, 재무관, 감사관 또는 그 중 한 사람이 왕실 시종 중 12인을 통해 이루어지게 됩니다. 재판을 위한 소배심은 국왕 폐하의 시종 중 다른 12인이어야 합니다. 그리고 재판관은 다시 왕가의 청지기, 재무관, 감사관 또는 그 중 두 사람으로 하는데, 제게 이들은 대체로 법에 대한 대단한 연구자들이 아닌 것으로 보입니다.

철학자. 이로써 국왕 폐하나 의회가 한동안 보통법 재판에서 영속적으로 재판관이 될 관료들을 뽑으면서 아주 많은 감독을 받았거나, 아니면 에드워드 코크 경이 법과 형평성 모두에서, 모든 관할권을 일반 법률가에게 부여하기 위해 너무 많은 것을 가정하고 있음을 확신하실 수도 있습니다. 마치 평신도나 존경받는 이들도, 형평성과 양심에 관한 사례들을 조사하는 데에 가장 정통한 영적 지도자 중 누구도 법령을 읽고 변론을 듣고서는, 그 의도와 의미를 판단하기에 적절치 않다는 양 말이지요. 저는 그러한 위대한

인물이나 주교들이 재판정에서 소송을 변론하기에 능숙할 만큼, 통상적으로 일상적 직무에서 그리 많은 여가 시간을 갖지 못함을 압니다. 허나 확실히 그들은, 특히 주교들은 이성의 문제, 즉 말하자면 (에드워드 코크 경의 고백에 따르면) 혈통에 관한 것을 제외하곤, 보통법 문제에 대해 판단하기에 가장 유능한 인물들입니다.

법률가. 과실치사를 제외하더라도, 또 다른 종류의 중범죄는 강도이며, 에드워드 코크 경은 이를 이렇게 정의합니다(『법학제요』 3권, p. 68). 보통법에 따르면 강도는 다른 이를 폭력적으로 폭행하여 공포에 빠뜨리고, 그의 돈이나, 무엇이든 가치 있는 재화를 빼앗는 중범죄이다.

철학자. 강도는 어느 법령으로도 절도와 구별되지 않습니다. *라트로키니움*Latrocinium은 양쪽 모두로 이해되며, 양쪽 모두 중범죄로, 양쪽 모두 사형에 처해집니다. 따라서 이를 올바르게 구별하는 것은 오직 이성의 작업입니다. 그리고 만인에게 분명한 첫번째 차이점이란, 강도가 힘이나 공포에 의해 자행되는데, 절도에는 이 중 어느 것도 포함되지 않는다는 겁니다. 절도는 은밀한 행위이며, 인신이나 면전에서 폭력이나 공포에 의해 강탈된다면 여전히 강도입니다. 허나 낮이든 밤이든, 인신에서, 우리에서, 목초지에서 비밀스레 빼앗을 경우, 절도라고 합니다. 절도와 강도를 구별짓는 것은 오직 힘과 사기 뿐입니다. 양쪽 모두 의도의 부도덕성으로 인해, 그 본질상 중범죄이지요. 헌데 악한들이 찾아낸 법률상의 도피처가 너무나도 많아서, 이러한 중범죄의 곤경에서 이를 어찌 위치시킬지 모르겠습니다. 제가 밤이든 낮이든, 다른 사람의 밀 경작지에 몰래 들어가서, 잘 익어 서있는 밀을 수레에 싣고 가져간다고 가정해보지요. 이것은 절도입니까, 강도입니까?

법률가. 무단침입일 뿐 어느 쪽도 아닙니다. 하지만 일단 밀을 베어 내려놓은 후에, 수레에 던져 가져간다면, 중범죄입니다.

철학자. 왜 그런가요?

법률가. 에드워드 코크 경이 그 이유를 알려줍니다(『법학제요』 3권, p. 107). 보통법에 따라 절도란 여느 남녀가 다른 이의 단순 개인물품을 그 인신에서, 혹은 야간에 소유자의 집에서가 아니라, 중범죄적이면서도 사기적으로 빼앗아 가져가는 것이라 정의하기 때문이지요. 이 정의로부터 그는 이렇게 주장합니다(p. 109). 땅에서 자라나는 모든 종류의 옥수수나 곡물은 개인 동산이요, 소유자의 유언집행인은 비록 이를 베어내지 않더라도 보유하게 되지만, 이는 부동산에 부속되어 있기 때문에, 어떠한 절도죄도 범해질 수 없다. 땅 위에 선 풀이나, 사과, 나무에 맺힌 여느 과실 등도 그러하다. 상자나 전세장이 든 궤짝도 마찬가지인데, 왜냐하면 전세장은 부동산에 관한 것이며, 상자나 궤짝은 대단한 가치가 있더라도, 전세장과 같은 본질을 지니므로, 어떠한 절도죄도 범해질 수 없다. *그리고 더 가치 있는 모든 것은 가치가 덜한 것을 끌어당긴다*et omne magis dignum trahit ad se minus.

철학자. 이 정의는 어떤 법령에서 나왔는지요, 아니면 브랙튼이나 리틀턴, 혹은 법학에 관한 여느 다른 저술가에게서 나왔는지요?

법률가. 아닙니다. 그 자신의 것으로, 그의 작업물 전반에 퍼져 있는 논리적 문장을 통해, 그가 정의를 내릴 수 있을 만큼 충분한 논리학자였음을 보실 수 있을 겁니다.

철학자. 허나 만약 그의 정의가 법의 규칙이어야 한다면, 그가 좋을 대로 무언가를 중범죄로 만들거나 그러지 않거나 하지 않겠습니까? 헌데 그가 말하는 것이 곧 성문법은 아니므로, 그것은 아

주 완벽한 이성이거나, 아니면 어떠한 법도 아니어야 합니다. 그리고 제게 이는 우스꽝스러울 만큼 이성과는 거리가 멀어 보입니다. 하지만 검토해보기로 하지요. 그가 말하길, 자라고 있는 옥수수나 풀, 과실을 절도할 수 없다는 것, 즉 말하자면, 훔칠 수 없다는 것입니다. 허나 왜입니까? 부동산과 관련되기 때문이지요. 즉, 땅과 관련되기 때문입니다. 땅은 훔칠 수 없고, 누군가의 소작권도 그럴 수 없지만, 옥수수와 나무, 과일은 비록 자라는 중이라도, 법을 경멸하고 무시하면서, 은밀하고 중범죄적으로 베어 가져갈 수 있습니다. 그렇다면 이는 훔친 게 아닙니까? 그리고 중범죄적으로 자행된 행위 중 무단침입에 지나지 않는 것이 있습니까? 영어를 이해하는 자라면 누가 이를 의심할 수 있을까요? 어떤 사람이 땅에 대한 권리를 주장하고, 이를 구실로 자기 소유를 취하는 방법으로 과실을 가져가면, 그가 이를 가져가는 것을 숨기지 않는 한, 무단침입에 지나지 않음이 사실입니다. 일례에서, 그는 단지 소유자를 앞에 두고 불만을 표하기 위한 것이었으니, 그 목적은 중범죄적이지 않으며, 합법적입니다. 중범죄와 중범죄가 아닌 것을 구별하는 것이란 목적 이외에는 아무 것도 없기 때문이지요. 누군가가 다른 사람이 서 있는 나무를 훔쳤노라 비방한 경우, 그에 대해 아무런 조치도 취해지지 않는다고 들은 바 있습니다. 이러한 근거였지요. 서 있는 나무를 훔치기란 불가능하며, 그 불가능의 원인은 누군가의 자유보유권을 훔칠 수 없기 때문이라는 것이니, 이는 매우 명백한 오류입니다. 자유보유권은 소작물 뿐만 아니라, 소작권도 의미하는데, 소작권을 훔칠 수 없다는 것은 사실이지만, 서 있는 나무와 옥수수는 쉽사리 훔칠 수 있다는 것을 만인이 다 알지요. 그리고 나무 등이 자유보유권의 일부인 한, 그 또한 개인물품입니다. 자유보유권이라면 무엇이든 상속재산이자,

상속자가 물려받으며, 유언집행인은 단순 개인물품 이외에는 무엇도 물려받을 수 없습니다. 그리고 증거물 상자나 보관함은 상속인이 물려받더라도, 선생께서 제게 그와 상충되는 실정법을 보여주실 수 없는 한, 상속인에게 전달되기 위해 유언집행인의 손에 들어가게 됩니다. 게다가 바람에 쓰러지거나 땅에서 썩어가는 1실링짜리 나무를 훔친 자는 교수형에 처해지는데, 20실링이나 40실링짜리 나무를 가져간 자는 그 피해에 대해서만 응답하면 된다니, 이 얼마나 비양심적인 일이란 말입니까!

법률가. 다소 조악하지만, 별다른 관심없이 아주 오래도록 그런 관행이었습니다. 그럼 남색과 강간이 이어지는데, 양쪽 모두 중범죄입니다.

철학자. 제가 알기로, 전자에 대해, 그는 혐오스럽고, 인간 본성에서 벗어난 배교라고 정당하게 말합니다만, 그 중 어느 쪽에도 *아니무스 펠레우스*적인 것이란 전무합니다. 이를 중범죄로 만드는 법령은 모두에게 공개되어 있습니다. 허나 그에 대한 에드워드 코크 경의 논평은 일체의 불분명함에서 벗어나는 것 이상으로 부지런하고 정확하니, 우리는 양쪽 모두 건너뛰기로 하지요. 다만 비록 그의 계획이 그러하더라도, 어찌할 수 없는 범죄자에 대한 도피처를 남겨두며, 자기 권한을 최대한 추구한다는 것만 지적해두기로 하지요.

법률가. 다른 두 가지 큰 중범죄는 집을 부수고 방화하는 것인데, 이 중 어느 쪽도 어떤 법령으로 정의되어 있지 않습니다. 전자를 에드워드 코크 경은 이처럼 정의합니다(『법학제요』 3권, p. 63).-절도란 보통법에 따라, 그 의도가 실행되었는지의 여부와는 무관하게, 어떤 이성적인 피조물을 죽이거나 그 같은 어떤 다른 중범죄를 저지르려는 의도로 야간에 타인의 저택을 부수고 침입하

는 것이다. 그리고 한 쪽이 낮에는 다른 쪽의 얼굴을 알아볼 수 없을 때, 그러한 때를 그는 밤이라 정의합니다. 그리고 저택이란 헛간과 마구간, 낙농장, 버터제조장, 부엌, 방 등, 가사 관리에 속한 모든 가계로 구성된다 상정합니다. 하지만 낮에 집을 부수는 것은 중범죄이며 절도로 처벌되지만, 법령상에는 없습니다.

철학자. 저는 여기에서 그의 해석에 대해 이야기할 바가 없습니다만, 오직 12인의 배심원단에게만 그들 앞에 놓인 범행에 대해 주거침입인지, 강도인지, 절도인지, 혹은 다른 중범죄인지 평결을 내리도록 귀속될 뿐이니, 여느 사인이 그러한 범행이 법령상의 문구 내에 있는지 없는지 감히 결정하는 것이 달갑지 않습니다. 이는 배심원단에게 선도적인 판단을 내려주는 것으로, 그들은 여느 개인 법률가의 원칙이 아니라, 그들 앞에서 방향을 제시하는 법령 자체를 고려해야 하기 때문이지요.

법률가. 그가 정의한 대로(ibid. p. 66), 방화는 보통법상 중범죄이며, 밤에건 낮에건, 악의적인 자의로 타인의 집에 방화하는 누군가에 의해 저질러집니다. 이에 그는 누군가가 집에 불을 놓았는데 불이 나지 않은 경우는, 법령상에 있지 않다고 추론하지요.

철학자. 누군가가 몰래 악의적으로 타인의 집 밑에 충분히 폭발할 만한 상당량의 화약을 놓아두고, 그 안에 화약 심지를 설치하고는 심지에다 불을 붙였는데, 어떤 우연이 결과를 방해했다면, 이는 방화가 아닌지요? 아니라면 무엇일까요? 무슨 범죄입니까? 이는 반역도, 살인도, 주거침입도, 강도도, 절도도, (빚어진 손해가 없으니) 무단침입도 아니며, 어떠한 법령에도 위배되지 않습니다. 그러나 보통법은 이성의 법칙이므로, 그것은 죄이며, 어떤 사람이 기소되어 유죄를 받을 수 있는 죄이니, 결과적으로 미리 준비된 악의에 따라 자행된 범죄이지요. 그렇다면 그러한 시도에 대

해 처벌받아야 하지 않겠습니까? 저는 어떠한 성문법이나 보통법, 임명장에서도 재판관이 처벌을 정할 근거를 갖지 못함을 인정하지만, 분명히 국왕께서는 목숨이나 수족 측면에서, 기꺼우신 대로 처벌할 권한을 가지시며, 의회의 동의에 따라 그 범죄를 향후 극형에 처해지도록 만드실 수 있습니다.

법률가. 모르겠습니다. 이러한 범죄 외에도, 주문과 요술, 주술, 마법이 있는데, 이는 *제임스 1세* 1년, 12조[59] 법령으로 극형에 처해집니다.

철학자. 허나 저는 그 주제에 대해 논하고 싶지 않습니다. 의심의 여지없이 그러한 범죄가 의미하는 거대한 사악함이 있지만, 저 자신이 너무나도 무지하여, 그 본질에 대해서나, 마귀가 어떻게 마녀들이 그토록 비난받는 많은 일을 할 권능을 갖는지 생각할 수가 없으니까요. 이제 극형에 처해지지 않는 범죄들을 다루어 보지요.

법률가. 에드워드 코크 경이 살인죄보다도 우선시했던, 이단죄로 넘어가기로 할까요? 하지만 이에 대한 고찰은 다소 길어지겠습니다.

철학자. 오후까지 미루기로 하지요.

이단에 관하여.

법률가. 이단에 관해, 에드워드 코크 경은 말하기를(『법학제요』 3권, p. 39), 다섯 가지를 고려해야 한다 합니다. 1. 누가 이단에 대해 재판관이 되는가. 2. 무엇을 이단으로 판단해야 하는가. 3. 이단 평결을 받은 사람에 대한 판결은 무엇인가. 4. 법은 그가 자기 목숨을 구하는 데에 무엇을 허용하는가. 5. 판결에 따

[59] 1 *James, c.* 12. 요술법, 1604년.-역주

라 그는 무엇을 잃게 되는가.

철학자. 고려되어야 할 주요사항, 이단 자체가 무엇인지, 즉 무엇이 이단인지에 대해 그는 생략합니다. 어떤 사실이나 말로 구성되는지, 어떤 법을 위반하는지, 성문법을 위반하는지 이성의 법칙을 위반하는지에 대해 말이지요. 그가 이를 생략한 이유는 아마도 이 때문일지도 모릅니다. 즉 그의 직업 뿐만 아니라, 다른 학식 때문에 말이지요. 살인, 강도, 절도 등은 만인이 악하다는 것을 알며, 성문법으로 정의된 범죄이므로, 누구든 이를 피하려 한다면 그럴 수 있습니다. 허나 이단이 무엇인지 미리 알지 못하는 한, (감히 자기 신앙을 설명하려 들지 않는다면) 누가 확실히 이단을 피할 수 있겠습니까?

법률가. 헨리 4세 2년, 15조[60] 법령 서문에, 이단이란 거룩한 교회의 결정에 위배되는 교리의 설교 또는 저술로 규정되어 있습니다.

철학자. 그렇다면 오늘날 성자 숭배나 로마 교회의 무오류성, 혹은 그러한 교회의 여느 다른 결정에 반하여 설교하거나 저술하는 것이 이단이군요. 당시 거룩한 교회는 로마 교회로 이해되었고, 현재 우리에게 거룩한 교회는 잉글랜드 교회로 이해되니, 그 법령상의 견해는 현재에나 당시에나, 참된 기독교 신앙입니다. 또한 *헨리 4세*의 해당 법령은 동일한 서문에서 잉글랜드 교회가 이단으로 곤란을 겪은 적이 없음을 선언합니다.

법률가. 하오나 그 법령은 폐지되었습니다.

철학자. 그렇다면 이단에 대한 선언이나 정의도 또한 폐지된 것이지요.

60 2 *Hen. IV*, c. 15. 이단자화형법, 1401년.-역주

법률가. 말씀해주시지요, 이단이란 무엇인가요?

철학자. 말씀드리건대, 이단이란 다른 사람이나 사람들의 교리에 반대되는 교리나 의견의 특이성이며, 그 단어는 전적으로 한 어떤 종파의 교리를 의미하는 바, 지혜로 명성이 자자한 어떤 인물을 원저자로 하여, 그에 대한 신뢰로 취해지는 교리입니다. 이에 대한 진실성을 이해하시고자 하신다면, 고대 그리스인들의 말로 된, 그들의 역사와 다른 저술을 읽어보셔야 합니다. 그들의 저술은 오늘날에도 남아 있고, 쉽게 구하실 수 있지요. 알렉산드로스 대제 시기와 그 직전에, 그리스에는 기지가 뛰어난 이들이 많이 살았는데, 노고를 들일만한 가치가 있는 모든 종류의 과학에서 진리를 탐구하면서 시간을 보냈고, 대단한 명예와 박수를 받으며 저술을 출간했습니다. 일부는 정의와 법, 정부에 관한 것이었고, 일부는 선하고 악한 예의에 관한 것, 일부는 자연적인 사물의 원인과 감각으로 식별가능한 사건에 관한 것, 그리고 일부는 이 모든 주제에 관한 것이었습니다. 그리고 이 저자들 중 주요 인물은 피타고라스, 플라톤, 제논, 에피쿠로스, 아리스토텔레스였는데, 깊고 노고 어린 명상을 수행한 인물들이었으며, 자신들의 철학으로 빵을 얻지 않으면서 생계를 꾸려갈 수 있었고, 군주 및 다른 위인들과 더불어 존경을 받았습니다. 허나 이들은 비록 지혜에서 다른 이들보다 뛰어났으나, 많은 점에서 교리가 불일치했으므로, 그들의 저술을 연구하는 사람들 중 일부는 피라고라스에게, 일부는 플라톤에게, 일부는 아리스토텔레스에게, 일부는 제논에게, 일부는 에피쿠로스에게 기울었습니다. 하지만 당시에는 철학 자체가 대단히 유행했으므로, 모든 부자들은 자녀들에게 지혜로 대단한 명성을 얻었던 이들 철학자 중 일부나 다른 이들의 교리를 교육시키고자 노력하였지요. 이제 피타고라스를 따르는 자들을 *피타고라*

스파라고, 플라톤을 따르는 자들을 *아카데미파*라고, 제논을 따르는 자들을 *스토아파*라고, 에피쿠로스를 따르는 자들을 *에피쿠로스파*라고, 아리스토텔레스를 따르는 자들을 *소요학파*라고 일컫는데, 이는 그리스어로 된 이단의 이름들이니, 이는 어떤 견해를 취한다는 이상의 의미는 없습니다. 그리고 말씀드린 *피타고라스파, 아카데미파, 스토아파, 소요학파* 등은 아주 많은 여러 이단의 이름으로 명명되었지요. 아시다시피, 모든 사람은 오류를 범할 수 있으며, 오류 방식은 아주 다양합니다. 따라서 현명하고 부지런한 진리 탐구자들이, 그 훌륭한 면모에도 불구, 많은 점에서 서로 다르다는 것이 놀라운 일은 아니지요. 허나 대부호들이 어떤 대가를 치르더라도 자녀들에게 철학을 배우게 하려는 이 칭찬할 만한 관습은, 많은 게으르고 궁핍한 동료들에게 쉽고 간명한 생계유지법을 제시하였는데, 이는 철학을, 일부는 플라톤을, 일부는 아리스토텔레스 등을 가르치는 것으로, 그들은 그 목적으로 책을 읽었을 뿐, 그 교리의 이유를 검토하기 위한 역량이나 많은 노력 없이, 제시된 대로, 오직 결론만을 취하였습니다. 그리고 이로써 곧 스스로를 철학자라 공언하고, 그리스의 젊은이들에게 학교 스승이 되었습니다. 하지만 그러한 직업을 위해 경쟁하면서, 그들은 창안해낼 수 있는 모든 지독한 용어로 서로를 미워하고 욕했으며, 시민 무리 속에 있으면서, 처음에는 분쟁에 빠졌다가 타격을 입고는, 무리를 큰 곤경에 빠뜨리고 스스로 수치스러워지는 경우가 매우 잦았지요. 그러나 비난조의 그 모든 말 가운데 *이단*이라는 명칭은 결코 들어가지 않았는데, 왜냐하면, 그들은 모두 똑같은 이단자였고, 그 교리는 본인들 것이 아니라, 앞서 말씀드린 저자들에 대한 신뢰로 취해졌기 때문입니다. 그러므로 우리는 비록 루시안Lucian (125?~180)과 다른 이교도 저자들에게서 자주 이단이라 일컬어지는 것들을 발견하지만, 그들 중 누구에게서도 이단에 대해 *하이레티쿠스*hæreticus라 하는 부분을 찾을 수 없습니다. 그리고 철학자들 사이의 이러한 무질서는 그리스에서 오래도록 이어져, 로마인들을 또한 감염시켰고, 사도시대와 원시교회에서 니케아 공의회 시대까지, 그리고 어느 정도는 그 이후까지 가장 컸습니다. 허나 결국 스토아파와 에피쿠로스파의 권위는 그다지 존중받지 못했고, 오직 플라톤과 아리스토텔레스의 철학만이 크게 인정받았습니다. 플라톤의 철학은 사물의 개념과 관념을 세우는 데에 더 나은 종류였고, 아리스토텔레스의 철학은 *범주*라는 척도에 따라, 오직 사물의 이름에서 추론되는 종류였지요. 그럼에도 불구하고, 새로운 철학 분파는 아니더라도, 새로운 의견은 늘 계속해서 생겨났습니다.

법률가. 그런데 어떻게 이단이라는 말이 비난의 대상이 되었을까요?

철학자. 잠시만 기다리시지요. 우리 구주 사후, 그분의 사도와 제자들은 아시다시피, 복음을 설교하기 위해 세상 여러 지역으로 흩어져 많은 백성들을 개종시켰으며, 특히 소아시아와 그리스, 이탈리아에서 많은 교회를 세웠습니다. 그리고 이곳저곳을 여행하면서, 개종자들을 가르치고 지도하기 위해 주교를 남겼으며, 그 아래에 장로들을 임명하여 그로써 그들을 돕게 하고, 사도와 전도사의 글에서 받은 대로, 우리 구주의 생애와 기적을 설명하여 확인시켰으니, 플라톤이나 아리스토텔레스, 혹은 여느 다른 철학자의 권위가 아니라, 그로 하여금 가르침 받도록 하기 위해서였지요. 사도시대에 개종한 많은 이교도들은 모든 직군과 성향의 인물들로 구성되었고, 일부는 철학에 대해서는 전혀 생각해본 적 없이, 자기 재산이나 쾌락에만 열중하였으며, 어떤 이들은 이성을 더 많이, 어떤 이들은 더 적게 사용하였음을 이제 의심하실 수 없으실

깁니다. 그리고 어떤 이들은 철학을 공부하였지만 이를 언명하지 않았는데, 이들은 대개 더 나은 계급의 인물들이었고, 어떤 이들은 오직 더 나은 절제를 위해 언명하였으니, 쾌히 말하고 논쟁을 벌이는 이상으로 더 나아가지 않았습니다. 어떤 이들은 진심으로 기독교인이 되었고, 어떤 이들은 가짜일 뿐이었는데, 이들은 당시에 매우 컸던, 신실한 기독교인들의 자선을 이용하고자 할 따름이었지요. 이런 종류의 기독교인들 중 설교와 저술로, 또는 공적이거나 사적인 논쟁을 통해 신앙을 전파하기에 가장 적합한 사람, 즉 말하자면, 장로와 주교가 되기에 가장 적합한 자가 누구일지 말씀해 주시지요.

법률가. *다른 모든 조건이 같다면*cæteris paribus, 확실히 아리스토텔레스의 수사학과 논리학을 가장 잘 활용할 수 있는 자이겠지요.

철학자. 그러면 누가 가장 혁신을 주도했을까요?

법률가. (앞선 스승이었던) 아리스토텔레스와 플라톤의 자연철학을 가장 확신했던 자들이었습니다. 그들은 사도들의 글과 성경 전부를 자기네들 명성과 관련된 교리로 왜곡하는 데에 최고의 적임자였으니까요.

철학자. 그리고 이러한 주교와 사제 및 여타 종파들로부터 기독교인들 사이에서 처음으로 이단이 비난받게 되었습니다. 그 이전에는 그들 중 누구도 다른 편의 대부분 내지는 그 최고지도자들을 불쾌하게 하는 어떠한 교리도 설교하거나 발표하지 않았으나, 그들이 살았던 지방의 주교 공의회에서 결정될 수 없을 만큼의 논란이 되어, 일반 법령에 복종하지 않는 자들은, 자기 종파의 철학을 포기하지 않는 자로서, 이단자라 불리게 되었으니까요. 공의회 잔여파는 스스로에게는 가톨릭교도라는 이름을, 자기 교회에는 가톨릭 교회라는 이름을 부여했습니다. 그리하여 가톨릭과 이단이라는

상반된 용어가 생겨나게 되었지요.

법률가. 그것이 어떻게 비난받게 되었는지는 이해하나, 교회, 즉 스스로 가톨릭이라 칭하는 이들이 정죄하는 모든 의견이 어떻게 오류나 죄가 되어야 한다는 것인지는 이해하지 못하겠군요. 잉글랜드 교회는 그 결과를, 그리고 그들이 주장하는 그러한 교리는 오류를 범할 수 없는 성경에 의하지 않고서는 오류로 입증될 수 없음을 부인하지만, 교회는 인간일 뿐이므로 오류와 죄를 모두 범할 수 있습니다.

철학자. 이 경우 우리는 또한 오류가 그 자체의 본성상 죄가 아니라는 점을 고려해야 합니다. 인간이 고의로 오류를 범하기란 불가능하니, 오류를 범하려는 의도를 가질 수 없으며, 죄스런 의도가 없는 한 무엇도 죄가 아닙니다. 교황이 이 교회의 정부이던 때에 사람들이 화형을 당했던 종류의 오류들은, 코먼웰스나 여느 사인에게 해를 끼치지도, 여느 실정법이나 자연법에 반하지도 않으므로, 더더구나 죄가 아니지요.

법률가. 이단이 어떻게 명칭을 얻게 되었는지 말씀해 주셨으니, 어떻게 범죄가 되었는지, 그리고 처음에 범죄가 되었던 이단이란 무엇이었는지도 말씀해주시지요.

철학자. 기독교 교회는 어떤 교리가 이단이었는지를 선언할 수 있었지만, 그 뿐이었는데, 기독교 왕을 갖기 전에는 이단자를 처벌할 법령을 만들 권력이 없었으므로, 최초의 기독교도 황제, 콘스탄티누스 대제 이전에는 이단을 범죄로 만들 수 없었음이 분명합니다. 당시 알렉산드리아의 사제였던 아리우스는 주교와 논쟁 중에 공개적으로 그리스도의 신성을 부인하고, 그후에도 강단에서 이를 유지했으며, 이로 인해 도시 내 시민과 군인 모두에 대해 선동과 심각한 유혈사태의 원인이 되었지요. 향후 그 같은 일을 방

지하기 위해, 황제는 주교 공의회를 니케이 시에 소집하고는 회합하여, 기독교 신앙고백에 동의하도록 권면하고, 그들이 동의하는 것이라면 무엇이라도 지켜지도록 하겠다 약속하였습니다.

법률가. 아무튼, 제 생각에 황제는 여기서 다소 너무 무관심했습니다.

철학자. 이 공의회에서 *나는 성신을 믿는다*는 말에 도달하여, 우리가 현재 니케아 신경이라 부르며 사용하는 신조의 많은 부분이 확립되었습니다. 나머지는 이후 이어지는 세 차례의 공의회에서 확립되었지요. 이 신조의 말들로 당시 존재하던 거의 모든 이단들, 특히 아리우스의 교리가 정죄되었으니, 따라서 이제 글로 발표되든 말로 발표되든, 처음 네 차례의 공의회와 니케아 신경에 포함된 신앙고백에 모순되는 모든 교리는 제국법에 따라 금지되어, 범죄가 되었습니다. 그리스도의 신성을 부인하는 아리우스의 교리, 그리스도의 두 가지 본성을 부인하는 에우티케스의 교리, 성령의 신성을 부인하는 네스토리우스파의 교리, 신인동형론자의 교리, 마니교도의 교리, 재세례파의 교리, 그리고 다른 많은 교리들이지요.

법률가. 아리우스는 어떤 처벌을 받았습니까?

철학자. 처음에 그는 서명을 거부하여 파면되어 추방되었으나, 그후 향후의 순종에 관하여 황제에게 만족을 주었으므로(황제가 이 고백을 하게 한 것은 교리의 진리성을 고려해서가 아니라 평화를 지키기 위해서, 특히 용맹으로 그에게 제국을 안겨준 기독교도 병사들 사이에서, 그 용맹으로 제국을 보존하기 위해서였으니까요), 다시 은혜를 받았으나, 성직록을 되찾기 전에 사망하였습니다. 헌데 그 공의회 이후, 사형 집행방식은 여러 관할권 내의 행정관들에게 맡겨졌더라도, 제국법은 이단에 대한 처벌을 극형으로

하였고, 이에 따라 프레데릭 바르바로사 황제Frederick Barbarossa (1122~1190) 시대 이후 어느 정도까지 이어졌지요. 허나 교황권이 황제의 우위에 서게 되자, 이단자와 배교자를 화형에 처하기 시작했고, 교황은 때때로 니케아 신경에서 결정된 사항 이외에 (왕좌의 윗자리를 차지하는 데에 도움이 된다고 보아) 다른 많은 교리를 이단으로 만들면서, 화형에 처하기 시작하였으며, 이 교황법에 따라, 정복자 윌리엄 시대에, 유대교로 개종했다는 이유로 옥스퍼드에서 화형되었던 어떤 배교자가 있었습니다. 하지만 잉글랜드에서 화형당한 이단자에 관해서는, *헨리 4세* 2년의 법령 이후까지 어떠한 언급도 없으니, 그로부터 롤라드파라 불렸던 위클리프의 추종자들이 이후 화형당했는데, 그러한 교리는 엘리자베스 여왕 폐하의 첫해 이래로 잉글랜드 교회가 경건한 교리로 승인해왔듯, 당시에도 의심의 여지없이 경건하였습니다. 그러니 얼마나 많은 경건함이 화형당해왔는지 아시겠지요.

법률가. 제대로 되지는 않았지요. 하지만 우리가 헨리 4세 폐하 시대 이전에는 이단자에 대해 읽은 적이 없다는 게 놀라운 일은 아닙니다. 그 법령 서문에, 롤라드파 전에는 잉글랜드에 어떠한 이단도 있었던 적이 없노라 암시되어 있으니까요.

철학자. 저도 그리 생각합니다. 우리는 온세상 중에 교황에게 가장 길들여진 민족이었으니까요. 허나 그 이후로 이단에 관해 무슨 법령이 만들어져 왔는지요?

법률가. 헨리 5세 2년, 7조[61]의 법령은 화형에 토지와 재화의 몰수를 추가했으며, *헨리 8세* 25년, 14조[62]까지는 앞선 두 법령을 확

[61] 2 *Hen. V,* c. 7. 이단억제법, 1414년.-역주

[62] 25 *Hen. VIII*, c. 14. 이단처벌법, 1533년.-역주

정하고, 그 진행방법에 관한 몇 가지 새로운 규칙을 더했을 뿐이었습니다. 하지만 *에드워드 6세* 1년, 12조 법령에 따라, 앞서 의회에서 종교에 관한 각종 교리를 처벌하기 위해 제정된 모든 법안이 폐지되었습니다. 교리나 종교 문제에 관한 여타 모든 법안 또는 의회법 일체, 그리고 해당 의회법이나 법령에 포함되거나 언급되거나 어떤 식으로든 선언된 모든 부칙 및 조항, 문제, 그리고 체벌과 몰수 일체는 이제부터 완전히 무효로, 어떠한 효력도 없음이 여러 법안으로 명시된 후, 규정되었습니다. 그리하여 에드워드 6세 국왕 폐하 시절에, 이단에 관한 모든 처벌이 철폐되었을 뿐만 아니라, 그 성격도 원래 그러하였듯, 사적인 의견으로 바뀌었습니다. *펠리페 2세 및 메리 1세* 2년, 6조[63]에서 다시금, *헨리 4세* 2년, 15조, *헨리 5세* 2년, 17조, *헨리 8세* 25년, 14조의 앞선 법령이 되살아났고, 교리에 대해 다루는 *에드워드 6세* 1년, 12조의 조문에서 구체적으로 명명되지는 않지만, 해당 법령은 반역에 관한 *에드워드 3세* 25년의 법령을 확정하는 듯 보입니다. 마지막으로 엘리자베스 여왕 폐하 첫 해, 1조에서, 앞서 말씀드렸던 메리 여왕 폐하의 법령이 폐지되고, 그에 따라 *에드워드 6세* 1년, 12조 법령이 부활하여, 이단자 처벌에 대한 어떠한 법령도 남지 않게 되었습니다. 허나 엘리자베스 여왕께서는 의회의 조언에 따라 아주 많은 수가 주교였던 특정인들에게 향후 무엇이 이단인지를 선언키 위해 고등판무관이라 불렸던 임명장을 부여하셨지만, 첫 네 차례의 공의회에서 그리 선언된 것 이외에는, 무엇도 이단으로 판단해서는 안 된다는 제약이 있었습니다.

철학자. 선생께서 보여주신 데에서, 학식 있는 에드워드 코크

---

[63] 2 *Phil. & M.* 이단재처벌법, 1554년.-역주

경이 이단에 관해 검토한 바로 나아갈 수 있으리라 생각됩니다. 이단에 대한 장에서(『법학제요』 3권, p. 40), 그는 제임스 국왕 폐하 9년에 바솔로뮤 레게이트Bartholomew Legate (1575?~1612)가 아리우스주의로 화형당했을 때, 이단에 대해 어떠한 법령도 시행되지 않았으며, *헨리 4세* 2년, 15조 법안과 난외에 인용된 다른 법안의 권위로부터 교구가 이단에 대한 관할권을 갖는 것으로 추측될 수 있다고 스스로 자인합니다. 말씀드린 이것은 사실이 아닙니다. 의회의 법안에 관해 말하자면, 폐지된 법안, 즉 말하자면, 존재하지 않는 것에서는 어떤 것도 추측될 수 없으니까요. 그리고 난외의 다른 권위, 피쳐버트와 「박사와 학생」에 관해서는, 그들이 글을 썼을 당시, 즉 교황에게 찬탈된 권위에 순종하던 때의 법이었던 것 이상을 말하지 않습니다. 허나 그들이 에드워드 6세 국왕 폐하나 엘리자베스 여왕 폐하 시절에 이를 썼다면, 에드워드 코크 경은 자기 자신의 권위를 그들 것처럼 읊었을지도 모르지요. 그들의 의견은 더 이상 그의 의견 이상으로 법률상의 효력이 없었으니까요. 그런 다음 그는 레게이트의 선례와, 엘리자베스 여왕 폐하 시절의 또 다른 예, 해먼드Matthew Hamont (?~1579)를 인용합니다만, 선례는 제대로 행해졌는지가 아니라, 단지 행해졌는지를 증명할 뿐이지요. 당시 시행되던 *에드워드 6세*, 12조 법령에 따르면, 이단이란 존재하지 않았고, 의견에 대한 처벌 일체가 금지되어 있었건만, 교구가 이단에 대해 무슨 관할권을 가질 수 있었겠습니까? 이단은 교회의 결정에 반하는 교리인데, 당시 교회는 이단에 관해 일체 아무것도 결정하지 않았으니까요.

법률가. 하지만 고등판무관이 이단을 교정하고 고칠 권한을 가졌던 것으로 보아, 이단으로 고발된 자들을 그들 앞에 출두시킬 소환권을 가졌음에 틀림없으며, 그렇지 않았더라면 임무를 수행할

수 없었습니다.

철학자. 일단 그들이 무엇을 이단으로 기소하는지 선언문을 작성하여 발표하고, 누군가가 그 선언문과 상충하는 이야기를 들었을 때 이를 판무관에게 알릴 수 있었더라면, 실로 그들은 고발된 인물을 소환하여 투옥할 권한을 가졌겠지요. 허나 무엇이 이단인지 알기도 전에, 누군가가 다른 이를 고발하는 일이 어찌 가능했겠습니까? 그리고 고발당하기도 전에, 어찌 소환될 수 있겠습니까?

법률가. 아마도 첫 네 차례의 공의회에 반하는 무엇이든, 이단으로 판단되어야 한다는 것이 당연하게 여겨졌겠지요.

철학자. 당연하다니, 저는 어떻게 누군가가 그 공의회들을 이유로 다른 이를 더 잘 고발할 수 있는지 모르겠군요. 만에 한 사람도 이를 읽어본 적도, 영어로 발행된 적도 없으니, 어떤 사람이 이에 대해 위반하는 것을 피할 수 없으며, 아마 남아있는 것도 없을 겁니다. 우리가 라틴어로 인쇄한 것이 바로 그 공의회들의 조치라면, 여전히 신학자들 사이에 많은 논쟁이 있으며, 속어로 된 것이 적절하게 여겨지지도 않습니다. 헌데 법령 제정자들이 그 네 차례의 공의회에 반한다면 어떤 것이든 이단으로 만들려는 목적을 가졌을 것 같지는 않습니다. 만약 그랬더라면, 당시 크게 넘쳐났던 재세례파가 니케아 신경의 조항, *죄를 씻는 유일한 세례를 믿으며*라는 것에 대해 한번쯤은 의문을 제기했으리라 믿으니까요. 또한 임명장 그 자체도 기록된 후 오랫동안, 사람들이 그러한 불확실성 속에서 더 나은 안전을 이유로, 종교에 대해 일체 아무 것도 말하지 않도록 주의를 기울이고 삼가할 수 있도록 하지 않았습니다. 헌데 이 이단적인 레게이트가 무슨 법에 따라 화형에 처해졌을까요? 저는 그가 아리우스파였고, 그의 이단이 기독교 최상

부, 잉글랜드 교회의 결정에 어긋남을 인정합니다. 허나 그를 화형시킬 어떤 성문법도, 금하는 형벌도 없으니, 그가 무슨 법에 따라, 무슨 권위에 따라, 화형을 당했을까요?

법률가. 레게이트가 이단으로 기소된 것은 고등판무관의 잘못이 아니었으나, 그가 기소되었을 때, 그를 조사하지 않았거나, 조사하여 아리우스파라는 것을 발견하고도 그리 판단하지 않았거나, 혹은 그렇게 인증하지 않았던 것은 잘못이었습니다. 이것이 그들이 행한 전부요, 그들에게 귀속되는 모든 것이니, 그들은 화형에 간섭하지 않으면서, 세속권력이 원하는 대로 그를 처리하도록 놓아두었습니다.

철학자. 판무관에 대한 선생의 정당화에는 아무런 의문이 없습니다. 의문은 그가 무슨 법률에 따라 화형을 당했는가 하는 것이겠지요? 영적 율법은 현세적인 처벌을 선고하지 않으며, 에드워드 코크 경은 그가 화형당할 수 없음을 자인하는데, 그리고 성문법으로 화형이 금지되어 있는데, 그는 무슨 법률에 따라 화형 되었을까요?

법률가. 보통법에 따르지요.

철학자. 그게 뭐랍니까? 그것은 관습이 아니지요. 헨리 4세 폐하 시절 이전, 잉글랜드에 그런 관습이란 없었고, 설령 있었던들, 그 이후에 따라온 법은 관습의 확인일 뿐이었으니, 그러한 법률의 폐지는 곧 관습의 폐지였습니다. 에드워드 6세 국왕 폐하와 엘리자베스 여왕께서 그 법령을 철폐하셨을 때, 모든 체벌을 철폐하신 것이요, 따라서 화형도 그러하니, 그렇지 않다면 아무 것도 철폐하시지 않은 것이니까요. 그리고 만약 그가 이성의 법칙에 따라 화형을 당했다고 말씀하시려면, 교리와 화형 사이에 어떤 균형이 있을 수 있는지 말씀해주셔야 합니다. 이 사이에는 어떠한 동등

도, 과반도, 과소도 할당될 수 없습니다. 그 사이에 있는 균형이란 박사에게 가해지는 해악에 대해 교리가 만들어내는 해악의 균형이며, 이는 오직 백성을 다스릴 책임을 갖는 자에 의해서만 측량되어야 하니, 결과적으로 범죄에 대한 처벌은 국왕 폐하 이외에는 누구도 결정할 수 없으며, 만약 그것이 목숨이나 수족에까지 미치는 경우, 의회의 동의를 얻어야 합니다.

법률가. 그는 이성에서 논거를 끌어내는 것이 아니라, 레게이트에게 집행된 이 판결, 그리고 홀린쉐드Raphael Holinshed (1525?~1582)와 스토우John Stow (1524?~1605)의 이야기를 바탕으로 주장합니다. 하지만 선생께서 역사나 선례를 법으로 인정하지 않으시리라는 점을 압니다. 그리고 피쳐버트에게서 보실 수 있듯, 기록에 *헨리 4세* 2년, 15조와 *헨리 5세* 2년, 7조의 법령에 근거한 *이단자 화형* 영장writ de hæretico comburendo이 있더라도, 그 법령이 무효이니, 영장 또한 무효라 말씀하시겠지요.

철학자. 네, 실로 그러합니다. 이외에도, 그는 교구가 이단 관할권을 가지며, 엘리자베스 여왕 폐하 통치기에 그리 되었다고 말하는데, 이것이 어떻게 사실인지 이해하지 못하겠습니다. 그에 반해 법령에 따르면, 영적 관할권 일체가 여왕 폐하 아래 고등판무관에게 주어졌음이 분명합니다. 그렇다면 그들이 특허장으로 부여할 수 없는 대리권 없이 어떻게 여느 한 교구가 그 일부나마 가질 수 있겠습니까? 그들이 그래야 한다는 것도 합리적이지 않은데, 신탁은 주교들에게만 맡겨진 것이 아니라, 그들이 현세 권력을 침해하지 않도록, 그 절차를 감시할 수 있는 다양한 평신도들에게도 맡겨졌기 때문이지요. 허나 오늘날 교리를 처벌하는 어떤 법령이나 법률도 없고, 단지 교회의 통상적인 권한만 있을 뿐으로, 잉글랜드 교회의 정경에 따르면, 오로지 국왕 폐하에 의해서만 승인되

었던 고등판무관은 오래 전에 철폐되었습니다. 그러니 이제 극형에 처해지지 않는 형사 소송에 대해 살펴보지요.

교황존신죄에 관하여.

법률가. 극형에 처해지지 않는 범죄 중 가장 큰 것은 성직후임자법령에 반하여 이루어진 행위입니다.

철학자. 이에 대하여 설명해 주셔야 합니다.

법률가. 이 범죄는 누군가가 법률 내로 들어와 복종하려 하지 않을 때에, 불법화되는 것과 다름없는데, 불법화에는 그 전에 긴 절차가 있고, 무법자가 법의 보호에서 벗어난다는 점을 제외한다면 말이지요. 하지만 (영장 원본의 단어로는, *프라이무니레 파키아스*præmunire facias라 불리우는) 성직후임자법령에 반하는 범행의 경우, 범법자가 통지 후 2개월 내에 법에 복종하지 않으면, 곧 무법자가 됩니다. 그리고 이 처벌은 극형은 아니더라도, 극형과 같습니다. 왜냐하면 그가 어디에 있는지 아는 이들의 자비에 따라 은밀히 살아가며, 그들 자신에게 그 같은 위험없이 그를 발견하지 않을 수 없으니까요. 그리고 엘리자베스 여왕 폐하 시절 이전에는, 누군가가 늑대를 죽이듯, 그를 죽이려는 자가 합법적으로 그럴 수 없는가에 대해 많은 논쟁이 있었습니다. 이는 옛 로마인들 사이에서 불과 물의 사용이 금지되는 처벌과 같으며, 같은 형벌을 받지 않고는 범법자와 함께 먹거나 마시지도 못하게 하는, 교황청의 대파문과도 같습니다.

철학자. 분명 이 처벌이 처음 정해졌던 범행은 가증스러운 범죄, 즉 특별한 악행이었습니다.

법률가. 아시다시피 교황은 정복 이전 아주 오래 전부터 매일마다 현세 권력을 잠식해왔습니다. 모든 코먼웰스에서 *영적 질서*in ordine ad spiritualia에 속하는 듯 보이게 할 수 있는 것이라면 무엇이

든, 교황의 관할권이라 주장하면서 취하였고, 이를 위해 모든 나라에 교회재판소를 두었으며, 로마나 프랑스, 잉글랜드에 있는 자기 재판소에서 재판받게 하는 등, 어떤 식으로든 자기 관할권에 끌어들일 수 없는 현세적 소송이란 거의 없었습니다. 이에 따라 국왕 폐하의 법은 고려되지 않았고, 국왕 재판소에서 내려진 판결은 무효화되었으며, 잉글랜드의 국왕과 귀족이 설립하고 재산을 증여하여 기증한 주교단 및 수도원, 여타 성직록은 교황이 이방인에게 수여하거나, 자기 지갑 속의 돈 마냥 로마로 가져가서 본인에게 그러한 성직록으로 제공하였습니다. 그리고 이에 따라, 십일조나 유언장에 관한 의문이 있었을 때, 논점이 순전히 현세적이더라도, 교황 재판소에서 이를 다루거나, 아니면 당사자 중 하나가 로마에 소송을 제기하게 되었지요. 로마 교회의 이러한 해악에 맞서고, 잉글랜드 왕실의 권리와 존엄을 유지키 위해, 에드워드 3세께서는 성직후임자들, 즉 여기에서 로마로부터 성직록을 받는 자들에 관한 법령을 제정하셨습니다. 재위 25년차에 국왕께서는 전체 의회에서 주교 선출권과 성직후보 및 기증에 대한 권리가 그분 자신과, 주교단 및 수도원, 여타 성직록의 창설자인 귀족에게 속한다고 정하셨지요. 그리고 더 나아가 그분이나 그 신민이 기증하게 될 서기가 그러한 성직후임자에 의해 방해받을 경우, 그러한 성직후임자나 방해자는 그 신병이 구속되며, 만약 유죄로 판결된다면, 국왕 폐하에 의지에 따라 몸값을 지불하고, 슬픔에 빠진 당사자를 만족시키고, 그의 직함을 포기하고, 더 이상 그에 대한 소송이 없으리라는 확실성을 찾을 때까지 감옥에 있어야 했습니다. 그리고 그러한 확실성을 찾을 수 없다면, 긴급성은 불법화로 나아가, 그동안 성직록 수익은 국왕 폐하의 손에 압수됩니다. 그리고 에드워드 3세 국왕 폐하 27년에 해당 법령이 확정되었는데, 이 법령은 이들 성직후임자에게 두 달 간의 출두기간을 허용하되, 만약 그들이 불법화되기 전에 출두한다면 답변하도록 받아들여질 것이요, 회답하지 않는다면 불법화될 뿐만 아니라, 그 토지와 재화, 동산 일체가 몰수된다는 것이었습니다. 같은 법이 *리처드 2세* 16년, 5조[64]에서 다시 확정된 바, 이 성직후임자들은 때때로 교황에게서 생겨났기에, 법에 따라 국왕 폐하께서 추천한 인물이 임명되어 취임해야 하므로, 그러한 잉글랜드 주교들은 파문되어야 하며, 이를 위해 또한 그들과, 그리고 그러한 교황 절차의 수취인과 발행인, 그리고 대변인들 모두 같은 처벌을 받아야 한다는 내용이 추가되었습니다.

철학자. 에드워드 3세 27년의 법령 자체를 보여주시지요.

법률가. 에드워드 코크 경 본인이 영어와 프랑스어로 직접 쓴 글귀가 *글자 그대로*verbatim 선생 앞에 놓여있습니다.

철학자. 좋습니다. 이제 그것이 무엇을 의미하는지, 그리고 에드워드 코크 경이 제대로 해석했는지 잘못 해석했는지를 고찰해 봐야겠군요. 일단 에드워드 코크 경이 법령의 최고해석자로 인정한 서문에 의하면, 이 법령은 오로지 잉글랜드 왕국 내에 교구회와 다른 성직록을 임명하는 데에 있어, 국왕 폐하와 다른 후원자들의 권리를 로마 교회가 침해하는 것에 반대하여, 그리고 국왕 폐하의 상속권 폐제와 왕국의 보통법 파괴로 이끄는 일들에 언제나 쓰이곤 하는 것처럼, 국왕 폐하의 여느 재판소에서 결정될 수 있는 논쟁에 대한 탄원을 영적 재판소가 판결할 권한을 갖거나, 혹은 거기서 내려진 판결을 뒤집는 것에 반대하여 만들어졌음이 드러납니다. 이제 누군가가 대법관청에서 칙령을 뒤집고자 교황에

---

[64] 16 *Rich. II, c.* 5. 교황존신죄법령, 1392년.-역주

게 청탁했다 가정해보지요. 그가 교황존신죄의 위험에 처한 것일까요?

법률가. 네, 물론입니다. 또는 판결이 제독재판소에서, 혹은 법이든 형평성이든, 여느 다른 국왕 재판소 어디에서 내려졌든 말이지요. 형평 재판소는 잉글랜드의 보통법 재판소에 가장 적합한데, 왜냐하면 에드워드 코크 경이 말하듯, 형평성과 보통법이란 결국 매한가지니까요.

철학자. 그렇다면 이 서문에서 보통법이라는 단어는 단지 재판이 배심원에 의해 이루어지는 재판소에만 국한되는 것이 아니라, 대저택의 귀족인 신하들의 재판소까지는 아니더라도, 국왕 폐하의 현세적 재판소 모두를 포함하겠군요.

법률가. 매우 그럴 법하나, 만인에게 인정되지는 않으리라 생각합니다.

철학자. 법령은 또한 말하기를, 국왕 재판소와 관련되어 인정되는 것이나, 국왕 재판소에서 판결이 내려는 일들에 관한 탄원에서 사람들을 영내에서 끌어내는 자 또한 교황존신죄 사례에 해당한다 합니다. 허나 누군가가 웨스트민스터에서 이미 판결이 내려진 탄원에 대해, 다른 이를 램버스로 끌어들인다면 어떨까요? 그는 이 조항에 따라 교황존신죄에 연루됩니까?

법률가. 네, 비록 영내에서 벗어나지는 않았더라도, 법령의 의미상에 있으니, 왜냐하면 국왕 재판소가 아니라, 교황 재판소가 당시에는 아마도 램버스에 있었기 때문이지요.

철학자. 허나 에드워드 코크 경 시대에 램버스에는 국왕 재판소가 있었으며, 교황 재판소는 아니었습니다.

법률가. 영적 재판소는 보통법에 관한 탄원을 판단할 어떤 권한도 없음을 충분히 아시겠지요.

철학자. 그렇습니다. 허나 어느 순진한 사람이 올바른 재판소를 착각하면, 국왕 폐하의 보호에서 벗어나, 상속 재산 및 사유물이든 부동산이든, 전 재산을 잃고, 사로잡힐 경우, 평생을 감옥에 갇히게 되는 이유가 무엇인지는 모르겠군요. 에드워드 코크 경의 고문$_{\text{torture}}$으로 법령이 그리 말하도록 할 수는 없습니다. 게다가, 그런 사람들은 어떤 재판소에서 구제를 구해야 하는지 무지하며, 그런 무지한 사람들이 법에서 자문에 따라 인도받아야 함은, 부단한 관례로 확인된 관습입니다. 그러므로 법령제정자들은 로마 교회에서 관할권을 받은 교회재판소를 제외하고는, 대법관청에서든 해군성에서든 혹은 여느 다른 재판소에서든, 사람들에게 자기 권리를 위한 소송 제기를 금지하지 않으려 의도했음이 분명합니다. 또한, "여느 다른 재판소에서 소송을 제기하거나, 국왕 재판소에서 판결을 무효화하는 것"이라 말하는 경우, 다른 재판소란 무엇을 의미합니까? 무엇보다도 다른 재판소라니요? 왕립재판소를 의미합니까, 아니면 일반탄원재판소입니까? 일반탄원재판소에서 구제받을 수 있는 문제에 대해 대법관청에 소송을 제기하는 모든 사람이 교황존신죄에 해당됩니까? 아니면 이 법령에 따라 대법관에게 교황존신죄를 적용할 수 있습니까? 법령은 탄원을 맡은 재판관이 아니라, 소송을 제기하는 당사자에게만 해당될 뿐이지요. 이 법령으로든, *리처드 2세* 16년의 법령으로든, 당시 교황의 권위로만 처벌할 수 있었던 재판관들에게는 적용할 수 없었습니다. 당시 소송을 제기한 당사자가 법률가의 자문에 따라 정당한 변론을 하고, 세속재판관과 법률가가 모두 법령에서 벗어났으니, 교황존신죄 처벌은 누구에게도 지울 수 없습니다.

법률가. 하지만 같은 장에서 에드워드 코크 경은 잉글랜드의 영적 재판소는 이제 국왕 재판소이지만, 보통법으로 재판가능한 무

언가에 대해 거기에서 소송을 제기하는 누구라도, 교황존신죄에 빠지게 된다는 것을 입증하는 두 가지 선례를 제시합니다. 하나는, *헨리 8세* 22년에 잉글랜드의 모든 성직자들이 공문서로 국왕 폐하를 잉글랜드 교회의 최고 수장으로 인정하였지만, 그 이후 즉 *헨리 8세* 24년에 이 법령이 시행되었다는 것이지요.

철학자. 왜 아니겠습니까? 성직자 평의회는 최고주권을 바꿀 수 없었고, 그들의 재판소는 여전히 교황 재판소였습니다. *헨리 8세* 25년에, 노리치 주교의 다른 선례도 같은 대답을 합니다. 국왕께서는 재위 26년까지 의회법으로 교회의 수장이라 선포하지 않으셨으니까요. 그가 본인의 법률을 불신하지 않았더라면, 이들 선례처럼 약한 증거를 붙들고 있지는 않았겠지요. 그리고 노리치 주교에 대한 교황존신죄 선고에 관해서는, 이 법령이든 리처드 2세 폐하의 다른 법령이든 이를 보증하지 않습니다. 그는 시장 앞에서 다른 이를 고소하겠다고 한 사람을 파문하겠노라 위협했다는 이유로 형을 선고받았습니다. 허나 이 법령은 그것을 금하는 것이 아니라, 파문 내지는 로마나 여느 다른 곳에서 다른 절차를 들여오거나 발표하는 것을 금하지요. 헨리 8세 26년 이전에는 현세적 이유로 영적 재판소에서 소송을 제기하는 것이 교황존신죄에 해당했다는 데에 의문의 여지가 없습니다. 그리고 어떤 재판관이나 다른 이가 그 이후로 다르게 판결했더라면, 그 판단은 잘못된 것이지요.

법률가. 아니에요, *리처드 2세* 16년, 5조 법령에 따르면, 에드워드 코크 경이 여기에서 보여주듯, 그 반대로 보입니다. 리처드 2세 법령의 효과는 로마의 재판정이나 다른 곳에서, 국왕 폐하든, 왕관이든, 왕권이든, 왕국이든, 그분께 맞서 해치고자 무언가를 추구하거나, 추구하게 되면, 그들과 그들의 공증인 등등은 국왕

폐하의 보호에서 벗어나게 된다는 겁니다.

철학자. 법령이 말하는 바를 글자 그대로 알려주시기를 청합니다.

법률가. 그러지요. 그 말이란 이렇습니다. *누구든 로마의 재판소나 다른 곳에서, 국왕 폐하와 왕관, 왕권, 또는 왕국에 반하여 국왕 폐하를 해치고자, 파문이나 교황칙서, 문서, 여타 다른 무엇에 대한 중계 및 절차, 선고를 들여오거나 추구하거나, 혹은 들여오게 되거나 추구하게 되는 경우, 앞서 언급한 대로,* 등등입니다.

철학자. 누군가가 이제는 국왕 재판소인 영적 재판소에 보통법 탄원을 가져와, 이 영적 재판소의 재판관이 그에 대한 탄원을 판단한다면, 지금 선생께서 읽으신 말을 지침으로 어떤 구성을 그리실 수 있겠습니까? 국왕 재판소에서 제 권리를 위해 소송을 제기하는 것은, 로마의 재판소나 다른 어느 곳에서 만들어지거나 청탁한 교구회의 중계를 추구하는 것이 아니라, 국왕 폐하의 재판정에서 구하는 것이며, 국왕 폐하나 왕관, 왕권, 왕국에 반하는 소송이 아니라, 그 반대입니다. 그렇다면 왜 교황존신죄일까요? 아니지요. 어떤 신민이 잘못 유죄를 받으면, 국왕 폐하의 판결에 복종하는 것이 아무런 효력이 없는 것처럼, 국왕께서 관할권을 포기하셨다는 내용이나, 또는 어떤 필요가 있든 국왕께서 의회 회기 외에는 왕국의 방위를 위해 자금을 조달하실 수 없다는 내용을 담은 서면을 어디에서든 가져오거나 발표하는 자는, 제 의견으로, 영적 재판소에서 현세적 사안으로 소송을 시작하는 자들보다 훨씬 더 성직후임자법령상에 있습니다. 헌데 성문법이 그를 좌절케 하였으니, 그가 이 법에 대해 이성의 법칙에서 어떤 논증을 갖는지요?

법률가. 그가 말하길, *다른 재판소라 불리는 것은 정경이나 시민법 같은 다른 법규에 따라, 혹은 보통법이 보장하는 것과는 다*

*른 재판에 따라 절차가 진행되기 때문이다. 사실상 잉글랜드 법에 의해 보장되는 재판은 보통법 관련 사안에서 보통법 재판관 앞에서 12인의 평결에 의해 이루어지며, 형평 재판소와 같은 증인 심문을 거치지 않는다. 고로 다른 재판소*alia curia*란 다른 법칙*aliam legem*에 따라 다스려지거나, 당사자를 달리 심문하기 위해*ad aliud examen *불러내는 것이다. 만약–*

철학자. 멈춰 보시지요. *잉글랜드 법에 의해 보장되는 재판은 12인의 평결에 의해 이루어진다*고 읽으신 부분을 고찰해봅시다. 여기서 잉글랜드 법에 의한다는 것이 무엇을 의미할까요? 대법관청과 제독재판소에서 재판은 증인으로 보장되지 않습니까?

법률가. 잉글랜드 법에 의한다는 것은 왕립재판소에서 사용되는 법을 의미하니, 즉 말하자면 보통법이지요.

철학자. 이것은 마치 그가 두 재판소는 저마다의 재판 방식을 보장하지만, 다른 재판소는 그러지 아니하며, 국왕 폐하에 의해서만 보장될 뿐이라 말한 것과 같습니다. 오직 보통법 재판소만이 스스로를 보장하지요. *다른 재판소*가 이렇게 잘못 설명되었음을 보셨습니다. 보통법 재판소에서는 모든 재판이 12인에 의해 이루어지고, 이들이 범행에 대한 재판관이며, 범행이 알려져 입증되면 재판관은 법을 선고해야 하지만, 영적 재판소와 해군성, 모든 형평 재판소에서는 범행과 법 모두에 대해 단 한 명의 재판관이 있을 뿐이니, 이것이 차이의 전부입니다. 이러한 차이가 *다른 재판소*에 따른 법령으로 의도되었다면, 국왕 재판소가 아닌 재판소에서 소송을 제기하는 데에 교황존신죄가 있게 되겠지요. 왕립재판소와 일반탄원재판소는 그 절차상의 차이 때문에, 또한 다른 종류의 재판소가 될지도 모릅니다. 허나 이 법령이 재판정을 국왕 폐하의 재판소와 외국 및 그 군주의 재판소를 구분하는 것 이상이

아님은 분명합니다. 그리고 재판소를 구별하는 데에 배심원이라는 명칭에 바탕하셨으니, 보통법 재판과 다른 재판소의 재판 사이에 어떤 차이를 발견하셨는지요? 범행에 대한 재판에서는 당연히, 그리고 온세상에서, 증인이 재판관이며, 다른 식으로는 불가능함을 아십니다. 그렇다면 잉글랜드에서 배심원은 증언의 충분성 이외에 무엇을 판단할 수 있습니까? 판사는 판결하는 일 이외에는 할 일이 없으며, 나머지는 범행이 증명된 후 법을 선언하는 것 뿐인데, 이는 판결이 아니라 관할권입니다. 또한, 비록 재판이 대법관청이나 민사재판소에서 있더라도, 증인이 여전히 범행에 대한 재판관이며, 소송을 심문하는 임명장을 받은 자는 양쪽 모두를, 즉 말하자면 증언을 판단하는 배심원, 그리고 법을 선언하는 판사를 함께 맡습니다. 말씀드리건대, 이에 모든 차이가 있습니다. 이는 실로 관할권에 관하여 (세상에서 그러하듯) 분쟁을 일으키기에 충분합니다! 허나 그것이 이 법령의 일부를 어기지 않는다면, 국왕 폐하나 백성을 폐하지도, 이성의 법칙, 즉 보통법을 전복하지도, 정의를 전복하지도, 왕국에 어떠한 해를 끼치지도 않으니, 교황존신죄가 될 수 없습니다.

법률가. 계속 읽어보지요. *만약 국왕 폐하와 신민이 보통법에 따라 권리와 재산권을 갖는, 자유보유권, 상속재산, 재화와 동산, 빚과 채무를 다른 법칙에 따라 판단되거나, 달리 심문하기 위해 끌려 나오게 된다면, 앞서 명시한 세 가지 악행, 즉 국왕 폐하와 왕관의 파괴, 백성의 파멸, 늘 사용되어왔던 보통법의 몰락과 파괴가 뒤따르게 된다.*

철학자. 즉 말하자면, 이성의 법칙에 관한 것이지요. 따라서 배심원이 없고, 우리와 다른 법이 있는 곳에서는, 즉 말하자면 그 밖의 온세상에서는, 왕도 백성도 어떠한 상속재산도, 재화도, 이

성의 법칙도 갖지 못한다는 결론입니다. 형사사건에 관한 그의 교리를 더 이상은 검토하지 않고자 합니다. 그는 어디에서도 우리가 무엇인지 알 수 있게끔 범죄를 정의하지 않습니다. 그에게는 무엇인가를 범죄로 하기에 추악한 명칭으로 충분합니다. 그는 이단이 무엇을 의미하는지도 모르는 채, 이를 가장 추악한 범죄로 넣었습니다. 다른 이유가 아니라, 로마 교회가 찬탈당한 권력을 보다 끔찍한 것으로 만들고자 오래도록 그에 반대하여 설교해왔지만, 이곳과 다른 곳의 개혁교회의 많은 경건하고 학식 있는 인물들을 향해 보여준 잔인함이 서민들에게 혐오스러운 일로 보였기 때문이지요. 엘리자베스 여왕 폐하 시절에는 이단이라는 교리가 없었음에도, 그는 왕관의 탄원으로 넣었습니다. 허나 스탬포드 판사William Stanford (1509~1558)는 이단이 범죄였을 때, 주교mitre의 탄원이었기에, 이를 제외하였지요. 저는 또한 이 형사소송 목록에서, 어떠한 법령과도 상충하지 않음에도, 그가 고가의 식비, 고가의 의복, 고가의 건물을 삽입한 것을 보았습니다. 그것들이 사악한 정황으로 인해 죄가 되는 것은 사실이지만, 이 죄는 영적 목회자의 판단에 속합니다. 현세적 법률에 의한 판사는 (오직 의도만이 죄를 만드므로) 고해성사를 받을 권한을 갖지 않는 한, 이것이 죄인지 아닌지를 판단할 수 없지요. 또한 그는 국왕 폐하에 대한 아첨을 범죄로 만듭니다. 누군가가 다른 이에게 아첨했는지 그가 어찌 알 수 있다는 말입니까? 그러므로 국왕 폐하를 기쁘게 하는 것이 범죄라는 의미였습니다. 그에 따라 그는 과거에 국왕을 섬겼던 총신들의 여러 재앙을 읊습니다. 헨리 3세 폐하, 에드워드 2세 폐하, 리처드 2세 폐하, 헨리 6세 폐하의 총신들처럼 말이지요. 해당 국왕을 투옥시키고, 추방하고, 사형에 처한 바로 그 반란군에 의해 총신 중 일부가 투옥되고, 일부는 추방되었으며, 일부는 처형되었는데, 스트래퍼드 백작Thomas Wentworth (1593~1641)과 캔터베리 대주교William Laud (1573~1645), 그리고 찰스 1세 국왕께서 당시 반란군에게 당하신 것과 별다르지 않은 근거였습니다. 엠슨Richard Empson (1450?~1510)과 더들리 Edmund Dudley (1462?~1510)는 헨리 7세 폐하Henry VII (1457~1509)의 총신이 아니었으나, 헨리 8세께서 제대로 쥐어짜신 스펀지였습니다. 울시 추기경Thomas Wolsey (1473?~1530)은 실로 여러 해 동안 헨리 8세 폐하의 총신이었으나, 국왕께 아첨했기 때문이 아니라, 캐서린 왕비Catherine of Aragon (1485~1536)와의 이혼 문제에서 아첨하지 않았다는 이유로 총애를 잃었습니다. 여기에서 그의 추론을 보실 수 있습니다. 또한 다음의 말에서 그의 열정을 보시지요. 어떤 이유로든 우리는 더 아래로 내려가지 않을 겁니다. *자기 발자취를 고집하는 자는 그것이 떠나감에 겁에 질릴 수 있노라*[65]. 이는 제임스 국왕 폐하 당시의 총신에 대해 기재되었습니다. 허나 이쯤 하고, 이러한 범죄에 속하는 법적 처벌에 대해 이야기하도록 하지요.

처벌에 관하여.

그러면 우선 저는 저질러진 범죄에 대해, 특정한 처벌 방식을 정의하고 지정할 권한을 갖는 자가 누구인지 알고자 합니다. 모든 잘못은 동등하며, 인간을 죽인 것과 암탉을 죽인 것이 똑같은 처벌을 받아야 한다는 옛 스토아파의 의견에 동의하지 않으시리라 여기니까요.

법률가. 모든 범죄에서 처벌 방식은 무엇이든, 보통법에 따라 결정됩니다. 즉 말하자면, 이를 결정한 법령이 있다면 판결은 그 법령에 따라야 하고, 법령으로 특정되어 있지 않다면 그런 경우에 대한 관습에 따라야 하지만, 새로운 경우일 때, 재판관이 이성에

---

65 Qui eorum vestigiis insistunt, eorum exitus perhorrescant.

따라 결정해서는 안 되는 이유를 모르겠군요.

철학자. 허나 누구의 이성에 따르단 말입니까? 소송을 심리하기 위해 국왕 폐하께 승인된 이러저러한 재판관의 자연적 이성을 의미하신다면, 여러 사람이 존재하는 만큼, 여러 이성이 존재하니, 모든 범죄에 대한 처벌은 불확실하게 되며, 그 중 무엇도 관습을 만들만큼 성장하지는 못하겠지요. 그러므로 처벌의 시작이 대리 재판관의 자연적 이성에서 비롯되었다면, 어떤 처벌도 결코 정해질 수 없습니다. 아니, 최고재판관의 자연적 이성에서 비롯되었더라도 그렇지요. 이성의 법칙이 처벌을 결정한다면, 동일한 범행에 대해 온세상에서 언제나, 동일한 처벌이 있어야 하는데, 왜냐하면 이성의 법칙은 불변하고 영원하기 때문입니다.

법률가. 국왕 폐하나 다른 누구의 자연적 이성으로도 처벌을 미리 정할 수 없다면, 어찌 합법적인 처벌이란 게 있을 수 있겠습니까?

철학자. 왜 아니겠습니까? 저는 특정인들 간에 바로 이러한 이성적 역량 차이에 모든 처벌을 확실하게 만드는 참되고 완전한 이성이 있다고 생각하니까요. 헌데 누군가에게 무엇이든 처벌을 정의할 권위를 주고, 그 사람이 이를 정의케 하여, 올바른 이성이 이를 정의했을 때, 그 정의가 범행이 저질러지기에 앞서 만들어지고 알려졌다 가정해보지요. 정부 사안에서 다른 무언가가 펼쳐지지 않을 경우 클럽[66]이 으뜸패가 된다는 점을 제외한다면, 그러한 권위는 카드놀이에서 으뜸패를 쥐는 것입니다. 그러므로 만인이 자기 이성으로 어떤 행동이 이성의 법칙에 어긋나는지를 알고, 이

[66] 트럼프에서는 스페이드, 하트, 다이아몬드, 클럽 순으로 문양의 순서가 정해진다. 즉, 클럽은 보통 최약체를 상징한다.-역주

권위에 따라 모든 악행에 대해 어떠한 처벌이 정해지는가를 알게 되니, 알려진 법을 어기면 알려진 처벌을 받아야 한다는 것이 명백한 이성입니다. 이제 처벌을 정의하는 이 권위를 부여받은 인물은 한 사람이든, 한 집단이든 주권 권력을 갖는 인격과 같으며, 세상 어디에서도 다른 이가 될 수 없습니다. 민병대의 권한을 갖지 못한 어떤 인물에게 형을 집행케 하는 것은 헛된 일이니, 많은 범죄자들이 연합하여 서로를 방어할 때, 그보다 적은 힘으로는 집행할 수 없기 때문이지요. 나단이 다윗 왕에게 제기한 사건이 있었으니, 많은 양을 가진 부자와 오직 길들인 양 한 마리 만을 가졌을 뿐인 빈자가 있었는데, 부자는 자기 집에 나그네를 두고, 그를 즐겁게 하고자, 자기 양을 살리기 위해 빈자의 양을 빼앗았습니다. 이 사건에 대해 왕이 판결하기를, "이 일을 행한 그 사람은 마땅히 죽을 자라"[67] 하였습니다. 이에 대해 어찌 생각하시는지요? 국왕다운 판단이었습니까, 아니면 폭군 같습니까?

법률가. 저는 잉글랜드의 국왕께서 영토 내에서 이스라엘의 선한 왕들이 가졌던 것과 동일한 권리를 가지심을 인정하는 잉글랜드 교회의 정경을 반대하지 않으며, 다윗 왕이 선한 왕 중 하나였음을 부정하지도 않을 겁니다. 하지만 선례법 없이 사형으로 처벌하는 것은 우리의 모든 국왕께서 다윗처럼 선하시리라 확신할 수 없다면, 자의적인 처벌은 물론이고, 자의적인 법에 대해서도 듣기를 꺼려하는 우리에게 가혹한 절차로 보일 뿐이겠지요. 저는 그저 성직자들이 어떤 권위로 자기들 왕의 권한에 관한 정경을 결정하거나 만드는지, 혹은 선한 왕과 악한 왕의 권리를 구별하는지 묻고자 합니다.

[67] 사무엘하 12:5.-역주

철학자. 그들의 정경을 법으로 만드는 것은 성직자가 아니라, 잉글랜드 대인장으로 그리 행하시는 국왕이시며, 그들에게 자기네들의 교리를 가르칠 권능을 부여하시는 분도 국왕이시니, 그리스도와 그 사도들의 교리가 분명하게 들어있는 성경에 따라, 공개적으로 그 교리를 가르치고 설교하도록 승인하신 분이십니다. 헌데 발표된 교리 중 어디에서든 왕권을 경시했다면, 분명 그들은 비난받아왔겠지요. 아니, 저는 보통법 탄원을 맡은 형평 재판소의 여느 재판관 이상으로, *리처드 2세* 16년, 5조의 교황존신죄법령에 더욱 부합한다고 믿습니다. 제가 다윗 왕의 선례를 인용한 것은, 대헌장의 위반을 승인하거나, 국왕께 해를 가할 모든 이의 목숨이나 수족을 거두는 처벌을 정당화하기 때문이 아니라, 대헌장이 부여되기 전에는, 처벌이 규정되지 않은 모든 사건에서, 이를 규정할 수 있는 이란 오직 국왕 뿐이시며, 어떤 대리 재판관도 *직권*ex officio이 아니라, 어떤 법령의 강제력이나 임명장에 쓰인 말에 따라 범죄자를 처벌할 수 있음을 보여드리기 위해서였습니다. 그들은 법정 모독에 대해 그것이 국왕 폐하에 대한 모독이므로, 어떤 사람을 국왕께서 바라시는 동안 투옥시키거나, 범행의 크기에 따라 국왕께 벌금을 내도록 할 수 있지만, 이 모든 것이 국왕 폐하의 판단에 맡겨 두는 것 이상은 아닙니다. 귀를 잘라내는 것이나 기둥칼에 묶이는 것과 같은 신체형은 보통 지금까지 성실청에서 가해졌고, *헨리 7세* 법령에 따라, 그들에게 때때로 재량껏 처벌할 권한이 보장되었습니다. 그리고 일반적으로 모든 형사 재판관은 실정법이 처벌을 정하지 않고, 국왕께 별다른 명령을 받지 못한 경우, 범죄자에게 돌이킬 수 없는 피해를 선고하기 전에 국왕 폐하와 상의하는 것이 이성의 규칙이니, 그러지 않는다면, 그는 자기 직분으로 해야 하는 법을 선고하는 것이 아니라, 국왕 폐하의

직분으로 법을 만드는 것이니까요. 그리고 이로부터 이런 저런 범죄를 이런 저런 방식으로 처벌하는 관습은 그 자체로 법의 효력을 갖는 것이 아니라, 관습의 원형이 선대의 어떤 왕의 판결이었던 확신어린 추정에서 비롯된다고 추론하실 지도 모릅니다. 그리고 이러한 이유로 재판관들은 그들이 보증하는 관습에 대해, 색슨족 왕들의 시대나 정복 시대까지 거슬러 올라가서는 안 됩니다. 가장 최근의 법률은 대개 만인의 기억에 생생하고, 주권적 입법자에 의해 거부되지 않았으니, 암묵적으로 확정되었으므로, 가장 직전의 선례가 그들 판결의 가장 공정한 보증이지요. 이에 무엇을 반대할 수 있을까요?

법률가. 에드워드 코크 경이 판결 및 집행의 장에서 말하기를 (『법학제요』 3권, p. 210), 판결 중 일부는 보통법에 의하고, 일부는 성문법에 의하며, 일부는 관습에 의한다 하니, 여기서 그는 보통법을 성문법과 관습, 양쪽 모두와 구별합니다.

철학자. 허나 아시겠지만, 다른 곳에서 그는 보통법과 이성의 법칙을 매한가지로 만들었습니다. 실로 국왕 폐하의 이성을 의미할 때 그러하듯 말이지요. 그리고 이 구분에서 그가 의미하는 바는 성문법 없는 이성에 따른 판결, 그리고 성문법도 이성도 아니라, 이성이 없는 관습에 따른 판결임에 틀림없습니다. 관습이 합리적이라면, 그와 여타 학식 있는 법률가들 모두가 보통법이라 하며, 비합리적이라면 전혀 법률이 아니라 하니까요.

법률가. 저는 에드워드 코크 경이 의미했던 바가 이 점에서 선생과 다르지 않으며, 합리적인 관습과 비합리적인 관습을 구별할 수 있는 이가 많지 않기 때문에, 그가 *관습*이라는 단어를 끼워 넣었다 믿습니다.

철학자. 허나 관습은 법의 효력을 갖는 한, 특히 문제가 토지와

제회가 아니라 처벌에 관한 것이라면, 이성의 법칙보다는 법령의 성격이 더욱 강하며, 이는 오직 권위에 의해 정의되어야 합니다. 구체적인 내용으로 들어와, 대역죄에 대해 법으로 무슨 처벌이 있어야 할까요?

법률가. 감옥에서 교수대로 끌고 가, 목을 매달아 산 채로 땅에 눕히고, 살아있는 동안 창자를 꺼내어 불태우고, 머리를 잘라내고, 몸을 넷으로 나누어, 그 머리와 사지를 국왕께서 정하시는 대로 두어야겠지요.

철학자. 재판관은 법에 따라 판결을 내려야 하고, 이 판결은 여느 법령으로 정해지지 않았으니, 에드워드 코크 경이 어떻게 이성에 의해, 혹은 관습에 의해 이를 보증합니까?

법률가. 오로지 이 때문입니다. 그의 몸, 토지, 재화, 후손 등등을 찢어 발기고, 파괴해야 하는 이유는 바로 정부의 위엄을 파괴하려는 의도 때문이지요.

철학자. 그가 국왕 폐하의 위엄이라 말하기를 어찌 피하는지 보시지요. 허나 이러한 이유는 옛적에 로마의 왕이었던 툴루스 호스틸리우스Tullus Hostilius에게 처형된 메티우스 푸페티우스Mettius Fuffetius, 혹은 얼마 전 프랑스에서 네 마리의 말로 갈기갈기 찢긴 라바이약[68]처럼 반역자를 처벌할 때에도 거열형과 교수형, 사지절단형에 처할 때만큼이나 중요하지 않을까요?

법률가. 그렇다 생각합니다. 하지만 그는 또한 같은 장에서 거룩한 성경으로 이를 확인하지요. 따라서 요압은 반역죄로 제단 뿔에서 끌려 나왔으니(열왕기상 2:28), 이는 장애물을 끌어낸 증거

---

[68] François Ravaillac (1578~1610). 프랑스 왕 앙리 4세Henry IV (1553~1610)를 암살했던 가톨릭 광신도.-역주

입니다. 빅단은 반역죄로 교수형에 처해졌으니(에스더 2:22), 교수형에 대한 증거입니다. 유다는 스스로 목을 매어 창자가 터져 나왔으니(사도행전 1:18), 교수형과 산채로 내장을 꺼낸 것입니다. 요압이 압살롬의 심장을 찔렀으니(사무엘하 18:14), 이는 반역자의 심장을 뽑아낸 증거입니다. 비그리의 아들 세바의 머리가 참수되었으니(사무엘하 20:22), 이는 반역자의 머리가 참수되어야 하는 증거입니다. 그들이 바아나와 레갑을 죽이고 헤브론의 못 가에 그 머리를 매달았으니(사무엘하 4:12), 이는 사지절단형을 세우는 것입니다. 그리고 마지막으로 땅과 재물의 몰수를 위해서는(시편 109:5~15), *그의 자녀들은 유리하며 구걸하고 ... 그가 수고한 것을 낯선 사람이 탈취하게 하시며 ... 그들의 기억을 땅에서 끊으소서*가 있습니다.

철학자. 배운 대로 말했군요. 그런데 그 판결에 대해서는 어떤 기록도 남아있지 않습니다. 또한 그 반역자들 사이에 나누어진 처벌은 여기에서 반드시 반역자에 대한 하나의 판결로 합쳐져야 합니다.

법률가. 이런 뜻이 전혀 아니었지만, 그나 그의 목사가 성경에서 읽은 바를 보여주고자 (손을 뻗고자) 하는 의도였습니다.

철학자. 반역죄 사건에 대한 처벌의 구체화에 대하여, 그는 자연적 이성, 즉 말하자면 보통법에서 어떠한 논증도 가져오지 않으며, 그리고 그것이 이 땅의 일반적인 관습이 아니라는 것, 그 같은 일이 왕국 내 어떤 동족에 의해서도 거의 또는 전혀 실행된 적이 없었다는 것, 국왕께서 그러고자 하신다면 형벌 전체를 면하실 수 있다는 것이 명백하므로, 처벌의 구체화는 그저 국왕 폐하의 권위에 달려 있을 뿐입니다. 허나 이것은 확실하니, 어떤 재판관도 법령이나 주권 권력의 명시적 혹은 묵시적 동의에 의해 통상

주어지고 승인되는 것 이외의 다른 판결을 내려서는 안된다는 것입니다. 그렇지 않으면, 그것은 법의 판결이 아니라, 법에 구속되는 어떤 인간의 판결이니까요.

법률가. 소반역죄에서 판결은 처형장으로 끌고 가서 목을 매달거나, 혹은 여성일 경우 끌고 가서 화형에 처하는 것입니다.

철학자. 이런 멋진 구별이 여느 사인의 기지 외에 다른 기반이 있을 수 있다고 생각하십니까?

법률가. 에드워드 코크 경은 이 장소에서 여성이 참수되거나 교수형에 처해져서는 안 된다 합니다.

철학자. 안 되지요, 국왕께서 특별 영장을 발부하시지 않는 한, 재판관은 법령이나 국왕께서 정하시는 것 이외에 어떤 다른 판결도 내려서는 안 되며, 보안관은 재판관이 선고하는 것 이외에 다른 형을 집행해서는 안 됩니다. 그리고 이는 그가 앞서 말하지 않았더라면, 국왕께서 사법 재판소에 관할권리 일체를 넘겨주셨다는 의미로 생각해야 하겠지요.

법률가. 중범죄에 대한 판결은-

철학자. 이단은 왕관의 탄원이라는 목록에서 중범죄에 앞섭니다.

법률가. 그는 이단에 대한 판결을 생략하였는데, 왜냐하면 제 생각으로는, 어떤 배심원단도 이단을 찾아낼 수 없고, 어떤 재판관도 그에 대한 판결을 선고한 적이 없기 때문입니다. *헨리 5세* 2년, 7조의 법령은 주교가 이단으로 선고한 누구라도 보안관에게 인도되며, 보안관은 주교를 믿어야 한다는 것이니까요. 그러므로 보안관은 *헨리 4세* 2년의 법령에 따라, 그를 인계받은 후 화형에 처해야 했지만, 그 법령이 폐지되었으니, 보안관은 *이단자 화형* 영장 없이는 화형시킬 수 없으며, 그러므로 보안관은 그 영장에

따라 레게이트를 화형시켰는데(제임스 1세 9년), 이는 당시 보통법 재판관에 의해 부여되어, 그 영장에 판결이 명시되어 있습니다.

철학자. 이는 이상한 추론입니다. 에드워드 코크 경은 *이단자 화형* 영장이 근거했던 법령이 전부 폐지되었음을 알고 자인하였는데, 어떻게 그 영장 자체에 효력이 있을 수 있다고 생각할 수 있었을까요? 아니면, 이단자를 화형에 처하는 법령을 폐지한 법령이 그러한 화형을 금지하려는 의도로 만들어지지 않았다는 걸까요? 그는 보통법에 관한 본인의 책을 이해하지 못했음이 분명합니다. 헨리 4세 폐하와 헨리 5세 폐하 시절에는, 주교의 말이 보안관의 영장이었으니, 그러한 영장이 필요치 않았습니다. *헨리 8세* 25년까지는 그럴 수도 없었는데, 이 때에 그 법령이 폐지되어, 영장은 그 목적으로 작성되어 등재부에 기재되었고, 이는 피쳐버트가 『자연법 개요』의 말미에 인용하였습니다. 또한, 엘리자베스 여왕 폐하 통치 말기에 원본 사법 영장의 정확한 등재부가 발표되었고, *이단자 화형* 영장은 제외되었습니다. 왜냐하면 *헨리 8세* 25년의 법률 때문으로, 이단자에 대한 모든 법령이 폐지되고, 화형이 금지되었으니까요. 그리고 제임스 1세 9년에, 수석재판관, 재무재판관, 그리고 2명의 일반탄원재판관이 이 영장을 발부한 것은, 수석재판관을 제외하고는 모두 법에 위배됩니다. 일반탄원재판관도, 국고청 재판관도, 특별임명장 없이는 왕관의 탄원을 맡을 수 없으며, 탄원을 맡을 수 없다면, 유죄판결도 내릴 수 없으니까요.

법률가. 중범죄에 대한 처벌은 중죄인이 죽을 때까지 목을 매다는 것입니다. 그리고 그리 되어야 함을 입증하는 데에, 그는 *중범죄를 저지른 중죄인의 참수는 허용되지 않노라*Quod non licet felonem pro felonia decollare라는 출처를 알 수 없는 선고를 인용합니다.

철학자. 보안관이 자기 머리로 그리 하거나, 판결에서 명하는 바와 달리 행하는 것도, 재판관이 성문법이나 국왕 폐하께서 동의하신 용법에 따르지 않고 다른 판결을 내리는 것도 실로 적법하지 않으나, 이로 인하여 국왕께서 훌륭한 이유가 있어 판결에 관한 법을 변경하시는 것을 방해할 수는 없습니다.

법률가. 국왕께서는 원하신다면 그리 하실 수 있지요. 그리고 에드워드 코크 경은 중범죄 사건에서 국왕께서 특정 판결을 어떻게 변경하셨는지를 말하면서, 의회에서 귀족에게 교수형에 처하려는 판결이 내려졌지만, 그럼에도 불구하고 참수되었음을 보여줍니다. 또 다른 귀족이 또 다른 중범죄를 이유로 유사한 판결을 받았지만, 교수형에 처해지지 않고 참수되었습니다. 그리고 이로써 그는 교수형이 참수형으로 바뀔 수 있다면, 같은 이유로 화형이나 돌팔매형 등으로 바뀔 수 있기 때문에, 그러한 절차의 부적절성을 보여줍니다.

철학자. 아마도 그 안에 부적절성이 있을지도 모르나, 그것은 제가 보는 것이나 그가 보여주는 것 이상이며, 그가 인용한 처형에서는 어떠한 부적절성도 발생하지 않았습니다. 게다가 그는 *궁극적인 형벌*인 죽음이 법률을 만족시킨다는 것을 인정합니다. 허나 이 모든 것이 정부의 부적절성을 고찰하는 데에 속하는 것이 아니라, 국왕 폐하와 의회를 향할 때, 그 목적이란 무엇이겠습니까? 혹은 대리 재판관의 권위로부터, 누가 국왕 폐하를 대리한 조치를 비난할 권한을 끌어낼 수 있겠습니까?

법률가. 그가 말하기를, 불운으로 어떤 사람이 죽은 것에 대해서는 명시적인 판결이 없으며, 자기 방어로 누군가를 죽인 것에 대해서도 그러하지만, 그가 말하기를, 법은 두 경우 모두, 사람을 살해한 자는 그 전재산과 동산, 빚과 채무 일체를 몰수당해야 한

다고 판단해왔다 합니다.

철학자. 에드워드 코크 경이 말한 바를 고찰해보면(『법학제요』 1권, *sec.* 745), *중범죄*라는 단어는 이러한 판결에 매우 우호적입니다. 거기에서 말하기를, *우발적인 살해* 또는 *정당방위*로 사람을 죽이는 것은 *중범죄*입니다. 그의 말은 이렇습니다. "그러므로 법으로 오늘날 현행 등등의 중범죄라는 단어에는, 소반역죄, 살인, 타살, 주택 방화, 절도, 강도, 강간 등등, *우발적인 살해* 및 *정당방위*가 포함된다." 허나 불운이나 자기 방어로 인간을 살해한 자의 의도만 고려한다면, 그 같은 판결은 잔인하면서도 죄 많은 판결로 여겨지게 됩니다. 그리고 그러한 것들이 어떻게 *중범죄*가 될 수 있는지, 그렇게 만드는 법령이 없는 한, 오늘날에는 이해될 수 없지요. *헨리 3세* 52년, 25조[69] 법령에서 말하기를, "앞으로 살인은 불운 이외의 이유가 없는 경우, 우리 판사들 앞에서 판단되지 아니하며, 중범죄로 살해당한 경우에만 맡게 될 뿐, 다른 경우에는 그러지 아니한다"라 하였으니, 이후의 어떤 법령으로 중범죄가 되지 않는 한, 그러한 것들이 중범죄일 경우 또한 살인죄여야 함이 명백합니다.

법률가. 그러한 후속 법령은 없고, 현행법에서도 그리 말하지 않으며, 현행법으로도, 또 다른 법령 이외의 무엇으로도 이전에는 그렇지 않았던 일을 중범죄로 만들 수는 없습니다.

철학자. 어떤 사람이 중범죄라는 통칭이 무엇을 뜻하는지 이해하기도 전에, *중범죄*를 여러 종류로 구별하는 것이 무엇인지 보십시오. 헌데 어떠한 악한 목적 없이, 단지 불운하게 타인을 죽였다는 이유로, 어떤 사람이 전재산과 동산, 빚과 채무 일체를 몰수당

---

[69] 25 *Hen. III*, c. 25. 1267년.-역주

해야 한다니, 그것이 혹 피해보상 방식으로 살해당한 사람의 친족에게 주어지지 않는 한, 너무 심한 판결이지요. 허나 법은 그렇지 않습니다. 이 판결을 정당화하는 것이 이성의 법칙인 보통법입니까, 아니면 성문법입니까? 사건이 단순한 불운일 뿐이라면, 그것은 이성의 법칙으로 불리울 수 없습니다. 어떤 사람이 사과나무에서 사과를 따다가, 악운으로 추락해 다른 사람 머리 위로 떨어져서는 그를 죽이고, 운 좋게도 스스로를 구한 경우, 이러한 불행으로 인해 국왕께 재산을 몰수당하는 처벌을 받아야하겠습니까? 이성의 법칙이 이를 보증하는지요? 선생께서는 그가 자기 발 밑을 확인했어야 했다고 말씀하시겠지요. 참입니다만, 아래에 있던 자도 나무 위를 확인했어야 합니다. 그러므로 이 경우 이성의 법칙은 제 생각으로, 그들 각자가 자신의 불운을 감내해야 한다고 명합니다.

법률가. 이 경우에는 동의합니다.

철학자. 허나 이 경우는 단순 불행에 기인한 참 사례요, 에드워드 코크 경의 의견에 대한 비판으로 충분합니다.

법률가. 하지만 만약 다른 사람의 나무에서 사과를 훔치고 있던 자가 이런 일을 저질렀다면 어떨까요? 그렇다면, 에드워드 코크 경의 말처럼(『법학제요』 3권, p. 56), 살인죄입니다.

철학자. 불운에 의한 죽음의 경우 괜찮은 구분법의 필요성이 실로 큽니다. 허나 이 경우 추락 자체가 불법적이지 않는 한, 살인은 사과털이의 불법성에 기인하지 않습니다. 죽음을 초래하는 자발적인 불법 행위여야만 하며, 그렇지 않다면 이성의 법칙에 따라 살인죄가 아닙니다. 나무 아래 있었던 사람의 죽음은 그로 비롯된 것이 아니라, 즉 사과가 그에게 떨어졌기 때문이 아니라, 추락 때문이지요. 허나 누군가가 타인의 사슴을 활이나 총으로 쏘아, 불

운하게도 어떤 사람을 죽인 경우, 그러한 사격은 자발적이면서도 불법적이며, 또한 그 사람의 죽음에 직접적인 원인이니, 아마 때때로 보통법 재판관에 의해 충분히 살인죄가 도출될 수도 있습니다. 마찬가지로 어떤 사람이 집 너머로 화살을 쏘아 우연히 길거리의 누군가를 죽였다면, 이성의 법칙에 따라 의심의 여지없이 살인입니다. 그가 살해한 사람에게 아무런 악의도 갖지 않았더라도, 살해한 자에 대해 무신경했음이 분명하니까요. 이성의 법칙이 명하는 것이 무엇인지 알아내기란 이리도 어려우니, 이 질문에 대해 누가 결정을 내려야 하겠습니까?

법률가. 불운으로 인한 사건은 배심원의 몫이라 생각합니다. 오직 사실의 문제일 따름이니까요. 하지만 불운의 원인이 된 행위가 합법적인지 불법적인지 의심스러운 경우에는 재판관에 의해 판단되어야 합니다.

철학자. 허나 사과털이와 같은 행동의 불법성이 그 사람의 죽음을 초래하지 않았다면, 무단침입이든 중범죄든, 도둑질은 법이 요구하는 대로, 별개로 처벌받아야 합니다.

법률가. 하지만 *정당방위*로 사람을 죽인 경우, 에드워드 코크 경이 여기서 말하듯, 배심원단은 평결에서 *정당방위*라 말하는 게 아니라, 그 범행방식을 구체적으로 선언하여, 재판관이 *정당방위*, 과실치사 또는 살인죄 중 무엇으로 불러야 할지 고려하도록 명확히 해야 합니다.

철학자. 그리 생각할 수도 있겠지요. 법률도, 입법자도 아직 살인죄와 중범죄를 정의하지 않았으므로, 누군가의 죽음의 대해 법률가가 내린 여러 어려운 명칭들의 의미를 구별하기란, 배심원단의 역량 내에 있지 않을 때가 잦으니까요. 증인들은 그 인물이 이렇게 저렇게 했다 말하지만, 그것이 살인죄나 중범죄라고는 하지

않습니다. 배심원은 증인이나 죄수에게서 들은 것 이외에는 무엇도 말해서는 안 되니, 더 말할 나위가 없습니다. 또한 재판관은 발견된 특별한 사안 이외에 다른 어떤 것에 근거하여 선고해서는 안 되며, 사안이 법령이 위배되는지 아닌지에 따라 선고해야 합니다.

법률가. 하지만 말씀드렸듯, 배심원단이 불운이나 *정당방위*에 도달한 경우, 내릴 판결이란 전혀 없으며, 당사자는 국왕께 자기 재산과 동산, 빚과 채무를 물수당한다는 것을 제외하면, 당연히 사면되어야 합니다.

철학자. 허나 저는 판결이 없는 범죄가 어떻게 존재할 수 있는지, 선결하는 판결 없이 어떻게 처벌을 가할 수 있는지, 몰수하기로 판결되기도 전에 보안관이 무슨 근거로 누군가의 재산을 압수할 수 있는지 이해하지 못하겠군요. 저는 에드워드 코크 경이 교수형 판결에, 몰수 판결이 내포되어 있다 말한 것을 알고 있으나, 이해하지는 못하겠습니다. 보안관이 자기 직무로 유죄선고를 받은 중범죄자의 재화를 압수할 수 있다는 점은 충분히 이해합니다만, 판결 없음에 어떻게 재산 몰수가 내포될 수 있는지 납득하지 못하며, 또한 배심원단이 범행의 특정방식이 실제로 *정당방위*에 불과하여, 결과적으로 어떤 잘못도 없다고 판단했을 때, 왜 처벌을 받아야 하는지도 납득하지 못하겠습니다. 그에 무슨 이유가 있는지 보여주실 수 있겠습니까?

법률가. 그 이유란 관습에 있지요.

철학자. 불합리한 관습은 법이 아니라 철폐되어야 하는 것임을 아시니, 누군가가 잘못이 없는 데에도 처벌받아야 하는 것보다 더 불합리한 관습이 무엇이 있겠습니까?

법률가. 그렇다면 *헨리 8세* 24년, 5조[70] 법령을 보시지요.

철학자. 이 법령을 만들면서 법률가들 사이에서, 일반도로나 막다른 골목, 마차길, 보행로 또는 저택이나 가옥, 주거지 내 또는 근처에서 한 사람이 다른 사람을 중범죄적으로 강탈하거나 살해하려 시도한 경우, 누군가가 우발적인 살해나 자기 방어로 다른 이를 살해하게 된 경우처럼, 그러한 죽음을 이유로 그 재산과 동산을 몰수당해야 하는지에 대한 의문이 있었음을 발견하였습니다. 이것은 서문으로, 에드워드 코크 경이 바라는 대로 작성되었습니다. 헌데 이 법령이 누군가가 *정당방위*로 누군가를 죽였다거나, 불운하게 죽였다는 이유로 그 재산이 몰수되어야 한다고 결정하지는 않았지만, 그건 단지 당시의 법률가들 의견에 따른 추정일 뿐이지요. 법령의 본문은 누군가가 어떤 개인의 죽음에 대해 앞서 말씀드린 것과 같은 시도로 기소되거나 고소당하여, 평결로 그 같은 결론에 도달하고 심리되었다면, 어떤 것도 몰수당하지 않아야 하며, 무죄 판결을 받은 것처럼 방면해야 한다는 것입니다. 법령을 보셨으니 이제 *정당방위*로 살해하는 경우를 고찰해보지요. 우선, 어떤 사람이 자기 방어로 다른 이를 죽였다면, 살해당한 사람이 그를 강탈하거나 죽이거나 상해를 가하려 시도했음이 분명합니다. 그렇지 않다면 자기 방어로 그리 된 것이 아니니까요. 그렇다면 술집에서처럼 거리나 거리 근처에서 이런 일이 행해졌다면, 거리는 도로이기 때문에 그는 어떤 것도 몰수당하지 않습니다. 여타의 모든 공용로에 대해서도 마찬가지라 해야 합니다. 그러므로 이 법령이 그 몰수를 면하는 것 이외에, 누군가가 어디에서 자기 방

---

[70] 24 *Hen. VIII, c.* 5. 살인자 및 강도, 절도범 살해법, 1532년.-역주

어로 다른 지를 죽일 수 있겠습니까?

법률가. 하지만 법령에 따르면 그 시도는 중범죄적임에 틀림없습니다.

철학자. 누군가가 칼이나 검, 몽둥이 또는 다른 흉기로 저를 습격할 때, 어떤 법률이 저 자신을 방어하지 못하도록 금하거나, 그가 중범죄적 의도를 가지고 있는지 없는지를 알 때까지 가만히 있으라 명한답니까? 그러므로 이 법령에 따르면, 그것이 *정당방위*로 판명되면 몰수가 면제되고, 다르게 판명되면 극형에 처해집니다. *글로스터*, 9조[71] 법령을 읽으면, 그 어려움이 사라지리라 생각합니다. 그 법령에 따라, 자기 방어 또는 불운으로 그리 하였다고 나라에 의해 판명될 경우, 판사가 국왕께 보고함으로써, 국왕께서 기꺼우신 대로 은혜를 내리시게 됩니다. 그 근거는 첫째로, 당시 배심원단이 *정당방위*라는 일반평결을 내릴 수 있음이 법으로 여겨졌기 때문으로, 에드워드 코크 경은 이를 부인합니다. 둘째로, 재판관은 특별한 사안을 국왕께 보고해야 합니다. 셋째로, 국왕께서 기꺼우신 대로 은혜를 내리실 수 있으며, 결과적으로 국왕께서 재판관의 보고를 들으신 후, 보안관에게 그러라 명하실 때까지, 그 재산이 압수되어서는 안 됩니다. 넷째로, 국왕 폐하의 일반평결이 국왕 폐하를 방해하는 것이 아니라 특별한 사안에 대해 국왕께서 판단하실 수 있게 한다는 것인데, 성품이 고약한 자가 말이나 다른 방법으로 사람을 자극하여 검을 뽑게 하고는, 그를 죽이고 자기 방어를 주장하는 경우가 흔히 발생하기 때문이지요. 이런 일이 발생하면, 국왕께서는 하나님을 거스르지 않으면서, 소송이 요구하는 대로 그를 처벌하실 수 있습니다. 마지막으로 에드워드 코크

---

[71] *에드워드 1세* 6년, 9조. 글로스터 법령, 1278년.-역주

경의 교리의 반하여, 국왕께서 몸소 사건의 재판관이 되시어, 배심원단의 평결을 무효화하실 수 있는데, 이는 대리 재판관이 할 수 없는 일입니다.

법률가. 어떤 사람이 배심원에게 무죄로 판명되더라도, 그럼에도 국왕께서 그 재산과 동산을 몰수하셔야 하는 몇몇 경우가 있습니다. 예를 들어, 어떤 사람이 살해되었는데, A가 B를 미워하여, 그를 죽인 자가 B라 하였는데, B가 이를 듣고 만약 재판을 받는다면 A의 대단한 권력과 자신을 해치려는 다른 이들로 인해 유죄를 받을까 두려워하여 달아났다가, 나중에 잡혀서 재판을 받게 된 경우, 충분한 증거에 따라 배심원단에게 무죄로 판명되더라도, 달아났기에, 재판관이 내리거나 여느 법령이 정한 아무런 판결이 없다 하더라도, 그 재산과 동산을 몰수당하게 되며, 법 자체가 보안관에게 국왕께서 쓰시도록 그것들을 압수할 권한을 부여합니다.

철학자. 저는 (보통법에서) 그에 대한 이유를 보지 못했으며, 법령에 근거하지도 않는다 확신합니다.

법률가. 에드워드 코크 경에게서 찾아보실 수 있습니다(『법학제요』 1권, *s.* 709).

철학자. "무고한 사람이 중범죄로 고발되어 두려움으로 그 같이 도망친 경우, 비록 사법적으로 중범죄에 대해 무죄 판결을 받았다 하더라도, 그 같은 이유로 도망쳤음이 밝혀지면, 무죄에도 불구, 그 전재산과 동산, 빚과 채무 일체를 몰수당하게 된다." 이런 비기독교적이고 가증스런 교리라니요! 또한 그는 다음처럼 본인의 말로 모순에 빠집니다. 그가 말하기를, "그러한 몰수에 관하여, 법은 그의 도망에 근거한 법의 추정에 반하는 어떠한 증거도 인정치 않을 것이요, 다른 많은 경우에도 그러하다. 하지만 일반 규칙은 *달리 입증될 때까지는 추정으로 남는다*Quod stabitur præsumptioni, donec probetur in contrarium이나, 많은 예외가 있음을 보게 된다." 이 일반 규칙은 그가 앞서 말한 바와 모순됩니다. 법률상의 일반 규칙에서는 어떤 법령에 의해 명시적으로 예외로 규정되지 않은 어떠한 예외도 있을 수 없고, 형평성에 대한 일반 규칙에서는 어떠한 예외도 있을 수 없으니까요.

사면에 관하여.

처벌 권한에서 사면 권한으로 넘어가기로 하지요.

법률가. 사면 권한을 다루면서 에드워드 코크 경은 말하기를(『법학제요』 3권, p. 236), 어떤 사람도 의회에서 사면장을 얻지 못하며, 이에 대해 *에드워드 3세* 2년, 2조[72]의 법령을 인용하고는, 더 나아가 말하기를, 의회 명부에 따르면, 이 땅의 평화를 위해서는 의회에 의하지 않는 어떠한 사면도 허락되지 않는 편이 도움이 되리라 하였습니다.

철학자. 그가 국왕께 무슨 합법적인 권한을 남겨두고자 하기에, 자비를 베푸시지 못하게 한단 말입니까? 누구든 볼 수 있듯이, 그가 인용하는 법령에, 국왕께서 의회에서가 아니라면 사면장을 부여하셔서는 안 된다는 것을 증명하는, 그러한 말이란 없습니다. 그 법령은 인쇄되어 있고, 의회 명부에 있다고 말하는 것이란 그가 누군지 이야기하지 않는 이의 소망일 뿐 법이 아니니, 사적인 소원이 의회법으로 등재되어야 한다는 것은 이상합니다. 어떤 사람이 선생께 해를 입힌다면, 누구에게 이를 사면할 권리가 속한다고 생각하십니까?

법률가. 제게만 해를 입혔다면 의심의 여지없이 제게만 있고, 국왕께만 해를 입혔다면 국왕께만 있으며, 양쪽 모두에게 해를 입

---

[72] 2 *Edw. III, c.* 2. 1328년.-역주

혔다면 양쪽 모두에게 있습니다.

철학자. 그렇다면 사면을 허하는 데에 있어 국왕 폐하와 그 당파가 잘못한 경우를 제외하고, 누가 어떤 역할을 맡습니까? 선생께서 양원의 어느 의원에게도 죄를 범하지 않은 경우에, 왜 그들의 사면을 구해야 할까요? 누군가가 사면을 받을 자격이 있을 수 있고, 때로는 왕국의 방위가 그 필요성을 요하는 그런 자가 될 수도 있습니다. 의회가 열리지 않더라도, 국왕께서 그를 사면하실 수 있지 않을까요? 에드워드 코크 경의 법은 이 점에서 너무 일반적입니다. 만약 그가 그에 대해 생각했더라면, 국왕 폐하의 자녀와 후계자는 아니더라도, 일부 인물들은 예외로 하였으리라 믿습니다만, 그들은 모두 그분의 신민이요, 다른 사람들처럼 법에 구속되지요.

법률가. 하지만 국왕께서 그분 자신의 머리로 살인죄와 중범죄의 사면을 허하신다면, 집 밖에서든 집 안에서든, 밤이든 낮이든, 누구도 거의 안전하지 못하게 됩니다. 그리고 바로 그러한 이유로 인해 많은 훌륭한 법령이 제정되어, 특별히 범죄를 지목하지 않는 한, 판사가 그러한 사면을 허용하지 못하도록 금하지요.

철학자. 자인컨대, 재판관이 살인죄를 사면하지 못하도록 금지하는 그러한 법령은 합리적이며, 매우 유익합니다. 허나 국왕 폐하께서 그리 하시지 못하도록 금하는 무슨 법령이 있습니까? *리처드 2세* 13년, 1조[73]의 법령은 국왕께서 살인죄를 사면하시지 못하도록 약속하지만, 그 안에는 국왕 폐하의 왕권을 구하기 위한 조항이 있습니다. 이로부터 국왕께서 그 권한이 코먼웰스를 위해 사용되는 것이 좋다고 생각하셨을 때, 이를 양보하시지 않으셨다 추

[73] 13 *Rich. II, c.* 1. 1389년.-역주

론할 수 있지요. 이러한 법령은 국왕 폐하에 대한 법이 아니라, 그분의 재판관들에 대한 것이므로, 비록 재판관이 많은 경우에 국왕께 사면을 허용하지 못하도록 명 받았더라도, 만약 국왕께서 서면으로 재판관에게 이를 허용하라 명하시면, 그들은 그리 해야만 합니다. 제 생각에, 국왕께서 양심에 비추어 코먼웰스에 좋다고 생각하신다면, 죄를 범하시는 것이 아닙니다만, 다른 누군가가 자행된 범죄로 인해 손해를 입은 경우, 범죄를 저지른 당사자가 행할 수 있는 한 배상이 이루어지지 않는 한, 국왕께서 죄 없이 사면하실 수 있노라 판단하지는 않습니다. 그러나 어찌되었든, 죄이든 죄가 아니든, 잉글랜드에서 합법적으로 그분께 저항하거나 악하다 말할 수 있는 권력이란 없습니다.

법률가. 에드워드 코크 경은 그것을 부인하지 않습니다. 그리고 그 근거로 국왕께서 대역죄를 사면하실 수 있다 하지요. 국왕께 맞서는 것 이외의 대역죄란 존재할 수 없으니까요.

철학자. 그렇군요. 그러므로 그는 고백하기를, 어떤 범행이든 간에, 국왕께서는 본인에게만 해가 되는 한, 그리고 그분의 양심이 코먼웰스에 해가 되지 않는다 말할 경우, 실정법이나 자연법, 또는 인정된 어떠한 법률도 위반하지 않으면서 자신의 권리로 사면하실 수 있다 합니다. 그리고 선생께서는 코먼웰스에 무엇이 선악인지를 판단하는 일은 오로지 국왕께 귀속됨을 아십니다. 그럼 말씀해주시지요, 사면된다는 것은 무엇을 말하는 것입니까?

법률가. 범행 이외에 무엇이 있을 수 있겠습니까? 누군가가 살인을 저질렀는 데에도, 그에 대해 사면된다면, 사면되는 것이란 그 살인이 아니겠습니까?

철학자. 아니지요, 선생의 호의로 누군가가 살인이나 여느 다른 범행에 대해 사면받는다면, 사면되는 것은 그 사람이며, 살인은

여전히 살인입니다. 헌데 사면이란 무엇인지요?

법률가. 에드워드 코크 경이 말했듯(『법학제요』 3권, p. 233), 사면이란 *완전히*per와 *선사함*dono에서 파생된 것으로, 완전히 용서한다는 뜻입니다.

철학자. 국왕께서 살인을 용서하시고, 이를 행한 사람을 사면치 않으신다면, 그 용서에 무슨 의미가 있을까요?

법률가. 우리가 살인죄나 다른 무언가가 사면되었다고 말할 때, 잉글랜드인 모두가 그에 따라 범행으로 인한 처벌이 용서되는 것으로 이해한다는 점을 충분히 아시겠지요.

철학자. 허나 우리가 서로 이해하기 위해서는, 처음부터 그리 말씀하셨어야 합니다. 이제 저는 살인죄나 중범죄를 사면한다는 것이란 법에 따라 범인이 자신의 범행에 대해 받아야 할 처벌 일체로부터 그를 완전히 구해내는 것이라 이해합니다.

법률가. 그렇지 않습니다. 같은 장(p. 238)에서 에드워드 코크 경은 이렇게 말합니다. "누군가가 중범죄를 범하고, 그로 인하여 사권이 박탈되거나 포기된 경우, 국왕께서 사권박탈이나 포기서약에 대한 아무런 언급없이 중범죄를 사면하신다면, 사면은 무효이다."

철학자. 사권이 박탈된다는 것이 무엇인가요?

법률가. 사권이 박탈된다는 것은 법에 따라 그의 피가 더럽고 부정한 것으로 판단되어, 그 자녀 또는 그에 의해 권리를 주장하는 누군가에게 어떠한 상속재산도 물려줄 수 없는 것입니다.

철학자. 이러한 사권박탈이 범죄의 일부인가요, 아니면 처벌의 일부인가요?

법률가. 이는 본인의 행위가 아니기 때문에 범죄의 일부가 될 수 없으며, 따라서, 처벌의 일부, 즉 범인의 상속권 박탈입니다.

철학자. 그것은 처벌의 일부로, 나머지 처벌과 함께 사면되지 않은 경우, 에드워드 코크 경이 말하듯, 사면은 처벌에 대한 완전한 용서가 아닙니다. 그리고 포기서약이란 무엇인가요?

법률가. 이전에는 성직자가 중범죄로 유죄 판결을 받았을 때, 왕국을 엄숙히 포기함으로써, 즉 정해진 일정 시간 내에 왕국을 떠나 결코 다시는 돌아오지 않겠다고 맹세함으로써, 목숨을 구할 수 있었습니다. 허나 오늘날 포기서약에 대한 법령은 전부 폐지되었지요.

철학자. 그 또한 처벌이며, 반대되는 법령이 시행되지 않는 한, 중범죄 사면에 의해 사면됩니다. 사면 성격의 허용에 관해서는 리처드 2세 13년, 1조의 법령에도 약간 있는데, 잘 이해가 되지 않는군요. 그 말이란 이렇습니다. “살인죄, 또는 대비되거나 사전 준비된 악의에 의한 죽음, 반역죄, 또는 여성에 대한 강간에 대하여, 그 같은 일이 사면장에 명시되어 있지 않은 한, 앞으로 우리의 판사 앞에서 그 같은 사면장은 허용되지 아니한다.” 그러므로 생각컨대, 국왕께서 사면장에서 살인죄를 사면한다 하시면, 범행을 명시하셨기에 법령을 어기시지 않은 것이요, 국왕께서 대비되거나 사전 준비된 악의에 의한 살해를 사면한다 하시면, 범행을 명시하셨으니 법령을 어기신 것이 아닙니다. 또한 국왕께서 범인을 사면하시고자 하는 뜻을 재판관이 의심할 수 없을 만큼 많이 말씀하신다면, 저는 재판관이 이를 허용해야 한다고 생각하는데, 왜냐하면 법령이 이 점에 있어 국왕 폐하의 자유와 왕권을 구하기 때문이지요. 즉 말하자면 사면권한인 바, 사면장이 허용되는 데에는 “반대되는 여느 법령에도 불구하고”와 같은 말로 충분합니다. 이러한 말은 사면장이 기습적으로 승인된 것이 아니라, 국왕께서 이유가 있으실 때 자비를 베풀 자유와 권한을 주장하시며 청

하심에 따라 승인되었음을 분명히 하니까요. 같은 의미로는 이러한 말이니, *페르도나위무스 옴니모담 인테르펙티오넴*perdonavimus omnimodam interfectionem, 즉 말하자면, 어떤 방식으로 행해졌든, 우리는 살육을 용서하노라라는 것입니다. 허나 여기에서 우리는 범인이 가능한 한 할 수 있는 보상을 하지 않는 한, 국왕께서 다른 사람에게 입힌 어떠한 손해도 죄 없이 사면하실 수 없음을 기억해 두어야 합니다. 하지만 국왕께서는 복수에 대한 사람들의 갈증을 충족시키실 의무를 갖지 아니 하시니, 모든 복수는 하나님으로부터, 하나님 아래 국왕 폐하로부터 이루어져야 하기 때문이지요. 그럼 사면장 이외에, 이러한 범행은 어떻게 명시됩니까?

법률가. 반역죄와 소반역죄, 살인죄, 강간죄, 중범죄 등 명칭에 따라 명시됩니다.

철학자. 소반역죄는 중범죄요, 살인죄도 중범죄이고, 강간죄와 강도죄, 절도죄도 그러하니, 에드워드 코크 경이 말하듯, 소절도죄도 중범죄이지요. 그럼 의회 사면이나 대관식 사면에서 중범죄가 일괄사면되는 경우, 소절도죄는 사면되겠습니까, 안 되겠습니까?

법률가. 네, 확실히, 사면됩니다.

철학자. 그러나 선생께서는 그것이 명시되지 않았음을 보셨으나, 그것은 강도죄보다 중범죄적 성격이 적은 범죄입니다. 그러므로 강간죄, 강도죄, 절도죄는 중범죄 일괄사면의 대상이 아니겠습니까?

법률가. 저는 법령이 예외로 하는 것을 제외하고는 해당 법령의 말에 따라 일괄사면된다 생각하므로, 고로 단지 사면장에 명시되어야 할 필요가 있을 뿐이나, 일반 사면에서는 그렇지 않습니다. *리처드 2세* 13년, 1조의 법령은 의회 사면이나 대관식 사면의 허

용을 금하지 않으므로, 사면되는 범행이 명시될 필요가 없으며, *모든 중범죄*라는 일반적인 단어로 넘어갈 수 있으니까요. 또한 사면을 직접 작성한 의회 의원들이 가능한 한 포괄적으로 만들려 하지 않았을 가능성도 없습니다. 그러나 에드워드 코크 경은 *중범죄*라는 단어에 대해 다른 마음을 품은 듯 보입니다(『법학제요』 1권, *sec.* 745). 해적질은 중범죄의 일종이지만, 엘리자베스 여왕 폐하 마지막 해에 어떤 잉글랜드인들이 해적질을 저지르고, 제임스 국왕 폐하 통치 초기에 잉글랜드로 귀향하여, 모든 중범죄를 대상으로 한 대관식 사면을 믿었을 때, 그들은 *헨리 8세* 28년[74]의 법령에 따라 위원들 앞에 기소되어(당시 에드워드 코크 경이 법무장관이었지요), 유죄 판결을 받고 교수형에 처해졌습니다. 그가 이에 대해 주장한 이유는, 사면에 *해적질*이라는 명칭으로 명시되었어야 하므로, 사면이 허용되지 않았다는 것이었습니다.

철학자. 왜 여느 다른 중범죄와는 달리 명시되어야만 했을까요? 그러므로 그는 이성의 법칙에서 논증을 끌어내야 합니다.

법률가. 그 또한 그리 합니다. 그가 말하길, 재판이 보통법에 의하였고, 제독재판소가 아니라 시민법에 의해 위원들 앞에서 이루어졌으므로, 그러므로 12인에 의해 심리될 수 없기에, 보통법이 어떠한 주의도 기울일 수 없는 범행이라 하였지요.

철학자. 보통법이 이러한 범행에 대해 주의할 수 없거나, 그리하여서는 안된다면, 어떻게 범인들이 12인에 의해 재판받고, 유죄로 판결되어, 그처럼 교수형에 처해질 수 있었겠습니까? 보통법이 해적질에 대해 아무런 주의도 하지 않았더라면, 그들을 교수형에 처하게 했던 다른 범행이 무엇이었습니까? 해적질이 두 가지의 중

[74] 28 *Hen. VIII*, c. 15. 해상범죄법, 1536년.-역주

범죄라서, 한편으로는 시민법에 따라 누군가를 교수형에 처하도록 하면서, 또 다른 한편으로는 보통법에 의해야 합니까? 진실로 저는 에드워드 코크 경의 제요보다, 그가 얼마나 잘 변론하든, 잉글랜드 법에 관한 어떠한 저자에게서도 그보다 더 약한 추론을 본 적이 없습니다.

법률가. 저는 선생 뿐만 아니라 다른 이들에게서도 그를 비난하는 말을 많이 들었습니다만, 그의 제요에는 예리함에 있어서나 진리에 있어서나, 훌륭한 것들이 많습니다.

철학자. 법을 과학으로 저술하는 다른 법률가들보다 더 나은 점이란 없습니다. 아리스토텔레스와 호메로스, 그리고 법조인들이 보통 읽는 다른 책들을 인용하는 것은 제 의견으로는, 그의 권위를 약화시킬 뿐입니다. 누구든 하인을 통해 할 수 있으니까요. 허나 당시의 무대 전체가 지나가 과거가 되었으니, 다른 무언가로 넘어가보지요. *망각법안*은 의회 사면과 무엇이 다를까요?

법률가. 이 *망각법안*이라는 단어는 *찰스 2세* 12년, 11조[75] 이전에는 결코 우리 법전에 없었고, 두 번 다시 절대로 나오지 않기를 바라오나, 그것이 언제 나왔는지는, 저보다는 선생께서 더 잘 아시겠지요.

철학자. 제가 읽어본 적이 있는 여느 나라의 법에서 최초이자 유일하게 통과된 적이 있는 망각법안은 범죄나 인격상의 모든 예외를 제외하고, 법안 이전의 전기간에 아테네 시민들 사이의 모든 다툼의 기억을 *상실*하거나 *망각*하는 것이었습니다. 그 계기란 이랬지요. 아테네인들을 완전히 제압한 라케다이몬인[76]들은 아테네

75 12 *Car. II. c.* 11. 면책 및 망각법안, 1660년.-역주

76 스파르타인을 말한다.-역주

시내로 들어가서, 백성들에게 자기들 도시에서 30인을 뽑아 주권 권력을 갖도록 명했습니다[77]. 선출된 자들은 선동을 유발할 만큼 너무나도 터무니없이 행동하여, 양측 시민들이 매일처럼 살해당했습니다. 그때 한 신중한 인물이 각 당원들에게 만인이 각자의 장소로 돌아가 과거를 전부 잊어야 한다 제안했지요. 그 제안은 양측의 동의에 따라 공공법안으로 제정되었으며, 그러한 이유로 *망각*이라 불리웠습니다. 율리우스 카이사르의 암살로 로마에서 그 같은 무질서가 발생하자, 키케로Cicero (BC 106~BC 43)가 그 같은 법안을 제안하여, 실제로 통과되었지만, 마르쿠스 안토니우스Marcus Antonius (BC 83~BC 30)에 의해 다시 며칠 만에 깨졌습니다. 이 법안을 모방하여, *찰스 2세* 12년, 11조 법안이 만들어졌지요.

법률가. 이로써 찰스 국왕께서 만드신 망각법안은 의회 사면과 다르지 않아 보이는데, 왜냐하면 다른 의회 사면이 그렇듯, 아주 많은 예외를 포함하며, 아테네의 법안은 그렇지 않았기 때문입니다.

철학자. 그러나 여기서 만들어진 근래의 망각법안과 통상적인 의회 사면 사이에는 차이가 있습니다. 의회에서 일반적인 어휘로 사면되는 잘못에 관해서는, 중범죄 일괄사면이 해적질에 대한 사면인지 아닌지에 대한 것처럼, 그러한 말로 범인이 의미되든 그렇지 않든, 이에 관하여 법적 소송이 제기될 수 있지요. 에드워드 코크 경의 보고를 보시면, 중범죄 사면에도 불구하고, 그가 법무

---

77 삼십인 정권Thirty Tyrants을 말한다. 기원전 405년, 펠레폰네소스 전쟁Peloponnesian War에서 스파르타에게 패배한 아테네에 들어섰던 과두정권이다. 폭압적인 통치로 인해 시민들의 반발에 직면, 바로 이듬해에 무너졌다.-역주

장관이었을 때 해상 중범죄는 사면되지 않았습니다. 허나 근래의 내전에서 저질러진 온갖 종류의 범행을 사면한 근래의 망각법안에 따라, 예외적인 범죄에 관해 어떠한 질문도 제기할 수 없게 되었지요. 첫째로, 법에 따라 잊혀져야 하는 사실에 대해 누구도 다른 사람을 비난할 수 없기 때문입니다. 둘째로, 모든 범죄는 당시의 방탕함과 내전으로 인한 법의 침묵에서 비롯된 것으로 주장될 수 있으며, 결과적으로 (범죄자 개인이 또한 제외되지 않는 한, 혹은 범죄가 내전 시작 전에 저질러지지 않은 한) 사면 내에 있기 때문입니다.

법률가. 참으로 옳은 말씀입니다. 전쟁을 계기로 행해진 일 이외에 어떤 것도 사면되지 않았더라면, 전쟁 유발 그 자체도 사면되지 않았을 테니까요.

*내 것*과 *네 것*의 법칙에 관하여.

철학자. 범죄와 처벌에 대해 살펴보았으니, 이제 *내 것*과 *네 것*의 법칙으로 넘어가지요.

법률가. 그렇다면 법령을 검토해야 합니다.

철학자. 법령이 명하고 금하는 바에 대해서는 마땅히 그래야 하지만, 그 정의로움에 대해 논쟁해서는 안 됩니다. 이성의 법칙은 모두가 자신이 동의한 법을 준수하고, 순종과 충성을 약속한 인물에게 순종하기를 명하니까요. 그러면 다음으로 마그나 카르타 및 다른 법령에 대한 에드워드 코크 경의 해설을 고찰해보지요. 마그나 카르타의 이해를 위해서는 역사가 허용하는 한 고릿적으로 거슬러 올라가, 우리 조상인 색슨족의 관습 뿐만 아니라, 정부의 원형과 재산 취득에 관한, 그리고 사법 재판소에 관한 모든 법률 중 가장 오래된 법인 자연법을 또한 고찰하는 일이 꼭 필요하겠습니다. 그러면 일단, 지배권과 정부, 법률은 역사나 여느 다른 기록

보다도 훨씬 더 오래되었으며, 인간들 사이에 모든 지배권은 가족에서 시작되었음이 자명합니다. 그 안에서 가족의 가장은, 첫째로, 자연법에 따라 그 아내와 자녀들의 절대적인 주인이었고, 둘째로, 가족들 사이에서 원하는 대로 어떤 법이든 만들었으며, 셋째로, 모든 논쟁에 대한 재판관이었고, 넷째로, 자기 자신 이외에는 어떤 조언에 따라 누군가의 무슨 법률에 따라야 할 의무도 없었습니다. 다섯째로, 가주가 깔고 앉아 본인과 가족의 편익을 위해 사용하는 땅이라면 무엇이든, 앞선 거주자가 없을 경우에는 선점법에 따라, 혹은 정복한 경우에는 전쟁의 법칙에 따라 그의 소유였습니다. 이러한 정복에서 그들이 사로잡아 구제한 적들은 종복이 되었지요. 또한 소유지가 부족하지만, 인생에 필요한 기술을 갖춘 자들은 보호를 위해 가족 내에서 거하면서 신민이 되었고, 가족법에 스스로 복종하였습니다. 그리고 이 모든 것은 자연법 뿐만 아니라, 역사에 명시된 인류의 신성한 관행과 세속적인 관행에도 부합합니다.

법률가. 가족의 주권 통치자인 가주가 그와 같은 또 다른 주권자 가주에게 전쟁을 벌여, 그 땅을 빼앗는 것이 합법적이라 생각하시는지요?

철학자. 그것을 행하는 자의 의도에 따라, 합법적이기도 하고 불법적이기도 합니다. 첫째로, 주권 통치자이기에, 그는 어떠한 인간의 법률에도 복종하지 않으며, 하나님의 율법에 관해서는, 의도가 정당한 경우, 행위도 마찬가지입니다. 의도는 다양한 경우에 자연권에 따라 합법적일 수 있습니다. 그 중 하나는 생존의 필요성으로 인해 어쩔 수 없는 경우이지요. 고로 이스라엘의 자손은 그들의 지도자, 모세와 여호수아가 하나님으로부터 가나안인들을 쫓아내라는 직접적인 명을 받았던 데다가, 또한 다른 식으로는 생

존할 수 없었던 목숨을 보존해야 하는 자연권에서, 그들이 행했던 바를 하는 데에 정당한 구실을 얻었습니다. 그리고 생존과 마찬가지로, 안전 또한 충분한 담보로 두려움이 사라지지 않는 한, 두려워해야 할 정당한 이유가 있는 자들을 침략할 정당한 구실입니다. 그러한 담보란 제가 상상할 수 있는 무엇으로도 완전히 불가능하지요. 필요와 안전은 하나님 앞에서 개전을 정당화하는 주요한 이유입니다. 입은 피해는 방어전을 정당화하나, 배상가능한 피해에 대해 배상이 제공될 경우, 그러한 명분 하의 모든 침략은 죄악이지요. 개전에 있어 자연권에 관해 성경이나 다른 역사의 예가 필요하시다면, 여가 시간에 읽어 보시는 걸로 충분히 찾으실 수 있습니다.

법률가. 선생께서는 가족의 주권자 가주가 획득한 땅이 그의 소유라 하시면서, 제 생각에는 신민 중 누군가가 승리에 얼마나 기여했든, 그들의 소유권 일체를 부인하시는 듯 합니다.

철학자. 그렇습니다. 또한 그에 반대할 이유도 없어 보입니다. 신민들은 가족 내로 들어오면서, 토지의 일부, 또는 안전 이외의 다른 무언가를 요구할 명분이 전무하며, 또한 전력을 다 바치고, 그리고 만약 필요하다면, 전재산을 다 바쳐야 합니다. 어느 한 사람이 자기 혼자 힘으로 나머지 모두를 지킬 수 있다고 여겨질 수는 없으니까요. 그리고 관행에 따르면, 모든 정복에서 정복된 땅은 승자의 단독 권력에, 그리고 그의 처분에 달려있음이 분명합니다. 여호수아와 대제사장이 가나안 땅을 이스라엘 지파들이 원하는 대로 나누지 않았습니까? 로마 및 그리스의 군주와 국가들은 자기 재량에 따라, 그들이 정복한 지방을 식민지로 삼아 거주하도록 하지 않았습니까? 오늘날 투르크인 가운데, 술탄 외에 토지상속자가 있습니까? 그리고 한때 잉글랜드 전국토가 정복자 윌리엄

의 손아귀에 있지 않았습니까? 에드워드 코크 경 본인이 이를 자인하지요. 따라서 승전 직후, 정복된 모든 땅이 이를 정복한 자의 땅이라는 것은 보편적 진리입니다.

법률가. 하지만 모든 주권자는 이중의 역량, 즉 인간으로서 자연적 역량, 그리고 왕으로서 정치적 역량을 갖는다고 이야기된다는 것을 아시겠지요. 정치적 역량에서 정복자 윌리엄께서 한때 잉글랜드 전국토의 타당하면서도 유일한 소유자셨음을 인정합니다만, 자연적 역량에서는 그렇지 않았습니다.

철학자. 그가 정치적 역량에서 토지를 소유했다면, 이 중 어느 부분도 처분을 위해서가 아니라 백성의 편익을 위해 소유한 것이니, 이는 그 자신이나 백성의 재량, 즉 의회법에 따라야 합니다. 허나 정복자가 그 땅을 (일부는 잉글랜드인에게, 일부는 프랑스인에게, 일부는 노르만인에게, 기사 복무와 농역socage 등으로 다양한 소작권을 보유케 하였듯) 의회법에 따라 처분한 적이 있는지요? 아니면 그가 빼앗은 땅을 처분하는 데 있어 잉글랜드 귀족원과 서민원의 동의를 얻고자, 의회를 소집한 적이 있었던가요? 아니면 자신의 휴양이나 웅대함을 위해 숲이라는 명칭으로, 이런 저런 땅을 자기 손아귀에 보유하는 데에 있어서는요? 잉글랜드의 국왕 폐하가 소유하신 전국토는 백성들에 의해 부여받으신 것으로, 이로써 전비를 치르고, 대신들의 봉급을 지불하신다고, 그리고 그 땅은 백성들의 돈으로 얻으셨노라 아마도 어떤 법률가라든지, 현명하고 훌륭한 애국자라는 평판을 받는 사람들이 말하는 것을 들어보셨겠지요. 근래의 내전에서 그들이 국왕 폐하에게서 킹스턴-어폰-헐 시를 빼앗을 때, 그렇게 주장했으니까요. 허나 선생께서 그러한 주장이 정당하다 생각치 않으신다는 것을 압니다. 그러므로 정복자 윌리엄 국왕께서 잉글랜드인과 다른 이들에게 나누어 주시

어, 현재 특허장과 여타 양도에 따라 보유되는 땅이 온당하고도 실제적으로 그분의 소유였음을 부인할 수 없으며, 그렇지 않다면 현재 이를 보유한 자들의 보유권은 무효여야 합니다.

법률가. 동의합니다. 군주정의 시작을 보여주셨으니, 그럼 그 성장에 관한 의견을 들려주시지요.

철학자. 대군주정은 소가족에서 비롯되었습니다. 일단, 전쟁으로 승자는 영토를 넓혔을 뿐만 아니라, 신민의 수와 부도 늘렸지요. 다른 형태의 코먼웰스는 다른 방식으로 확대되었습니다. 일단, 많은 가족의 가주가 자발적으로 결합하여 하나의 대귀족정이 되었지요. 다음으로는, 반란으로 처음에는 무정부상태가 되어, 무정부상태에서 그 안에서 살아가는 자들의 재난이 그들에게 독촉하는 어떤 형태로, 즉 세습적인 왕이나 종신의 선출직 왕을 선택하는지, 혹은 특정인으로 구성된 평의회, 즉 *귀족정*에 합의하는지, 혹은 온백성이 주권 권력을 갖는 평의회, 즉 *민주정*에 동의하는지에 따라 진행되었습니다. 첫번째 방식은 전쟁으로, 세상에서 가장 위대한 왕국들, 즉, 이집트와 아시리아, 페르시아, 마케도니아 군주정이 성장했고, 잉글랜드와 프랑스, 스페인의 대왕국도 그러하였습니다. 두번째 방식은 베네치아 귀족정의 원형이었지요. 세번째 방식인 반란은 여러 대군주정을 성장시켰고, 하나의 형태에서 다른 형태로 끊임없이 변화했습니다. 로마에서처럼, 왕에 대한 반란은 민주정을 낳았는데, 이는 술라Sulla (BC 138~BC 78) 아래 원로원이 찬탈했고, 다시금 마리우스Gaius Marius (BC 157?~BC 86) 아래 백성들이 원로원을 찬탈했으며, 카이사르와 그 후계자 아래 황제가 백성들을 찬탈했습니다.

법률가. 자연적 역량과 정치적 역량 사이의 구분이 중요치 않다고 생각하시는지요?

철학자. 아닙니다. 주권 권력이 인간집단에 있다면, 그 집단은 *귀족적*이든 *민주적*이든 토지를 소유할 수 있지만, 그것은 자기네들 정치적 역량에 달려있지요. 왜냐하면 자연인은 그 땅이나, 그 일부에 대해 어떤 권리도 갖지 못하니까요. 같은 식으로, 그들은 복수의 명령으로 조치를 명할 수 있지만, 그 중 어느 하나의 명령은 효력이 없습니다. 허나 주권 권력이 한 사람에게 있을 때, 자연적 역량과 정치적 역량은 동일인에게 있으며, 토지 소유와 관련해서는 구별 불가능합니다. 하지만 행위와 명령에 관해서는 이런 식으로 잘 구분될 수 있지요. 군주가 왕국 백성의 동의에 따라 명하거나 행하는 것이라면 무엇이든 그의 정치적 역량으로 행해진다고 타당하게 이야기될 수 있으며, 그 입으로만 말하든, 손으로 서명하거나 개인 인장 중 무언가로 봉해진 서신에 의하든, 그가 명하는 것이라면 무엇이든 자연적 역량으로 행해지는 것입니다. 그럼에도 불구하고, 그의 공적 명령이 정치적 역량으로 이루어진다 하더라도, 자연적 역량에서 원형을 얻습니다. 그의 동의를 반드시 요하는 법률을 제정할 때, 그의 동의는 자연적이니까요. 또한 잉글랜드 대인장 아래 법률이 통과되기 전에 국왕께서 입으로 하는 말로, 혹은 서명이나 개인 인장 하의 영장으로 행하시는 조치들은 자연적 역량으로 행해지는 것이지만, 국새를 통과하면 정치적 역량으로 행해지는 것으로 간주되어야 합니다.

법률가. 저는 진실로 선생의 구별이 훌륭하다 생각합니다. 자연적 역량과 정치적 역량은 사적 권리와 공적 권리 이상을 의미하지 않으니까요. 그러므로 이 논증을 떠나, 다음으로 우리 조상들의 법과 관습이 무엇이었는지를, 역사가 허용하는 데까지 고찰해보지요.

철학자. 로마 황제에게 정복당하지 않았거나 제국법을 사용하도

록 강요당하지 않은 다른 모든 게르만족과 마찬가지로, 색슨족은 전쟁과 약탈로만 살아가는 야만적인 이교도 백성이었고, 로마의 유물에서 배움을 얻은 일부가 확언했듯, *게르만족*과 *전쟁상태의 인간*hommes de guerre이 매한가지였던 것처럼, 고대의 생업으로부터 게르만족의 이름을 얻었습니다. 가족과 하인, 신민에 대한 통치는 절대적이었고, 자연적 형평성 이외에는 법도 없었고, 성문화된 법이란 거의 또는 전혀 없었으며, 카이사르 시대에 글을 쓰거나 읽을 수 있는 자도 거의 없었지요. 통치권은 부계나 정복, 또는 혼인에 의했습니다. 토지 계승은 가주의 마음대로, 그 생전에 증여나 유증으로 결정되었고, 생전에 처분하지 않은 토지는 사후 그 상속인에게 물려주었지요. 상속인은 장남이었습니다. 장남에게 물려줄 수 없으면, 그 순서대로 더 어린 아들들에게 내려갔고, 아들이 없으면, 딸들이 공동으로 한 사람의 상속인처럼 되거나, 아니면 그들끼리 나누어 같은 식으로 그 상속인들에게 내려갔습니다. 그리고 자녀가 없다면, 땅이 부계측이었는지 모계측이었는지에 따라, 부계나 모계측 삼촌이 유산을 승계하였고, 그 다음 혈족으로 그렇게 계속 이어졌지요. 그리고 이것은 자연스레 혈통이 더 가까울수록 친족성이 더 가까워졌기 때문에, 자연적인 승계였으며, 게르만족 사이에서 뿐만 아니라, 성문화된 법이 있기 전 대부분의 민족에서도 자연법으로 유지되었습니다. *주스 레그니*jus regni라 불리는 통치권은 아들들 다음으로 장녀를 첫째로, 그리고 그녀의 상속인들에게 이어진다는 점을 제외하고는, 같은 식으로 내려갔는데, 그 이유는 정부는 나누어질 수 없기 때문이지요. 그리고 이 법률은 여전히 잉글랜드에서 지속되고 있습니다.

법률가. 주권자 가주가 소유한 모든 땅은 그 본인 소유이건만, 어떻게 신민이 그 땅에 대한 소유권을 갖게 되었습니까?

철학자. 소유권에는 두 종류가 있습니다. 하나는 어떤 사람이 하나님의 선물로만 땅을 보유하는 것인데, 이 땅을 시민들은 *완전사유지*allodial라 하며, 왕국 내에서 국왕 폐하 이외의 누구도 그렇게 보유할 수 없습니다. 다른 하나는 수수료처럼, 어떤 사람이 다른 사람에게 봉사하고 순종하는 대가로 주어진 것으로서 땅을 보유하는 것이지요. 첫번째 종류의 소유권은 절대적이요, 다른 종류는 조건부인데, 왜냐하면 이는 부여자에게 행해지는 어떤 봉사로 인해 주어지기 때문입니다. 첫번째 종류의 소유권은 다른 모든 타인의 권리를 배제하며, 두번째는 같은 땅에 대한 다른 모든 신민의 권리를 배제하지만, 백성들의 공동선이 그 사용을 요구할 때, 주권자의 권리에 대해서는 그러지 못합니다.

법률가. 이렇게 왕들이 자기 땅과 분리된다면, 공격이든 방어로든, 전비를 위해서나, 혹은 주권자 국왕의 위엄이 될 뿐만 아니라 자신의 인격과 백성을 치욕으로부터 지키는 데에 필요한 방식으로 왕가를 유지하기 위해서는 무엇이 남게 될까요?

철학자. 그들에겐 충분한 수단이 있으며, 신민들에게 준 것 이외에도 손아귀에는 휴양을 위해 조성된 많은 땅이 남아있습니다. 잘 아시듯, 잉글랜드의 국토 대부분은 대체로 국왕 폐하의 친족이나 총신을 이루는 왕국 내 거물들에게 군역을 위해 주어졌으며, 본인들의 생계에 필요한 것보다 훨씬 더 많은 땅이지만, 침략해오는 적에게 언제든 저항할 준비가 된 병사가 부족해서는 안 되었으므로, 하사받은 토지의 양에 따라 하나 이상의 많은 병사가 부과되었기에, 그 주인들은 일정 기간 동안 자비로 병사를 제공해야 했으니까요. 또한 전국토가 수백으로 나뉘고, 또 십년마다 그랬음을 또한 아시겠지요. 그 십년 동안 모든 인간은, 열두 살짜리 아이들까지도 충성맹세를 해야 했습니다. 그리고 농업에 종사하고자

토지를 보유한 사람들은 모두 자연법에 따라, 침략자에게서 왕국을 방어하는 데에 본인의 육신과 재산으로 묶여 있었음을 믿으셔야 합니다. 그리고 그들이 농노라 부르고, 더욱 비천한 천역으로 그 땅을 보유한 자들 또한 최선을 다해 왕국을 방어해야 할 의무가 있었습니다. 아니, 여성과 아이들은 그러한 필요성에서, 가능한 한 그러한 봉사, 즉 말하자면 싸우는 이들에게 무기와 음식물을 가져다 주고, 땅을 파는 일을 해야 할 의무가 있지요. 허나 군역으로 그 땅을 보유한 자들은 더 큰 의무를 지게 됩니다. *에드워드 2세* 17년[78] 법령에 명시된 바에 따르면, 경의를 표하는 형식을 읽고 준수해야 하는 바, 그 이전과 정복 이전에는 쓰이지 않았으리라는 것을 의심치 않으시겠지요.

법률가. 소인은 목숨으로, 수족으로, 세속의 명예로, 나으리의 사람이요, 소인이 보유한 나으리의 땅에 대해 신의를 다하겠나이다.

철학자. 설명 부탁드립니다.

법률가. 제 생각으로 그것은 마치 이렇게 말하는 것 같은데, 소인은 나으리께서 제게 주신 땅에 보답하여, 신의를 다해야 할 의무가 있사오니, 나으리의 명령에 따라 제 목숨과 사지, 전재산을 다할 것을 약속드리옵니다. 이것이 바로 국왕께 직접 바치는 경의의 형식입니다. 하지만 한 신하가 그 같은 군역으로 다른 이의 땅을 차지할 때에는 예외가 추가되는데, 즉, *국왕께 소인이 빚진 신의를 제외*한다는 것이지요.

철학자. 또한 그가 맹세하지 않았나요?

법률가. 네, 충성맹세라고 합니다. *소인은 나으리께 소인의 의*

---

78 17 *Edw. II*, Stat. 2, 1324년.-역주

무가 정해진 바대로, 충실하고도 적법하게 그러한 관습과 봉사를 행해야 할지니, 하나님과 그 모든 성도들이여 도와주소서. 하지만 이러한 봉사, 그리고 농업에 대한 종사는 그 임대료로 잉글랜드에서처럼 돈으로, 아니면 스코틀랜드와 프랑스에서처럼 옥수수나 다른 식료품으로 지불하도록 빠르게 전환되었습니다. 군역의 경우, 소작인은 대체로 그가 보유한 토지의 연간 가치에 따라, 한 명 이상의 인물과 함께 전쟁에서 국왕께 복무해야 할 의무가 있었지요.

철학자. 그 의무란 기병이었습니까, 아니면 보병이었습니까?

법률가. 저는 누군가에게 그 소작과 관련하여, 말을 타고 복무하도록 요구하는 어떠한 법률도 찾지 못했습니다.

철학자. 소작인이 부름을 받았을 경우, 직접 복무해야 할 의무가 있었나요?

법률가. 처음에는 그랬다고 생각합니다. 군역을 대가로 토지가 주어지고, 소작인이 죽어 아들과 상속인을 남겼을 때, 영주는 상속인이 21세가 될 때까지 신병과 토지, 모두에 대한 후견권을 가졌으니까요. 그리고 그 이유는 21세가 될 때까지 상속인이 전쟁에서 국왕께 복무할 수 없다고 여겨졌기 때문인데, 만약 상속인이 직접 전쟁에 나가야 할 의무가 없었더라면, 그 이유로 불충분했겠지요. 제 생각에, 어떤 다른 법률로 변경되지 않는 한, 이는 법으로 유지되어야 합니다. 이러한 봉사는 다른 권리와 함께, 후견인제도, 소작인의 상속재산에 대한 일차소유권, 양도허가증, 중죄인의 재산, (국왕 폐하께서 보유하신 경우) 중죄인의 토지, 토지의 첫 해 수익, 누가 보유했든, 몰수물 및 보상물, 여타 여러 원조처럼 매우 큰 연간 수입에 달할 수밖에 없습니다. 국왕께서 장인과 상인에게 합리적으로 부과하실 수 있는 전부를 이에 더해야 하는 바, 국왕께서 보호하시는 모든 사람은 스스로를 보호하는 데에 기

여해야 하며, 그리고 당대의 국왕들에게 여유가 있어 (하나님이 그 적이 아닌 경우) 외적에게서 백성을 지키고, 또한 그들 사이의 평화를 유지하도록 강제하기에 충분한 수단이 없었는지를 고려해야 하기 때문이지요.

철학자. 그리고 후임 국왕들이 그 권리를 결코 포기하지 않고, 그 신민이 늘 자기 맹세와 약속을 지켰더라면, 그랬겠지요. 고대 색슨족과 독일의 다른 민족들, 특히 북부에서는 어떤 방식으로 법을 만들었는지요?

법률가. 에드워드 코크 경은 여러 색슨족 법률을 모아 색슨어로, 그리고 램바드 씨가 라틴어로 출간했는데, 색슨족 왕들은 법을 만들기 위해 오늘날 잉글랜드에서 쓰이는 바와 같은 방식으로, 귀족원과 서민원을 한데 소집했다고 추론합니다. 하지만 램바드 씨가 출간한 색슨족 법률에 따르면, 왕들은 왕국에서 가장 현명하고 가장 신중한 인물 중 대다수를 한데 불러 모아, 그들의 조언에 따라 법을 만들었던 듯 보입니다.

철학자. 저도 그리 생각합니다. 연륜과 건전한 정신을 갖추었으므로, 세상에 다른 식으로 어떤 법을 만든 왕이란 없으니까요. 백성들이 감내할 수 있고, 조바심없이 지키고, 강력한 이웃에 맞서 국왕과 나라를 방어할 힘과 용기 안에서 살아가도록, 그러한 법을 만드는 것이 그들 자신의 이해와 관련되기 때문이지요. 허나 가장 현명하고 가장 신중한 인물이란 누구이며, 누가 어떻게 분별하여 결정하였는지요? 우리 시대에 누가 가장 현명한지를 알기란 어려운 문제입니다. 우리는 누가 하원의원을 선출하는지, 그리고 어떤 도시가 의회에 시의원을 보내는지에 대해 잘 알지요. 그러므로 그 시절에도 누가 현명한 인물이어야 하는지 결정되었다면, 옛 색슨족 의회와 이후의 잉글랜드 의회가 같은 것이며, 에드워드 코크

경이 옳았다 자인합니다. 그러므로 가능하시다면, 현재 의회에 시의원을 보내는 도시들이 언제부터 그러기 시작했는지, 그리고 어떤 이유로 이 도시는 이런 특권을 갖는데, 저 도시는 인구가 더 많은데도 그러지 못하는지 말씀해주시지요.

법률가. 언제부터 이 관습이 시작되었는지는 알지 못합니다만, 솔즈베리 시보다는 더 오래 되었다 확신합니다. 왜냐하면 그 근처, 올드 새럼이라는 곳에서 의회로 두 명의 시의원이 오기 때문인데, 제가 이를 보면서 시의원이라는 단어가 무슨 뜻인지 모르는 이방인에게 말한다면, 그는 이를 한 쌍의 토끼라 생각하겠지요. 그곳은 기다란 원뿔처럼 생긴 자치시니까요. 그러나 그로부터 훌륭한 논거가 도출될 수 있는 바, 모든 도시 주민은 자기들 시의원의 선출자이자, 그들 재량권에 대한 재판관이며, 그들이 신중하든 그렇지 않든, 그렇지 않다는 것이 명백해질 때까지 법은 그들이 신중하다 간주하게 됩니다. 그러므로 국왕께서 왕국에서 보다 신중한 인물들을 한데 불러 모으셨다고 회자되는 곳에서는, 현재 어떤 선출법이 쓰이고 있는지를 이해해야만 하지요. 이로써 옛 색슨족 왕들이 소집한 거대한 일반 회합이 정복 이후 소집된 의회와 같은 성격이었음이 분명해졌습니다.

철학자. 저는 선생의 추론이 훌륭하다 생각합니다. 국왕 폐하나 자치시 주민들 이외에 어느 누가 의회로 보내지는 자들의 신중함이나 충분함에 대해 주의를 기울일 수 있는지 상상할 수가 없으니까요. 그리고 시의회 도시의 옛 시절에 대해서는, 여느 역사에도 현존하는 어떤 기록에도 언급되어 있지 않으므로, 누구든 자기 추측을 자유로이 제시할 수 있습니다. 이 땅이 색슨족에게 여러 차례 침략당했고, 여러 전쟁으로 조각조각 정복되었으므로, 잉글랜드에는 한 번에 많은 왕이 있었고, 그들 모두에게 의회가 있었지

요. 따라서 각 왕의 영내에 성벽으로 둘러싸인 도시가 더 많으냐 적으냐에 따라, 의회에 더 많거나 적은 시의원이 있었습니다. 허나 이 모든 소왕국들이 하나로 합쳐지면서, 그 하나의 의회로 잉글랜드 모든 자치시에서 시의원들이 왔지요. 그리고 이것이 어쩌면 왕국의 여타 지역보다 서부에 그러한 자치시가 훨씬 더 많은 이유일 수 있는데, 서부는 더 많은 인구에, 또한 침략자들에 대해 더욱 불쾌해 하며, 그러한 이유로 더 많은 도시가 요새화되었습니다. 제 생각에 이것이 어떤 도시는 의회에 시의원을 보내고, 다른 도시는 그러지 못하는 특권의 원형일지 모릅니다.

법률가. 그 추측은 그럴 법하며, 더 크게 확실한 추측이 없으므로, 허용될 수 있습니다. 하지만 법을 제정하려면 보통 영적 귀족과 세속 귀족의 동의가 있어야 한다고 생각되는데, 옛 색슨족 의회에서 세속 귀족은 누구이고, 영적 귀족은 누구였다 생각하시는지요? 『의회개최법Modus Tenendi Parliamentum』이라는 책은 오늘날 의회를 여는 방식과 정확히 일치하는데, 그 책은 에드워드 코크 경이 말하듯, 색슨족 시절에, 정복 전에 쓰여졌습니다.

철학자. 에드워드 코크 경보다 더 위대한 고고학자인 셀든 씨John Selden (1584~1654)는 그의 책 『명예칭호Titles of Honour』 마지막 판에서 『의회개최법』이라는 책이 리처드 2세 폐하 시절 즈음까지 쓰여지지 않았다고 말하는데, 제게는 입증된 것처럼 보입니다. 허나 어찌되었든, 램바드 씨가 명시한 색슨족 법률에 따르면, 의회에는 언제나 앨더맨, *별칭으로* 백작이라 불리우는 특정 거물들이 부름 받았음이 분명합니다. 그렇게 선생께서는 귀족원과 서민원을 갖게 되셨습니다. 또한 같은 곳에서, 색슨족이 그리스도 신앙을 받은 후, 그들 가운데 있던 주교들이 법률이 제정되는 대회합에 언제나 참석하였음을 발견하게 되시겠지요. 따라서 정복자와 함께 들어온

프랑스 작위인 남작이라는 명칭이 그들 가운데 없었음을 제외하고는, 선생께서는 완전한 잉글랜드 의회를 갖고 계십니다.

베히모스

잉글랜드 내전의 원인, 그리고 1640년부터 1660년까지 이를 수행한 조언과 책략에 관한 역사.

"잉글랜드인들에 의한 전쟁은 내전 그 이상이었으며,
우리는 일어난 범죄에 대해 이야기하리라.-" [79]

[79] Bella per Angliacos plusquam civilia campos, Jusque datum sceleri loquimur.-역주

* 존경받아 마땅한

알링턴 남작, 헨리 베넷 각하[80]께.

각하, 1640년부터 1660년까지 폐하의 영토에서 일어난 기억할 만한 내전과 관련된 네 편의 짧은 대화편을 각하께 올립니다. 첫 편은 그 씨앗, 그리고 신학과 정치에 관한 특정 의견을 담고 있습니다. 두번째 편은 국왕 폐하와 의회가 발표했던 선언문과 간언, 그 외의 저술에서 그 씨앗이 자라나는 과정입니다. 마지막 두 편은 전쟁 그 자체에 대한 아주 짧은 요약으로, 히스 씨[81]의 연대기에서 발췌하였습니다. 그 전쟁을 오래 기억하는 것만큼 충성심과 정의에 보다 교훈이 될 수 있는 것이란 없습니다. 각하께서 기쁘신 대로 처리하여 주시기를. 이를 출간하지 않으시기를 청하나이다. 하지만 각하께서 지금까지 그러하셨듯, 제게서 호의를 거두시지 않기를 바라옵니다.

각하께,

각하의 가장 겸손하고 충성스러운 종,

토머스 홉스가. *

---

[80] Henry Bennet (1618~1685). 잉글랜드 내전 당시 왕당파를 지지했으며, 찰스 2세의 고문으로 활동했다.-역주

[81] James Heath (1629~1664?). 잉글랜드 왕당파 역사가로, 『최근의 내전 연대기Chronicle of the Late Intestine War (1661)』를 저술했으며, 본문에서 언급하는 연대기는 이를 말한다.-역주

서문

홉스의 『베히모스Behemoth』 내지는 (흔히 회자되기론) 『잉글랜드 내전에 관한 대화편』는 왕정복고 이후 수년쯤 지나 쓰여졌지만, 저자의 생전이었던 1679년까지 정본이 존재하지 않았다. 하지만 3년이 지나 그의 오랜 발행인이었던 윌리엄 크룩은 『맘스베리의 토머스 홉스 씨의 소고Tracts of Mr. Th. H. of Malmsbury』 라는 제목으로 책을 발간했는데, 여기에는 뒤이은 세 편의 논문에 앞서 가장 첫 자리에 『베히모스』라는 제목의 논문이 실렸고, 다음과 같은 소개가 덧붙여졌다. "홉스 씨에 대한 추모 만큼이나 대중에 대한 나의 의무는 이 소고가 가장 올바른 정확성을 가진 채로 나올 수 있도록, 최대한 부단히 노력해야 할 책임을 내게 부여했다. '잉글랜드 내전사' 라는 여러 해적판으로 세계와 홉스 씨의 이름이 얼마나 많이 남용되었는지, 다양하고 미숙한 필사본으로 인해, 천 군데가 넘는 오류가 저질러졌고 백 군데가 넘는 곳에서 행 전체가 누락되었음을, 나는 진실의 힘에 따라, 나타낼 수 있는 만큼 선언할 수밖에 없다. 나는 홉스 씨가 몇 가지 고려에 따라 이를 출간하기 싫어했음을 고백해야겠다. 하지만 출간을 막기란 불가능하고, 모든 서점에서 이보다 더 일상적으로 팔리는 책은 없으므로, 나는 세상과 이 작업물에 대해 옳은 일을 함으로써 누군가의 공격을 두려워해야 할 필요가 없기를 바라며, 고인이 직접 수기로 작성하여 12년이 지나 나에게 준 원고를 이제 출간하려 한다." 등등. 그동안 크룩 씨는 철학자 홉스가 사망하기 직전에 그에게 쓴 편지를 인쇄하고 있었는데, 이는 앞서의 언급을 부분적으로는 설명하고, 부분적으로는 수정하는, 해당 사정에 관한 것이었다. 그는 이 편지를 1680년에 홉스가 본인의 삶과 성격에 대한 사과를 담은 새 판본에 덧붙였으며(『맘스베리의 토머스 홉스가 식자에게 보내는 편지처럼 손수 작성한 명성과 충성심, 태도, 종교에 관한 고찰』), 다음과 같은 "독자들에게 알림"에 삽입하였다. "여기에 삽입된 편지의 일부 구절에서 볼 수 있듯이, (우연히 사본을 입수한 이들에 의한) '잉글랜드 내전에 관한 대화편'의 출간은 그의 의사에 절대적으로 반하는 일이었으므로, 불완전한 원고로 출간된 바 없는 홉스 씨의 저술 한 편을 나는 여기에서 소개하고자 한다. 1679년 6월의 편지에서 그는 이렇게 말했다. 저는 오래전에 기꺼이 '잉글랜드 내전에 관한 대화편'를 출간하고자 하였으며, 이를 위해 폐하께 진상드렸습니다. 그리고 며칠이 지나 폐하께서 읽어보셨으리라 여겨, 겸허히 인쇄를 허락해주십사 간청하였으나 폐하께서는 (비록 상냥하게 들어주시기는 하셨습니다만) 단호히 출간을 거부하셨습니다. 그러므로 저는 본고를 가져와, 선생께서 그 사본을 가져 가시도록 하였습니다. 선생께서 그리 하신 후, 명예롭고 학식 있는 친구에게 원본을 주었는데, 그는 약 1년 후에 세상을 떠났습니다. 국왕께서 저보다 서책의 출간에 대해 더 많이 아시고 관심이 많으시니, 그런고로 그분의 노여움을 사지나 않을지 저어되어 감히 그 일에 뛰어들 수가 없겠습니다. 그러므로 청컨대 선생께서도 공연히 그 일에 끼어드시지 않으셨으면 합니다. 인쇄를 진행하거나 후원할 방법을 생각하기 보다는, 그로부터 얻으리라 예상하실 수 있는 가치의 20배를 잃더라도 저는 만족하려 합니다." 등등. 여기에 이제 훨씬 훗날(1679년 8월 19일), 노철학자가 친우 존 오브리[82]에게 보낸 편지(그 마지막 부분은 홉스

[82] John Aubrey (1626~1697). 잉글랜드의 골동품 수집가이자 자연

의 생애에 관한 오브리의 스케치에 삽입되어, 『보들리언의 편지Letters from the Bodleian』(vol. ii., *ubi vid.* p. 614)로 출간되었다)에서 인쇄되지 않은 다음의 구절이 추가될 수 있다. “내전에 관한 저의 서책이 외국에서 나왔노라 들었는데, 인쇄 상태가 나쁘다거나 그에 어리석은 제목이 붙어서가 아니라, 폐하께 허락을 얻을 수 없었던 까닭으로 특히 유감스럽습니다. 저는 출판사의 잘못들에도 불구하고, 독창적인 인물이라면 당시의 사악함을 이해할 수 있으리라 믿기 때문입니다.” (*Bodl. MS., Wood E.*, 4.)

크룩의 판본이 해적판들에 비해 무척이나 개선되었음은 사실이지만, 내가 현재 처음으로 발견하여 사용했다고 자신하는 원판 사본에서 비롯되지는 않았다. 내가 말하는 사본은 유려하게 쓰여진 원고로, 옥스퍼드의 세인트 존스 칼리지에 보존되어 있었으며, 이에 바탕하여 당연히 신중한 대조 작업을 거쳐 현재의 신판이 제작되었고, 이는 위에서 언급한 무단 팜플렛과 지금까지 알려진 문건[83]이 갖는 관계와 같이, 후자와 동일한 관계에 있다고 정당하게

철학자. 앤서니 아 우드Anthony a Wood로도 알려져 있다.-역주

[83] (발행인의 확신에도 불구하고) 앤서니 아 우드 씨(즉, 오브리 씨)는 충분한 근거를 갖고 많은 결함이 있다고 이미 말한 바 있으며[*Athena Oxon*, vol. ii. col. 1213, *ed. Bliss*], 동일한 문건이 처음에는 1750년 『토머스 홉스의 도덕 및 정치 저작Moral and Political Works of T. H.』에, 이후 1815년 『찰스 1세 통치기의 잉글랜드 내전과 관련한 소고 선집, 내전기에 살았고 묘사한 사건들을 목격했던 저자들 지음Select tracts relating to the civil wars in England in the reign of King Charles the First, by writers who lived in the time of those wars, and were witnesses of the events which they describe』(*Edited by Francis Maseres, London*)에 재인쇄되었다(이 재인쇄본에는 추론에 따른 몇 가지 변경 사항이 있다). 그리고 마지막으로, 내가 처음으로 원고와 몰즈

말할 수 있다. 본판에는 교정된 부분이 매우 많을 뿐만 아니라, 불완전한 구절도 다수 보충되었다. 후자 중에서 일부는 원고 자체에서 매우 신중하게 지워졌는데, 극소수를 제외하고는 해독에 성공하였지만, 그리 하는 데에 매우 큰 곤란을 겪었다. 나는 이 구절들을 본문에 삽입하는 데에 주저하지 않았는데, 이 구절들은 분명 저작의 스타일 및 구성과 관련된 이유 때문이 아니라, 원고 사본이라는 매체를 통해서조차 알려지기에는 너무 강한 의견 표명이 포함되었다는 이유로 금지되었으며, 앞선 편지의 취지에서 더욱 잘 이해될 것이기 때문이었다. 본판에서 이루어진 교정 및 추가 사항의 가치는 부분적으로 해당 페이지의 각주에서 확인할 수 있으며, 해당사항 중에서 보다 중요한 것들을 표기하였다.[84]

본서 자체는 워버튼William Warburton (1698~1779)의 말을 빌리자면, "예리한 발언으로 가득하다"는 점에서 사려 깊은 독자에게 적지 않은 즐거움을 줄 것이며, 철학자와 정치인 뿐만 아니라 역사학도들에게 높은 관심을 가질 만한 저술로 추천할 수 있다. "그를 둘러쌓았던 세계로부터 멀어졌음에도 불구하고, 홉스는 역사적으로 점점 더 중요한 위치를 차지해가고 있다. 인간과 사물은 변하지만, 말과 글로 표현된 사상은 이러한 변화를 뛰어넘어, 가장 먼 시대까지 영향력을 행사할 수 있"기 때문이다(레오폴트 폰 랑케Leopold von Ranke (1795~1886), 『잉글랜드의 역사History of England』, Engl. trans.,

---

워스William Molesworth (1810~1855)의 판본, 『영문 저작English Works』 (vol. vi.)을 여기서 비교하였다.

[84] 전에 인쇄된 적이 없었던 단어와 구절들, 그 중에서도 헌정 서진은 그 시작과 끝에 별표로, 원고에서 지워진 문장들 또한 *[. . . .]*와 같이 *괄호*처럼 표시했다. 각주에서는 주로 원고에 저자가 직접 삽입한 여러 교정사항에 주목하고자 한다.

vol. iii. p. 576). 그리고 이러한 견해를 뒷받침하기 위해, 전 편집자(마세레스 씨Francis Maseres (1731~1824))가 『베히모스』의 재출간을 정당화했던 말을 인용해보아도 괜찮으리라.

그가 말하기를(vol. ii. p. 657), "홉스 씨는 훌륭한 능력과 학식을 갖춘 인물이었고, 고대와 현대의 많은 다른 나라의 역사와 정부 형태에 대해 잘 알고 있었으며, 또한 내가 믿듯이, 매우 정직한 사람이자 진리의 대단한 애호가였고, 제임스 1세와 찰스 1세의 통치기와 찰스 1세 사후의 공위기를 거쳐 찰스 2세Charles II (1630~1685)의 왕정복고까지, 그리고 그 이후 18년 동안 살았으므로, 그리고 내전 직전의 10년 간 대체로 잉글랜드에서 거주하였고, 그 후 왕과 의회 측 양쪽에 관여했던 여러 가장 저명한 인물들과 대화를 나누었으므로, 내 생각으로는 그가 불행한 대결의 원인으로 정당하게 간주될 수 있을 찰스 1세의 통치 이전에 일어난 여러 사건과 거래의 증인으로 자문을 구하고 인용하기에 유일하게 적합한 저술가로 여겨진다." 등등.

아마도 본 저작의 이전 판본에 붙은 '어리석은 제목'과 관련하여, 위에서 인용한 노 철학자의 불평에 대한 설명이 필요할 것이다. 사실은 "또는 장기의회"라는 단어가 현재에는 원고에 따라 삽입되었지만, 그 판본들에서는 생략되었고, 그 결과 주요 제목(즉, 베히모스)의 의미가 독자의 심중에 닿지 못했다는 것이다. 그 의미는 이제 충분히 분명해지겠지만, 합법적인 정부에 대한 사상을 대변하는 것으로 더 잘 알려진 『리바이어던Leviathan』과 대조되는 관계를 의미한다.

페르디난트 퇴니스Ferdinand Tönnies (1855~1936)

후줌 (슐레비히-홀슈타인)에서,

1889년 3월.

서적상이 독자들에게.

홉스 씨에 대한 추모 만큼이나 대중에 대한 나의 의무는 이 소고가 가장 올바른 정확성을 가진 채로 나올 수 있도록, 최대한 부단히 노력해야 할 책임을 내게 부여했다.[85]

『잉글랜드 내전사』라는 여러 해적판으로 세계와 홉스 씨의 이름이 얼마나 많이 남용되었는지, 다양하고 미숙한 필사본으로 인해, 천 군데가 넘는 오류가 저질러졌고 백 군데가 넘는 곳에서 행 전체가 누락되었음을, 나는 진실의 힘에 따라, 나타낼 수 있는 만큼 선언할 수밖에 없다.

나는 홉스 씨가 몇 가지 고려에 따라 이를 출간하기 싫어했음을 고백해야겠다. 하지만 출간을 막기란 불가능하고, 모든 서점에서 이보다 더 일상적으로 팔리는 책은 없으므로, 나는 세상과 이 작업물에 대해 옳은 일을 함으로써 누군가의 공격을 두려워해야 할 필요가 없기를 바라며, 고인이 직접 수기로 작성하여 12년이 지나 나에게 준 원고를 이제 출간하려 한다.

이에 나는 해외에 그토록 많은 거짓 사본이 존재하므로, 이렇게 방지하지 않는다면 확실히 그에 닥치게 될 그 같은 해악을 방지하기 위해, 브람홀 대주교John Bramhall (1594~1663)에 대한 논문에 더하고자 한다. 또한 『이단에 관한 담론Discourse of Heresy』을 보다 정확한 사본으로, 마찬가지로 1662년에 동시에 라틴어로 나와 그가 직접 번역하고 서신을 첨부하여 폐하께 올렸던 『물질적 문제들Physical

---

[85] 본 서문은 1682년판의 서문으로, 『베히모스』는 『브람홀 대주교에 대한 답변Answer to Archbishop Bramhall』, 『이단에 관한 담론』, 『물질적 문제들』과 함께 인쇄되었다.

Problems』을 부록으로 침부한다.

이를 전제로, 나 자신에게는 괜찮은 판매고를, 구매자에게는 많은 즐거움과 만족을 기원하는 것 외에 다른 뜻이란 없다.

여러분의 겸손한 종복,

윌리엄 크룩.

대화편 I.

A. 공간처럼 시간에도 높낮이가 있다면, 저는 진실로 1640년에서 1660년 사이에 지나간 나날들이 최고의 시간이었으리라 믿습니다. 악마의 산에서 바라보듯, 당시에 세상을 바라보고 인간들의 행동을 관찰한 이라면, 특히 잉글랜드에서, 세상이 감당할 수 있는 온갖 종류의 불의와 온갖 종류의 어리석음을, 그리고 그들이 어떻게 *빌어먹을* 위선과 자만심을 만들어내는지를, 그럼으로써 한편으로는 이중의 죄악을, 그리고 다른 한편으로는 이중의 어리석음을 조망했을지도 모르지요.

B. 그러한 조망을 보게 되어 기쁩니다. 선생님께서는 사람들이 선악을 가장 볼 수 있었던 당시에 시대의 일부로 사셨으며, 그때 보셨던 행동과 그 원인, 가식, 정의, 질서, 책략과 사건에 관하여, (당시에는 그리 잘 볼 수 없었던) 제게도 선생님과 같은 산에 서게 해주십사 간청 드립니다.

A. 1640년에 잉글랜드의 정부는 군주정이었고, 휘가 찰스셨던 국왕께서 600여년 이상 지속되었던 혈통에 따라, 주권을 쥐고 군림하셨는데, 스코틀랜드 국왕의 혈통으로는 훨씬 더 오래되시었고, 아일랜드 국왕으로는 헨리 2세 선왕 폐하) 시절부터 였답니다. 심신, 어느 쪽으로도 미덕이 부족하지 않으셨고, 신민을 잘 다스리는 데에 있어 하나님을 향한 의무를 다하는 것에만 노력을 다하신 분이셨지요.

B. 카운티마다 훈련된 병사가 너무나도 많아 합치면 6만의 군대를 만들 수 있고, 요새화된 장소에 여러 탄약창을 두셨던 분이 어찌 실패하실 수 있었을까요?

A. 병사들과 다른 모든 신민들이 그래야만 했던 대로, 병사들이 폐하의 명령에 따랐더라면, 세 왕국의 평화의 행복은 제임스 국왕 폐하께서 물려주셨던 대로 계속되었겠지요. 허나 백성들은 전반적으로 타락했고, 불순한 인물들이 최고의 애국자로 존경받았습니다.

B. 하지만 나쁜 영향을 받은 자들을 제외하더라도, 백성들이 국왕께 맞설 수 있는 단체로 집결하지 못하도록 막을 만큼 충분한 군대를 이룰 만한 사람들이 분명히 있었습니다.

A. 실로, 생각컨대, 국왕께 돈이 있으셨다면, 잉글랜드에 충분한 병사를 둘 수 있으셨을지도 모릅니다. 어느 편의 대의명분에 많은 신경을 기울이면서도 봉급이나 약탈을 위해 어느 쪽 편을 들었을 서민이란 거의 없었기 때문입니다. 허나 국왕 폐하의 국고는 매우 빈한하였고, 세금과 다른 사치품에서 백성들에게 평안을 주장했던 적들이 런던 시, 잉글랜드 대부분의 도시와 자치시, 그리고 그 밖의 숱한 특정인들의 지갑을 장악하였습니다.

B. 하지만 백성들이 어찌 그리 타락하게 되었을까요? 그리고 어떤 이들이길래 백성들을 그렇게 유혹할 수 있었을까요[86]?

A. 유혹자들은 여러 부류였습니다. 한 부류는 목사들이었는데, 그들은 스스로를 그리스도의 목사로, 백성들에게 설교하면서 때로는 하나님의 사절로 자처하면서, 모두가 자기 교구를, 그들의 총회가 온나라를 다스릴 권리를 하나님께 받았다고 주장했지요.

둘째로는, 다른 이들의 수와는 비견할 수 없더라도, 잉글랜드에서는 의회법에 의해 현세적으로나 교회적으로나 교황의 권능이 철폐되었음에도 불구하고, 그리스도의 대리자라고, 그리스도의 권리

---

[86] 유혹했을까요.

에 따라 모든 기독교 백성들의 통치자라고 주장하는 교황에게 우리가 통치되어야 한다고 여전히 믿었던 아주 많은 이들이 있었습니다. 이들은 교황파라는 명칭으로 알려졌고, 앞서 말씀드렸던 목사들은 대개 장로파라 불리웠지요.

셋째로는, 초기의 혼란기에는 발견되지 않았지만, 곧 스스로들 종교의 자유를 선언하고 서로 다른 의견을 품은 이들이 적지 않았답니다. 그들 중 일부는 모든 회중이 서로에 대해 자유롭고 독립적이었으므로, 독립파라 불리웠습니다. 유아들과 세례받았다는 것을 이해하지 못한 이들의 경우에는, 세례에 효과가 없다고 주장했던 이들을 일컬어 그에 따라 재세례파라 하였지요. 그리스도의 왕국이 지금 이 땅에서 시작되리라 주장했던 이들을 제5군주파라 하였으며, 그 외에도 퀘이커교도, 아담파 등등 제가 잘 기억하지 못하는 명칭과 특이한 교리를 가진 여러 다른 종파들이 있었습니다. 그리고 이들은 성경을 개인적으로 해석하여 폐하께 대적하려 한 적들이었으며, 각자 조사한 바를 자신의 모어로 드러냈습니다.

넷째로는, 그보다는 나은 인물들이 어마어마한 수가 있었는데, 그들은 젊은 시절, 정체$_{polity}$와 위대한 행동에 관해 고대 그리스와 로마 코먼웰스의 유명인들이 썼던 책을 읽거나 하는 등으로, 많은 교육을 받은 이들이었습니다. 책에서는 민중 정부는 자유라는 영광스러운 이름으로 찬양되었고, 군주정은 참주라는 이름으로 폄하되었습니다. 그로 인해 이들은 그들의 정부 형태와 사랑에 빠져들게 되었지요. 그리고 이들은 서민원에서 최대다수를 차지하거나, 설령 그렇지 않다 한들, 웅변의 이점으로 언제나 나머지들을 좌우하였습니다.

다섯째로는, 저지대 국가들이 그들의 군주, 스페인 국왕에게 반란을 일으킨 후 맞이한 대단한 번영에 런던 시와 다른 무역 대도시들은 감탄하면서, 여기서도 그 같은 정부 교체가 그 같은 번영을 가져다 주지 않을까 하고 생각하려는 경향이 있었지요.

여섯째로는, 재산을 낭비하거나, 자신에게 있다고 여기는 장점에 비해 스스로를 너무 천하게 여기는 이들이 너무나도 많았습니다. 그리고 몸은 멀쩡하나, 도무지 정직하게 빵을 얻을 줄은 모르는 이는 더욱 많았지요. 이들은 전쟁을 갈망했으며, 운에 따라 어느 편에 서는 걸로 생계를 유지하기를 바랐고, 결국에는 대부분 가장 돈이 많은 이들을 섬겼습니다.

마지막으로, 일반적으로 백성들은 자기 의무에 너무나도 무지하여, 무슨 권리로 누군가가 자기에게 명령하는지를, 혹은 무슨 필요로 자기 의지에 반해 자기 돈을 떼어 가는 국왕이나 코먼웰스가 있어야 하는지를 아마 만명 중 하나도 알지 못할 정도였지요. 자신이 소유한 것이라면 무엇이든 자신이 주인이라 생각했으므로, 자신의 동의 없이는 공동의 안전을 구실로 빼앗길 수는 없었습니다. 그들 생각에, 국왕이란 그저, 부의 도움으로 오를 수 있는 단계에 불과한 젠틀맨이나 기사, 남작, 백작, 공작 중 가장 높은 명예직일 뿐이었습니다. 그들에게 공평의 규칙 같은 건 없었고, 선례와 관습이 있을 뿐이었지요. 그리고 보조금이나 기타 공공 지출을 가장 싫어하는 의회에서 국왕이 선출되는 것이 가장 현명하고 적절하다 여겼습니다.

B. 생각건대, 그처럼 백성들이 규정했다면 국왕께서는 이미 정부에서 축출되셨으니, 그들은 애써 무기를 들 필요도 없었습니다. 국왕께서 어떤 수단으로 그들에게 맞서셔야 하는지, 저는 상상도 할 수 없으니까요.

A. 실로 직무에 아주 큰 고난이 있었지요. 허나 이에 대해서는 이야기가 진행되면서 더 잘 아시게 될 겁니다.

B. 하지만 저는 일단 교황과 장로파가 그들이 그리하듯, 수장으로서 우리를 통치할 권리를 요구하는 주장의 여러 근거들을 알기를 원합니다. 그리고 나서 어떻게, 언제부터 민주정을 위해서라는 장기의회의 주장에 스며들었는지를 말이지요.

A. 교황파로 말하자면, 그들은 신명기 17장 12절과 그 같은 구절들로, 다음처럼 오래된 라틴어 번역문에 따라 이 권리에 도전합니다. *사람이 만일 무법하게 행하고 네 하나님 여호와 앞에 서서 섬기는 제사장이나 재판장에게 듣지 아니하거든 그 사람을 죽여 이스라엘 중에서 악을 제하여 버리라.* 그리고 유대인들이 당시 하나님의 백성이었듯, 모든 기독교도도 현재 하나님의 백성이니, 그들은 이로부터 모든 기독교 백성의 대제사장이라 주장하는 교황에게 모든 기독교도가 죽음의 고통을 감수하면서까지 그 교령에 순종해야 한다고도 유추하지요. 또한 그리스도께서 신약(마태복음 28장 18~20절)에서 말씀하시길, *하늘과 땅의 모든 권세를 내게 주셨으니, 그러므로 너희는 가서 모든 민족을 제자로 삼아 아버지와 아들과 성령의 이름으로 세례를 베풀고, 내가 너희에게 분부한 모든 것을 가르쳐 지키게 하라 볼지어다, 내가 세상 끝날까지 너희와 항상 함께 있으리라.* 이로부터 그들은 사도들의 명령에 순종해야 하며, 결과적으로 민족들이 그들에게, 특히 사도들의 군주, 성 베드로와 그 후계자인 로마 교황에게 통치되어야 한다고 유추하였습니다.

B. 구약 구절에 대해서는, 유대인을 향하여 그들의 제사장에게 순종하라는 하나님의 계명이 어떻게 비기독교도 민족 이외의 다른 기독교도 민족에게 그 같은 강제력을 갖는다고 해석될 수 있는지 모르겠습니다(모든 세계가 하나님의 백성이니까요). 또한 우리가 허락하지 않는 한, 불신자 왕은 그를 개종시킬 사도나 제사장, 목

시의 율법에 굴복하지 않고서는, 기독교인이 될 수 없습니다. 유대인은 하나님의, 성직자 왕국의 특별한 백성이었으며, 처음에는 모세가, 나중에는 대제사장이 시나이산과 언약궤, 성전 *성소*sanctum sanctorum로 가서 하나님의 음성으로 직접 받은 것 이외에는 어떠한 다른 율법에도 구속되지 않았습니다. 마태복음 구절은 *가서 가르치라*는 것이 아니라 *가서 제자로 삼으라*는 복음이며, 신민과 제자 사이에는, 그리고 가르침과 명령 사이에는 큰 차이가 있는 것으로 알고 있습니다. 그리고 이 같은 구절들을 그리 해석해야 한다면, 왜 기독교도 왕들은 위엄과 주권이라는 칭호를 내려놓고는, 교황의 부관이라 자처하지 않을까요? 하지만 로마 교회의 박사들은 영적 권능과 현세적 권능을 구분하면서 절대권력이라는 칭호를 거부하는 듯 보이지만, 저는 이 구별을 잘 이해할 수가 없습니다.

A. 그들에게 영적 권능이란 신앙의 요점을 결정하고, 양심의 내적 법정에서 도덕적 의무에 대한 재판관이 될 권능과, 그들의 계율에 순종하지 않는 이들을 교회의 비난, 즉 파문으로 처벌할 권능을 의미합니다. 그리고 그들은 말하기를, 교황은 이러한 권능을 그리스도께 직접 받았으며, 파문의 대상이 되는 여느 왕이나 주권의회에 기대지 않는다고 합니다. 허나 시민법에 반하여 행해지는 행위를 심판하고 처벌하는 것으로 구성된 현세적 권능에 대해서는, 직접적이지는 않고 단지 간접적일 뿐이지만, 즉 말하자면, 그러한 행위가 종교와 선량한 태도를 방해하거나 진전시키는 경향이 있는 한, 그들의 말로 *영적 질서*를 의미하는 한, 주장할 수 있다고 말하지요.

B. 그러면 교황이 자신의 *영적 질서*로 주장할 수 없을, 국왕과 다른 시민 주권에는 무슨 권능이 남습니까?

A. 없거나, 아주 적지요. [그리고 이 권능은 교황이 모든 기독

교 나라에 대해 주장할 뿐만 아니라, 대부분의 주교들도 역시 자기네들의 여러 교구에 대해 *신성한 법에 따라*jure divino, 즉, 교황에게서 비롯된 것이 아니라 그리스도께 직접 부여받았노라 주장합니다.][87]

B. 하지만 어떤 사람이 교황과 주교들이 주장하는 이러한 권능에 순종하기를 거부하면 어떻게 될까요? 특히 다른 주권자의 신민이라면, 파문이 어떤 해를 끼칠 수 있는지요?

A. 매우 큰 해를 입습니다. 교황이나 주교의 파문이 시민권력에 갖는 중요성으로 인해, 충분한 처벌을 받게 되지요.

B. 언약궤가 떨어지지 않도록 허락도 없이 손을 내밀어야 했기 때문에 살해당했던 웃사[88]처럼, 시민권력을 옹호하기 위해 글을 쓰거나 말하고자 모험을 감행하여, 옹호하고자 했던 권리로 인해 처벌받아야 하는 괴로운 상황에 처하겠지요 하지만 온 민족이 한꺼번에 교황에게 반란을 일으킨다면, 파문이 그 민족에게 무슨 영향을 미칠 수 있을까요?

A. 적어도 교황의 사제들 중 누가 있어, 그들에게 미사를 집전하겠습니까. 더욱이, 교황이 더 이상 그들과 관계를 맺지 않고, 내쫓을 터이니, 마치 민족이 자기네들 왕에게 쫓겨나, 스스로 통치하거나 아니면 누군가에게 맡겨야 하는 상황에 처하게 되지요.

---

[87] 원고에서 '그리고 이 권능은 … 주장합니다'는 홉스 본인의 손으로 지워졌지만, '대부분의 주교들' 대신 '교황의 일부 주교들'로 표현된 수정판의 본문에는 결여되어 있지 않다.

[88] 그들이 나곤의 타작 마당에 이르러서는 소들이 뛰므로 웃사가 손을 들어 하나님의 궤를 붙들었더니 여호와 하나님이 웃사가 잘못함으로 말미암아 진노하사 그를 그 곳에서 치시니 그가 거기 하나님의 궤 곁에서 죽으니라. (사무엘하 6:6~7)-역주

B. 이는 국왕에 대해 그렇듯, 백성들에 대한 처벌로 받아들여지지 않겠군요. 그러므로 교황이 온 민족을 파문한다면, 생각컨대, 그는 그들보다는 오히려 스스로를 파문하는 셈이지요. 그런데 말씀을 청하건대, 교황이 다른 군주국에서 주장한 권리란 무엇이었는지요?

A. 첫째로, 모든 사제와 수사, 수도사들은 범죄를 이유로 민사재판의 심리를 받지 않습니다. 둘째로, 본토인이든 이방인이든, 그가 바라는 대로 성직록을 부여하고, 십일조와 첫 과실, 여타 납입금을 추징합니다. 셋째로, 교회가 관여되어야 한다고 주장할 수 있는 모든 송사에 대해 로마로 상고합니다. 넷째로, 결혼의 합법성, 즉, 왕위 계승에 관하여 최고재판관이 되며, 간통과 음행에 관한 소송 일체의 심문권을 갖습니다.

B. 훌륭하군요! 여성을 독점하다니.

A. 다섯째로, 교황이 이단 근절에 적합하다 여길 경우, 신민들에게 그들의 의무와 적법한 주권자에 대한 충성 맹세를 면제할 권능입니다.

B. 신하들의 순종을 면제할 이 권능은 예절과 교리의 재판관이 될 다른 권능처럼, 존재할 수 있는 한 절대적인 주권이며, 결과적으로 하나의 같은 나라에 두 개의 왕국이 있게 되어, 누구도 자신의 주인 중 누구에게 순종해야 할지 알 수 없게 될 것이 분명합니다.

A. 정경(즉 말하자면 규칙)을 만들 권리만 있을 뿐, 파문을 제외하고는 어떠한 공동 행동권 내지는 다른 방식으로 처벌할 권리가 없는 이에게 순종하기보다는, 법을 제정하여 처벌할 권리를 갖는 주인에게 순종하는 편이 저로서는 낫다고 생각합니다.

B. 하지만 교황은 또한 자신의 정경을 법이라 주장하지요. 그리

고 처벌에 대해서는, 교황이 말한 대로 파문당해 죽는 자는 저주받는다는 것을 참이라 간주한다면, 파문보다 더 큰 형벌이 있겠습니까? 선생님께서는 그런 가정을 믿지 않으시는 듯 보입니다. 그렇지 않다면, 몸만 죽일 수 있는 국왕 폐하보다는 몸과 영혼 모두를 지옥으로 던져버릴 교황에게 순종하기를 택하셨겠지요.

A. 그렇습니다. 잉글랜드 종교개혁 이후로, 소수의 교황파를 제외한 모든 잉글랜드인들이 이단으로 태어나 그리 불리우고, 저주받아야 한다고 믿기란 너무 무자비했으니까요.

B. 하지만 오늘날 잉글랜드 성공회에서 파문당해 죽는 자들에 대해서도 저주받는다고 생각치 않으시는지요?

A. 의심의 여지없이, 회개하지 않고 죄 지은 가운데에 죽는 자는 저주받을 것이요, 영적으로든 현세적으로든 국왕 폐하의 법에 불순종하여 파문당하는 자는 죄로 인하여 파문당하는 것입니다. 그러므로 파문당하고 죄사함의 바람 없이 죽는다면, 회개하지 않고 죽는 것이지요. 무엇이 뒤따를지는 아시겠지요. 허나 우리에 대해 어떠한 권위나 관할권도 없는 이들의 계율과 교리에 불순종하여 죽는 것은 완전히 다른 경우이며, 그러한 위험을 가져오지 않습니다.

B. 하지만 영토에서 모든 이단자를 쫓아내라는 명에 따르지 않는 왕을 폐위할 만큼, 로마 교회가 그토록 잔인하게 박해하는, 이 이단이란 무엇입니까?

A. 이단이란 열정 없이 사용된다면 사견을 의미하는 단어입니다. 그래서 옛 철학자들의 여러 종파, 플라톤파, 소요학파, 에피쿠로스파, 스토아파 등등을 이단이라 불렀습니다. 허나 기독교 교회에서는 그 단어의 의미에다, 교황에 대한 죄 많은 반대를 함축해 놓았는데, 그는 인간의 영혼을 구원하기 위한 교리의 최고재판

관이라는 기지요. 결과적으로 이단은 반역이 현세 권력과 맺는 바와 같은 관계를 영적 권능과 맺으며, 영적 권능과 인간 양심에 대한 지배력을 보존하고자 하는 그에게 박해당하기에 적합하다 할 수 있습니다.

B. (우리 모두에게 성경 강독이 허락되었고, 공사에서 이를 행위 규칙으로 삼을 의무가 있기 때문에) 어떤 율법에 따라 이단이 정의되고, 누가 이단자로 정죄되며 처벌받아야 하는지 상세한 의견이 제시된다면 매우 좋겠지요. 그렇지 않다면, 평범한 이들 뿐만 아니라, 가장 현명하고 독실한 기독교인조차, 교회에 맞서고자 하는 의지가 없더라도 이단에 빠져들지 모르기 때문입니다. 성경은 어렵고, 사람마다 해석이 다르니까요.

A. 이단이라는 단어의 의미는 엘리자베스 여왕 폐하 치세 첫 해에 의회법에서 법률로 선언되었습니다. 여왕 폐하의 서면 특허장에 따라 영적 권위를 갖는 인물, 즉 고등판무관은 *어떤 사안이나 소송을 이단으로 판결할 권위를 갖지 않으며, 정경의 권위나 처음 네 차례의 공의회 또는 다른 공의회에 의해 이단으로 판결된 것, 즉 해당 정경에서 명시적이고 분명한 말로 이단으로 선언된 바와 같은 것, 내지는 이후 왕국 의회의 고등재판소가 성직자 평의회의 동의를 얻어 이단으로 판결하게 될 것에 대해서만 이단으로 판결해야 합니다.*

B. 그러므로 아직 이단으로 선언된 적이 없는 새로운 과오가 저질러진다면(그리고 그런 과오는 많이 발생할 수 있겠지요), 의회 없이는 이단으로 판단될 수 없는 듯 보입니다. 과오가 제아무리 지독하더라도, 성경이나 공의회에서 이단으로 선언된 적이 없으니까요. 왜냐하면 일찍이 들어본 바가 없기 때문입니다. 결과적으로 어떤 인간이든 공평하게 처벌받을 수 있는 하나님에 대한 신성모

독이나 국왕 폐하에 대한 반역에 해당하지 않는 한, 어떠한 과오도 있을 수 없습니다. 게다가 모든 사람에게 스스로 읽고 해석하도록 허용된 성경에 의해 선언된 바를 누가 알 수 있겠습니까? 더 나아가, 모든 공의회가 유능한 이단재판관이 될 수 있다면, 평신도이든 성직자이든, 어떤 개신교도인들 이미 정죄받지 않았을까요? 여러 공의회가 우리의 교리 중 대다수를 이단으로 선언해왔으며, 그들이 주장하듯, 이는 성경의 권위에 따른 것이었습니다.

A. 처음 네 차례의 공의회에서 이단으로 선언한 사항이란 무엇입니까?

B. 니케아에서 열렸던 제1차 공의회는 그리스도의 신성을 부인하는 아리우스의 이단을 계기로 하여, 니케아 신경에 반하는 모든 것을 이단으로 선언하였습니다. 콘스탄티노플에서 열렸던 제2차 공의회는 성신이 창조되었다는 마케도니우스Macedonius의 교리를 이단으로 선언하였습니다. 에베소Ephesus에서 개최된 제3차 공의회는, 그리스도 안에 두 위격이 있다는 네스토리우스의 교리를 정죄하였습니다. 칼케돈에서 열린 제4차 공의회는 그리스도 안에는 오직 하나의 본성만이 있다는 에우티케스의 과오를 정죄하였습니다. 이 네 차례의 공의회에서 정죄된 다른 사항에 대해서는, 교회 통치권에 관한 것이나, 다른 사람들이 다른 말로 가르친 똑같은 교리 등을 제외하면 제가 아는 바가 없습니다. 그리고 이 공의회들은 모두 황제에 의해 소집되어, 공의회 스스로의 청원에 따라 그 교령을 확정했지요.

A. 이로써 저는 공의회의 소집, 그리고 그들이 확정한 교리와 교회 통치권이 황제의 권위 외에는 아무런 의무적인 강제력도 없음을 깨닫게 됩니다. 그러면 어떻게 그들에게 입법권력을 가지게 하고, 자기네들의 *정경이 곧 법*이라 말하도록 놓아둔다는 말입니

까? *하늘과 땅의 모든 권세를 내게 주셨으니*[89]라는 구절은 당시에 도 지금과 같은 힘을 가졌고, 공의회에서 비단 기독교인 뿐만 아니라 세계의 모든 민족에 대해서*도* 입법권력을 부여하였습니다.

B. 그들은 아니라 합니다. 그들이 주장하는 권능이란 왕이 이교에서 기독교로 개종했을 때, 그를 개종시킨 주교에 대한 바로 그 복종에 의해, 그는 주교의 통치권에 복종하여 그의 양 중 하나가 되었다는 데에서 비롯되며, 그러므로 기독교인이 아닌 여느 민족에 대해서도 왕이 가질 수 없는 권리라는 겁니다.

A. (콘스탄티누스 대제 시절에 로마의 교황이자 황제를 개종시켰던) 실베스테르Pope Sylvester I (285~335)가 자신의 새 제자였던 황제에게 기독교인이 되면 교황의 신하가 되어야 한다고 사전에 말했던가요?

B. 저는 아닐 거라 믿습니다. 그렇게 분명히 말하거나 의심스럽게 했더라면, 아예 기독교인이 되지 않거나 위장에 그쳤을 가능성이 높으니까요.

A. 허나 황제에게 그리 말하지 않았더라면, 사제로서뿐만 아니라 그리스도인으로서도 반칙이지요. 그리고 황제의 동의에서 파생된 권리는 오직 이로부터 비롯되었을 뿐이며, 여느 기독교 왕국에서도 그들은 감히 왕이 그리 하라 하는 것 이상으로 입법권력에 도전할 수도, 자기네들의 *정경을 곧 법*이라 칭할 수도 없습니다. 하지만 페루에서 아타우알파Atabalipa (1502?~1533)가 왕이었을 때, 탁발 수도사가 그에게 말하길, 온 세상의 왕이신 그리스도께서 세상 모든 왕국의 처분을 교황에게 맡기셨으며, 교황은 페루를 로마 황제 카를 5세Charles V (1500~1558)에게 맡겼으니, 아타우알파가 물러나야 한

[89] 마태복음 28:18.-역주

다고 하였지요. 이를 거부했기 때문에, 그곳에 주둔 중이던 스페인 군대가 그 신병을 장악하고는 살해하였습니다. 이로써 그들이 그럴 만한 권력이 있을 때 얼마나 많이 요구하는지를 보셨습니다.

B. 교황은 이 권위를 언제부터 처음으로 갖게 되었는지요?

A. 북방인의 범람이 제국 서부로 넘쳐 흘러, 이탈리아를 점령한 후, 로마 시의 백성들은 영적으로 뿐만 아니라 현세적으로도 주교에게 복종하였고, 일단 교황이 현세의 군주가 되자, 멀리 떨어진 콘스탄티노플에서 살아가는 황제를 더 이상 그다지 크게 두려워하지 않게 되었지요. 이 시기에 교황은 자신의 권력을 영적이라 주장하면서, 서방의 다른 모든 군주들의 현세적 권리를 침범하기 시작했으며, 8세기와 11세기 사이에, 즉, 교황 레오 3세Pope Leo III (750~816)와 교황 인노첸시오 3세Pope Innocent III (1161~1216) 사이에 300여 년가량 권력이 최고조에 달할 때까지, 계속해서 잠식해 나갔습니다. 이 시기에 교황 자카리아 1세Pope Zachary (679~752)는 당시 프랑스 국왕이었던 킬페리쿠스Chilperic III (717?~754?)를 폐위하고, 그의 신하 중 한 명이었던 피피누스Pepin the Short (714?~768)에게 왕국을 주었으며, 피피누스는 롬바르드 왕국에게서 상당한 영토를 빼앗아 교회에 주었지요. 얼마 지나지 않아, 롬바르드 왕국은 자기네 영토를 수복했고, 카롤루스 대제Charlemagne (747~814)가 다시 빼앗아 다시 교회에 주었으며, 교황 레오 3세는 카롤루스를 황제로 세웠습니다.

B. 하지만 교황에게 무슨 권리가 있어 감히 황제 옹립을 주장했을까요?

A. 그리스도의 대리자가 될 권리를 주장했지요. 그리스도께서 주실 수 있는 것은 그 대리자도 줄 수 있으며, 그리스도께서 온 세상의 왕이심은 아시는 대로입니다.

B. 예, 하나님이시니까요. 그래서 그분께선 세상의 모든 왕국을

주시는데, 그럼에도 불구하고 이 왕국들은 두려움이나 희망으로 인한 백성들의 동의에 따르지요.

A. 허나 제국이라는 선물은 모세가 이스라엘의 지배를 맡은 것처럼[90], 여호수아가 대제사장이 지시하는 대로 백성들 앞에서 오가기 위해 받은 것처럼[91], 보다 특별한 방식이었습니다. 고로 제국은 교황의 지시를 받는다는 조건으로, 그에게 주어졌노라 이해되었지요. 교황이 그에게 제왕의 장식을 수여하자, 백성들은 모두 *데우스 다트*Deus dat, 즉 말하자면, *하나님께서 주시는 것*이라 외쳤고, 황제는 만족스레 이를 취하였습니다. 그리고 그 이후 모든 혹은 대부분의 기독교도 왕들은 자기 칭호에 *데이 그라티아*Dei gratia, 즉, *하나님의 선물로써*라는 말을 넣었고, 그 후계자들은 여전히 주교에게서 왕관과 왕홀을 받고는 합니다.

B. 국왕이 누구의 선물로 군림하는지를 염두에 두는 것은 분명 매우 좋은 관습이지만, 그 관습에서 교황의 중재나 다른 성직자에 의해 왕국을 받았다고 추론할 수는 없습니다. 교황은 황제에게서 교황권을 받았으니까요. 황제가 기독교인이 된 이후 황제의 동의 없이 처음으로 로마의 주교로 선출되었던 이는 황제에게 편지로 이렇게 변명했습니다. 로마의 백성과 성직자들이 그에게 이를 받도록 강요하고는, 황제께 확정해주시길 간청하였는데, 황제께서는 그리 하셨지만, 그 절차에 대해 질책하시며 향후에는 그 같은 일

[90] 이스라엘 자손에 대하여 하나님이 너희 형제 가운데서 나와 같은 선지자를 세우리라 하던 자가 곧 이 모세라 (사도행전 7:1)-역주

[91] 모세가 눈의 아들 여호수아에게 안수하였으므로 그에게 지혜의 영이 충만하니 이스라엘 자손이 여호와께서 모세에게 명령하신 대로 여호수아의 말을 순종하였더라 (신명기 34:1)-역주

을 금하셨습니다. 황제는 로타르Lotharius, 교황은 갈리스토 1세Pope Callixtus I (?~222)였지요.[92]

A. 이로써 황제는 결코 하나님의 선물이 교황의 선물임을 인정하지 않았으며, 교황권이 황제의 선물이라 주장했음을 보셨습니다. 허나 시간이 흐르면서, 황제의 태만에 따라 (국왕의 위대함으로 인해 야심찬 성직자의 모호하고 좁은 광산으로 쉽사리 내려갈 수 없기에), 그들은 백성들이 교황과 성직자에게 권능이 있다고 믿게 할 방법을 찾아냈으며, 논란이 일어날 때마다 자기 국왕의 명령보다는 오히려 그들에게 복종해야 한다고 하였지요. 그리고 이를 위해 왕의 권위를 약화시키고, 왕과 신민들을 분리시키고, 신민들을 로마 교회에 더 밀착시키기 위해, 숱한 새로운 신앙 조문을 고안하여 포고하였는데, 그 조문들은 성경에서 전혀 찾아볼 수 없거나, 아무런 근거도 없는 것으로, 첫째로는, *사제의 결혼은 적법하지 않다*는 것이었습니다.

B. 그런 것이 국왕의 권력에 무슨 영향을 미칠 수 있었습니까?

A. 이로써 국왕께서 필연적으로 사제직을, 그리고 이로부터 그 분께 마땅한 경외심의 상당 부분을 신민들의 가장 종교적인 부분에서 구하셔야 하거나, 아니면 적법한 후계자의 계승을 구하셔야 함이 보이지 않으십니까? 즉, 교회의 수장으로 받아들여지지 않으셨기 때문에, 국왕께서는 교황과의 어떤 논란에서건, 백성들이 자신에게 맞서리라 확신하셨습니다.

---

[92] 본 내용은 홉스의 착오로 보인다. 갈리스토 1세 시기에는 로타르 황제가 없었다. 교황 갈리스토 2세Pope Callixtus II (1065?~1124)와 황제 로타르 3세Lothair III (1075~1137)의 경우 동시대의 인물이기는 하나, 로타르 3세는 갈리스토 2세 사후인 1125년부터 재위하였다.-역주

B. 기독교도 왕은 옛 이교도 왕들처럼 현재 주교이지 않습니까? 그들 사이에 *주교*episcopus는 모든 국왕의 공통된 명칭이었으니까요. 현재 국왕께선 하나님께서 모든 신민, 즉 평신도와 성직자 모두의 영혼을 맡기신 주교이시지 않습니까? 비록 국왕께서 으뜸 목사이신 우리 구주와의 관계에서는 양이시더라도, 평신도든 성직자든, 모두 양에 지나지 않는 신민들에 비하자면, 유일한 목자이시지요. 그리고 기독교 주교는 성직자를 다스릴 권능을 부여받은 기독교인일 뿐이므로, 모든 기독교도 왕은 주교일 뿐만 아니라, 대주교이며, 전 영토가 곧 그의 교구입니다. 여전히 이를 위해서는 사제의 안수가 필요하더라도, 세례 전에도 국왕이 그의 신민인 사제에 대한 통치권을 가지고 있음으로 보아, 국왕이 기독교인으로서 받는 세례 그 자체가 충분한 안수이므로, 예전에 국왕은 주교였으나, 이제는 기독교 주교입니다.

A. 저로서는 동의합니다. 사제의 금혼은 교황 그레고리 7세Pope Gregory VII (1020~1085)와 잉글랜드 국왕 윌리엄 1세William I (1028?~1087) 시대에 도입되었습니다. 즉, 교황은 잉글랜드에서 세속 사제로든 일반 사제로든, 수많은 건장한 총각들을 거느렸지요.

둘째로는, *사제에 대한 청각적 고해성사가 구원에 필수적*이라는 것입니다. 그전에는 사제에 대한 고해성사가 일상적이었고, 대부분 고해 당사자의 서면으로 수행되었음이 사실이지요. 하지만 에드워드 3세 국왕 폐하 시절 즈음 이 관습을 빼앗겼으며, 사제들은 고해자가 입으로 고해하도록 명했고, 사람들은 일반적으로 세상을 떠나기 전에 고해성사와 죄사함 없이는 구원받을 수 없으며, 사제에게서 죄사함을 받으면 저주받지 않을 수 있으리라 믿었습니다. 이로써 모든 이가 국왕 폐하 이상으로 교황과 성직자를 얼마나 경외하게 되는지, 신민들이 첩자들에게 은밀한 생각을 고백하기에 국가가 무슨 불편을 겪게 되는지, 이해하셨겠지요.

B. 예, 영원한 고문이 죽음보다 더 끔찍한 만큼, 국왕 폐하보다 성직자를 더 두려워하게 되겠지요.

A. 로마 성직자들은 사제가 절대적으로 죄를 사할 수 있는 권능을 갖지 않으며, 오직 회개를 조건으로 할 뿐이라 주장하겠으나, 백성들은 결코 그들에게 그렇게 가르침 받지 않았습니다. 백성들은 죄사함을 받을 때마다 회개를 얻고자 참회를 하면 이전의 죄가 모두 일소된다고 믿게 되었지요. 동시에 성변화 조문이 시작되었습니다. 명확히 생각하고 상상하기가 매우 어려웠으므로, 인간이 우리 구주 예수 그리스도의 육신을 어떤 방법으로 먹었는지에 대해 오래 전부터 논쟁이 있어왔는데, 말하자면, 빵이 그리스도의 육신으로 화하여, 더 이상 빵이 아니라 살이 되었다는 것으로 이제는 아주 분명하게 되었습니다.

B. 당시 그리스도께서는 많은 육신을 가지시고, 성찬자들만큼 한 번에 많은 장소에 계셨던 것 같습니다. 당시 사제들은 너무나도 방자하여, 일반 백성 뿐만 아니라 왕과 그 고문들의 우둔함을 모욕했다고 생각합니다.

A. 저는 지금 논쟁이 아니라 이야기를 하고 있습니다. 그러므로 지금은 다른 것들이 아니라, 오직 한 조각의 빵으로 우리 구주의 육신을 만들어, 그럼으로써 임종시에 영혼을 구원할 수 있는 성직자들과 관련하여, 이 교리가 왕과 그 신민에게 무슨 영향을 미치게 될지에 대해서만 고려해 주셨으면 합니다.

B. 저라면, 그들을 신으로 생각하게 되어, 하나님 당신께서 생생히 현현하신 양 그들에게 경외감을 갖는 효과가 있겠지요.

A. 이 조문들과 교황의 권위를 옹호하는 경향의 다른 조문들 이외에도, 그들의 교회 정체에는 빼어난 점이 많았는데, 이 역시 같

온 목적에 이바지하였습니다. 그 중 같은 시기에 수립된 것만을 언급해보지요. 당시 설교하는 수사들의 수도회[93]가 생겨나, 그들이 원하는 여느 회중에게든 설교할 권능을 가진 채로 이리저리 배회하였으며, 로마 교회에 대한 순종을 전혀 약화시키지 않으면서, 반대로 시민권력에 맞서 교회에 유리할 만한 것이라면 무엇이라도 백성들에게 충분히 주입할 수 있었습니다. 게다가 그들은 판단력이 부족한 남녀에게 은밀히 암시를 걸어, 교황에 대한 애착을 확실하게 하면서, 병에 걸렸을 때 기부금이나 수도원 건설, 혹은 경건한 행위로 교회에 편익을 주고[94], 죄 사함에 필요한 일을 하도록 촉구하였지요.

B. 저는 기독교국가를 제외하고는, 세계의 어떤 왕국이나 국가에서도 여느 사인private man이 국가에 먼저 알리지 않은 채로 백성들을 불러모아 놓고는 흔히 연설할 자유가 주어졌다고 읽은 기억이 없습니다. 이교도 왕들은 그런 소수의 연설가들이 대단한 선동을 일으킬 수 있음을 예견했으리라 저는 믿습니다. 모세는 실제로 안식일마다 회당에서 성경을 읽고 해설하라고 명했지요.[95] 하지만 당시 성경은 모세 본인이 전달한 민족의 율법에 지나지 않았습니다. 그리고 저는 잉글랜드의 법률도 정해진 때마다 여러 잉글랜드 회중에게 자주 읽히고 해설된다면, 그들이 무엇을 해야 할지 알 수 있으리라 믿습니다. 이미 그들은 무엇을 믿어야 할지 알고 있으니까요.

---

[93] 1216년, 성 도미니코Saint Dominic (1170~1221)가 설립한 도미니코 수도회를 말한다.-역주

[94] 그곳에 편익을 주고.-홉스의 교정.

[95] 이는 예로부터 각 성에서 모세를 전하는 자가 있어 안식일마다 회당에서 그 글을 읽음이라 하더라 (사도행전 15:21)-역주

A. 저는 수사나 수도사, 교구 사제들의 설교가 사람들에게 무엇을 믿어야 할지가 아니라, 누구를 믿어야 할지를 가르치는 경향이 있다고 생각합니다. 강자의 권력이란 백성들의 의견과 믿음 이외에는 아무런 기반도 갖지 못하기 때문이지요. 그리고 교황이 설교를 늘리는 목적은 모든 기독교도 왕과 국가에 대해 자기 권위를 확립하고 확대하려는 것 이외의 다른 무엇도 아닙니다.

같은 시기, 즉 카롤루스 대제와 잉글랜드의 에드워드 3세 국왕 폐하의 통치기 사이에, 두번째 정체가 시작되었는데, 종교를 예술에 끌어들여, 그럼으로써 로마 교회의 교령 전부를 성경에서 뿐만 아니라, 도덕과 자연에 관한 아리스토텔레스의 철학에서 비롯된 논쟁으로 유지하려던 것이었습니다. 그리고 이를 위해 교황은 말씀드린 황제에게 서신으로 모든 종류의 문학 학교를 설립하라 권고했고, 그로부터 대학 제도가 시작되어, 얼마 지나지 않아 파리와 옥스퍼드에 대학이 출범하였습니다. 그전의 잉글랜드에는 라틴어, 즉 말하자면, 교회의 언어로 아이들을 가르치기 위해 여러 곳에 학교가 있었지요. 허나 학문을 위한 대학은 그 때까지 설립된 적이 없었고, 그럴 가능성은 매우 낮겠지만, 여러 수도원에서 공부 이외에는 달리 할 일이 없었던 수도사들이 철학과 논리학, 다른 기예를 약간 가르쳤는지는 모르지요. 이를 위해 몇 개의 대학이 세워진 후, 얼마 지나지 않아 군주와 주교, 그 외의 부유한 이들의 헌신으로 더 많은 대학이 추가되었습니다. 그 안의 규율은 당시의 교황에게 확인되었고, 교회와 코먼웰스 모두에서 출세길이 열리거나 쉬워졌으므로, 많은 학자들이 그 친구들에 의해 학업차 그곳으로 보내졌습니다. 로마 교회가 그들에게 기대했고 실제로 거두어들였던 이익은, 교황의 교리, 그리고 왕과 신민에 대한 그의 권위를 신학자들로 유지하는 것이었는데, 신학자들은 신앙의 많은 훌륭한 점들을 불가해하게 만들려 애썼으며, 아리스토텔레스의 철학에 도움을 요청하면서, 다른 이들은 물론, 스스로도 이해할 수 없는 위대한 신학서들을 써냈지요. 피에르 롱바르Peter Lombard (1096~1160)나 그에 대해 주석을 단 스코투스Duns Scotus (1265?~1308), 아니면 수아레스Francisco Suarez (1548~1617)의 저술이나, 후대의 다른 신학자들을 고려해보면, 누구라도 알 수 있듯이 말이지요. 그럼에도 불구하고 이런 종류의 학문은 충분히 신중치 못한 두 부류의 사람들에게 많은 존경을 받았습니다. 그 중 한 부류는 이미 로마 교회에 헌신하고 진정으로 애정을 가진 이들이었으니, 그들은 전에는 교리를 믿었으나, 논증을 이해할 수 없기에 존경하였고, 어쨌든 결론이 마음에 맞았기 때문이었지요. 다른 부류는 태만한 이들로, 검토하기 위해 수고를 감내하기 보다는, 다른 이들과 함께 감탄하려 해왔지요. 그리하여 모든 부류의 백성들이 완전히 해결되어, 교리는 참되었으며, 교황의 권위는 더 이상 그에게서 기인하지 않게 되었습니다.

B. 기독교도 왕이나 국가에게 돈과 무기가 아무리 잘 준비되어 있더라도, 로마 교회가 그러한 권위를 갖는 곳에서는 사람이 부족하므로, 그와 겨루기가 어렵다고 알고 있습니다. 신민들이 자기 양심에 반해 용기를 내어 전쟁터로 나아가 싸우려 하지는 않을 테니까요.

A. 잉글랜드에서는 존 왕John (1166~1216)께 맞서고, 프랑스에서는 앙리 4세Henry IV (1553~1610)에게 맞섰듯이, 교황이 왕들과 다툼을 벌일 때, 교인들이 거대한 반란을 일으켰다는 것은 사실입니다. 교황이 자기 편으로 두었던 이들보다, 왕들이 자기 편으로 훨씬 더 많은 이들을 두었으며, 돈이 충분하다면 언제나 그렇게 됩니다. 돈을 원하면서 거부할 만큼 양심이 점잖은 이들이란 거의 없으니까요.

허나 교황이 종교를 빙자하여 왕들에게 행한 가장 큰 해악은 왕에게 다른 왕을 침략할 권능을 부여하는 것입니다.

B. 헨리 8세께서 어떻게 잉글랜드에서 교황의 권위를 완전히 일소하실 수 있었는지, 어떻게 국내의 반란이나 외국의 침략을 겪지 않으실 수 있었는지 궁금합니다.

A. 첫째로, 사제와 수도사, 수사들은 그들의 권력이 절정에 이르자, 대부분 건방지고 방탕해졌으므로, 논증의 힘이 그들 삶의 추문으로 이제 사라져버렸고, 젠트리와 훌륭한 교육을 받은 이들은 이를 쉽사리 알아차렸지요. 그리고 이런 인물들로 구성된 의회는, 따라서 기꺼이 그들의 권력을 빼앗으려 하였고, 일반적으로 오랜 관습에 따라 의회를 사랑했던 서민들은 그에 대해 불쾌해 하지 않았답니다. 둘째로, 막 시작된 루터Martin Luther (1483~1546)의 교리가 이제 판단력이 가장 뛰어난 수많은 이들에게 너무나도 잘 받아들여져서, 교황이 반란으로 권능을 회복할 가망이란 없었지요. 셋째로, 수도원과 다른 모든 예배소의 수입이 국왕 폐하의 손에 떨어지고, 모든 카운티에서 가장 저명한 젠틀맨들에게 처분되었으므로, 그들은 자신들의 소유권을 확실히 하기 위해 최선을 다할 수밖에 없었습니다. 넷째로, 헨리 8세께서는 자기 계획에 가장 먼저 반대를 드러내는 인물들을 처벌하심에 있어 신속하고 엄격한 성격이셨지요. 마지막으로 외국으로부터 침략에 관해서는, 교황이 다른 군주에게 왕국을 넘기려 했다 하더라도 헛수고였습니다. 잉글랜드는 나바라 왕국[96]과는 다르니까요. 게다가, 당시 프랑스 군과

---

[96] 피레네 산맥 서쪽에 있었던 왕국. 교황 율리우스 2세Pope Julius II (1443~1513)는 1511년 프랑스에 대항하는 신성동맹을 선언하였는데, 나바라 왕국은 여기에 가입하기를 거부했고, 이를 핑계로 아라곤

스페인 군이 서로 대치하고 있었고, 설령 그들에게 여유가 있었다 하더라도, 아마 1588년 이후의 스페인 군[97]에게서 발견할 수 있는 것보다 더 나은 성공을 찾아낼 수는 없었을 겁니다. 그럼에도 불구하고, 당시 성직자의 오만과 탐욕, 위선에도 불구하고, 루터의 교리에도 불구하고, 두번째 아내와의 결혼을 방해함으로써 교황이 국왕 폐하를 도발하지 않았더라면, 무슨 다른 다툼이 일어나기 전까지는 그 권위가 잉글랜드에서 유지되었을지도 모르지요.

B. 당시 주교들은 무엇보다도 성 베드로의 왕권(이는 *상크티 페트리*Regalia Sancti Petri라는 말이었는데, 비록 몇몇은 *레굴라스 상크티 페트리*Regulas Sancti Petri, 즉 말하자면 성 베드로의 규칙 또는 교리라 말해왔으나, 이후 성직자들은 아마도 속기로 쓰여졌기 때문인지, 실수로 교황에게 유리한 *레갈리아*regalia로 읽었습니다)를 수호하고 유지해야 한다는 맹세를 하지 않았던가요? 말하자면, 주교들은 교황에 반하는 의회법과 수장 선서[98]를 받아들이는 데에 반대하지 않았던가요?

A. 아니요, 주교들 중 많은 수가 국왕께 반대했던 것 같지는 않습니다. 국왕 폐하 없이는 아무런 권력도 없었으므로, 국왕 폐하의 분노를 야기하기란 대단히 무모한 일이었지요. 당시에는 게다

왕 페란도 2세Ferdinand II (1452~1516)가 교황에게 나바라 왕을 파문해달라고 요구한 후, 전면적으로 침공하였다. 전쟁 결과, 나바라 왕국이 패배, 이베리아 지역에서 완전히 쫓겨나게 되었다.-역주

[97] 1588년 스페인 무적함대가 잉글랜드 함대에 무참히 패배한 사건을 가르킨다.-역주

[98] Oath of Supremacy. 헨리 8세의 수장령으로 제정한 것으로, 공직이나 성직에 종사하는 모든 이에게 군주를 향해 충성을 맹세하도록 요구하는 내용이다.-역주

가 교황과 주교들 사이에도 논쟁이 있었는데, 대부분의 주교들은 교황이 직접적으로 교회 전체에 하나님의 권리를 행사하듯, 자신들도 자기 교구에 같은 권리를 행사해야 한다고 주장했습니다. 그리고 그들은 의회에서 국왕 폐하의 본 법령에 의해 더 이상 교황의 권능 없이도 자기네들의 권능이 유지되리라 보았기 때문에, 그리고 결코 국왕께서 이를 가져가시리라고는 생각하지 않았기 때문에, 아마도 의회법이 통과되도록 내버려두는 편이 더욱 만족스러웠겠지요. 에드워드 6세 국왕 폐하 통치기에 루터의 교리는 잉글랜드에 너무나도 거대하게 뿌리를 내렸으므로, 그들은 교황의 새로운 신앙 조문 중 대다수를 저버렸습니다. 뒤를 이으신 메리 여왕께서는 (복원될 수 없었던) 예배소를 제외하고는 헨리 8세께서 철폐하셨던 모든 것과 더불어, 이를 다시 복원하셨고, 에드워드 폐하의 주교와 성직자 중 일부는 이단자로 화형당했고, 일부는 도망쳤으며, 일부는 회심하였지요. 그리고 도망친 이들은 개혁된 종교가 보호받거나 아니면 박해당하지 않는, 바다 너머의 먼 곳으로 떠났고, 메리 여왕께서 붕어하신 후, 엘리자베스 여왕 폐하의 호의와 발탁에 따라 귀향하여, 폐하의 형제이셨던 에드워드 폐하의 종교를 복원하였습니다. 그런고로 장로파와 다른 민주파의 최근의 반란에 따른 휴지기를 제외하고는, 오늘날까지 계속 그러하였지요. 허나 로마 종교가 이제 법으로 배척되었더라도, 여전히 조상의 종교를 유지하고 있는 수많은 백성들과 다수의 귀족들이 있었는데, 그들은 양심의 가책에 그다지 시달리지 않았기 때문에, 그들의 성향으로 인해 시민 정부에 심각한 문젯거리가 되지 않았습니다. 그러나 예수회와 로마 교회의 다른 사절들의 은밀한 책략으로 인해, 그들은 마땅히 그러해야 하는 것보다는 조용해지지 않게 되었고, 그들 중 일부는 전대미문의 가장 끔찍한 행위, 즉 화약

음모 사건을 지질렀습니다. 그런 이유로 잉글랜드 교황파는 교황의 권위를 복원시킬 길을 열 수 있을 만한 어떠한 혼란에 대해서도 유감스러워 하지 않는 인간들로 여겨져 왔습니다. 그러므로 저는 찰스 선왕 폐하 시절에 잉글랜드를 혼란 상태에 빠트린 이들 중의 하나로 그들을 지목하였지요.

B. 저는 모네이 뒤 플레시 씨Philippe de Mornay (1549~1623)와 더럼 주교 모튼 박사Thomas Morton (1564~1659)가 교황의 권능 진전에 관한 글을 쓰고는, 책 제목으로 『죄악의 신비The Mystery of Iniquity』와 『위대한 사기극The Grand Imposture』을 붙였던 것이 모두 옳았다고 보고 있습니다. 세상에 그런 속임수란 일찍이 다시 없었으리라 믿으며, 기독교도 왕과 국가들이 왜 이를 깨닫지 못했는지 궁금합니다.

A. 그들은 분명히 이를 깨달았습니다. 그렇지 않고서야 어떻게 그들이 *그랬듯* 교황을 상대로 전쟁을 벌이고, 그 중 몇몇이 로마에서 교황을 포획하여 포로로 잡아갔겠습니까? 허나 그들이 그의 폭정에서 벗어나고자 하였다면, 서로 동의하여 모두가 헨리 8세 국왕 폐하처럼 각자의 지배권 내에서 교회의 수장이 되어야 했지요. 그러나 그들은 동의하지 않은 채로, 교황의 권능이 계속되도록 놓아두었으며, 모두가 이웃을 상대로 대의명분이 있어야 할 때, 이를 이용하고자 희망하였습니다.

B. 이제, 장로파로 인한 다른 혼란에 관하여 질문드리건대, 그들 자신은 대부분 그토록 많은 가난한 학자일 뿐이건만, 어떻게 그 권력이 그토록 거대해졌을까요?

A. 교황파와 개혁 교회 사이의 논쟁으로 인해 어느 쪽이 옳은지, 모든 이가 온 힘을 다해 성경을 검토할 수밖에 없었습니다. 그리고 이를 위해 성경이 속어로 번역되었는데, 이전에는 이런 식의 번역이 허용되지도, 명시적으로 허가를 받은 이들 이외에는 누

구도 이를 읽어볼 수도 없었답니다. 교황은 모세가 시나이산과 관련하여 했던 바와 같은 일을 성경과 관련하여 했습니다. 모세는 자기가 몸소 데려가는 이들 이외에는 하나님의 말씀을 듣거나 시선을 두고자 하는 누구도 산에 오르지 못하게 하였고[99], 교황은 그가 신뢰할 수 있을 만큼 어느 정도 교황의 영혼을 갖지 못했다면 누구라도 성경으로 하나님과 대화하지 못하도록 하였습니다.

B. 분명히 모세는 하나님 당신의 계명에 따라 매우 현명하게 행동했지요.

A. 의심의 여지가 없으며, 사건 자체가 그리 보이게끔 하지요. 성경이 영어로 번역된 후, 영어를 읽을 수 있는 모든 남자, 아니 모든 소년과 부녀자들은 성경을 하루에 몇 장 정도 한두 차례 이상 읽고는, 전능하신 하나님과 대화하고 그분의 말씀을 이해한다고 생각했습니다. *그런고로* 여기 개혁 교회에게, 그리고 그 안의 주교와 목사들에게 주어져야 할 경외심과 순종이 버려지고, 모든 이가 종교의 심판자가 되고, 스스로 성경의 해석자가 되었지요.

B. 잉글랜드 교회가 그리 되어야 한다고 의도하지 않았던가요? 성경을 행위 규칙으로 삼아야 한다는 의미가 아니었더라면, 그들이 제게 성경을 권하는 데에 어떤 다른 목적이 있을 수 있었을까요? 그렇지 않았다면, 비록 그들 본인에게는 열려 있더라도, 제게는 히브리어와 그리스어, 라틴어로 봉인된 채로 남아, 제 영혼의 구원과 교회의 평화에 필요한 정도로만 주어졌겠지요.

---

[99] 모세가 여호와께 아뢰되 주께서 우리에게 명령하여 이르시기를 산 주위에 경계를 세워 산을 거룩하게 하라 하셨사온즉 백성이 시내 산에 오르지 못하리이다 (출애굽기 19:23)-역주

A. 증언컨대, 이렇듯 방종한 성경 해석이 그토록 많은 여러 분파의 원인이었으며, 선왕 폐하의 통치 초기까지 숨어 있다가, 이후 코먼웰스의 소요로 나타났습니다. 허나 이야기로 돌아가지요. 메리 여왕 폐하 시대에 종교로 인해 도망친 인물들은 대부분 개혁종교가 공언되고 목사 총회에 의해 통치되는 곳에서 거주하였는데, 또한 목사들은 시민 정부를 위해서도 (더 나은 정치가의 부족으로 인해) 적지 않게 쓰였습니다. 그들 사이에서 살았던 잉글랜드와 스코틀랜드의 개신교도들은 대단히 기꺼워하였고, 귀향했을 때 조국에서도 목사에게 같은 명예와 경외심이 주어지기를 바랐지요. *그리고* 스코틀랜드에서 (당시 제임스 국왕께선 연소하셨기에) 곧 (일부 유력한 귀족들의 도움으로) 그들은 이를 통과시켰습니다. 또한 그들은 잉글랜드로 돌아와 엘리자베스 여왕 폐하의 통치 초기에 같은 일에 매진했지만, 최근의 반란까지는, 스코틀랜드인들의 도움 없이는 결코 효과적일 수가 없었지요. 그리고 성공하자마자, 장로파의 설교와 성경의 개인적인 해석으로 인해, 수가 늘어난 다른 분파들에게 다시금 패배하였습니다.

B. 저는 실로 최근의 전쟁 초기에 장로파의 권력이 너무나도 거대하여, 런던 시민 뿐만 아니라 잉글랜드의 다른 모든 도시와 시장도시[100] 중 대부분에서 거의 모든 이가 헌신했다고 알고 있습니다. 하지만 선생님께서는 아직 제게 어떤 기교로 어느 정도로 그들이 그리 강해졌는지를 말씀해주지 않으셨습니다.

A. 그 일을 해낸 것은 그들 자신만의 기교가 아니었으며, 그들은 이들 목사가 교회에서 원했던 것만큼이나 시민 국가에서 인민

---

[100] Market-town. 중세에 관습이나 왕령으로 시장이 설치되었던 도시를 말하며, 일반적인 마을이나 도시와는 구분되었다.-역주

정부를 원했던 수많은 젠틀맨의 동의를 얻었습니다. 그리고 이들이 설교단에서 백성들에게 자기들의 의견을, 그리고 교회 통치권과 정경, 공동기도서에 대한 혐오감을 이끌었던 것처럼, 다른 이들은 의회에서 연설로, 나라 안 백성들과의 토론과 소통을 통해 민주정을 사랑하게끔 만들었고, 끊임없이 자유를 찬양하고 폭정을 저주하면서, 백성들이 스스로 모여 이러한 폭정이 현재의 국가 정부라 추론하도록 내버려두었습니다. 그리고 장로파가 대학에서 신학을 교회로 가져왔듯, 많은 젠틀맨들도 그곳에서 정치학을 의회로 가져왔지만, 엘리자베스 여왕 폐하 시절 동안에는 누구도 감히 그리 하지 않았지요. 그들 모두가 악의에서가 아니라, 많은 수가 착오로 그랬던 것 같지만, 확실히 최고 지도자들은 야심 찬 목사들과 야심 찬 젠틀맨들이었는데, 목사들은 학문이 못하다고 여겼던 주교의 권위를 시기했으며, 젠틀맨들은 자기네들보다 현명함이 못하다고 여겼던 추밀원과 주요 궁정인들을 시기했습니다. 자신의 기지를 높이 사는 이들이 대학의 학문도 습득하게 된다면, 왕이 증오받으면서 폭군이라는 명칭으로 낙인 찍히고, (민회만큼 잔인한 폭군이 없었더라도) 인민 정부가 자유라는 명칭으로 받아들여지는, 고대 그리스와 로마의 인민 정부의 영광스러운 역사와 감상적인 정치학을 읽어온 이들이라면 특히, 그들에게 코먼웰스 정부에 요구되는 어떤 능력이 부족하다고 설득하기란 어렵습니다. 엘리자베스 여왕 폐하 통치 초기에 장로파 목사들은 (감히 그럴 수 없었기 때문에) 교회의 규율에 반대하는 설교를 공개적으로 *그리고 노골적으로* 하지 않았지요. 허나 얼마 지나지 않아, 아마도 어느 대단한 궁정인의 호의로, 그들은 설교하는 수사들이 이전에 그랬듯, 대부분의 잉글랜드 시장도시에서 평일 아침에 설교하고자 널리 퍼져 나갔습니다. 이들 및 설교 방식과 사안 모두에서 영혼을 채우는 데에 이들과 같은 교리를 지녔던 다른 이들은 백성들이 자기네들의 교리를 좋아하고 자기네들의 인격을 좋게 평가하도록 스스로를 완전히 바쳤습니다.

그리고 첫째로, 설교 방식에 대해 말하자면, 그들은 설교단에 들어설 때의 표정과 몸짓에서, 그리고 기도와 설교 시의 발음에서 너무나도 틀에 박혔고, (백성들이 이해하든 못하든) 성경 구절을 사용하였으므로, 세상의 어떠한 비극배우도 이들보다 경건한 의인의 역할을 더 잘 할 수 없었습니다. 그러한 기교에 익숙하지 않은 사람이라면, 그들이 계획한 대로 국가에 반하는 선동을 일으키고자 야심 찬 음모를 품었다거나, (같은 단어도 통상의 발음으로는 거의 힘을 갖지 못했기에) 그 목소리의 격렬함과 몸짓 및 외양의 경직성이 하나님을 섬기고자 하는 열성 이외의 무엇으로부터 비롯되었으리라 결코 의심스러워 할 수 없었지요. 그리고 이 기교로 그들은 그러한 신용을 얻어, 많은 수의 사람들이 평일에는 자기 교구와 마을을 떠나 자신의 소명에서 벗어났고, 일요일에는 자신들의 교회를 떠나, 다른 데에서 설교를 듣고는, 자기들처럼 행동하지 않는 자기네와 다른 모든 설교자들을 경멸하곤 했지요. 그리고 평소에 설교하지 않고, 설교 대신 교회가 정한 강론을 백성들에게 읽는 목사들을 존중하여 *멍청한 개들*이라 불렀습니다.

둘째로, 설교 사안에 대해 말하자면, 로마 후기의 찬탈에 대한 백성들의 분노가 당시 새로웠기 때문에, 그들은 주교들이 아직 정죄한 적이 없었던 로마 종교의 다른 점들에 반하여 설교하는 것 이상으로 은혜로운 일이란 있을 수 없다고 보았지요. 고로 그들이 그랬던 것보다 가톨릭교에서 더 멀리 물러나서, 자기네들에게는 영광을, 주교들에게는 아직 우상숭배에서 완전히 벗어나지 못한 인물들이라는 의심을 남겨둘 수 있었습니다.

셋째로, 설교 전에 그들의 기도는 *즉흥적*이거나 그런 듯 보였고, 그들은 그들 안의 하나님의 영혼께 지시받았노라 주장했으며, 많은 백성들이 이를 믿거나 믿는 듯 보였지요. 판단력이 있는 사람이라면 누구라도 그들이 기도할 때 무엇을 말해야 할지 미리 신경 쓰지 않았음을 알 수 있었습니다. 이로부터 *성공회 기도서*에 대한 혐오감이 생겨났는데, 이는 미리 예비된 정해진 형식으로, 사람들이 무엇에 *아멘*이라 말해야 하는지를 알 수 있었기 때문이지요.

넷째로, 그들은 설교에서 목사와 신앙에 대한 자선 부족을 제외하고는, 무역이나 수공업에 종사하는 사람들에게 유리한 악덕들, 즉 가식이나 거짓말, 사기, 위선, 여타 무자비함에 대해 결코, 혹은 가벼이 비난하지 않았으며, 이는 시민 일반과 시장도시의 주민들에게는 큰 위안이었고, 그들 자신에게는 이익이 적지 않았습니다.

다섯째로, 인간은 자신의 개인적인 영혼의 간증으로 구원을 확신받아야 한다는 의견을 설교하였으니, 성령이 그들 안에 거한다는 의미였습니다. 그리고 이 의견으로부터 자신에게서 교황파를 향한 충분한 증오심과 집으로 돌아와 이들의 설교를 반복할 능력을 발견한 백성들은 그들이 필요한 전부를 가지고 있음을 의심치 않았고, 성도로 간주되지 않는 이웃과 때로는 자신들에게마저 얼마나 기만적이고 악의적으로 행동했는지 모릅니다.

여섯째로, 그들은 실로 대단히 간절하고 엄격하게, 육신의 정욕과 헛된 맹세라는 두 가지 죄에 대해 통렬히 비난하는 일이 잦았고, 의문의 여지없이 매우 잘 되었지요. 허나 서민들은 (제7계명에서 금한 것 외에 다른 색욕을 정욕이라는 이름으로 이해하는 이들은 거의 없었고, 남의 가축이나 재물, 소유물을 탐하지 말라고는 보통 말해지지 않았기 때문에) 제3계명과 제7계명에서 금한 것 외에는 다른 죄는 없다고 믿으려는 경향이 있었으니, 그러므로 사기나 악의 같은 행위에 대해 그다지 가책을 느끼지 않으면서, 오직, 아니면 적어도 그러한 추문에 휩싸이지 않으려 애쓸 뿐이었습니다. 그리고 그들은 설교와 저술 모두에서 맨 처음의 심적 움직임, 즉 말하자면, 남녀가 서로의 모습을 보고 느끼는 기쁨이 비록 그들이 이 행위를 검토하여 결코 계획적으로 키우지 않았다 하더라도, 그럼에도 불구하고 죄라고 주장하고 가르쳤으므로, 젊은이들을 절망에 빠뜨리고 스스로 저주받았다고 생각하게 하였는데, 왜냐하면 (누구도 그럴 수 없고, 자연의 규정에 반하는 일이었기에) 그들은 기쁨 없이 기쁜 대상을 볼 수가 없었기 때문이지요. 그리고 이로써 그들은 양심에 괴로움을 겪는 고해자가 되어, 양심과 관련된 경우라면 무엇이든 영적인 의사로서 설교자들에게 순종하였습니다.

B. 그렇지만 그들 중 여럿이 억압에 반대하는 설교를 자주 했지요.

A. 맞습니다, 잊고 있었군요. 허나 그로부터 충분히 자유로워지기 전까지였지요. 자기들이 억압당한다고는 쉽사리 믿으면서도, 결코 억압자는 아니라 믿는 서민들로부터 말입니다. 그러므로 이를, 백성들이 국왕 폐하나, 아마도 주교, 아니면 양쪽 모두에 억압당한다고 믿도록 만들고는, 나중에 기회가 되면 더욱 비열한 부류를 자기 당파로 끌어들이기 위한, 술수로 간주하실 지도 모르겠습니다. 하지만 이는 그들이 두려움과 시기심으로 떨었던 엘리자베스 여왕 폐하 시대에는 아주 드문 일이었습니다. 그들은 아직 의사당에서 대단한 권력을 갖지도 못했으며, 그런고로 나중에 그랬던 것처럼, 즉 정부를 군주정에서 그들이 자유라 칭했던 인민

정부로 바꾸려는 계획을 위해 민주파 젠틀맨들이 그들을 고문역으로 받아들였을 때처럼, 권리청원과 여타 장치로 여왕 폐하의 대권에 의문을 제기하지도 못했지요.

B. 그런 끔찍한 계획이 그토록 쉽게 그토록 오랫동안 경건함의 외투로 가려져 있을 수 있다고 누가 생각인들 했을까요? 그들이야말로 가장 불경스러운 위선자였다는 것은, 그들의 행위가 낳은 전쟁과, 전쟁에서 저지른 불경스러운 행동으로 충분히 명백합니다. 그런데, 언제, 그리고 누가 처음으로 의회에서 인민 정부를 시도하고자 하였는지요?

A. 군주정에서 민주정으로 정부를 바꾸려던 시점에 대해서는, 구분이 필요합니다. 국왕 폐하를 살해하기 전까지는 명백한 용어로, 그리고 그 명칭으로 주권에 도전하지 않았고, 국왕께서 반기를 든 도시 내 폭동으로 런던에서 쫓겨나 일신의 안전을 위해 요크로 물러나시기 전까지 각 수장들은 한결같이 국왕 폐하의 권리에 도전하지 않았으며, 며칠이 지나지 않아 그들이 국왕께 19가지 제안을 보냈을 때, 그 중 십여 개 이상이 주권 권력에 필수적인 부분들이었던 여러 권력에 대한 요구였습니다. 허나 그전에 그들은 권리청원이라 불렀던 청원서에서 이 중 일부를 요구했습니다. 비록 그들의 동의없이 과세할 권력 뿐만 아니라, 톤수와 파운드수 관세에 따른 통상적인 수입과, 왕국의 평화를 어지럽히고 선동을 일으키리라 여겨지는 인물들을 구금할 자유를 스스로에게서 박탈하심에도, 그럼에도 불구하고 국왕께선 앞선 의회에서 이를 허락하셨지요. 이를 행했던 인물들에 대해서는 그들이 최근의 의회 의원이며, 그 중 일부는 찰스 국왕 폐하 통치 초기와 제임스 국왕 폐하 통치 말기의 의회 의원이라 말하는 걸로 충분합니다. 그들의 이름 전부를 일컫는 것은 불필요하며, 이야기가 요구하는 바를 넘

어서는 것이겠지요. 그들 중 대부분은 서민원 의원이었고, 일부는 또한 귀족원 의원이었지만, 모두가 정치에서 자기 능력에 자신감이 대단하여, 국왕께 충분히 주목받지 못했노라 생각했습니다.

B. 국왕께서는 권좌 하에 대단한 해군과 수많은 훈련된 병사, 탄약창 전부를 갖고 계셨는데, 어떻게 의회가 전쟁을 시작할 수 있었을까요?

A. 국왕께선 실로 이런 것들을 자기 권리로 가지셨으나, 그들이 해군과 군수창을 장악하고, 모든 훈련된 병사들이 그들 곁에 서고, 어떤 면에서 모든 신민들이 장로파 목사들의 설교와 거짓되고 무지한 정치가들의 선동적인 속삭임으로 국왕 폐하의 적이 되자 거의 의미가 없었지요. 그리고 의회가 국왕께 주어야 하는 돈 이외에는 가지실 수 없게 되자, 왕권을 충분히 유지할 수가 없게 되셨으며, 그들이 이를 빼앗으려 했음을 확신하실 수 있겠지요. 그러나 모두가 장로파였던 스코틀랜드인들에게 우리의 성공회 기도서를 부과하려던 불행한 일이 아니었더라면, 저는 그들이 결코 들판으로 모험에 나서지는 않았으리라 생각합니다. 국왕께서 먼저 전쟁을 일으켜 자기 방어를 해야 하지 않는 한, 어떠한 도발이 있더라도, 잉글랜드인들은 의회가 국왕께 전쟁을 벌이려던 것을 결코 잘 받아들이지는 않았으리라 믿기 때문이지요. 따라서 국왕 폐하를 자극하여, 국왕께서 적대행위로 보이는 무언가를 하실 수 있도록 해야 했습니다.

1637년에 국왕께선 생각컨대 캔터베리 대주교의 조언에 따라, 스코틀랜드에 성공회 기도서 한 부를 보내셨는데, 본질적으로 우리의 것과 그다지 다르지 않았고, 목사 대신 장로라는 단어를 넣은 것 외에는 단어상으로도 별 차이가 없었으며, 그 곳의 목사들이 (이 왕국에 부합하게) 통상적인 형태의 예배식에 사용하도록 명하셨지요. 이것이 에든버러의 교회에서 낭독되자 소란이 야기되었고, 이를 낭독한 이는 목숨을 걸고 탈출하고자 소동을 피웠으며, 대부분의 귀족과 다른 이들에게 그들 자신의 권위에 의해, 그들 사이에 언약을 맺을 기회를 주었는데, 뻔뻔스럽게도 그들은 국왕 폐하와 상의하지도 않고 주교제를 폐지하기 위해 *하나님과의 언약*이라 불렀습니다. 그들은 이제 스스로의 자신감에 의해, 혹은 앞선 의회에서 국왕 폐하의 이해관계에 가장 큰 반대자이자, 그들에게 호의적일 것이 확실한 의회를 소집하지 않고서는 국왕께서 자신들을 벌하기 위해 군대를 일으킬 수 없으리라는 일부 민주파 잉글랜드인들의 확신에 의해 움직였습니다. 당시 그들 민주파가 주로 목표로 삼았던 것은 국왕께서 의회를 소집하도록 강제하는 것이었는데, 이전에 소집하셨던 의회에서 자기 계획에 아무런 도움도 받지 못하고 방해만 받으셨기에, 앞선 10여년간 소집한 적이 없으셨지요. 어쨌든 간에 그들의 기대와는 달리, 국왕께 더 나은 감정을 품었던 귀족과 젠트리의 도움으로, 전투에 나서셨을 때, 스코틀랜드인들이 전처럼 순종하도록 위축시키기에 충분한 군대를 일으키는 변화를 이루어 내셨습니다. 그리고 이 군대와 함께 몸소 스코틀랜드로 진군하셨고, 스코틀랜드군도 마치 싸울 것처럼 국왕께 맞서 들판으로 나왔습니다. 허나 스코틀랜드인들은 국왕께 양측의 행정관이 담판을 맺도록 요청하였고, 국왕께서는 자기 신민의 멸망을 피하고자 기꺼이 이에 굴하셨습니다. 논제는 평화였고, 국왕께서는 에든버러로 가시어, 그들이 만족할 만한 의회법을 통과시키셨지요.

B. 당시 국왕께서 주교제를 확실히 하지 않으셨는지요?

A. 아니요, 이를 폐지하는 데에 굴하셨을 뿐입니다. 하지만 이로써 잉글랜드인들이 의회에 걸었던 희망이 교차되었습니다. 허나

말씀드린 민주파는, 이전에 국왕 폐하의 이해에 반대하였고, 여전히 두 나라를 전쟁에 빠뜨리려는 노력을 멈추지 않았으니, 결국 국왕께선 주권 그 자체보다도 결코 더 적지 않은 대가를 치루고야 의회의 도움을 사실 수 있었지요.

B. 하지만 스코틀랜드의 젠트리와 귀족들이 주교제를 그토록 혐오하게 된 원인이란 무엇이었을까요? 저는 그들의 양심이 특별히 섬세했다거나, 우리 구주와 그분의 사도들이 세우신 참된 교회 규율이 무엇인지 알 정도로 너무나도 위대한 신학자들이었다거나, 아니면 교회적으로든 시민적으로든 정부에서 압도적일 만큼 자기네 목사들을 대단히 사랑했다고는 믿을 수가 없습니다. 삶에서 그들은 다른 사람들과 마찬가지로 자기네들의 이해관계와 출세를 추구했으며, 장로파 목사들 이상으로 주교들에게 적대시되지도 않았으니까요.

A. 실로 모를 노릇입니다. 일반적인 인간 본성을 고려해보는 정도 이상으로 다른 사람들의 생각에 들어가볼 수는 없겠지요. 허나 이러한 고려에서 저는 첫째로, 고대의 부유하고 고귀한 인물들은 성마른 경향이 있었고, 가난한 학자들은 (그들이 주교가 되었을 때 반드시 그러해야 하듯) 그들의 동료가 되어야 한다는 것을 깨닫게 되었습니다. 둘째로, 민족 간의 영광을 모방하면서, 그들은 기꺼이 내전으로 고통받는 이 민족을 보고자 하며, 여기에 반란군을 도움으로써 적어도 장로파의 규율을 확립하는 한, 잉글랜드인들에 대해 어떠한 권력을 얻기를 희망해볼 수 있었는데, 이 또한 이후 공개적으로 요구한 점들 중의 하나였습니다. 마지막으로, 전쟁에서 그들은 도움에 대한 보상으로, 이후에 획득할 상당한 전리품 외에도 상당량의 돈을 희망할 수도 있었겠지요. 허나 주교들을 증오하게 된 원인이야 어찌되었든, 그들을 끌어내리는 것만이 목

표의 전부는 아니었습니다. 만약 그랬더라면, 이제 의회법으로 주교제가 폐지되었으므로, 만족했어야 되겠지만, 그렇지 않았습니다. 국왕께서 런던으로 귀환하신 후, 스코틀랜드의 주교들을 끌어내렸던 잉글랜드의 장로파와 민주파는 스코틀랜드인들의 도움을 받아 잉글랜드의 주교들을 끌어내리는 것이 합당하다 여겼으니까요. 그리고 그러기 위해, 그들은 전에는 만족스러웠던 그 평화가 불만스러워져, 아마도 스코틀랜드인들과 비밀리에 거래했을지도 모르지요. 어쨌든 간에 국왕께서 런던으로 귀환하신 후 얼마 지나지 않아, 그들은 궁정의 몇몇 친구들에게 어떤 문서를 보냈는데, 그들이 주장했던 대로, 말씀드렸던 강화조약이 담겨있었지요. 제가 들었던 바에 따르면, 거짓되고 추악한 문서로, 국왕 폐하의 명령으로 공개적으로 불태워졌습니다. 그래서 양측은 국왕께서 군대와 함께 귀향하셨던 때와 같은 상태로 되돌아갔습니다.

B. 그리하여 상당량의 돈이 목적 없이 버려졌군요. 그런데 그 군대의 대장이 누구였는지 말씀해주시지 않으셨습니다.

A. 거기에는 국왕께서 몸소 계셨다고 말씀드렸었지요. 휘하에서 지휘하는 이는 아룬델 백작Thomas Howard (1985~1646)이었는데, 용기도 판단력도 부족한 인물이었습니다. 허나 전투나 조약은 그가 아니라 국왕 폐하의 권한으로 진행되었습니다.

B. 그는 가장 고귀하고 충성스러운 가문의 인물로, 일전에 선조가 스코틀랜드인들을 자기 나라에서 크게 전복시킨 적이 있었으며, 만약 싸웠더라면, 지금도 같은 결과를 가져왔을지도 모릅니다.

A. 실로 그랬을 지도 모르지요. 허나 지금까지 많은 대장들이 같은 상황에서 선조의 행운을 빌려 뽑혔지만, 그런 이유로 그를 대장으로 삼았던 것은 일종의 미신에 불과하였습니다. 아테네와

스파르티 시이의 오랜 전쟁에서, 아테네의 어떤 대장이 바다에서 스파르타를 상대로 많은 승리를 거두었는데, 그런 이유로 그의 사후, 그들은 그의 아들을 대장으로 뽑았지만 성공적이지 않았습니다. 스키피오Scipio Africanus (BC 236?~BC 183?)의 용맹과 지휘로 카르타고를 정복한 로마인들은 아프리카에서 카이사르와 다시 전쟁을 벌일 때 또 다른 스키피오Quintus Caecilius Metellus Pius Scipio (BC 95?~BC 46)를 대장으로 뽑았는데, 충분히 용맹하고 현명한 인물이었으나, 임무 중에 스러졌습니다. 그리고 우리나라로 귀환하면서, 에식스 백작Robert Devereux (1565~1601)은 카디스로 운 좋은 원정을 이루어 냈지만, 그의 아들 Robert Devereux (1591~1646)은 이후 같은 곳에서 아무 것도 할 수 없었지요.[101] 하나님께서 전쟁에서의 성공을 어떤 이름이나 가문에 한정하리라 희망하는 것은 어리석은 미신에 불과합니다.

B. 평화가 깨진 후에는, 무슨 일이 일어났는지요?

A. 국왕께선 해밀턴 공작James Hamilton (1606~1649)에게 임무와 지침을 맡기시고 스코틀랜드로 보내어, 거기에서 의회를 소집하고, 가능한 모든 수단을 사용토록 하셨지만, 별무소용이었지요. 스코틀랜드인들은 이제 군대를 일으켜 잉글랜드로 쳐들어가, 그들이 주장한 대로, 폐하께 청원서로 자기네들의 고충거리를 전달하기로 결심했으니까요. 그들이 말하길, 국왕께서 사악한 고문들의 손아귀에 있기에 다른 방법으로는 자기네들의 권리를 얻을 수 없기 때문이라는 것이었습니다. 허나 진실은 그들이 보상의 약속과 약탈의

[101] 각각 1596년의 카디스 점령과 1625년의 카디스 원정을 말한다. 전자는 스페인 무적함대에 엄청난 손실을 안겨주었으나, 후자는 정반대로 크게 실패하여 찰스 1세와 의회 사이의 관계가 틀어지는 데에 중요한 계기가 되었다.-역주

희망에 더불어, 민주파 및 장로파 잉글랜드인들에 의해 움직였다는 것이었습니다. 어떤 이들은 해밀턴 공작도 원정을 막기 보다는 오히려 그들이 그러도록 격려했다고 말했는데, 두 왕국의 무질서로 그가 이전에 매진했다고 비난받았던 일, 즉 스스로를 스코틀랜드 왕으로 세우는 일이 실현되기를 희망했다고 말이지요. 하지만 제게는 이것이 그의 주인이었던 국왕 폐하의 자유를 애써 추구하다 훗날 목숨을 잃은 한 인간에 대해 그토록 가혹하게 판단할 만한 근거가 거의 없는 아주 무자비한 비난으로 여겨집니다.-잉글랜드로 쳐들어가겠다는 스코틀랜드인들의 이 결의가 알려지면서, 국왕께선 그들에게 맞설 군대를 일으킬 자금이 필요해지셨고, 이제 그분의 적들이 바라던 대로, 의회를 소집하여 1640년 4월 13일에 웨스트민스터에서 회합하실 수밖에 없었습니다.

B. 잉글랜드 의회는 어떤 경우라도 스코틀랜드인들에게 맞서는 전쟁에서 국왕께 자금을 제공해야 한다고 저는 생각하는데, 옛날부터 언제나 프랑스인들과 적으로 함께 했으며, 잉글랜드의 영광을 늘상 자기자신의 약화로 간주해왔던 그 민족에 대한 뿌리깊은 불만 때문입니다.

A. 이웃민족들이 서로의 명예를 시기하고, 힘이 약할수록 더 큰 악의를 품는 것은 실로 흔한 일이겠습니다만, 그로 인해 공동의 야심이 그들을 이끌어가는 것에 대한 합의를 방해하지는 않습니다. 그러므로 국왕께선 의회로부터 도움을 더 많이가 아니라 더 적게 받으셨으며, 그 대부분의 의원들은 일상담화에서 국왕께서 왜 스코틀랜드와 전쟁을 벌이려 하시는 지를 궁금해하는 듯 보였고, 때때로 의회에서 그들을 일컬어 *자신들의 형제 스코틀랜드인들*이라 하였습니다. 자금을 조달하시려는 국왕 폐하의 일을 고려사항으로 받아들이는 대신, 그들은 고충거리를 해결하고, 특히 근

간의 의회 중단기간 동안 국왕께서 사용하실 수밖에 없었던 과세 방법들, 즉 선박세와 기사작위세, 그리고 법률가들이 왕국의 옛 기록으로 정당화 근거를 찾았던, 왕실에 대한 다른 경의들(누군가가 이렇게 불렀지요) 같은 것에 빠져들었습니다. 게다가, 비록 국왕 폐하 본인의 명령과 영장으로 행해지기는 했더라도, 그들은 여러 국무장관에 대한 조치에 골몰하였습니다. 그들이 요청받은 일에 도달하는 데까지, 이 전쟁에 필요한 자금은 (결코 그들의 의도가 아니었고 얼마라도 주려고 했다 하더라도) 너무 늦어졌지요. 선박세에 대한 권리와 다른 몇몇 국왕 대권의 포기를 대가로 흥정을 통해 국왕께 주어질 자금액에 대한 언급이 있었지만, 너무 드물었던 데다가, 금액이 결정되지 않았으므로, 국왕께서 무슨 성공에 대한 희망을 가지시기란 헛된 일이었고, 그러므로 다가오는 5월 5일에 의회를 해산하셨습니다.

B. 그러면 국왕께선 군대를 일으키고 보존할 자금을 어디에서 마련하셨는지요?

A. 그분께선 귀족과 젠트리를 두번째로 이용하실 수밖에 없었는데, 그들은 자기 재산의 크기에 따라 어떤 이는 더 많이, 어떤 이는 더 적게 기여하였습니만, 그들을 전부로 하여 아주 충분한 군대가 이루어졌습니다.

B. 당시 의회에서 그분의 일을 가로막았던 바로 그 인물들이 이제 의회 밖에서 할 수 있는 일을 전부 다 했던 듯 보입니다. 그 이유는 무엇이었는지요?

A. 의회의 귀족들과 잉글랜드 전역의 젠트리 중 대부분은 인민정부보다 군주정에 더 많이 동조했지만, 국왕 폐하의 절대권력을 참고 들으려 하지 않았으므로, 회기시에 이를 축소하고자 쉽사리 스스로를 낮추어, 그들이 칭했던 대로, 혼합군주정을 정부에 도입

하려 하였는데, 즉 절대주권을 국왕 폐하와 귀족원, 서민원 사이에 나누어야 한다는 것이었지요.

B. 하지만 그들이 합의할 수 없다면 어찌 합니까?

A. 저는 그들이 그런 생각을 해 본 적이 없으리라 생각합니다만, 주권을 완전히 어느 한 의회나 양원에 두어야 한다는 의미는 결코 아니었으리라 확신합니다. 게다가 그들은 국왕께서 외국인에게 침략받으셨을 때, 그분을 저버리고자 하지 않았습니다. 그들은 스코틀랜드인을 외국인으로 여겼으니까요.

B. 잉글랜드와 스코틀랜드는 그저 하나의 섬일 따름이며, 언어가 거의 같고, 한 분의 국왕께 통치되면서도, 서로를 외국인으로 생각한다는 것이 제게는 이상합니다.–로마인은 많은 민족들의 지배자였고, 로마 시에서 그들에게 보낸 칙령과 법률에 더 많이 순종하도록 의무를 부여하기 위해 로마인은 그들을 모두 로마인으로 만드는 편이 적절하다 여겼습니다. 스페인, 독일, 이탈리아, 프랑스와 같은 여러 나라들 중에서 그들이 가치 있다고 여기는 일부를 승급시키고, 개중에는 로마의 원로원이 되기도 하였으며, 모든 서민에게 로마 시의 특권을 부여하여, 그들이 거주하는 다른 나라의 오만불손함으로부터 보호하였습니다. 왜 스코틀랜드인과 잉글랜드인은 이처럼 하나의 백성으로 통합되지 않았습니까?

A. 제임스 국왕 폐하께서 처음 잉글랜드 왕위에 오르시고 이를 위해 노력하셨으나, 어찌하실 수 없었지요. 허나 그럼에도 불구하고, 그대가 로마인에 대해 말씀하셨던 대로, 저는 스코틀랜드인들이 이제 잉글랜드에서 로마에서 여느 민족이 가졌던 만큼의 특권을 가지고 있다고 믿습니다. 그들은 모두 시민권을 얻었고, 잉글랜드에서 자신과 상속인들을 위해 땅을 구매할 권리가 있으니까요.

B. 제임스 국왕 폐하께서 잉글랜드 왕국에 재위하셨던 시절 이후, 스코틀랜드에서 태어난 이들에게는 사실이지요.

A. 이제 그 이전에 태어난 이들이란 거의 없습니다. 그런데 왜 이전에 태어난 이들보다, 이후에 태어난 이들이 더 나은 권리를 갖게 되었을까요?

B. 왜냐하면 그들은 잉글랜드 국왕 폐하의 신민으로 태어났고, 나머지는 그렇지 않았기 때문이지요.

A. 나머지가 제임스 국왕 폐하의 신민으로 태어나지 않았다니요? 그분께서는 잉글랜드의 국왕이 아니셨습니까?

B. 국왕이셨지요. 하지만 그 때엔 아니셨습니다.

A. 저는 그 구분의 미묘함이 이해가 안 갑니다. 그러한 구분은 어떠한 법률에 근거하는지요? 그러한 목적의 법령이 있습니까?

B. 모르겠습니다. 없으리라 생각합니다만, 형평성에 근거합니다.

A. 저는 여기에 어떤 형평성이 있는지 모르겠군요. 같은 국왕께 똑같이 순종해야 하는 민족들끼리 동등한 특권을 가져서는 안 된다니요. 이제 제임스 국왕 폐하께서 재위하시기 전에 태어난 이들이 매우 적은 것으로 보아, 로마 정부에서 시민권을 얻어 로마인으로 정착한 이들이나 잉글랜드 정부에서 시민권을 얻은 잉글랜드인에게 스코틀랜드인 이상으로 무슨 더 큰 특권이 있을까요?

B. 로마인들은 로마에 있을 때, 입법 시에 발언권을 가졌습니다.

A. 그리고 스코틀랜드인들에겐 자기들 의회가 있는데, 거기서 만들어지는 법률에는 그들의 동의가 필요하며, 이는 훌륭한 것입니다. 프랑스의 많은 지방에도 여러 의회와 여러 규정이 있지 않았던가요? 허나 그들은 모두 똑같이 프랑스 국왕의 타고난 신민입니다. 따라서 저로서는 잉글랜드인과 스코틀랜드인이 서로를 외국

인이라 부르는 것은 잘못이라 생각합니다. 어쨌든 간에 국왕께선 충분하기 그지없는 군대를 보유하셨고, 그에 의하여 스코틀랜드를 향해 진군하셨지요. 그분께서 요크에 도착하셨을 때, 스코틀랜드군은 국경에 이르러 잉글랜드로 진군할 준비가 되어 있었으며, 곧 그리 하면서 말하기를, 그들의 행군은 나라에 피해를 주지 않을 것이며, 볼일이란 오로지 국왕께 청원서를 전달하는 것 뿐으로, 국왕께서 가장 따르시는 고문역의 궁정인 등으로부터 받았다고 주장하는 다수의 피해를 구제받기 위해서라는 것이었습니다. 그리하여 그들은 노섬벌랜드를 조용히 통과하여, 뉴캐슬 바로 위의 타인강에 있는 여울에 이르러, 거기에서 그들을 막기 위해 파견된 국왕군 중 일부와 다소간 충돌하게 되었는데, 스코틀랜드인들은 쉽사리 제압했고, 끝나자마자 뉴캐슬을 점령했으며, 더 나아가 더럼시까지 와서는, 국왕께 조약을 갈구하여 승인되었고, 양측의 행정관들이 리폰에서 만났습니다. 결론은 모든 것을 의회에 회부해야 한다는 것이었고, 국왕께선 같은 해 1640년, 다가오는 11월 3일에 웨스트민스터에서 회의를 소집하기로 하신 후, 런던으로 돌아오셨습니다.

B. 그리하여 군대가 해산되었나요?

A. 아닙니다. 스코틀랜드군은 노섬벌랜드와 더럼의 카운티들에서 비용을 부담하고, 국왕께선 의회에서 양쪽 군대가 해산에 합의할 때까지 자비로 지출하셔야 했습니다.

B. 그러면 사실상 양쪽 군대 모두 국왕 폐하의 책임 하에 유지되고, 일체의 논쟁은 거의 전적으로 장로파였던 의회에 의해, 그리고 부분적으로는 스코틀랜드인 자신들이 바라는 대로 결정되었겠군요.

A. 그러나 이 모두에도 그들은 감히 당장 국왕께 전쟁을 벌이지

는 못했습니다. 백성들의 심중에는 그분에 대한 경외심이 아직 많이 남아있었으므로, 그들이 의도했던 바를 선언했더라면 추태가 되었을 겁니다. 그들은 국왕께서 먼저 의회에 전쟁을 일으키셨다고 믿어지도록 어떠한 윤색 같은 것을 해야 했습니다. 게다가 그들은 아직 설교와 팜플렛에서 그분과 그분의 행동에 충분한 불명예를 주지 못했고, 그분께 최선의 조언을 할 수 있으리라 여겨지는 이들을 제거하지도 못했지요. 그러므로 그들은 숙련된 사냥꾼처럼 그분을 따라다니기로 했습니다. 일단은 곳곳에 배치된 인물들로 *소란을 일으켜* 그분을 탁 트인 들판으로 몰아넣음으로써 고립시킨 후, 그분께서 방심하시는 듯 보이면, 의회에 전쟁을 선포하셨노라 칭하기로 하였지요.

그리고 먼저 그들은 무엇이든 왕권에 속한 권리를 옹호하고자 설교하거나 글을 쓰는 이들을 문제 삼았는데, 이는 그들이 찬탈하여 국왕 폐하에게서 빼앗고자 하는 것이었으므로, 일부 몇몇 설교자와 저술가들이 투옥되었습니다.[102] 국왕께서 이들을 비호하시지 않자, 그들은 내각에서 국왕 폐하 본인의 일부 조치에 의문을 제기하여, 내각 중 일부는 투옥되었고, 일부는 바다 너머로 떠났습니다. 반면 어떤 이들은 책과 설교로 선동을 일으키려 노력했고, 중차대한 다른 범죄를 저질렀으므로, 성실청에서 국왕 폐하의 고문역에 의해 비난받고 투옥되었습니다. 의회는 (그들의 인격은 아무래도 상관없었으므로) 국왕 폐하와 백성들이 어떻게 받아들일지 시험삼아 자기 권위로 그들을 자유로이 풀어주도록 명령했지요.

---

[102] *편집본에서는* "투옥되었습니다" *대신* "투옥되거나 강제로 떠나야 했습니다" *로 되어있다. 이 구문은 원고에서 필기자에 의해 삭제되었다.*

이에 개선식처럼 런던에 모여든 백성들의 거대한 박수 갈채가 뒤따랐습니다. 이는 아무런 저항없이 이루어졌고, 선박세에 대한 국왕 폐하의 권리를 *그들이 문제 삼으면서*-

B. 선박세라니! 그게 뭐랍니까?

A. 잉글랜드 국왕께선 해양방어를 목적으로, 해안이든 아니든, 잉글랜드의 모든 카운티에 선박의 건조와 공급을 위해 과세하실 권한이 있었습니다. 최근에 국왕께선 과세할 이유를 찾아내셨는데, 의회는 이를 억압으로 반대하였습니다. 그리고 의원 중 한 명에게는 20실링만이 부과되었지요. (억압에 주의를 기울이세요. 연간 500파운드 수입의 의원 나리에게 토지세로 20실링이었습니다!) 그들은 이를 법률심으로 가져갈 수밖에 없었고, 그는 지불을 거부하여 쫓겨났습니다. 다시금 웨스트민스터의 판사 전원에게 그 합법성에 관하여 의견을 구했을 때, 12명 중 10명이 적법하다 판단하였고, 이로 인해 비록 처벌받지는 않았더라도, 그들은 의회에서 겁에 떨었습니다.

B. 의회가 불법적이라 외쳤을 때, 어떤 의미였습니까? 성문법에 반한다는 의미였나요, 아니면 흔히 판례집으로 회자되는, 지금까지 내려진 법률가의 판결에 반한다는 의미였나요, 아니면 제가 자연법과 같은 것으로 받아들이는 형평성에 반한다는 의미였나요?

A. 다른 사람이 의미하는 바를 알기란 어렵거나, 거진 불가능한 일이며, 교활한 이들의 경우에는 특히 그렇지요. 허나 확신컨대, 형평성은 국왕 폐하에 대한 기여에서 벗어날 면책의 구실을 위한 근거가 아니라 본인의 즐거움을 위한 근거였습니다. 왜냐하면 그들이 온 왕국을 지키고 다스리는 부담을 누군가에게 지웠을 때, 그가 이를 수행하는 수단을 다른 이에게 의존해야 할 형평성이란 거의 없으며, 만약 그가 그리 한다면, 그들이 그의 주권자이지,

그가 그들의 주권자는 아니기 때문입니다. 그리고 판례집에 포함된 보통법에 관해서는, 국왕께서 그들에게 부여하는 것 이외에는 아무런 효력이 없습니다. 게다가 부패하거나 어리석은 판사의 부당한 판결이 얼마나 길든 간에, 언제까지나 법의 권위와 효력을 얻으리라니, 불합리한 일이었지요. 하지만 성문법 중에는 *마그나 카르타*, 즉 *잉글랜드인의 자유에 관한 대헌장*이라 불리우는 것이 있으며, 여기에는 하나의 조항이 있었는데, 그에 따라 지금까지 국왕께선 어떤 사람도 국법에 의하지 않고는 압류당하지 않는다고, 즉 그에게서 재산을 빼앗지 못한다고 인정해 오셨지요.

B. 이 정도면 그들 목적에 충분한 근거이지 않을까요?

A. 아니요, 같은 의문이 남아 있습니다만, 그대는 분명해졌다고 생각하시는 군요. 그렇다면 국법이란 게 어디에 있겠습니까? 어떤 왕이 더 옛날에 만든, 또 다른 *마그나 카르타*를 의미하는 걸까요? 아니지요. 법령은 여느 사람에게 공공지불을 면제하기 위해서가 아니라, 국왕 폐하의 영장을 몰래 얻어, 소송에서 반대자들을 억압하기 위해 국왕 폐하의 권력을 남용하는 것과 같은 일로부터 모든 사람을 보호하기 위해 제정되었지요. 허나 이는 의회의 일부 반항적인 영혼들의 목적을 수행하고 있었고, 잘못된 의미로 해석되어, 나머지나 그들 중 대부분의 이해로는 이를 간과하기에 충분히 적절하였습니다.

B. 선생님께서는 의회의 의원들을 매우 단순한 이들로 만드셨으나, 백성들은 그들을 이 땅에서 가장 현명한 이들로 선택하였습니다.

A. 기능이 현명함이라면, 그들은 충분히 현명하였지요. 허나 제가 정의하는 *현명함*이란 (속임수와 저열한 변칙에 기대지 않고) 오직 자신의 훌륭한 계획의 힘만으로 자기 일을 성공시킬 방법을

아는 사람입니다. 가짜 주사위와 카드 묶음을 이용하면, 바보가 더 나은 도박꾼을 이길지도 모르지요.

B. 선생님의 정의에 따르자면, 요즘에는 현인이 거의 없습니다. 그러한 현명함은 일종의 용감함인데, 그렇게 길러지는 이들이란 거의 없으며, 대부분이 어리석다 여깁니다. 좋은 옷, 대단한 장식, 손해를 감내하지 않으려는 이를 향한 예의, 의지력이 있는 자에게 가하는 손해가 오늘날의 용감함입니다. 그런데 나중에 의회가 권력을 손아귀에 넣은 후, 자기네들이 쓰고자 돈을 징수했을 때, 백성들은 이에 대해 무어라 말했던가요?

A. 의회의 동의에 따라 부과되었으니, 합법적이며 납입되어야 한다는 것 이외에 달리 무엇이 있을까요?

B. 저는 그들이 국왕 폐하의 용도에 따라 의회의 동의로 부과된 세금이 지불되었을 뿐, 자기네들의 용도로는 전에 결코 그런 적이 없었노라 하는 말을 자주 듣곤 하였습니다. 이로써 저는 그들 중의 한 사람보다, 군중들을 속이는 편이 더 쉽다는 걸 알게 되었지요. 만약 어떤 사람이 나머지들에 의해 열정적으로 정부 교체 혹은 각자 자신을 다스릴 자유에 휩쓸리지 않았더라면, 사고로 타고난 판단력이 훼손되지 않고서야, 자기 지갑과 관련된 사안에 그리 쉽사리 속아넘어갔을까요?

A. 그런 무지한 다수 백성들이 어떤 부류의 인간들을 시의원과 하원의원으로 선출했는지 판단해 보시지요.

B. 저는 다른 판단을 내릴 수 없으나, 당시 선출되었던 이들은 그 이전의 의회에서 선출된 이들과 똑같았으며, 앞으로도 의회에서 선출될 가능성이 높습니다. 백성들은 자기네들의 특정 이해관계 이외에는 결코 무엇도 고민하지 않으며, 다른 것에 대해선 직속 지도자, 즉 설교자나 그들 사이에서 거주하는 젠틀맨들 중 가

장 유능한 이를 따를 뿐이니, 백성들은 언제나 공공에 대한 자기 의무에 무지하였고, 언제나 그렇겠지요. 일반 병사들이 직속 상관을 좋아하기만 한다면 대부분 따르는 듯이 말이죠. 근래의 불행이 그들을 보다 현명하게 만들었다고 생각하시더라도, 이는 금방 잊혀질 것이며, 곧 우리는 예전보다 조금도 더 현명해지지 못할 겁니다.

A. 왜 사람들은 여러 다른 과학을 가르침 받듯, 그들의 의무, 즉 *정의*와 *불의*의 과학을 참된 원칙과 명백한 실증으로부터, 그리고 그 어떤 설교자나 민주파 젠틀맨들이 모반과 반역을 가르칠 수 있는 것보다 훨씬 더 용이하게 가르침 받지 못할까요?

B. 하지만 누구도 배운 적이 없는 것을 누가 가르칠 수가 있겠습니까? 혹은 정의와 형평성의 과학을 연구한 이가 그토록 남다르다면, 그를 해칠 수 있는 힘을 가진 이들의 이해관계에 반할 때, 어찌 안전하게 가르칠 수 있겠습니까?

A. *정의*와 *불의*의 규칙은 충분히 입증되었으며, 원칙부터 가장 평균적인 역량에 이르기까지 분명 부족함이 없었으며, 그 저자의 모호함에도 불구하고, 이 나라 뿐만 아니라 외국에서도 훌륭한 교육을 받은 이들에게 빛을 발했습니다. 허나 나머지 사람들에 비해서는 소수인데, 그 중 많은 수가 까막눈이며, 설령 읽을 수 있다 하더라도 많은 이에게는 그럴 여가가 없으며, 여가가 있는 이들 중의 대부분은 사적인 일이나 쾌락에 전적으로 마음을 쓰면서 사로잡혀 있습니다. 고로 휴일에 설교단을 제외하면 군중이 자기 의무를 배우기란 불가능한데, 당시 거기에서 그들은 불순종을 배웠습니다. 그러므로 그 교리의 빛은 지금까지 *대학*의 권위 없이는 어떠한 사인의 명성도 뚫을 수 없는 적들의 구름으로 덮여 그 아래에 있어 왔지요. 그런데 그 반대를 가르치는 그 모든 설교자들

은 *대학*으로부터 나왔습니다. 트로이에 목마가 왔듯, 이 나라에는 *대학*이 왔지요.[103]

B. 대학을 세우면서 교황은 무엇을 의도했는지요?[104]

A. 대학이 세워진 나라들에서 (앞서 들으셨던 대로) 자신의 권위를 높이는 것 이외에 무슨 다른 의도가 있었겠습니까? 거기서 그들은 왕의 권리를 침해하면서, 교황을 위해 논쟁하는 법과, 사람들의 눈을 멀게 하는 이해불가능한 구별을 배웠습니다. 그리고 그 의도에 대한 분명한 논증이 있었으므로, 그들은 아주 빠르게 그 일에 손을 댔습니다. (제가 어디선가 읽은 바에 따르면) 파리대학교의 초대 총장은 피에르 롱바르로[105], 그는 신학이라는 학문

---

[103] *B*. 이곳과 다른 데에서 대학이 처음 시작된 이유와 시기를 말씀해주실 수 있는지요?

A. (지금으로서는) 카롤루스 대제의 통치기에 시작된 듯 보입니다. 그전에는 의심의 여지없이 로마 교회의 모어였던 라틴어를 위한 문법 학교가 많았지만, 대학, 즉 말하자면, 일반적으로는 과학을, 특히 신학을 위한 학교는 카롤루스 대제에게 보낸 교황의 편지에서 권고되었고, 제 생각으로는, 당시 샬롱쉬르손Chalons-sur-Saone에서 열린 공의회에서 더욱 권장되었으며, 얼마 지나지 않아 파리에 대학이, 옥스퍼드에 유니버시티 칼리지라 불렸던 대학이 세워졌음이 분명합니다. 그리하여 점차 여러 주교와 귀족, 부호, 일부 왕과 왕비가 이에 기여하여, 대학은 마침내 현재의 찬란함을 얻었습니다.

이전의 편집본에 있었던 이 문답은 반복으로 인해 필기자에 의해 원고에서 지워졌다.

[104] 그런데 그 안에 담긴 교황의 의도는 무엇이었는지요?-편집본.

[105] 피에르 롱바르는 노틀담 스쿨에서 교수직을 수행하는 등 파리에서 여러 활동을 했지만, 파리대학교에서 총장직을 맡은 적은 없다.-역주

을 처음으로 도입했고, 기의 같은 시기에 살았던 둔스의 존 스콧으로 이어졌는데, 그들의 저술은 너무나도 모호하고 무의미하므로, 영리한 독자라면 누구라도 그것이 의도인지 모른 채, 세계에서 가장 악명높은 얼간이 중 두 사람으로 판단하게 되겠지요. 그리고 이들의 뒤를 이은 학자들은 독자들에게 열거하는 것으로 깊은 인상을 주고, 언어적 갈퀴로 진정한 이성의 힘을 감소시키는 속임수를 배웠습니다. 아무런 의미도 없지만, 다수의 무지한 사람들을 놀라게 하는 데에만 도움이 되는 구분 말입니다. 이해하는 독자들이 너무나도 적어서, 이 새로운 숭고한 박사들은 그들이 무엇을 생각했는지 신경 쓰지 않았습니다. 이 학자들은 교황이 때때로 믿으라 명할 신앙 조문 전부를 괜찮게 만들어야 했지요. 그 중에는 왕의 권리와 다른 시민 주권에 부합하지 않는 것이 매우 많았으며, *인 온리네 아드 스피리투알리아*in online ad spiritualia, 즉 말하자면, 종교를 위해 필요하다고 선언되는 그 무엇에 대해서도 교황에게 모든 권위를 주장했습니다.

또한 모든 설교자들이 대학에서 도시와 나라로 쏟아져 나와, 교황의 정경과 명령에 절대적으로 순종하도록 백성들에게 겁을 주었는데, 왕과 군주들을 너무 약화시킬까 두려워 하여, 아직 감히 율법이라 부르지는 못했습니다.

대학에서 아리스토텔레스의 철학은 그리스도 육신의 본질과 천상의 천사와 성자의 지위에 관하여, 터무니없는 조문들을 수없이 구제하는 역할을 하면서 종교의 재료가 되었으며, 그 중 일부 조문은 이익을, 또 다른 일부는 성직자들에게, 심지어 그들 중 가장 비열한 이들에게조차 경외심을 가져다 주었기 때문에, 믿기에 적합하다고 여겨졌지요. 그들이 백성들로 하여금 그들 중 가장 비열한 자가 그리스도의 육신을 만들 수 있음을 믿도록 만든다면, 특히 와병 중에 구주를 만들어서 데려온다고 여겨진다면, 누군들 그들에게 경외심을 나타나며 그들이나 교회에 관대해지지 않겠습니까?

B. 하지만 이러한 사기극에서 아리스토텔레스의 교리가 그들에게 무슨 이점이 있었을까요?

A. 그들은 그의 교리보다 그의 모호함을 더 많이 이용했습니다. 고대 철학자의 저술 중 무엇도 아리스토텔레스에 비할 바는 못되니, 말로 사람들을 당황스럽게 하고 분란을 일으켜 논쟁을 촉발시키기에 알맞으므로, 마침내 로마 교회의 결단으로 종식되어야 했습니다. 그러나 아리스토텔레스의 교리에서, 그들은 많은 점을 이용했지요. 첫째로, *분리된 본질*의 교리입니다.

B. *분리된 본질*이 무엇인지요?

A. 분리된 존재입니다.

B. 무엇으로부터 분리되었다는 건가요?

A. 모든 것으로부터 말입니다.

B. 저는 존재하지 않는 것으로 이해되는 무언가라는 존재를 이해할 수가 없습니다. 그런데 그들이 그걸로 무엇을 할 수 있다는 걸까요?

A. 아주 많지요. 하나님의 본성에 관한 의문에서, 그리고 사후에 천국과 지옥, 연옥에서 인간 영혼의 지위에 관한 의문에서, 그들이 서민들로부터 얼마나 대단한 순종과 얼마나 많은 돈을 얻어내고 있는지 그대와 모든 사람이 알고 있지요.-아리스토텔레스는 인간의 영혼이 육체의, 결과적으로는 그 자체의 *제일원동자*라고 주장하며, 그들은 *자유의지*의 교리에서 이를 이용합니다. 그들이 그로써 무엇을, 어떻게 얻는지는 말하지 않겠습니다.-그는 더 나아가 이 세상에는 원인의 필연성이 아니라, 단순한 *우연*과 *인과*

욕, 운으로 인해 일어나는 많은 일이 있다고 주장합니다.

B. 제 생각으로는, 이런 식으로 그들은 하나님을 한가롭게 하여, 운명의 게임에서 단순한 구경꾼으로 만들어버리지요. 하나님께서 원인인 것은 반드시 일어나야 하며, (제 의견으로는) 그 외에 다른 것이란 없기 때문입니다. 그러나 저주받은 자의 영원한 고통의 정의로움을 위해서는 어떠한 근거가 있어야 하고, 아마도 이는 인간의 의지와 성향이 (그들 생각에는) 하나님의 손이 아니라 자기네들의 손에 있어야 하므로, 여기에서 저는 또 다시 교회의 권위에 다소간 공헌하는 것을 보게 됩니다.

A. 이는 대단치 않습니다. 그들은 아리스토텔레스를 그다지 신뢰하지 않았으며, 그의 의견이 자기네들과 다르다면, 무시할 수 있었지요. 그가 자연에서 불가능하다고 말한 무엇이라도, 만약 성변화 교리가 요구한다면 설령 아리스토텔레스가 부정할지라도, 그들은 하나의 동일한 장소에 여러 육신이 있도록, 그리고 동시에 여러 장소에 하나의 육신이 있도록 하실 수 있는 전능하신 하나님의 권능으로부터, 충분히 가능하다는 것을 증명할 수 있습니다. 저는 종교를 기교로 끌어들이고자 하는 의도를 좋아하지 않지만, 종교는 율법이어야 하며, 모든 나라에서 같지는 않더라도 각 나라마다 논쟁의 여지가 없어야 하며, 기교를 가르쳐야 할 때처럼, 먼저 용어의 의미를 보여주고 이로부터 우리에게 믿게 하려는 진리를 도출함으로써 가르치지 않으면 안 됩니다. 아울러 비록 자신의 신의성실 부족보다는, 독자의 교양 부족으로 보이도록 하기 위해, 그들 대부분이 자신들이 쓰는 여러 나라의 모어에 맞춰 라틴어와 그리스어 단어들을 약간 비튼다 하더라도, 그 용어들을 대부분 이해할 수 없어서도 안 됩니다. 허나 가장 참기 힘든 것은, 교회에 발탁되고자 하는 서기라면 모두가 교황의 손아귀에 그 열쇠가 있

다고 믿는 양 할 수밖에 없었다는 것이지요. 그리고 서민들은 그 미묘한 교리를 어떻게 믿든 간에, 그들의 배움으로 인해 결코 교회의 더 나은 아들로 존중받지 못합니다. 구원에 이르는 길은 오직 하나, 즉, 교회를 향한 특별한 헌신과 관대함, 그리고 필요할 경우 교회의 편에서 그들의 자연스럽고 적법한 주권자에 맞서 싸울 준비 뿐입니다.

B. 저는 그들이 아리스토텔레스의 논리학과 물리학, 형이상학을 어떻게 사용했는지는 알지만, 그의 정치학이 그들 편에 어떻게 도움이 되는지는 아직 모르겠습니다.

A. 저도 그렇습니다. 비록 우연히 여기 우리들에게 많은 상처를 주었더라도, 그들에게는 아무런 도움이 되지 않았으리라 생각합니다. 마침내 사제들의 오만에 염증을 느낀 사람들은 자신들에게 부과한 교리의 진실을 검토하고, 학문적 언어에 대해 그러했듯, 성경의 의미를 찾기 시작했습니다. 그 결과 (그리스어와 라틴어를 공부하면서) 아리스토텔레스와 키케로의 민주적 원칙에 익숙해졌고, 그들의 웅변에 대한 사랑에서 그들의 정치학과 사랑에 빠졌으며, 이것이 점점 더 커져, 우리가 지금 이야기하는 반란으로 성장할 때까지 로마 교회에 어떠한 다른 이점도 주지 않으면서 우리를 약화시킬 뿐이었고, 헨리 8세 폐하 시절에 우리가 그들의 그물에서 벗어난 이래로, 그들은 계속해서 이를 복원하려 노력해왔습니다.

B. 아리스토텔레스의 윤리학을 가르치면서 그들은 무엇을 얻었습니까?

A. 아리스토텔레스든, 다른 누구의 도덕이든, 그들에게 무슨 해를 낳지도, 우리에게 무슨 선을 낳지도 않았다는 것은 그들에게 어떠한 이점이 되지요. 그들의 교리는 미덕과 악덕에 관한 대량의

논쟁을 야기했지만, 그것들이 무엇인지, 미덕을 얻거나 악덕을 피하는 방법이 무엇인지에 대한 지식은 없었습니다.-도덕 철학의 목적은 모든 부류의 인간들에게 공공과 서로에 대한 의무를 가르치는 것이지요. 그들은 부분적으로는 인간 열정의 적당함에 따라, 부분적으로는 그들이 칭찬받는 바에 따라 미덕을 평가합니다. 반면에 어떤 행위를 고결하게 만드는 것은 많고 적음이 아니라 그 대의이며, 어떤 행위를 사악하게 만드는 것 또한 많고 적음이 아니라, 법에 복종해야 하는 인간으로서 법에 어긋나거나, 그것이 무엇이든 만인에 대한 형평성이나 자비에 어긋나는 것입니다.

B. 신민의 윤리와 주권자의 윤리를 구분하시는 것 같습니다.

A. 그렇습니다. 신민의 미덕은 전적으로 코먼웰스의 법에 대한 순종으로 이해됩니다. 법에 순종하는 것이 자연법인 정의와 형평성이자, 결과적으로 세상 모든 민족의 시민법이며, 법에 반하는 것 이외의 불의나 죄악이란 전혀 없습니다. 마찬가지로 법에 순종하는 것은 신민의 사려깊음인데, 이러한 순종 없이는 (모든 신민의 안전과 보호를 위한) 코먼웰스가 지속될 수 없기 때문이지요. 그리고 사인으로서 정당하면서도 적당히 스스로 부를 쌓는 것이 또한 사려깊음이겠지만, 교묘하게 그 부의 일부를 공공에 내지 않거나 탈취하는 것은 법으로 요구되는 바와 같은 사려깊음의 표시가 아니라, 자기 방어에 요구되는 바가 무엇인지에 대한 지식이 부족하다는 표시입니다.

주권자의 덕목은 국내의 평화 유지와, 외적의 막는 데에 도움이 되는 것들입니다. 꿋꿋함은 왕의 미덕이요, 군인이 된 사인들에게는 필요하겠지만, 다른 이들이라면 감히 그러려 하지 않을수록, 코먼웰스와 자신 모두를 위해 더 낫지요. 검소함도 (아마 이상하게 생각하실 지는 모르지만) 역시 왕의 미덕이니, 이는 공적 용도로는 너무 클 수도 없고, 다른 이의 선을 위해 맡겨진 것을 너무 아껴서도 안 되는 공공 재산을 늘리기 때문입니다. 관대함도 역시 왕의 미덕입니다. 장관들의 특별한 근면과 봉사, 그리고 그들의 주권자에 대한 대단한 충성 없이는 코먼웰스가 잘 섬겨질 수 없기 때문이지요. 그러므로 그들은 격려받아야 하며, 전쟁에서 주권자에게 봉사하는 이들이라면 특히 그렇습니다. 요컨대, 모든 행동과 습관은 그 적당함이나 칭찬받음이 아니라, 코먼웰스에 대한 대의와 유용성에 따라 선악을 평가받아야 합니다. 여러 인간이 여러 관습을 칭찬하는데, 누구는 미덕이라 하고, 다른 이는 비난하고, 또 반대로 현재의 감정이 이끄는 대로, 누구는 악덕이라 하고, 다른 이는 미덕이라 하기 때문이지요.

B. 제 의견으로는, 모든 미덕 중 가장 위대한 미덕인 종교를 미덕 가운데에 넣었어야 한다고 생각합니다.

A. 그리하였습니다만, 미처 보시지 못한 듯 싶군요. 그런데 우리가 어디쯤에서 길을 벗어났던가요?

B. 전혀 벗어나지 않았다고 생각합니다. 제가 생각하기로, 선생님의 목적은 지난 혼란기에 일어난 행위들 뿐만 아니라, 그 원인과 이를 가져온 고문역과 책략에 관한 역사를 알려주시는 것이었으니까요. 그 역사를 저술한 여러 사람들이 있는데, 그로부터 저는 그들이 했던 일을, 어느 정도는 계획도 배웠을 수 있겠으나, 제가 구했던 바는 거의 찾지 못했습니다. 그러므로 저의 요청에 따라 기꺼이 이 논의에 참여하시어, 기꺼이 제 방식대로 알려주셨으니, 그로 인해 야기될지도 모르는 혼란의 위험에 대해서는 제가 선생님을 끌어들였던 곳으로 다시 돌려보내 드려야겠지요. 거기가 어디였는지 잘 기억하고 있으니까요.

A. 자 그렇다면, 종교에 관한 그대의 의문에 대해, 제가 모든

미덕은 코먼웰스의 법에 대한 순종으로 이해된다고 말씀드렸듯, 종교를 미덕 가운데에 하나로 놓겠습니다.

B. 그렇다면 종교가 코먼웰스의 법률인지요?

A. 세상에 종교가 확립되지 않은 민족이란 없으며, 그 권위를 국법으로부터 받지도 않습니다. 참으로 하나님의 율법은 인간의 법으로 증거되지 않지요. 허나 인간은 자기 지혜로는 하나님께서 말씀하시고 지키라고 명하신 바에 결코 다가갈 수 없으며, 저자를 알지 못하는 법에 순종해야 할 의무도 없기 때문에, 어떤 인간의 권위와 같은 것을 묵인해야 합니다. 그러므로 의문은 인간이 종교의 문제에서, 즉 말하자면 하나님과 국왕 폐하에 대한 의무가 의문시될 때, 동료 시민이나 이방인의 설교에 기대야 하는지, 아니면 법의 목소리에 기대야 하는지의 여부이겠지요?

B. 그 점에 대단한 어려움이란 없습니다. 여기든 다른 어디에서든, 주권 권력을 가진 이나 그러한 이들로부터 그리 할 권위를 받은 자들 이외에는, 설교하거나, 아니면 적어도 설교해야 하는 이들이란 없기 때문입니다. 따라서 국왕께서 허락하신다면, 선생님이나 저는 그들 중 누구나처럼 합법적으로 설교할 수 있으며, 우리에게 반역하라 설교하는 이들보다, 우리가 그 직분을 훨씬 더 잘 수행하리라 믿습니다.

A. 교회의 도덕은 제가 여기서 미덕과 악덕의 교리를 위해 정해 놓은 것과 많은 점에서 매우 다르지만, 여전히 아리스토텔레스의 교리와 부합하지 않습니다. 로마 교회에서 주요 덕목은 비록 반역일지라도 그들의 교리에 순종하는 것, 즉 종교적인 것이며, 성직자에게 편익이 되는 것, 즉 경건함과 관대함이며, 인간이 자기 양심에 거짓이라 알고 있는 그들의 말을 믿는 것, 즉 그들이 요구하는 신앙입니다. 그들의 도덕에서 그러한 점을 훨씬 더 많이 지칭

할 수 있지만, 그대가 이미 아시고 있음을 압니다. 로마 성직자의 교리와 부합하는지에 따라 모든 행동의 선함과 악함을 측정하는 학자들이 저술했던 양심의 사례에 너무나도 정통하시니까요.

B. 하지만 잉글랜드의 개신교 성직자들의 도덕 철학이란 무엇인지요?

A. 그들이 삶과 대화에서 보여주는 것은 대부분 매우 훌륭하고, 매우 훌륭한 본보기이며, 그들의 글보다 훨씬 낫습니다.

B. 사람들은 스스로 권력을 가졌다면 자기 의견에 따라 살아가리라는, 즉 자기 의견이 옳지 않다면 불의하게 살아가리라는 두려움으로 인해 정직하게 살아가는 경우가 많이 있습니다.

A. 교황이나 장로파가 그러하듯, 잉글랜드에서 성직자들이 종교와 예절의 모든 면에서 국왕 폐하와 신민을 다스릴 권리를 하나님으로부터 직접 받았노라 주장하는지요? 그들이 그리 한다면, 그들이 결코 갖고자 하지 않았던 수와 힘을 가지게 되었을 때, 다른 이들이 그랬듯, 권력을 얻고자 시도하리라는 점을 의심할 수 없겠지요.

B. 평판과 배움이 뛰어난 어떤 신학자가 당시 선왕 폐하 측의 도덕 체계에 대해 썼던 것을 보게 된다면 기쁘겠습니다.

A. 제가 현존하는 최고의 저술을 그대에게 추천드릴 수 있으리라 생각하며, (제가 싫어하는 몇몇 구절을 제외하고는) 이 저술은 정말 읽을 만한 충분한 가치가 있습니다. 그 제목은 『평범하고 친숙한 방식으로 제시된 인간의 모든 의무』[106]입니다. 그러나 감

---

106 『The whole Duty of Man laid down in a plain and familiar way』, 1658. 저자는 리처드 알레스트리Richard Allestree (1619~1681)을 비롯, 추정되는 인물들이 여럿 있으나, 분명히 알려진 바는 없다.-

히 말씀드리건대, 장로파 목사들, 근래의 선동에서 가장 부지런한 설교자들조차, 이에 따라 재판을 받는다면, *무죄* 판결에 가까워질 겁니다. 그는 인간의 의무를 크게 세 부문으로 나누었는데, 즉, 하나님에 대한 의무, 자신에 대한 의무, 이웃에 대한 의무가 그것입니다. 하나님에 대한 의무로, 그는 그분의 본질과 속성을 인정하고, 그분의 말씀을 믿는 것으로 두었습니다. 그분의 속성은 전능함, 전지함, 무한성, 의로움, 진실함, 자비로움, 그리고 성경에서 발견되는 나머지 모두입니다. 이 중 선동적인 설교자들이 가장 훌륭한 기독교인과 똑같이 인정하지 않았던 것이란 무엇일까요? 하나님의 말씀은 잉글랜드에서 정경으로 받아들여지는 성경책입니다.

B. 그들은 하나님의 말씀을 받아들이지만, 자기네들의 해석에 따르지요.

A. 주교들과 나머지 왕당파는 자기네들의 해석 이외의 누구의 해석에 따를까요? 그는 또 다른 의무, 순종과 하나님의 뜻에 복종하기를 요구합니다. 그들 중 누구라도, 아니 살아있는 누구라도, 언제라도 하나님의 뜻에 반하는 무언가를 했던가요?

B. 하나님의 뜻이란, 그분께서 계시하신 뜻, 즉 말하자면, 그분의 계명을 의미하며, 저는 그들이 설교와 다른 방법으로 가장 끔찍하게 깨뜨렸다고 확신합니다.

A. 그들의 행동에 관해서는 의심의 여지가 없습니다만 하나님께서 엄중하게 다루신다면, 만인이 저주받기에 충분할만큼 유죄입니다. 그리고 자기들 설교에 대해 그들이 말하길, 성경에 계시된 하나님의 뜻에 합당하다 여긴다고 합니다. 그들이 그리 생각했다면,

---

역주

불순종이 아니라 착오입니다. 그리고 어떤 이가 그들이 다른 식으로 생각했노라 증명할 수 있겠습니까?

B. 위선은 *실로* 다른 죄 이상으로 대단한 특권을 가지므로, 비난받을 수 없지요.

A. 그가 정한 또 다른 의무는 그분의 집(즉, 교회)과 소유물, 성일, 말씀, 성사에서 그분을 공경하는 것입니다.

B. 그들은 제가 생각하기에 여느 다른 목사들, 즉 왕당파처럼 이 의무를 수행하며, 장로파는 언제나 하나님의 집이 모독받지 않도록, 십일조를 정당하게 납부하고 헌금을 받도록, 안식일을 거룩하게 지키고 말씀을 설교하고 주님의 만찬과 세례를 정당하게 집행하도록 똑같이 주의를 기울였습니다. 그러나 축일과 금식을 지키는 것은 하나님의 영광에 속하는 그러한 의무 중 하나가 아니겠습니까? 그렇다면 장로파는 이에 실패하였습니다.

A. 어찌 그렇습니까? 그들은 몇몇 휴일을 지켰고, 교회가 정한 날은 아닐지라도 그들이 적합하다 여길 때에 금식을 했습니다. 하나님께서 국왕께 주목할 만한 승리를 주시면서 기뻐하셨던 때라든지 말이지요. 그리고 그들이 믿는다고 주장하는 것처럼, 이런 점에서 그들은 성경으로 스스로를 다스렸습니다. 그러니 누가 그들이 그리 믿지 않는다고 증명할 수가 있겠습니까?

B. 다른 모든 의무를 제쳐두고, 우리가 국왕께 빚진 그 의무로 돌아가서, 국왕 폐하를 따르는 그들 신학자들이 가르친 교리가 그 점에서 장로파를 정당화할 수 있는 교리인지, 백성들에게 반란을 선동하는 교리인지를 고찰해보기로 하지요. 그것이 선생님께서 문제 삼으시는 것이니까요.

A. 통치자에 대한 우리의 의무에 관해, 그는 이처럼 말했습니다. "*능동적이든 수동적이든 우리는 순종해야 하며, 모든 적법한*

명령의 경우에 능동적 순종이란 즉, 치안판사가 하나님의 어느 명령과 상충되지 않는 무언가를 명령할 때마다, 우리는 치안판사의 명령에 따라 행동하고 그가 요구하는 것을 행해야 하지만, 그가 하나님께서 명령하신 바와 상충되는 무언가를 명한다면, 능동적 순종을 보이지 않아야 합니다. 우리는 그렇게 행동하기를 거부할 수 있습니다, 아니 거부해야 합니다. (그러나 여기에서 우리는 그것이 너무나도 상충됨을 아주 완전히 확신해야 하며, 고집의 망토로 양심을 가장해서는 안 됩니다.) 그 경우에 우리는 사람보다 하나님께 순종해야 하지만, 이조차 수동적 순종의 시기입니다. 우리는 그러한 거부에 대해 그가 우리에게 가하는 바를 참을성 있게 감내해야 하며, 스스로를 지키고자 그에 대적하여서는 안 됩니다."

B. 여기에서 근래의 반란을 채색하는 것이 무엇인지요?

A. 그것이 성경에 따르는 것이라 믿는 한, 그들은 하나님에 대한 순종으로 그리 했다 말하겠지요. 아마도 사울 왕에게 저항했던 다윗과 그 지지자들, 그리고 이후 이스라엘과 유다의 우상숭배자 왕들에 맞서 때때로 격렬하게 설교했던 선지자들의 예를 가져올 것입니다. 사울은 그들의 적법한 왕이었으나, 그들은 그에게 능동적으로든 수동적으로든 순종을 보이지 않았습니다. 다윗 자신이 그의 목숨을 살려주었더라도, 그들은 스스로 그에 맞서 방어 태세를 갖추었기 때문입니다. 또한 장로파도 자기네 대장에게 국왕 폐하의 목숨을 살려드려야 한다는 임무를 주었습니다. 게다가 설교단에서 당시 의회 방어를 위해 무기를 들도록 백성들을 움직인 그들이 이를 위해 성경, 즉 하나님 말씀을 내세웠음을 의심하실 수는 없겠지요. 국왕께서 성경에 반하는, 즉 하나님의 명령과 상충되는 무언가를 명하실 때 신민들이 그에게 저항하고, 성경의 의미를 판단하는 것이 적법하다면, 여느 왕의 생명도, 여느 기독교 왕

국의 평화도 오래 보전될 수 없습니다. 이를 저술하거나 설교하는 자들이 충성스럽든 반역적이든 상관없이, 왕국을 그 자체로 분열시키는 것이 이 교리입니다. 따라서 선동적인 목사들이 이 교리에 따라 재판을 받게 된다면, 충분히 빠져나갈 수 있으리라는 것을 아실 수 있습니다.

B. 전능하신 하나님과 대화해본 적이 없고, 그분께서 말씀하신 바를 다른 이들보다 하나라도 더 많이 알지 못하는 백성들이, 법률과 설교자가 어긋날 때, 국왕께서 그 땅의 귀족원과 서민원의 동의를 얻어 제정한 법률보다, (비록 혀가 잘 굴러가긴 하더라도, 대부분 무지한 학자인) 목사를 그토록 열렬히 따르는 이유가 궁금합니다.

A. 그의 말을 좀 더 긴밀히 검토해보지요. 우선, *수동적 순종*에 관해서입니다. 도둑이 법률을 어겨, 그러므로 법률에 따라 처형될 때, 어떤 이가 이 고난을 법에 대한 순종이라 이해할 수 있겠습니까? 모든 법률은 *행하라*, 혹은 *삼가라*는 명령이니, 이 중 어느 쪽도 고난으로 채워지지 않습니다. 어떤 고난을 순종이라 부를 수 있으려면, 자발적인 종류여야 합니다. 비자발적인 행동은 법률에 대한 복종으로 간주될 수 없으니까요. 순종을 위해 고난을 받아들이고자 뜻하는 자는 저항해서도 안 될 뿐만 아니라, 처벌을 피하고자 도망치거나 숨어서도 안 됩니다. 그리고 제 생명이 극단적인 위험에 처했을 때, 그들 중에 누가 *수동적 순종*의 논의에 따라, 자발적으로 사법관에게 자수하겠습니까? 형장으로 끌려가게 될 때에는, 누구든 포박되어 경계되며, 할 수만 있다면 탈주하여 도망치려 하지 않겠습니까? 이런 것이 그들의 *수동적 순종*입니다. 그리스도께서 말씀하셨습니다(마태복음 23:2~3). *서기관들과 바리새인들이 모세의 자리에 앉았으니 그러므로 무엇이든지 그들이 말하*

는 바는 행하고 지키라. 이는 *능동적 순종을 행하는 것*입니다. 그러나 서기관들과 바리새인들은 하나님의 계시된 뜻에 반하는 무언가를 결코 명하지 않을 만큼, 경건한 사람들은 아니었던 듯 보입니다.

B. 폭군에게도 모든 일에 능동적으로 순종해야만 할까요? 혹은 어떠한 경우라도 적법한 왕의 명령에 불순종해서는 안 될까요? 법률에 따라 저의 부친께서 사형에 처해지셔야 하는 경우에, 왕이 제 손으로 부친을 처형하라 명한다면 어찌 해야 할까요?

A. 그러한 경우는 감안할 필요가 없습니다. 우리는 그리 명할 정도로 비인간적인 왕이나 폭군에 대해 읽거나 들어본 적이 없습니다. 만약 누군가가 그랬더라면, 그 명령이 그의 법률 중 하나였는지 고려해보아야 합니다. 왕에게 불순종한다는 것은 그의 법률, 즉 특정인에게 적용되기 전에 제정된 법률에 불순종함을 의미하며, 자녀들의 아버지로서, 가내 하인들의 주인으로서, 국왕께서는 *그 자녀들과 하인들을 구속하는 많은 일을 명하시기는 하지만* 일반적으로 백성들에게 선례법에 의해서만, 그리고 자연인이 아니라 정치가로서 명하시기 때문입니다. 그리고 그대가 말하는 바와 같은 명령이 일반법으로 고안되었다면(결코 그런 적이 없었고, 앞으로도 결코 없겠지만), 법이 공표된 후, 그대의 부친을 정죄하기 전에 왕국을 떠나지 않는 한, 그에 순종해야 할 의무가 있습니다.

B. 선생님께서 말씀하시는 저자는 더 나아가 하나님의 율법에 어긋나는 무언가를 명하신 국왕 폐하에 대한 능동적 순종을 거부할 때, *우리는 그것이 너무나도 상충됨을 아주 완전히 확신해야* 한다고 말합니다. 저는 어떻게 *완전히* 확신할 수 있는지 기꺼이 알고자 합니다.

A. 그 거부자 중 누구도 하나님께 직접 하나님의 부관인 국왕

폐하의 명령에 맞서라거나, 그대나 제가 행하는 방법, 즉 말하자면, 성경 이외의 다른 방법으로 어떠한 명령을 받았다고는 믿지 않으시리라 생각합니다. 그리고 인간은 대부분 성경의 참된 의미를 따르기 보다는, 오히려 성경을 자기네들의 의미로 가져다 쓰기 때문에, 하나님께서 우리에게 행하라 명하시거나 금하신 바를 확실히 알 수 있는 방법이란 어떠한 경우에도 없지만, 문제가 되는 특정한 양심의 사례를 청취하고는 성경의 의미를 결정하도록 국왕께서 임명하신 자나 그런 자들의 판결이 있을 뿐입니다. 그리고 그렇게 임명된 자들은 전체 기독교 코먼웰스에 쉽사리 알려지며, 주교이든 목사이든 총회이든, 주권 권력을 갖는 이나 그런 이들 휘하의 교회를 다스리지요.

B. 지금 선생님께서 말씀하시는 것에서 몇 가지 의심이 제기될 수도 있습니다. 인간이 자기 해석이 아니라 다른 이들이 성경의 의미에 관해 제시하는 구절로부터 자기 의무를 배워야 한다면, 성경이 무슨 목적으로 영어로 번역되어, 만인에게 읽도록 허용될 뿐만 아니라, 권고되는지 이해할 수가 없으니까요. 의견의 다양성, 그리고 그에 따라 (인간의 본성대로) 논쟁, 자비의 단절, 불순종, 결국에는 반란까지, 이 외에 무엇을 낳을 수 있을까요? 다시 말씀드리지만, 성경은 영어로 읽도록 허용되었는데, 왜 평균적인 역량으로도 모든 것을 읽고 이해할 수 있도록 번역되지 않습니까? 우리가 우리의 법률을 영어로 제정하는 것처럼, 유대인들도 자기네 율법을 유대어로 읽고 이해할 수 있지 않았던가요? 그리고 성경에서 율법의 성격이 전혀 없었던 부분에 관해서라면, 유대인들이 이해를 했든 못했든, 어떤 율법의 위반이 아니고서는 처벌할 수 없었던 것으로 보아, 그들의 의무와 아무런 관련이 없었습니다. 원어에 자연스러웠던 이들이라면, 우리 구주와 그분의 사도들, 직계

제자들이 그들에게 내린 명령과 공회가 무엇이었는지 충분히 이해했으리라 믿습니다. 다시 말씀드리건대, 대제사장 안나스와 예루살렘 공회의 다른 자들이 예수님의 이름으로 더 이상 가르치지 못하도록 금하였을 때, 성 베드로와 성 요한이 제기했던 질문(사도행전 4:19)에 대해 어떻게 답하시겠습니까? *하나님 앞에서 너희의 말을 듣는 것이 하나님의 말씀을 듣는 것보다 옳은가?*

A. 그 경우와는 다릅니다. 베드로와 요한은 우리 구주를 뵙고 매일 대화를 나누었으며, 그분께서 행하신 기적에 의해, 그분께서 하나님이심을 알았고, 결과적으로 대제사장의 본 명령에 대한 불순종이 정당함을 확실히 알았습니다. 목사가 국왕께 불순종하라는 명령을 하나님께 직접 받았다고 하거나, 아니면 성경 이외의 다른 방법으로, 법률의 형식과 성격을 갖는 국왕 폐하의 어떤 명령이 여러 곳에서 직접적이면서도 명백하게, 모든 일에서 하나님의 율법이 그에게 순종하라 명하시는 바에 반한다고 말할 수 있을까요? 그대가 인용한 문구는 기독교도 왕의 권위가 아니라, 목사의 권위가 성경의 여러 해석에서 발생하는 의문을 결정해야 하노라 말하지 않습니다. 그러므로 국왕께서 교회의 수장이시어, 결과적으로 (성경 자체가 국왕과 국가의 권위로만 받아들여지는 것이 아니라는 점을 제쳐두고) 모든 성경 해석의 정확성에 대한 최고재판관이실 때, 국왕 폐하의 법률과 칙령에 순종함이란, 하나님에 대한 불순종이 아니라 순종입니다. 목사가 라틴어나 그리스어, 히브리어 중 무엇에라도 능통하다고 하여, 모든 동료 신민들에게 성경의 모든 모호한 부분에 대해 자신의 감이나 자신의 감이라 주장하는 바를 강요할 특권을 스스로에게 부여할 수 있다고 생각해서는 안 되지요. 또한 흔히 그렇듯 다른 이들이 전에 생각해내지 못한 무언가 훌륭한 해석을 발견했다고 *여기고는* 영감에 따라 이를 얻었

다고 생각해서도 안 됩니다. 그는 이를 확신할 수 없으며, 자기 생각만큼 그 해석이 거짓이 아니라고 확신할 수도 없기 때문입니다. 그렇다면 국왕 폐하와 그분의 법률을 향한 이 모든 고집과 완고한 불복종은 마음의 교만과 야심이거나, 아니면 협잡일 따름입니다. 그대는 영어로 된 성경을 갖는 것이 불필요하거나, 어쩌면 해로울지도 모른다고 생각하시지만, 제 심정은 다릅니다. 성경에는 이해하기 쉽고, 참된 신앙과 훌륭한 도덕 모두를 (그리고 구원에 필요한만큼 완전히) 가르치며, 어떤 유혹자도 (일반 독자들의) 마음을 빼앗지 못하도록 하는 부분이 너무나도 많으므로, 성경을 읽는 것은 독자와 코먼웰스에 큰 피해를 주지 않고서는 금지될 수 없을 정도로 유익하지요.

B. 인간의 구원을 위해 신앙과 예절 모두에 필요한 전부는 (공언하건대) 성경에 가능한 한 명확하게 기록되어 있습니다. *자녀들아 모든 일에 부모에게 순종하라, 종들아 모든 일에 육신의 상전들에게 순종하라.*[107] *각 사람은 위에 있는 권세들에게 복종하라,*[108] *왕이나 혹은 그가 보낸 총독에게 하라.*[109] *네 마음을 다하여 주 너의 하나님을 사랑하고 또한 네 이웃을 네 자신 같이 사랑하라.*[110] 이는 성경 말씀들이요, 충분히 이해될 수 있습니다만, 아이들이나 대부분의 사람들은 그리 행하는 것이 왜 자신들의 의무인지 이해하지 못합니다. 그들은 코먼웰스의 안전, 그리고 결과적으로 자기 소유물이, 그들이 그리 행함에 달려있음을 알지 못합니다. 모든

107 골로새서 3:20~22.-역주
108 로마서 13:1.-역주
109 베드로전서 2:13~14.-역주
110 누가복음 10:27.-역주

인간은 본성에 따라 (규율 없이는) 자기가 아는 한, 모든 행동에서 순종으로부터 돌아올 편익을 고려합니다. 그는 탐욕이 만악의 근원이라 읽지만, 그것이 자기 재산의 근원이라 생각하며, 때로 발견합니다. 그리고 다른 경우에도 마찬가지로, 성경이 한 가지를 말하면, 그들은 다른 것을 생각하고, 현생에서 눈에 보이는 유용함이나 불편함에 치우쳐, 그들이 보지 못하는 내세의 선악을 결코 저울에 달아보지 못합니다.

A. 이 모두는 성경이 그리스어와 라틴어로 봉인되어, 백성들이 설교자를 통해 그들에게서 그 같은 것을 가르쳤던 곳에서 일어나는 일에 불과합니다. 허나 읽은 것의 의미를 검토하기에 적합한 조건과 연령에 다다라, 자기 의무의 근거를 찾아보면서 기뻐하는 이들이라면, 분명 성경을 읽음으로써 율법에 스스로 순종할 뿐만 아니라, 다른 이에게도 그 같이 하도록 유도하는 것과 같은 의무감에 도달할 수밖에 없습니다. 일반적으로 연령과 자질을 갖춘 사람 뒤에는 열등한 이웃이 따르는데, 그들은 계율과 율법보다, 그들이 경외하면서, 불쾌감을 주지 않고자 하는 이들의 모범을 더 많이 돌아보지요.

B. 선생님께서 말씀하시는 조건과 연령의 사람들은 제 의견으로는, 다른 모든 이들 중에서 성경 읽는 일을 맡기기에 가장 부적합합니다. 그리스어나 라틴어, 또는 두 언어를 모두 공부하고, 한편으로는 지식을 사랑하여, 그 결과 가장 어려운 구문의 의미를 찾아내거나, 혹은 새로우면서도 다른 이들이 찾아내지 못했던 의미를 찾아냈다고 생각하면서 기뻐하는 부류를 뜻하시는 것이겠지요. 그러므로 그들은 그들에게 의무를 가르치는 쉬운 부분을 포기하고, 종교의 신비를 뒤지는 데에만 빠지는 이들입니다. 이처럼 말입니다. *천상의 통치자가 셋이고, 이 셋은 하나라는 것*을 지혜로

어찌 알아낼 수 있겠습니까? *어떻게 신이 육신으로 만들어질 수 있겠습니까? 어떻게 육신이 한 번에 여러 곳에 실제로 현존할 수 있겠습니까? 지옥은 어디에 있으며, 그 고통이란 무엇입니까?* 그리고 다른 형이상학적 교리들도 있습니다. *인간의 의지는 자유롭습니까, 아니면 신의 의지에 따라 다스려집니까? 거룩함은 영감으로부터 옵니까, 아니면 교육으로부터 옵니까? 그리스도께는 현재 누구를 통해 우리에게 말씀하십니까, 왕입니까, 성직자입니까, 만인이 읽고 스스로 해석하는 성경입니까, 아니면 모든 사인의 사적인 영혼입니까?* 이 같은 점들은 호사가의 연구이고, 최근 우리의 모든 불행의 원인이며, 성경이 그리스도에 대한 믿음과 하나님을 향한 사랑, 왕에 대한 순종, 행동의 절제를 가르쳤던 모든 종류의 평범한 인간들에게 이 모두를 잊어버린 채로, 선생님께서 말씀하시는 현자들의 논쟁 어린 교리에 신앙을 두도록 하는 원인이기도 합니다.

A. 저는 이들이 다른 이들에게 성경을 해석하기에 적합하다 생각하지도, 다른 이들이 그들의 해석을 하나님의 말씀으로 받아들여야 한다 말하고 싶지도 않습니다. 그들이 알아야 하는 것이라면 무엇이든 너무나 쉬워서, 해석을 요하지 않으며, 그 이상의 무엇이라도 좋을 일이 없지요. 허나 그런 불필요한 교리가 국왕 폐하나 다른 국가의 법률에 따라 승인되는 경우라면, 그에 반대하는 말을 하지 않는 것이 모든 신민의 의무라 말하려 합니다. 주권 권력을 가진 이나 그런 이들에게 순종함이, 그리고 법에 상충되어, 사람들을 선동하거나 법에 반하는 분쟁에 빠지게 할 가능성이 있을 때 그 사적인 해석을 출간하거나 가르치는 등을 처벌하는 그런 모든 권력에 대한 지혜를 갖는 이나 그런 이들에게 순종함이 만인의 의무인 한 말이지요.

B. 그들은 대학에서 제자들을 낳은 이들 대부분을 처벌해야 합니다. 신학에 대한 그런 호기심 어린 질문들은 대학에서 처음 시작되었고, 시민권과 교회 통치권과 관련된 그런 모든 정치적 질문들도 그러했으며, 거기에서 아리스토텔레스, 플라톤, 키케로, 세네카Seneca (BC 4?~AD 65)의 저작들 그리고 로마와 그리스의 역사에서 자유에 대한 논증이, 그 주권자에게 요구되는 권력에 반하는 논쟁에 대한 논증이 제공되었기 때문이지요. 그러므로 이곳의 대학들이 평화를 안착시키고자, 즉 국왕 폐하의 법률과 잉글랜드 국새 하의 칙령에 절대적인 순종을 가르치고자 그들의 연구 방향을 틀어 전환하기 전에는, 우리네들 사이에서 지속적인 평화란 요원합니다. 아주 많은 학자들의 권위로 뒷받침되는 견고한 이성이 반란군에게 거둘 수 있는 어떠한 승리보다도 우리네들 사이에서 평화를 유지하는 데에 더욱 유리하리라는 것을 저는 의심치 않기 때문이지요. 허나 그러한 일에 필요한 만큼, 대학들이 국가의 조치를 준수하도록 하기가 불가능하다는 점이 두렵습니다.

A. 대학들이 지금까지 때때로 모든 법, 신법과 시민법, 자연법과 상충하여, 우리들 왕의 권리에 반하여, 교황의 권위를 지지해 왔음을 보아, 온갖 종류의 법률과 형평성이 그들 편에 있다면, 마찬가지로 왕국의 주권자이자 교회의 수장인 왕의 권리를 어찌 지지할 수가 없겠습니까?

B. 그렇다면 헨리 8세 국왕께서 의회에서 교회의 수장으로 선포된 이후, 왜 그들은 예전에 교황의 권위에 대해 그랬듯, 국왕 폐하의 권력에 대해서는 모든 면에서 그러지 않았는지요?

A. 왜냐하면 만물을 다스리는 대학의 성직자들과 대학 밖의 성직자들, 뿐만 아니라 하급 서기로서 주교들도 교황을 끌어내리는 것이 (잉글랜드에서) 자기네들을 그 자리에 세우는 것이라 생각했

고, 그 중 대다수는 자신의 영적 권능이 국왕 폐하가 아니라, 그리스도 그분의 권위에 기대며, 주교에서 주교로 잇따르는 안수로 파생된다는 데에 아무런 의문도 품지 않았기 때문입니다. 그럼에도 불구하고 그들은 이러한 파생이 자신들이 권위를 저버린 교황과 주교의 손을 통해 전달된다는 점을 알고 있었지요. 그들은 교황이 잉글랜드에서 주장하는 신권이 그에게서 부정된다는 데에는 만족했지만, 이제 그들이 스스로 대표한다고 여기는 잉글랜드 성공회로부터 이를 빼앗아가는 것은 적절하지 못하다 여겼습니다. 히브리어나 그리스어, 라틴어 성경을 해석할 수도 없고, 아마도 그리스어나 라틴어 명사와 동사의 어형 변화와 동사 변화도 알지 못하는 여자나 어린이, 남자들에게 종교 문제, 즉 신학의 문제에서 그토록 많은 학식 있는 박사들을 다스리도록 맡기는 것이 그들은 합리적이라고 생각치 않는 듯 보입니다. 종교는 오래도록 존재해왔고, 이제 대부분의 백성들에게 신학과 같은 것으로 받아들여져 성직자에게 대단한 이점이 되었기 때문이지요.

B. 그리고 특히 지금은 장로파 사이에서 그렇지요. 저는 자기네들 설교를 반복하고, 자기네들을 위해 성경 해석에 대해 논쟁하고, 필요하다면 몸이나 지갑으로도 싸우는 이들 외에, 그들에게 존중받으면서도 아주 훌륭한 기독교인이란 거의 보지 못했습니다. 그들이 명하는 대로 믿지 않는 한, 그리스도를 믿는다는 것은 그들에게 아무런 것도 아닙니다. 그들에게 자선과 관용을 베풀고, 그들 파벌에 참여하지 않는 한, 자선은 그들에게 아무런 것도 아닙니다. 이것이 우리의 종교인 동안 어떻게 평화를 얻을 수 있을지, 저는 알 수가 없습니다. *치명적인 화살이 옆구리에 박힌 꼴이지요*Hæret lateri lethalis arundo. 장로파의 선동적인 교리가 백성들의 머리와 기억 속에 너무 단단히 박혀서(저는 그들의 마음에 대고 말

힐 수가 없는데, 그들은 합법적으로 반란을 일으키는 것 외에는 그 속에서 아무런 것도 이해하지 못하기 때문입니다), 코먼웰스가 결코 치유되지 못하는 건 아닐지 두렵습니다.

A. 헨리 7세와 헨리 8세께서 각각 가지셨던 두 가지 큰 미덕이 한 분의 국왕께 결합된다면, 쉽사리 치유되겠지요. 헨리 7세 폐하의 미덕이란 백성들의 큰 소란 없이 금고를 채우신 것이요, 헨리 8세 폐하의 미덕이란 초기의 엄격함이시지만, 전자가 없이는 이는 행사될 수가 없습니다.

B. 선생님의 말씀은 (제가 생각하기론) 국왕께서 세금을 부과하여 충분한 군대를 유지할 수 있을 만큼 돈을 마련할 때까지 내버려두셨다가, 그들을 쳐서 멸하시라는 충고처럼 보입니다.

A. 하나님께서는 그토록 끔찍하고 비기독교적이며 비인간적인 계획이 국왕 폐하의 심중에 들어서지 못하도록 금하십니다. 그분께서 어떤 반란이라도 진압하기에, 그리고 적들에게서 성공의 모든 희망을 빼앗기에 충분한 군대를 일으킬 만한 자금을 마련하시어, 대학 개혁에서 그들이 감히 문제를 일으키지 못하도록 하되, 이미 법률에 따라 형에 처하도록 되어 있는 범죄를 실제로 범하지 않고서는 누구도 사형에 처해져서는 안 된다는 것이지요. 이로써 아시게 되시고, 다른 반란에 대해 읽어 오셨듯, 반란의 핵심은 대학입니다. 그럼에도 불구하고 대학이 버려져서는 안 되겠으나, 더 잘 규율되어야 하지요. 즉 말하자면, 그곳에서 가르치는 정치학은 (참된 정치학이 그래야 하듯) 사람들이 알기에 적절해야 하며, 국왕 폐하의 권위에 따라 제정되는 법률이라면 무엇이든 같은 권위로 폐지될 때까지 순종하는 것이 의무입니다. 시민법이 하나님의 율법임을 이해하기에 적절해야 하며, 이는 시민법을 제정하는 자를 하나님께서 정하셨기 때문이요, 백성과 교회는 하나이며, 오직

한 분의 수장, 국왕 폐하만이 있음을 사람들이 알기에 적절해야 합니다. 그분에게서 비롯되지 않은 자는 누구라도 그분 치하에서 다스릴 자격을 갖지 못하며, 국왕께선 오직 하나님께 왕관을 빚지실 뿐, 교회나 다른 누구에게도 그러시지 아니합니다. 그리고 그곳에서 가르치는 종교는 우리 복되신 구주의 재림을 조용히 기다리며, 그동안 (하나님의 율법이기도 한) 국왕 폐하의 법률에 순종하고, 누구도 해치지 않고, 만인에게 자선을 베풀고, 가난하고 병든 자들을 귀히 여기며, 추문에 연루되지 않으면서 침착하면서도 자유로이 살아가리라는 결심입니다. 의지의 자유, 무형적 실체, 영원한 현재, 편재성, 위격처럼, 백성들이 이해할 수도 없고 신경쓰지도 않을 자연철학의 요점들을 우리의 종교와 뒤섞지 않으면서 말입니다. 대학이 이처럼 규율된다면, 원칙 바른 설교자들이 수시로 나올 것이며, 원칙 없는 자들은 이제 수시로 떨어져 나가게 되겠지요.

B. 저는 그것이 매우 좋은 방법이며, 아마도 우리 사이의 평화가 지속되도록 만들 수 있는 유일한 방법이리라 생각합니다. 인간이 자기 의무를 모른다면, 무엇으로 법에 순종하도록 강제할 수 있겠습니까? 군대라 말하실 수도 있겠지요. 하지만 무엇으로 군대를 강제하겠습니까? 트레인드 밴즈[111]가 군대이지 않습니까? 얼마 전 저들 콘스탄티노플의 궁전에서 오스만인들을 살해한 이들이 예니체리이지 않았습니까?[112] 그러므로 저는 젊었을 때 대학에서 훌

111 Trained Bands. 16~17세기에 존재했던 비정규군.-역주

112 오스만 제국의 엘리트군대였던 예니체리들은 자신들의 입지가 불안해질 때마다 반란을 일으켰다. 오스만 2세Osman II, (1618~1622)와 이브라힘Ibrahim (1615~1648) 등이 이들의 반란으로 목숨을 잃었다.-역주

룽한 원칙을 받아들인 설교자와 젠틀맨들에 의해 사람들이 순종에 대한 애정을 갖게 될 수 있으며, 선생님의 말씀처럼, 대학 자체가 그러한 방식으로 개혁되지 않는 한, 그리고 최고 시민 권력이 자신들에게 부여한 것 이외에는 어떠한 권위도 가질 수 없음을 목사들이 알지 못하는 한, 귀족과 젠트리가 국가의 자유란 의회가 만들었든 군주가 만들었든 자국의 법률로부터의 면제가 아니라, 자기 이웃으로부터의 구속과 거만에 대한 면제임을 알지 못하는 한, 우리가 결코 지속적인 평화를 얻지 못하리라는 의견에도 모두 동의합니다.

저는 이제 이쯤에서 만족하며, 저의 호기심이 선생님을 이 기나긴 여담으로 끌여 들였던 곳으로 다시 돌려보내 드리려 합니다. 우리는 의회가 폭정과 자의적인 정부에 반대하여 외쳤던 고충거리의 하나인 선박세에 대해 이야기하던 중이었습니다. 그럼으로써 (선생님께서 언급하셨던 대로) 국왕 폐하를 신민으로부터 분리하고, 필요하다면, 그분께 맞서는 당파를 만들기 위해서였지요. 그리고 괜찮으시다면, 이제 그들이 같은 목적으로 사용했던 다른 술책으로 나아가 주셨으면 합니다.

A. 이 일에 대한 우리의 논의는 여기에서 마무리하고, 그대가 적절하다 생각하시는 다른 날에 하는 편이 더 나으리라 생각합니다.

B. 좋습니다. 그 날이 멀지 않으리라 믿습니다.

대화편 II.

A. 어서 오세요. 그러나 조금만 더 기다리셨더라면, 제 기억력이 훨씬 더 나은 것들을 드렸을 텐데요.

B. 아닙니다. 모쪼록 지금 선생님께서 생각나시는 대로 알려주셨으면 합니다. 나머지에 대해서는 괜찮으실 때로 충분합니다.

A. 의회가 백성들로 하여금 선박세의 징수를 불법적이라 믿게 하여, 백성들은 이를 폭압적이라 생각하게 되었고, 다음으로 폐하에 대한 불만을 높이기 위해, 그들은 폐하께서 왕국에 로마의 종교를 도입하여 승인하실 목적이라 비난하였습니다. 백성들에게 이보다 더 증오스러운 것이란 없었는데, 그것이 잘못되었기 때문이 아니라(그들에겐 조사할 만큼 충분한 배움도 판단력도 없었습니다), 그들이 신뢰하는 설교자의 설교와 논설에서 이에 대해 통렬한 저주를 듣는 데에 익숙해졌기 때문이었지요. 그리고 이는 실로 백성들의 애정을 그분에게서 멀어지도록 하기 위해 발명해낼 수 있는 것 중 가장 효과적인 비방이었습니다. 이러한 중상모략을 위해 그들이 칠한 색채는 우선, 하나는 교황으로부터 (당시에 그리고 그보다 약간 일찍) 파견되었던 사무관으로 왕비 전하Henrietta Maria (1609~1669)의 곁에 있었던 로세티Carlo Rossetti (1614~1681)였고, 또 하나는 프란체스코 바르베리니 추기경Francesco Barberini (1597~1679)의 비서이자 교황 우르바노 8세Urban VIII (1568~1644)의 조카였던 조지 컨 씨George Conn (1598~1640)였는데, 그는 (여겨지던 대로) 왕비 전하의 호의와 보호 아래, 궁정에서 유능한 이들을 가능한 한 많이 로마 교회와 화해하도록 끌어들이기 위해 파견되었습니다. 얼마나 성공적이었는지는 알지 못합니다만, 그는 몇몇을, 특히 보다 유약한 성별

중 일부를 얻었을 가능성이 있습니다. 말해도 될지 모르겠습니다만, 그는 자신의 논증 덕분이 아니라, 왕비께 호의를 얻을 희망이 퍼져 있었으므로 그들을 얻을 수 있었지요.

B. 그와 같은 국면에서는, 아마도 그들이 파견되지 않았던 편이 더 나았겠군요.

A. 비록 혼약으로 허용되기는 했지만, 서머셋 하우스의 카푸친 수도원에서도 예외가 받아들여졌습니다.[113] 그리고 그 직후에 예수회도 클러클웰Clerkenwell에 수도원 설립이 허용되리라 알려졌습니다. 그리고 그동안, 수석 비서관 프랜시스 윈더뱅크 경Francis Windebank (1582~1646)은, 추방당한 후 잉글랜드로 귀환했다는 이유로 체포되어 투옥된 일부 잉글랜드 예수회교도들을, 그 처벌로 처형하도록 되어 있는 법령에 반하여 영장으로 자유로이 풀어주었다는 혐의를 받았습니다. 퀸스 채플에 대한 잉글랜드 가톨릭 교도들의 의존은, 그곳 뿐만 아니라 가톨릭신도들에게 보여주었던 모든 호의에 대해, 왕비 전하 본인을 비난하는 색을 입혔습니다. 그들 중 일부는 공개적으로 국왕께서는 왕비께 통치받노라 말하기를 서슴지 않았지요.

B. 기이한 불의로군요! 왕비께서는 공공연한 가톨릭교도였으므로, 가톨릭교도들에게 그분께서 하실 수 있는 모든 선을 행하려 노력하실 수밖에 없었습니다. 그분께선 진실로 스스로 그렇다고 공언하셨던 이외의 다른 누구도 아니셨습니다. 하지만 그들은 그

---

113 서머셋 하우스는 템스강 근교의 궁전으로, 찰스 1세의 왕비였던 헨리에타 마리아에게 그 일부를 비롯하여 여러 궁전 부지가 선물로 주어졌다. 그리고 왕비는 여기에 가톨릭 예배당을 건설했다.-역주

분께 위선을 강요하고, 스스로도 위선자가 되려 했던 것 같습니다. 어느 종파에 속해 있든, 독실한 숙녀분이 스스로 구성원으로 속한 교회의 호의와 축복을 구하는 것을 어떤 이가 범죄로 생각할 수 있겠습니까?

A. 교황권 도입과 관련하여, 의회가 계속해서 국왕 폐하를 향한 그들의 고발에 또 다른 색채를 더하면서, 성공회 성직자와 장로파 성직자 사이에 자유의지에 관한 큰 논쟁이 있었습니다. 논쟁은 제임스 국왕 폐하 시기 저지대 국가에서 호마루스Franciscus Gomarus (1563~1641)와 아르미니우스Jacobus Arminius (1560~1609) 간에 처음 시작되었으며, 국왕께서는 잉글랜드 성공회에 문제가 될 수 있음을 예견하시어, 그 차이를 조정하기 위해 할 수 있는 바를 하셨지요. 그 후 도르트에서 신학자 총회가 열렸고, 제임스 국왕 폐하께서도 신학자 하나둘을 보내셨으나, 아무런 소용이 없었고, 의문은 결정되지 않은 채로 남아 이곳의 대학들에서 논쟁의 대상이 되었습니다. 모든 장로파는 호마루스와 같은 마음이었으나, 아주 많은 다른 수는 그렇지 않았고, 그들은 여기에서 아르미니우스파라 회자되었는데, 자유의지의 교리가 교황청의 교리로 터져 나왔기 때문에, 그리고 장로파가 훨씬 더 많았으며, 이미 백성들의 지지를 받았기 때문에, 일반적으로 미움을 받았습니다. 그러므로 캔터베리 대주교 라우드 박사가 아르미니우스 편에서 서서, 바로 전에 교권으로 어떠한 목사도 백성들에게 예정설을 설교하지 못하도록 금하였을 때, 그리고 그에게서 은혜를 받아 교회에서 출세를 희망했던 모든 목사들이 자기들 능력과 미덕을 증명하고자, 있는 힘을 모두 짜내어 자유의지에 대해 설교하고 저술했을 때, 의회가 백성들에게 그 비방을 전하기란 쉬운 일이었습니다. 게다가 그들 중 일부는, 대주교가 내심으로는 교황파며, 그가 여기에서 로마 종교에 대한 관용

을 베풀고자 한다면 추기경의 모자를 써야한다고 했는데, 이는 거짓일 뿐만 아니라, 아무런 의심의 근거도 없었습니다.

B. 학자와 무명씨들, 국가의 불꽃 이외에는 어떠한 명확성도 얻을 수 없는 이들이[114] 대학으로부터 코먼웰스로 불필요한 분쟁과 더불어 다툼을 가져와 겪게 하다니 이상한 일이며, 국가가 그들 당파에 관여하고는, 양측을 모두 침묵으로 이끌지 않았다니 더욱 이상한 일입니다.

A. 국가는 억지로 순종시킬 수는 있지만, 오류를 납득시키거나, 더 나은 이성을 지녔다고 믿는 이들의 마음을 바꿀 수는 없습니다. 교리에 대한 억압은 단결시키고 격분케 할 뿐, 즉 이미 교리를 믿어왔던 이들의 악의와 권력 모두를 늘릴 뿐이지요.

B. 하오나 그들이 동의하지 않는 점이란 무엇인가요? 그리스도의 신성이나 인성에 관하여 주교와 장로파 사이에 무슨 논쟁이 있습니까? 어느 한 쪽이 삼위일체나 신경을 부정하는지요? 국왕 폐하에 대한 *우리가 빚진* 의무만을 제외하고, 어느 쪽 당파가 정의나 자선, 금주, 또는 구원에 필요한 여느 다른 의무에 반하는 설교를 공개적으로 하거나 직접 글을 썼답니까, 그도 아니라면 언제 국왕 폐하를 통치하거나 파괴할 마음을 품었답니까? 주여, 저희에게 자비를 베푸소서! 그들의 논쟁을 이해하지 못하는 자는 누구도 구원받을 수 없다는 말입니까? 아니면 어떤 인간에 대한 구원은 다른 인간보다 신앙으로든 정직으로든, 무언가가 더 필요한 것입니까? 이교도도 아니며, 그리스도와 그분의 사도들이 구원에 필요하다 말씀하신 모든 것을 이미 믿고 있는 우리에게 그토록 많은 신앙에 대한 설교가 필요한 이유란 무엇이며, 무엇이 더 필요

[114] 학자와, 국가의 불꽃 이외에는 … 얻을 수 없는 무명씨들이.

하다는 말입니까? 정의에 대한 설교는 어찌 그리도 적습니까? 저는 실로 자주 백성들에게 공의righteousness가 권해지는 것을 들었습니다만, 그들의 설교에서 *정의*justice라는 단어가 나오는 것은 거의 듣지 못했습니다. 아니, 비록 라틴어 성경과 그리스어 성경에는 *정의*라는 단어가 지나치게 자주 나오지만, 영어로는 비록 만인이 이해하는 단어일지라도, (같은 의미로 거의 이해되지 않으며, 행동이나 의도보다는 의견의 옳음을 뜻하는) 공의라는 단어가 그 자리를 대신하였습니다.

A. 고백하건대, 저는 구원에 필요한 사항에 대한, 기독교인들 사이의 논쟁을 거의 알지 못합니다. 이는 교회에 대한 권위나 권력의, 이익의, 교인에 대한 명예의 문제이며, 대부분의 경우 일체의 논쟁을 불러일으키지요. 저의 영혼이나 자기 이외의 다른 영혼을 구원하고자 스스로를 괴롭히고 이웃과 싸우는 자란 어떤 사람일까요? 장로파 목사와 다른 이들이 그토록 심하게 선동을 설교하고, 이 근래의 전쟁에서 사람들에게 반란을 부채질했을 때, 정부의 교체로 인해 혜택을 얻지 못했거나, 혜택 또는 생계의 어떤 다른 일부를 잃지나 않을지 두려워했던 이들 중에 누가 보상을 바라지 않고 상대 당파처럼 자발적으로 선동에 맞서 그리 진지하게 설교를 하였던가요? 고백컨대, 역사에서, 이교도들, 그리스인과 라틴인의 다른 저술에서 관찰한 바에 따르면, 우리가 그토록 많은 설교를 하고, 그들은 전혀 그러지 않았음에도 불구하고, 그들 이교도들은 미덕과 도덕적 의무에 있어 우리에게 전혀 뒤쳐지지 않았습니다. 또한 고백하건대, 백성들이 무얼 말할지 국가가 무지한 반면, 사람들이 일요일마다, 그리고 더 자주, 국가의 모든 백성들에게 한 번씩 열변을 토할 자유로부터 어떠한 해악이 발생할지를 고려해보면, 그리고 기독교국가 이외의 온 세상에서는 이러한 일

이 허용되지 않으며, 그리므로 종교에 관한 내전도 없다는 점을 고려해보면, 저는 많은 설교가 불편해집니다. 그럼에도 불구하고, 저는 백성들에게 하나님과 인간에 대한 의무의 요점을 설교하는 것이 너무 빈번한 경우란 있을 수 없다고 여기므로, 백성들에게 존경받는, 진중하고 사려 깊은 노령의 인물이 이를 행해야 합니다. 그 딸랑거리는 어조의 즐거움을 제외하고는, (자연에 반하는 것이 되도록) 가르침을 받거나, 경의를 표하거나, 말하는 바에 신경을 쓰기에 너무나도 단순하여 어떤 회중이라도 관심을 기울일 만하지 않은, 가벼운 말장난을 거는 젊은이들이 아니라 말이지요. 저는 온 마음을 다해 잉글랜드의 모든 교구에 충분할 만큼, 사려 깊은 노령의 인물이 충분하기를, 그리고 그들이 이 일을 맡아 주기를 바랍니다. 허나 단지 소망일 뿐이겠지요. 국가가 바라는 대로 하도록 그 지혜에 맡겨 두겠습니다.

B. 그들은 이후 무엇을 했는지요?

A. 일부는 저술로, 일부는 공개 설교로 선동적인 교리를 발표하여 유죄를 받은 세 인물을 국왕께서는 죄인으로서 런던에서 멀리 떨어진 곳으로 보내셨지만, (폐하의 동의가 있었는지 없었는지는 잊어버렸습니다만) 의회가 그들을 석방하여 런던으로 돌아오게끔 하였지요. (제 생각으로는) 백성들이 그로 인해 얼마나 기뻐할지, 그리고 결과적으로 국왕 폐하로부터 백성들의 애정을 빼앗으려던 그들의 노력이 얼마나 성공적이었는지를 시험해보려는 의미였습니다. 이 세 인물이 런던을 통과했을 때, 그것은 일종의 승리였으며, 백성들은 이들을 보고자 몰려들었고, 마치 그들이 천상에서 내려오기라도 한 것 같은 환호로, 그리고 거진 숭배로 맞아들였습니다. 의회는 이제 거대하고 떠들썩한 당파를 충분히 보장받았으며, 언제라도 이를 사용할 기회를 갖게 되었습니다. 그러한 확신

에 따라 그들은 다음 음모를 진행하여, 자기네들의 지혜와 용기, 권위로 국왕 폐하께서 내각장관들을 파면하시도록 하였는데, 이들은 국왕께 맞서는 자기네들의 추가계획을 막거나 반대하기에 가장 유능하리라 여겨지던 인물들이었습니다.-서민원은 일단 아일랜드 총독이었던 스트래퍼드 백작을 반역죄로 탄핵하기로 결의했지요.

B. 그 자리에 있기 전에 스트래퍼드 백작은 어떠하였습니까? 그리고 어떻게 의회의 심기를 거슬렸거나, 그들에게 자신들의 적으로 여기게 하였는지요? 저는 앞선 의회에서 그가 다른 의원들처럼 의회파였다고 들었으니까요.

A. 그의 이름은 토머스 웬트워스 경으로, 자기 카운티에서 출신과 재산 모두로 인해 아주 중요한 젠틀맨이었지만, 해당 카운티뿐만 아니라 왕국 일반의 공공 업무에서의 판단력으로 인해 훨씬 더 중요해 졌습니다. 그러므로 자주 의회에 어떤 자치시의 시의원이나 하원의원으로 선출되었지요. 그의 정치 원칙에 대해 말하자면, 일반적으로 의회에 선출되기에 적절하다고 생각되는 다른 모든 인물들이 일반적으로 지녔던 것과 같았는데, 보통 이런 것들이었지요. 사법 및 정부의 통치를 위해 일반적으로 선례로 불리우는 앞선 의회의 판결과 조치를 취하는 것, 백성들이 의회 외의 금전적 세금의 대상이 되지 않도록, 그리고 너무 많은 의회 세금으로 억압받지 않도록 노력하는 것, 의회 밖에서 국왕 폐하의 자의적 권력으로 인해 백성들이 신체의 자유를 침해당하지 않도록 보존하는 것, 고충거리에 대한 구제책을 찾아보는 것 말입니다.

B. 무슨 고충거리 말인가요?

A. 고충거리란 보통 이런 것들이었지요. 국왕께서 총신에게 지나치게 관대하신 것, 코먼웰스의 장관이나 장교에게 너무 많은 권력을 주신 것, 시민적으로든 영적으로든, 판사들이 범하는 경범

죄, 그렇지만 특히 신민들에게 비의회적으로 모금되는 자금 일체 같은 것들 말이지요. 그리고 근래에는 일반적으로 그러한 고충거리가 시정될 때까지, 그들은 국왕께 코먼웰스에서 가장 급박한 상황에 요구되는 자금을 제공하기를 거부하거나, 최소한 대단히 어렵게 하였습니다.

B. 그렇다면 국왕께서 마땅히 하셔야 할 의무를 어떻게 이행하실 수 있으며, 신민이 어느 쪽 주인에게 복종해야 하는지 어떻게 알 수 있겠습니까? 여기에는 분명히 두 개의 권력이 있는데, 이들이 서로 다를 가능성이 있을 때, 양쪽 모두에 순종할 수는 없으니까요.

A. 사실입니다. 허나 그들은 1640년의 이 의회에서 그랬듯, 코먼웰스의 위험에 대해 그리 많이 다르지 않았습니다. 1640년 이전 찰스 선왕 폐하의 모든 의회에서, 스트래퍼드 경께서는 누구에 못지않게 국왕 폐하의 요구에 반대하는 모습을 보였고, 그러한 이유로 백성들에게 훌륭한 애국자이자, 자기네들의 자유를 지키기 위해 용감하게 일어선 인물로 매우 많은 존경과 환호를 받았으며, 같은 이유로 이후 폐하께서 왕실과 정당한 권위를 유지하고자 노력하셨을 때 훨씬 더 미움을 받았습니다.

B. 어떻게 그가 그리 마음을 바꾸게 되었을까요?

A. 1627년과 1628년에 열렸던 의회가 해산된 후, 국왕께서는 그분께서 가장 사랑하시는 하인과 장관의 피로 사들이시지 않고서는 의회로부터 어떠한 돈도 얻을 수 없음을 아시게 되시어, 오래도록 더 이상의 소집을 삼가해 오셨으며, 스코틀랜드인들의 반란이 강요하지 않았더라면 더 오래 삼가하셨겠지요. 그 의회 사이에 국왕께서는 토머스 웬트워스 경을 남작으로 임명하셨는데, 그가 앞선 의회에서 국왕께 해를 끼쳤기에 전반적으로 주의 되었으나, 다가

올 시대에 유용할 수도 있을 대단한 능력으로 인해 추천되었지요. 오래지 않아 국왕께서는 그를 추밀원에, 그리고 이후 다시 아일랜드 총독으로 임명하셨고, 그는 폐하께 대단한 만족과 편익을 가져다 주면서, 1640년의 그 불운한 의회 귀족원 및 서민원의 시기심과 폭력으로 사망할 때까지 직무를 계속했습니다. 그 해에 그는 당시 잉글랜드에 침입한 스코틀랜드인들에게 맞서는 국왕 폐하의 군대의 대장이 되었고, 앞선 해에는 스트래퍼드 백작이 되었지요. 강화가 이루어져 양측 군대가 해산하고, 이제 웨스트민스터 의회가 열리자, 오래지 않아 서민원이 그를 반역죄로 귀족원에 고발하였습니다.

B. 국왕 폐하의 호의로 인해 위대해졌고, 그분의 보호에서 안전을 기대할 수 있었던 그가 반역자가 될 가능성은 거의 없었습니다. 그에게 제기된 반역죄 혐의란 무엇이었습니까?

A. 많은 기소조항이 작성되었지만, 이 두 가지로 요약됩니다. 첫째, 반역적으로 왕국의 기본법과 정부를 전복시키고, 대신 법에 반하는 자의적이고 폭압적인 정부를 도입하기 위해 매진했다는 것, 둘째, 의회의 권리와 의회 절차의 고전적 과정을 전복시키려 노력했다는 것입니다.

B. 국왕 폐하 모르게 이를 행했다는 말인가요?

A. 아닙니다.

B. 그렇다면, 만약 반역을 했더라면, 왜 국왕께서 몸소 변호사를 통해 그를 소환하지 않으셨겠습니까? 그분의 명령도 없이, 서민원은 무엇으로 그를 귀족원에 고발했는지요? 국왕께서 미처 모르셨더라면, 그들은 국왕께 호소할 수도 있었습니다. 이런 법은 이해할 수가 없군요.

A. 저도 그렇습니다.

B. 이를 반역으로 규정했던 앞신 법령이 있었습니까?

A. 저는 들어본 바가 없으며, 국왕께서 들어 아시면서도 반역이라 생각치 않으셨던 것이 어떻게 국왕 폐하에 대한 반역이 될 수 있는지도 이해하지 못하겠습니다. 허나 의회가 목숨을 빼앗으려는 누군가에게 제시한 기소문에 *반역적*이라는 단어를 넣은 것이 의회의 술책 중 일부였습니다.

B. 의회의 기본법을 전복하려는 그의 노력을 논증하고, 그에 따라 고발했노라는, 특별한 행동이나 언행의 사례는 없었나요?

A. 있었지요. 그들은 그가 국왕께 아일랜드의 군대를 통해 의회를 그들의 의무로 되돌리시라 조언했다고 말했습니다. 얼마 전에 스트래퍼드 각하 스스로 국왕께 복무하고자 그곳에서 군대를 소집했지요. 허나 그가 국왕께 의회에 맞서 이를 사용하시라 조언했다는 것은 결코 증명되지 않았습니다.

B. 기본법이라 불리우는 법이 무엇인지요? 우리 모두를 그분께 순종하도록 구속하고, 그가 누구이든 합법적으로, 그리고 우리 자신의 안전을 위해 순종하기로 약속한 자연법 이외에는, 어떻게 하나의 법률이 다른 법률보다 더 기본적일 수 있는지, *백성의 안녕* salus populi, 즉 백성의 안전과 행복을 제외하고는, 국왕 폐하에 대한 어떠한 다른 기본법에 대해서도 이해할 수가 없기 때문입니다.

A. 이 의회는 어떤 사람을 고발할 때, 이 사람에게 그러하였듯, 왕당파에 속해 있을 뿐만 아니라 배교자처럼 의회파를 저버렸다는 이유로 피고인을 미워했던 경우, 가혹한 용어로 표현되는 모든 잘못을 가혹하게 여기는 무지한 군중들에게 그 고발을 가중시킬 무게 이외에는, 단어를 사용하면서 결코 그 의미를 고려했던 적이 없었습니다.

B. 그들이 그토록 싫어하는 듯 보이는 자의적인 정부가 무슨 의

미였는지 여쭈어 봐도 될런지요? 원하든 원치 않든, 백성들을 다스리도록 강요당하거나, 이런 저런 법을 만들도록 강요당하는 통치자가 세상에 있는지요? 저는 없으리라 생각합니다. 그런 이가 있더라도, 그에게 강요하는 자는 확실히 법을 만들고, 자의적으로 통치해야 합니다.

A. 그렇습니다. 그리고 의회가 진정으로 의미했던 바는 국왕 폐하가 아니라, 그들 자신이 잉글랜드 뿐만 아니라, 아일랜드, 그리고 (사건에서 나타났듯) 스코틀랜드에서도 절대적인 정부를 가져야 한다는 것이었습니다.

B. 국왕께서 어떻게 스코틀랜드와 아일랜드 정부를 선조로부터 이어받으셨는지는 누구든 알 수 있습니다. 하지만 잉글랜드의 국왕 폐하와 그 후계자께서 (하나님께서 금하시는) 우연에 따라 무너지셨을 때, 잉글랜드 의회가 그 나라들 중 어디에서 무슨 직위를 얻을 수 있을지는 상상할 수가 없습니다.

A. 예, 그들은 잉글랜드 신민의 돈으로 옛적에 정복되었노라 말하겠지요.

B. 충분히 그럴 법하며, 나머지는 뻔뻔함으로 채우겠지요.

A. 민주파 집단에서는[115] 뻔뻔함이 거의 모든 일을 행합니다. 뻔뻔함은 수사학의 여신이자, 그로써 증거합니다. 평범한 사람이라면 더없이 단호한 확언에서, 확언된 바에 대단한 개연성이 있으리라 결론 내리지 않겠습니까? 이 고발에 따라 그는 웨스트민스터 홀에서 귀족원에 회부되어 유죄 판결을 받았고, 곧 이어 사권박탈

---

115 "민주파 집단에서는"*에 뒤이어, 원고에서는 읽을 수 없는 단어와* "그리고 대체로 모든 집단에서는"*이라는 추가적인 구문이 이어지는데, 이는 삭제되었다.*

법[116], 즉 의회법에 의해 반역자로 선언되었습니다.

B. 귀족원이 그토록 가벼운 근거로, 판결을 내리거나, 혹은 자신들과 자기네 후손에게 그토록 해를 끼칠 법안에 동의하도록 끌려 들어가다니, 이상한 일입니다.

A. 제대로 된 일은 아니나, 무지 때문은 아닌 듯 보입니다. 법안에는 항목이 있어, 이후의 유사한 사례에서 권리를 침해하고자 이 사례를 전례로 삼아서는 안 된다고 하였으니까요.

B. 그것은 법안 자체보다 더 나쁘며, 자기네들의 판결이 부당하다는 명백한 고백입니다. 정당한 판결이 전례에 무슨 해를 끼치겠습니까? 게다가 이후 유사한 사례가 일어났을 때, 그러한 규정 때문에 판결이 약해질 일이란 전혀 없습니다.

A. 실로 저는 귀족원, 그들 대부분이 *호전적이고 야만적인 본성의 원리에 따라, 그의 위대함을 시기했지만, 그렇더라도* 기꺼이 그를 반역죄로 정죄하려 하지는 않았다고 믿습니다. 그들은 "*정의를, 스트래퍼드 백작에게 정의를!*"이라 외치며 웨스트민스터로 몰려든 서민들의 외침에 경악했습니다. 프리네William Prynne (1600~1669)와 버튼Henry Burton (1578~1648), 배스트윅John Bastwick (1593~1654)의 승전보 이후, 원하기만 한다면 언제라도 백성들을 소요로 밀어 넣을 수 있으리라 확신하게 되었던 일부 서민원 의원들로 인해 그곳으로 몰려들었던 이들이었습니다. 그들은 또한 부분적으로는 서민원 자체에 대해서도 두려움을 느꼈는데, 만약 서민원이 어떤 귀족을 파멸시키고자 한다면, 그를 *범죄자*라 의결하는 것만으로도 충분하

116 중세 잉글랜드에서 의회가 재판 없이 개인의 권리를 박탈할 수 있는 권한을 부여했던 법이다. 특히 식민지 미국에서 매우 큰 분노를 야기하여, 독립하면서 헌법으로 이를 금지하였다.-역주

였습니다.

B. 범죄자라니, 그게 무엇인지요? 죄인이지 않습니까? 그들은 모든 죄인을 파멸시키려 했던가요?

A. 범죄자란 그들이 가할 수 있는 모든 해를 다 가하려 하는 사람을 의미했을 뿐이었습니다. 허나 제 생각으로는 아직 귀족원에게는 자기네 의회 전부를 파면하려는 의도는 없었을 겁니다.

B. 국왕 폐하의 권력 쇠락과 약화가 곧 자신들의 쇠락과 약화임을 귀족원전체가 인식하지 못했다니 이상한 일입니다. 그들에 대한 백성들의 애정은 더 약했으므로, 백성들이 국왕 폐하께 주권을 빼앗아 그들에게, 즉 그토록 많은 서민원 의원보다 수적으로도 소수이고, 권력도 약한 자들에게 주리라고는 생각할 수 없었으니까요.

A. 허나 제겐 그리 이상해 보이지 않습니다. 귀족원이 개인적인 능력으로는 하원의원이나 시의원에 비해 못하지 않았던 것처럼, 공무에서 더 능숙하지도 않았으니까요. 오늘 하원에서 하원의원으로 있었던 이가, 내일은 귀족이 되어 상원의 구성원이 된다고 해서, 전보다 더 현명해졌노라 생각할 이유란 없기 때문이지요. 근면함과 타고난 기지 이외의 무엇도 요구하지 않는 사유지의 사업을 다스리는 데에 있어, 양원은 모두 이 땅의 다른 이들처럼 신중하고 유능한 인물들이었습니다. 하지만 코먼웰스의 정부에 있어서는, 형평성과 정의에 대한 틀림없는 규칙과 진정한 과학 없이는, 기지나 신중함, 근면함으로는 충분치 않지요.

B. 그러하다면, 군주정이든 귀족정이든 민주정이든, 세상의 어떠한 코먼웰스도 정부나 통치자의 교체, 또는 교체를 향한 선동 없이 오래 지속되기란 불가능합니다.

A. 그렇습니다. 세상에서 가장 위대한 코먼웰스도 선동에서 오

래도록 자유롭지는 못했습니다. 그리스인들은 잠시 소왕을 두었다가, 선동으로 작은 코먼웰스가 되었고, 그리고 나서 더 큰 코먼웰스로 성장하고는, 선동으로 다시 군주정이 되었는데, 이 모두는 서민들에게 주목할 만한 정의의 규칙이 부족했기 때문이며, 만약 백성들이 이 모든 선동을 처음부터 알았더라면, 야심가들은 일단 정착된 정부를 어지럽힐 희망을 결코 가질 수 없었겠지요. 서민들이 인간 의지의 본질에 관한 교리들, 그리고 다가올 세상에서의 자기 영혼의 구원이나 현세의 안락함과는 전혀 관련이 없이, 오로지 성직자가 국왕께 수행해야만 하는 의무의 방향에만 관련이 있는 다른 많은 철학적 요점에 관한 무익하고 위험한 교리들로 설교자들에게 겁을 먹고 놀라듯, 그들에게 의무의 진정한 원칙에 대해 부지런히 가르쳤다면, 야심은 수족 없이 거의 할 수 있는 것이 없는데, 그럴 만한 수족을 가지기가 어렵게 되기 때문입니다.

B. 제가 보기에, 세상이 지속되는 한, 모든 기독교국가는 이러한 반란의 발작에 굴복하겠지요.

A. 그렇겠지요. 그러나 (말씀드렸듯) 대학을 개선한다면, 잘못이 쉽사리 개선될는지도 모릅니다.

B. 이제 의회가 열린 지 얼마나 되었는지요?

A. 1640년 11월 3일에 시작되었지요. 스트래퍼드 각하께서는 11월 12일, 귀족원에 반역죄로 탄핵되어, 11월 22일에 런던탑으로 보내졌고, 재판은 3월 22일에 시작되어 4월 13일에 끝났습니다. 재판 후 그는 서민원에서 반역죄에 대해 유죄로 의결되었고, 그 후 5월 6일에는 귀족원에서 그러하여, 5월 12일에 참수되었습니다.

B. 대단히 신속했군요. 하온데 그럼에도 불구하고, 국왕께서 사면으로 구하실 수는 없었습니까?

A. 국왕께선 재판 과정 전부를 들으시고는, 판결의 정의로움에

관하여 불만족스럽다 선언하셨습니다. 그리고 제 생각으로는, 백성들의 분노에서 비롯된 신변의 위험에도 불구하고, 가장 의지하시던 이들 뿐만 아니라, 스트래퍼드 백작 본인에게도 처형을 허락하시라 조언받으셨음에도 불구하고, 만약 의회 자체가 제기하여 떠받쳤던 소란에 맞서 그를 보호할 수 있으셨더라면, 의회가 그분 편이라 여기는 이들을 겁에 질리게 했으므로, 국왕께선 그를 사면하셨겠지요. 그러나 그후 국왕께서는 스스로 그를 구하지 않았다는 점에서 잘못을 범했노라고는 고백하시지 않으셨습니다.

B. 이는 국왕 폐하의 선한 자질을 입증합니다. 하오나 저는 아우구스투스 카이사르Augustus (BC 63~AD 14)가 그의 적수 안토니우스의 분노에 키케로를 내어준 잘못을 인정했다는 기록을 읽어본 적이 없습니다. 아마도 키케로는 자기 부친과는 반대파에 속해 있었기에, 아우구스투스에게 도움이 될 만한 일은 전혀 한 적이 없었고, 단지 안토니우스에 대한 적개심과 원로원에 대한 사랑에서, 실로 원로원을 좌지우지하였던 자기애가 있었을 뿐이지요. 스트래퍼드 백작이 앞선 의회에서 국왕께 너무 많이 맞섰던 까닭에, 자신의 목적을 위해 왕당파로 넘어왔을 가능성이 매우 높았던 것처럼 말이지요.

A. 인간의 의도를 안전하게 판단할 수는 없겠지요. 허나, 저는 출세를 구하는 이들이 고집 때문에 자기 목표를 놓쳐버리는 모습을, 다른 한편으로는 출세를 미끼로 자기 신민들의 복종을 살 수밖에 없는 군주들은 이미 매우 약한 상태이거나, 틀림없이 곧 그렇게 된다는 것을 흔히 보아왔습니다. 고집으로 명예와 권력을 사야하는 시장에서는, 스트래퍼드 경처럼 사들일 수 있는 이들이 대단히 많을 테니까요.

B. 헤라클레스Heracles가 히드라와 싸우면서 수많은 머리 중 하나

를 잘라내자, 그 자리에 두 개의 다른 머리가 자라났지만, 마침내 그가 그 모두를 잘라냈다는 이야기를 읽어 보셨겠지요.

A. 그 이야기는 거짓으로 전해집니다. 헤라클레스는 처음에 그 머리를 잘라낸 것이 아니라 사들였을 뿐이며, 나중에 그것이 좋을 일이 없다는 것을 알고 나서야 머리를 잘라내고 승리를 얻었습니다.

B. 그들이 다음으로는 무엇을 했는지요?

A. 스트래퍼드 백작이 처음으로 탄핵된 후, 서민원은 12월 18일에 캔터베리 대주교도 반역죄, 즉, 자의적인 정부를 도입하려는 계획 등의 혐의로 고발하였습니다. 2월 28일, 그는 런던탑으로 보내졌지만, 의회를 돕고자 잉글랜드로 침입한 스코틀랜드인들의 유흥을 위해, 1643년 1월 10일까지 오래도록 재판과 처형이 연기되었습니다.

B. 스코틀랜드인들은 캔터베리 대주교에게 왜 그토록 큰 위험이 있다고 생각했을까요? 그는 전쟁에 능한 인물도, 군대를 전장으로 이끌어 나갈 수 있는 인물도 아니었으며, 아마도 아주 위대한 정치가일 뿐이었습니다.

A. 그것은 그의 조언 중 여느 주목할 만한 사건으로 인하여 나타나지는 않았습니다. 저는 그가 도덕적으로 매우 정직한 인물이었고, 주교에 의한 교회 통치권의 매우 열성적인 촉진자였으며, 우리가 신성한 위엄에 바쳐야 하는 명예에 가능한 한 걸맞게, 하나님의 봉사를 수행하고 하나님의 집을 장식하고자 했다는 것 이외에는 그에 대해 들어본 바가 없습니다. 허나 그가 그랬듯, 앞선 논쟁들, 즉 자유의지에 관한 대학 내 논쟁, 그리고 전례서와 그 전례 법규와 관련된 정확성에 대한 그의 입장을 국내로 들여왔던 것은, 제 의견으로는 국정에 있어 그의 충분한 자격을 입증하지

못했습니다.- 거의 동시에 그들은 (국왕께서 동의하셨던) 삼년제 의회법을 통과시켰는데, 이 법의 제정으로 현 의회 이후 국왕께서는 3년 이내에 의회를 소집하셔야 했고, 따라서 3년마다 법에 명시된 특정일에 웨스트민스터에 모여야 했습니다.

B. 그런데 국왕께서, 하나님께서 책임을 맡기신 백성들의 안전이나 평화에 아마도 불편하거나 해를 끼칠 수 있음을 깨닫게 되시어 의회를 소집하지 않으셨다면 어떻습니까? 주권자가 그의 손이 묶여 있거나, 피통치자의 편익 이외의 다른 의무를 갖고 있을 때, 어떻게 백성들을 질서 있게 유지할 수 있는지 이해가 되지 않기 때문입니다. 그리고 이 당시, 선생님께서 말씀하신 모든 것에 대해, 그들은 국왕 폐하를 자기네들의 주권자로 인정하였습니다.

A. 모르겠습니다만, 그런 법안이었습니다. 그리고 국왕께서 자신의 명령으로 소집하지 않으신다면, 그동안 대법관이나 옥새상서가 소환장을 보내야 하며, 만약 대법관이 거부한다면, 여러 카운티의 보안관이 의회 회기로 정해진 날 이전에 다음 카운티 재판소에서 말씀드렸던 의회의 의원 선출을 진행해야 한다고 추가로 제정되었습니다.

B. 하지만 보안관이 거부한다면 어떻습니까?

A. 그들이 그에 대해 맹세를 해야 했으리라 생각합니다만, 그 외 자세한 내용은 법안을 참고하시라 말씀드려야겠군요.

B. 의회가 없을 땐, 누구에게 맹세해야 합니까?

A. 의회가 열리든 그렇지 않든, 의심의 여지없이 국왕 폐하 뿐이지요.

B. 그렇다면 국왕께서는 그 맹세를 해제하실 수도 있겠군요.[117]

---

117 *A*: "게다가 … 폐지를 얻어냈습니다 "*이라는 구문이 이전의*

세다가 거부 시에는 국왕 폐하의 분노가 그들에게 떨어질지니, (의회가 열리지 않는다면) 대법관이나 보안관이 불순종했을 때 누가 그들을 보호하겠습니까?

A. 그대 이상으로 제가 더 잘 이해하고 있지 않으므로 제게 그런 일에 대한 이유를 묻지 않으셨으면 합니다. 그저 대주교가 런던탑으로 보내지기 바로 전이었던 2월 중순, 국왕께서 그러한 목적으로 통과된 법안에 서명하셨다는 점만 말씀드리겠습니다. 이 법안 외에 두 의회는 또 다른 법안에 합의하였는데, 양원이 해산하기로 동의할 때까지 현 의회를 존속하기로 제정한 법안이었으며, 이 법안 역시 국왕께서 스트래퍼드 백작의 처형 영장에 서명하셨던 날과 같은 날에 서명하셨습니다.

B. 의회가 *자기네 목표를 향해, 아니면 적어도* 양원에서 가장 선동적인 의원들의 목표를 향해 그토록 짧은 시간내에 얼마나 큰 진전을 이루어 냈는지요! 의회는 11월에 열려, 이제 5월이 되었습니다. 반년에 불과한 이 기간동안, 그들은 국왕 폐하에게서 백성들로부터 받으셔야 할 애착을 얻어냈고, 가장 충실한 신하들을 몰아냈으며, 스트래퍼드 백작을 참수하고, 캔터베리 대주교를 투옥하였고, 자체적인 해산 이후의 삼년제의회를 획득했으며, 명부에 있는 한 자기들 의석에 계속 앉아 있을 수 있었습니다. 이를 유효하게 허락하시는 것으로, 국왕 폐하의 권리는 마침내 완전히 소멸되었습니다. 주권 자체가 명백한 용어로 폐기되지 않는 한, 저는 그러했다고 생각합니다.

A. 게다가, 그들은 폐하께 성실청과 고등판무관재판소의 폐지를

수정본에서는 "맹세를 해제하실 수도 있겠군요" *뒤의 잘못된 위치로 옮겨졌다.*

얻어냈습니다.

B. 그런데 그들이 이 모든 대단한 양보에 보답하여, 국왕께 보조금이라든지, 어떤 방법으로든 자금을 드렸는지요?

A. 전혀요. 그들은 흔히 그분을 잉글랜드 역사상 가장 영광스러운 왕으로 만들어 드리겠노라 약속했을 뿐이었는데, 이는 서민들에게나 충분히 좋은 의미로 전달될 수 있는 말들이었습니다.

B. 하지만 이제 의회는 만족스럽지 않았나요? 국왕께서 이제 허락하신 것 이상으로, 무엇을 더 바랄 수 있을지 상상할 수 없으니까요.

A. 아니지요, 그들은 완전하고도 절대적인 주권을, 군주제적 정부를 과두정으로 바꾸기를, 즉 말하자면, 당장에는 소수의 귀족과 400여명의 서민으로 구성된 의회를 절대적인 주권으로 만들고, 얼마 지나지 않아 귀족원을 치워버리기를 원했지요. 이것이 장로파 목사들의 계획이었으며, 그들은 스스로를 신권에 따라 유일하게 적법한 교회 통치자로 여기면서, 동일한 형태의 정부를 시민 국가에 도입하고자 노력했습니다. 그리고 영적인 율법이 자기들 교회 회의에서 만들어져야 하듯, 시민법도 서민원에서 만들어져야 했으니, 그들 생각에 따르면, 서민원은 이전에 그래왔듯 이후에도 자신들에게 통치되어야 했는데, 거기에서 그들은 속임을 당하여, 비록 악의는 아니었지만 기지에 의해 자기 제자들에게 밀려나는 스스로를 발견하였지요.

B. 이후에는 어떻게 되었습니까?

A. 다가오는 8월, 국왕께서는 이제 의회가 더 이상 그분께 맞서지 않을 충분한 의무가 있노라 여기시고, 스코틀랜드로 여정을 잡으시고는 여기서 그리 하셨듯, 그곳의 신민들을 만족시키려 하셨지요. 아마도 그 신민들의 선의를 얻어 둔다면, 이곳의 의회가 그

분께 맞서 군대를 징집할 경우, 스코틀랜드인들이 그들을 돕지 않으리라는 의도이셨습니다. 여기서도 국왕께서는 속임을 당하였지요. 그들은 그분께서 행한 바에 만족한 듯 보였고, 그 중 하나가 주교제 폐지에 양보하신 것이었지만, 그 후 그들은 의회와 동맹을 맺었으며, 국왕께서 의회에 우세를 점하기 시작하시자, 돈을 목적으로 의회와의 다툼 와중에 잉글랜드를 침공했습니다. 허나 이는 1~2년 후의 일이지요.

B. 더 나아가시기 전에, 귀족원이나 서민원, 혹은 양쪽이 함께 지금 주장하고 있는 권리의 근거와 근원을 알고 싶습니다.

A. 그 문제는 너무 오래 전의 일이어서, 이제 잊혀졌습니다. 우리에게는 우리 민족의 기록과, 로마사에서의 작고 모호한 단편들 외에는 추측할 만한 무언가가 없으니, 그 기록들은 때로는 정당하게, 때로는 부당하게 행해진 일들에 관한 것일 뿐이므로, 이로써 그들이 어떠한 권리를 가졌고, 어떤 권리는 그들의 주장일 뿐인지 결코 아실 수 없습니다.

B. 어찌되었든, 로마사에서 이 사안에 대해 어떠한 빛을 얻을 수 있는지 알려주십시오.

A. 우리의 첫 조상인 색슨족과 다른 게르만족들, 그리고 잉글랜드에서 지금 사용되고 있는 명예로운 칭호가 유래된 다른 민족의 코먼웰스 형태에 대해 말하는 모든 고대 저술가를 인용하는 것은 너무 길고 쓸모없는 여담이 되겠으며, 또한 이로부터 어떤 올바른 논증이 아니라, 유능한 신하의 야심에 따라 다른 경우보다 더욱 부당하기가 잦았던 실례만을 도출해낼 수 있을 뿐입니다. 그리고 고대에 여러 차례의 침략으로 이 나라의 주인이 된 색슨족이나 앵글로족의 경우, 그들 자체로 하나의 코먼웰스가 아니라, 단지 트로이 전쟁의 그리스군처럼, 그들 자신의 두려움과 약점에서 비롯

된 것 이상의 다른 의무가 없는 여러 게르만족 소귀족과 소국의 연맹에 불과했습니다. 또한 그 귀족들은 대부분 자기들 나라의 주권자가 아니라, 그들이 데려온 군대의 대장으로 백성에게 선택되었을 뿐이었습니다. 그러므로 그들이 어떤 땅의 일부를 정복하고 그들 중 누군가를 왕으로 삼았을 때, 그 나머지가 서민이나 군인보다 더 큰 특권을 갖게 된 것은 공평하지 않은 일이 아니었으며, 그 중의 하나라 쉽사리 추측할 수 있는 특권들 중에는, 정부의 문제에서 주권을 가진 자와 친교를 맺고 의회가 되어, 평시와 전시 모두에서 가장 위대하고 가장 명예로운 직책을 갖는 것이었습니다. 허나 한 명 이상의 주권자가 있는 정부란 있을 수 없으므로, 그들에게 무력으로 국왕 폐하의 결의에 반대할 권리가 있다고도, 선량한 신민으로 계속 있어야 하는 것 이상으로 더 오래 그 명예와 지위를 누릴 권리가 있다고도 추론할 수 없습니다. 그리고 우리는 잉글랜드의 왕들이 큰 일이 있을 때마다, 왕국에서 신중하고 현명한 인물이라는 명칭으로 그들을 불러 모아, 그들의 조언을 듣고, 회기 동안 그들 앞에 놓인 모든 소송에 대해 재판관으로 삼았음을 알게 됩니다. 하지만 왕이 마음대로 그들을 소환했으므로, 또한 그들을 마음대로 해산할 권력도 가지고 있었습니다. 게르만족의 후예인 노르만족도 우리가 그랬듯, 이 점에 있어서는 같은 관습을 가졌고, 이로 인해 국왕 폐하의 대평의회에 속하고, 회합했을 때 국왕 폐하의 재판정이 되는 귀족의 특권은 정복 이후 오늘날까지 계속되었습니다. 그러나 귀족들 가운데는 여러 명예로운 명칭이나 칭호가 있지만, 이는 고대 갈리아에서 받은 명칭인 남작이라는 명칭으로만 특권을 가졌고, 그들 사이에서 이 명칭은 국왕 폐하의 사람, 또는 그분의 위대한 인물 중 하나라는 의미였습니다. 제가 보기에는, 국왕께서 요구하실 때 그들은 그분께 조언을 했지만, 국왕께서 그 조언에 따르시지 않는다고 하여 그분과 선생을 벌일 권리는 갖지 못했습니다.

B. 서민원은 언제 처음으로 국왕 폐하의 대평의회에 참석하기 시작하였는지요?

A. 정복 이전에는 국왕 폐하에 의해 그렇다고 알려졌던 몇몇 신중한 인물들이 비록 귀족은 아니었더라도, 특별 영장으로 같은 평의회에 소집되었다는 것에는 의심의 여지가 없으나, 서민원과는 아무런 관련이 없습니다. 제가 알기로, 에드워드 1세 폐하의 통치 초기나 헨리 3세 폐하의 통치 말기, 즉 남작들의 악행[118] 직후까지 하원의원과 시의원은 의회에 소집되었던 적이 없으며, 누구든 알다시피, 갓 남용된 귀족들의 권력을 약화시키기 위한 목적으로 소집되었습니다. 헨리 3세 폐하 시대 이전에 귀족들은 그들 대부분이 게르만족의 침략과 정복 등으로부터 한 인물이 그들 모두의 왕이 될 때까지 귀족이자 동료 왕의 후손들이었고, 오늘날 프랑스의 귀족과 마찬가지로 소작인이 그들의 신민이었지요. 허나 헨리 3세 폐하 시대 이후, 국왕들께서는 문제를 일으킨 이들을 대신하여, 직함에 속한 영지 없이, 오직 칭호 뿐인 귀족들을 만들기 시작하셨고, 이로써 소작인들은 전쟁에서 그들을 섬겨야 할 의무에서 벗

---

118 제2차 남작전쟁Second Barons' War (1264~1267)을 말한다. 1258년 헨리 3세 시기, 국고의 고갈과 대외정책으로 불만을 품었던 잉글랜드의 남작들은 시몬 드 몽포르Simon de Montfort (1208?~1265) 등을 중심으로 왕에 대항하여 반란을 일으켰으며, 1267년에 진압될 때까지 잉글랜드에서는 웨일즈와 스코틀랜드의 반란을 비롯하여 정치적 불안과 내전이 이어졌다. 비록 이들 반란군은 참혹한 결말을 맞았으나, 이후 영국 의회민주주의의 기틀을 닦은 사건 중 하나로 평가된다.-역주

어나게 되었으며, 귀족들은 여전히 계속해서 국왕 폐하의 대평의회에 있었더라도, 그분께 맞서 당파를 만들 능력은 나날이 점점 줄어들게 되었습니다. 그리고 그들의 권력이 줄어들면서, 서민원의 권력이 증가했지만, 저는 그들이 국왕 폐하의 평의회에도 속하지 않았고, 다른 사람에 대한 재판관도 아니었노라 생각합니다. 국왕께서 다른 이의 조언 뿐만 아니라, 그들의 조언도 구하셨음을 부정할 수는 없다 하더라도 말이지요. 하지만 저는 그들의 소환 목적이 조언을 위해서가 아니라, 고충거리를 구제해달라는 청원이 있을 경우에, 국왕 폐하께서 대평의회를 여시는 동안 단지 거기에서 함께 준비하기 위해서일 뿐이었다고 생각합니다. 그러나 그들도 귀족들도 국왕께서 법을 만드시고, 추밀원을 뽑으시고, 돈과 병사를 모으시고, 왕국의 평화와 명예를 지키시고, 군대의 대장과 성의 통치자를 원하는 인물로 임명하시는 것을 고충거리로 제시할 수 없었습니다. 이는 그분께서 국왕 폐하라는 것이 고충거리 중 하나라고 국왕께 말씀드리는 것이었기 때문이지요.

B. 국왕께서 스코틀랜드에 계시는 동안 의회는 무엇을 했는지요?

A. 국왕께서는 8월에 떠나셨고, 그 후 9월 8일에 의회는 10월 20일까지 휴회하였으며, 국왕께서는 다가오는 12월 초에 돌아오셨습니다. 이 때 양원 중 가장 선동적이었으며, 정부를 교체하고 군주정을 버리려 계획했던 이들이 (그러나 아직 그 자리에 여느 다른 정부를 세울만큼의 지혜는 없었고, 결과적으로 전쟁의 기회에 맡기려 했던 이들이) 자기들끼리 음모를 꾸몄습니다. 그들은 한 명씩 연이어 서민원을 다스릴 방법을 계획하고, 그 서민원의 권력으로 왕국을 반란에 빠뜨릴 방법을 창안하였는데, 이에 대해 스스로 꾸며내어 발표하기를, 해외에서의 그러한 위험에 맞서는 방어

태세라 불렀습니다. 게다가 국왕께서 스코틀랜드에 계시는 동안, 아일랜드 교황파는 그곳에서 개신교도를 학살할 의도로 거대한 당파로 결집하고는, 10월 23일에 더블린 성을 점령하려 계획을 세웠는데, 거기에는 국왕 폐하의 정부 장교들이 거주하고 있었고, 전날 밤에 적발되지 않았더라면 실행되었을 것이었습니다. 그 적발 방식과 그 후 그들이 그 나라에서 저지른 살인에 대해서는 전모가 드러났으므로 말씀드릴 필요가 없겠지요.[119]

B. 그들이 잉글랜드에서 국왕 폐하와 다투기 시작하자마자, 아일랜드에서의 반란을 예상하고 준비하지 않았는지 궁금합니다. 잉글랜드 장로파 뿐만 아니라, 아일랜드 교황파가 그곳에서 종교의 변화를 갈망했다는 사실을 모를 정도로 무지한 이가 있었겠습니까? 아니면 대체로 아일랜드 민족이 잉글랜드의 정복 운운하는 것을 싫어한다든지, 잉글랜드에서 파견된 군대에 징벌받은 것에 대한 두려움 이상으로, 더 이상 조용히 있으려 하지 않으리라는 것을 몰랐다는 말인지요? 그들이 국왕 폐하와 의회 사이의 이러한 분열로 야기된 우리의 약점 뿐만 아니라, 스코틀랜드와 잉글랜드 장로파의 모범에 고무되었으니, 반란을 일으키기에 이보다 더 나은 때가 있었을까요? 그런데 국왕 폐하께서 부재하셨을 때, 의회는 이 기회를 틈타 무엇을 했는지요?

---

119 1641년 아일랜드 반란Irish Rebellion of 1641을 말한다. 아일랜드의 식민화와 종교갈등으로 인한 극심한 차별이 주요 원인으로 꼽힌다. 반란군은 수일만에 북부 얼스터 지방 대부분을 점령했으며, 아일랜드 전역에서 이에 호응하였다. 개신교도 수천 명이 학살되었고, 이듬해의 잉글랜드 내전을 야기한 원인의 하나로 작용했다. 이후 내전의 일부가 되어 1653년에 진압될 때까지 막심한 사상자를 낳았다.-역주

A. 아무 것도요. 허나 그들이 이를 자기들 목적을 위해 어떻게 사용할 수 있는지 생각해보십시오. 부분적으로는 국왕 폐하의 사악한 참모들에게 전가하고, 부분적으로는 병사들을 꽉 쥐고 명령할 권력을 국왕께 요구함으로써, 그 권력으로 의심의 여지없이 주권 전체도 가지게 되지요.

B. 국왕 폐하께서는 언제 돌아오셨습니까?

A. 11월 25일에 돌아오셨고, 마치 그분 이전의 모든 국왕 폐하들 중 가장 사랑받는 듯 서민들의 환호로 환영받으셨으나, 의회에게는 이에 호응할 만한 응접을 받지 못하셨지요. 그들은 이제 그분께서 그들에게 말씀하셨던 모든 것에서, 그분께 맞서는 새로운 논쟁거리를 꺼내 들기 시작했습니다. 12월 2일, 국왕께서는 양원을 모두 소집하신 후, 아일랜드에 대한 지원금 모금을 권고하셨을 뿐이었습니다.

B. 그들이 꺼내든 논쟁거리란 무엇이었습니까?

A. 아무 것도요. 이는 다만, 그들이 주장할 수 있었던 대로, 병사를 징발하고 꽉 움켜질 권력을 상하 양원에 부여하라고 선동하는 법안을 발의하기 위해서였는데, 사실상 주권 권력 전체인 민병대를 국왕 폐하로부터 빼앗으려는 것이나 다름없었지요. 병사를 징발하고 지휘할 권력을 가진 자는 그가 요구하고자 하는 다른 모든 주권 권리를 갖게 되니까요. 국왕께서는 이를 들으시고, 12월 14일에 다시금 의회를 소집하시어, (아일랜드인들이 아일랜드에서 잉글랜드인들을 살해하고, 잉글랜드에서 파견되리라 예상되는 군대에 대항하여 스스로를 강화하는 동안에 이 모든 것이 필요했기에, 요구되는 바에 따라) 아일랜드의 일을 다시금 압박하셨고, 게다가 병사를 움켜쥐고자 선동하는 법안을 살펴보시고는, 현 시기에 이를 논하기에는 부적절하므로, 그분 본인과 그들 모두를 위해

*편견 없이*salvo jure 이를 통과시켜야 한다고 주장하셨습니다.

B. 여기에 무슨 불합리함이 있었습니까?

A. 아무 것도요. 불합리하다는 것은 하나의 의문인데, 그들은 다투었던 것은 다른 것이었습니다. 그들은 이에 대해 다투었습니다. 법안이 의회 절차에 따라 폐하께 상정되기도 전에 귀족원에서 논의되고 있는 동안, 폐하께서 법안을 살펴보셨다는 것, 그리고 해당 법안의 제출자들에게 불쾌감을 표시하셨다는 것, 그들은 이 모두가 의회의 특권에 반한다고 선언하고는, 국왕께 사악한 조언으로 그리 하시라 권유하였던 자들이 의회에 배상해야 한다는 청원을 올리면서, 이들이 마땅한 처벌을 받을 수 있어야 한다고 하였지요.

B. 잔인한 처사로군요. 잉글랜드 왕들은 내킬 때 귀족원에 참석하곤 하지 않았습니까? 그리고 이 법안은 귀족원에서 논의 중이지 않았나요? 한 인간이 적법하게 일행들과 있으면서, 그들이 말하고 행하는 바를 듣고 보아야 하지만, 그 일행들처럼 주의 깊게 살펴보아서는 안된다니, 이상한 일입니다. 비록 국왕께서 논의 자체에 참석하지는 않으셨지만, 귀족원 중 누구라도 그분께 이에 대해 알려드리는 것은 적법하였습니다. 의회에서 제안이나 논의에 참석하지 않았더라도, 서민원 중 누구라도 동료 의원에게서 이를 듣고는, 이에 대해 주의 깊게 살펴볼 수 있을 뿐만 아니라 서민원에서 발언할 수도 있습니다. 그런데 국왕 폐하로 하여금 친구와 참모들을 의회에 넘기시도록 만들고는, 그들이 그분께 선의를 베풀었다는 이유로 사형에 처하거나 추방하거나 투옥시키는 것은 국왕 폐하에 대한 폭정이며, 어떠한 왕도 반역이나 살인의 경우가 아니라면 어떠한 신민에 대해서도 그리 했던 적이 없으며, 그런 경우에도 드물었습니다.

A. 곧 의회와 내각, 그리고 국왕 폐하와 함께 있었던 다른 유능한 인물들의 필기구 사이에 일종의 전쟁이 시작되었습니다. 12월 15일에 그들은 국왕께 『왕국의 상황에 대한 간언A Remonstrance of the State of the Kingdom』라 불렸던 논문을 청원과 함께 보냈고, 이 모두가 출간되도록 하였습니다. 간언에서 그들은 의회가 시작되기 전, 당시 무르익었던 극악한 당파의 악의적인 계획에 대해 호소하였고, 의회의 지혜로 이를 막기 위해 어떤 수단을 사용했는지, 그들이 거기에서 어떠한 장애를 발견했는지, 왕실과 국가의 오랜 명예와 위대함, 안전을 회복하고 확립하기 위해 취해야 할 적절한 조치에 대해 설명하였습니다.

그리고 (그들이 말하길) 이러한 계획의 촉진자이자 배우들이란 이러하였습니다. 1. 예수회 교황파.

2. 자기네들의 기독교회적 폭정과 찬탈을 지지하고자 형식을 중시하는 주교들과 일부 성직자들.

3. 사적인 목적으로 (그들이 말하길) 일부 외국 군주들의 이익을 증진하고자 스스로 관여했던 참모와 궁정인들이라는 것이지요.

B. 일부 주교가, 그리고 일부 궁정인도 자기들 사익 추구를 위해 무분별하고 아마도 사악한 무언가를 했을지도 모른다는 것은 매우 있을 법하지요. 그러므로 저는 그들의 범죄가 무엇이었는지 구체적으로 말씀해주시기를 바랍니다. 제 생각으로는, 국왕께서 그분 자신의 최고 권위에 반하는 무언가를 못 본 체하셔서는 아니 되니까요.

A. 의회는 국왕 폐하 측에 선 자들에 대해서는 그리 예민하지 않았고,[120] 그들이 했던 모든 것이 국왕 폐하의 명령에 따랐을 뿐

---

120 *수정본에서는* "국왕 폐하께 맞서는 자들에 대해서는 그리 예

임을 의심하지 않았습니다. 허나 주교와 참모, 궁정인들을 고발하는 편이 국왕 폐하 본인을 고발하고 신민들에게 그분에 대해 비방하는 데에 있어, 보다 예의 바른 방법이라 여겼습니다. 진실을 말하자면, 의회가 그들에 대해 제기한 혐의는 너무 일반적이어서 고발이 아니라 욕설이라 부를 만하였습니다. (그들이 말하길) 처음에 이들은 국왕 폐하와 백성 사이에서 대권과 자유에 대한 물음을 키웠고, 결국 폐하께 봉사하는 데에 너무나도 중독된 듯 보였기에, 왕국에서 가장 큰 신임과 권력을 갖는 자리에 오를 수가 있었습니다.

B. 어떤 고발자에게도 증거나 증인을 제시할 만한 아무런 사실이 없는데, 이를 어찌 고발이라 할 수 있겠습니까? 이들이 대권에 대한 이러한 물음으로 움직였다고 인정한들, 누가 그들의 목적이 그들 자신과 친구들에게 왕국의 신임과 권력을 갖는 자리를 얻도록 하는 것이었노라 증명할 수 있겠습니까?

A. 두번째 고발 내용은 그들이 종교의 순수성과 권능을 억압하려 애썼다는 것이었습니다.

B. 위선적이로군요. 종교의 권능을 억압하는 것은 인간의 권력이 아닙니다.

A. 이들이 장로파의 교리, 즉 말하자면, 당시 의회의 배신적인 가식의 바로 그 근간을 억압하려 했다는 의미였지요.

셋째로는 그들이 아리미니우스파, 교황파, (분쟁에 끼어들지 않는 일반 개신교도를 의미했던) 자유인들을 중시하여, 결국 그들의 조언과 결의에 따라 행동하기에 적합한 일군을 구성할 수 있었다

민하지 않았고" *였는데, 저자 본인의 손으로 원고에서 위와 같이 교정되었다.*

는 것이었습니다.

넷째로는 그들이 의회의 일반적인 방식보다는 다른 방법으로 국왕께 자금을 조달하려 노력했다는 것이었습니다.

이러한 것들이 고발이라 부르기에 적절한지, 아니면 국왕 폐하의 정부에 대한 악의적인 비난인지는 판단에 맡기기로 하지요.

B. 제 생각에 마지막 내용은 아주 큰 잘못입니다. 왕국의 안전이나 국왕 폐하의 명예를 위해 필요한 한도 내에서 의회가 기꺼이 자금을 제공하고자 했더라면, 기이한 경로로 돈을 모으시도록 국왕 폐하를 내몰 이유가 어디에 있었겠습니까?

A. 허나 전에 말씀드렸듯, 얼마나 국왕 폐하를 충실하게 섬겼는지에 따라 그들이 원했던 이들의 목을 잘라내는 조건이 아니고서는, 그들은 그분께 아무것도 드리지 않았겠지요. 그리고 만약 국왕께서 친구들을 그들의 야심에 희생시키셨더라면, 보조금을 거부하는 다른 구실을 찾았겠지요. 그들은 그분으로부터 주권 권력을 빼앗아 자기들이 갖기로 결심했기 때문에, 국왕께서 전혀 돈을 보유하지 못하시도록 대단한 주의를 기울이지 않을 수가 없었습니다. 다음으로, 그들은 국왕 폐하의 통치가 시작된 이래로, 잘못이든 아니든, 그들이 싫어했으며, 국왕께서 그리 하도록 이끌리신 원인과 동기에 대한 지식이 부족하여 판단할 수도 없었고, 오직 국왕 폐하 본인과 그분의 귀띔으로 추밀원에만 알려졌던 모든 것들을 국왕께서 따르셨던 조언자들의 잘못으로 간언에다 집어넣었습니다.

B. 그런데 무엇이 그 특별한 잘못이라 주장되었는지요?

A. 1. 옥스퍼드에서 국왕 폐하의 첫 의회를 해산하셨던 일. 2. 통치 2년차에 두번째로 의회를 해산하셨던 일. 3. 통치 4년차에 의회를 해산하셨던 일. 4. 칼레에 대한 결실 없었던 원정. 5. 스

페인과 맺은 평화로, 팔츠의 내의가 버려지고, 부담스러우면서도 희망 없는 조약이 남았던 일.[121] 6. 대출을 통해 자금을 조달하고자 수수료를 보냈던 일. 7. 선박세 조달. 8. 마그나 카르타와 상충되는 산림의 확대, 9. 화약을 전부 한 손에다 모아 런던탑에 보관하려던 계획. 10. 놋쇠 화폐의 사용을 도입하려던 계획, 11. 벌금형, 감옥형, 낙인형, 절단형, 채찍형, 형틀형, 재갈형, 감금형, 추방형을 성실청에서 선고했던 일. 12. 재판관 교체. 13. 고문단의 불법 행위. 14. 원수백재판소의 자의적이고 불법적인 권한. 15. 대법관청, 국고청, 와드재판소[122]의 남용. 16. 명예 작위와 판사직, 경의 자리, 기타 직책의 판매. 17. 정직과 파문, 박탈, 좌천으로 고통을 겪으면서 학식 있고 경건한 여러 목사들에게 주교와 다른 성직자들이 범했던 무례가 있습니다.

B. 그런 목사들 중 좌천되거나 박탈되거나 파문당한 이가 있는지요?

A. 알 수 없지요. 허나 고통을 겪으면서 무식하고 선동적인 여

---

[121] 30년 전쟁은 팔츠의 프리드리히 5세Frederick V (1596~1632)가 보헤미아의 왕위를 받으면서 시작되었는데, 당시 그는 잉글랜드 왕 제임스 1세의 사위였다. 당시의 종교갈등 속에 프리드리히 5세는 금방 왕위를 잃었고, 곧 이어 스페인이 네덜란드와의 전쟁을 위해 그의 세습영지였던 팔츠 선제후국을 침략하였다. 개입을 거부했던 제임스 1세와는 달리, 그의 후계자였던 찰스 1세는 1625년 왕위에 오르자마자 원정군을 파견하여 스페인을 견제하려 했으나 원정은 성공적이지 못했고, 내전에 휘말린 스페인의 제안에 따라 1629년 양측은 현상유지에 입각한 평화조약을 체결하였다.-역주

[122] Court of Wards. 헨리 8세가 설립했던 법원으로, 봉건토지의 세출 및 후견인 제도 등을 처리했다. 장기의회에서 유명무실화되어 왕정복고 이후 폐지되었다.-역주

러 목사들을 위협하는 건 들어본 적이 있었다고 기억합니다.

18. 고등판무관재판소의 과도한 가혹함. 19. 국왕 폐하 앞에서 신민의 재산에 반대하고, 법 위에 국왕 폐하의 대권을 올려놓는 설교가 있지요. 그리고 그들이 정부와 벌였던 다른 여러 사소한 다툼이 비록 이들 당파에게 지워져 있었지만, 인쇄물의 전달로 이런 것들이 백성들의 심판에서 국왕께 쏟아지게 되리라는 것을 알았지요.

또한 1640년 5월 5일의 의회 해산 후에도, 해산 그 자체에서, 양원 일부 의원의 투옥에서, 런던에서 시도된 강제 자금 대출에서, 의회 종료 후에도 계속되었던 교구총회 소집에서, 그리고 윈더뱅크 비서관과 다른 이들이 교황파에게 보여준 호의에서, 그들은 다른 잘못들을 발견하였습니다.

B. 이 모두는 서민들에게 실정으로, 국왕 폐하의 잘못으로 흘러가게 됩니다. 비록 이 중 일부는 불운이었고, 불운과 실정이(란게 있다면) 의회의 잘못이었더라도 말이지요. 그들은 그분께 자금 제공을 거부함으로써, 해외 원정을 좌절시키고, 국내에서 자금 조달을 위해 (그들이 불법이라 불렀던) 기이한 방법을 쓰시게 하였습니다.

A. 그들이 백성들에게 악정을 보여주기 위해 얼마나 많은 악을 일으켰는지를 보셨습니다. 그들은 국왕께 행한 많은 봉사에서 비록 전부는 아니더라도 그 중 대다수를 극복하고, 여러 다른 일들을 했음을 열거하며 말하길, 비록 스코틀랜드인들에게 220,000파운드의 빚을 졌으며, 6개의 보조금을 허가하고, 6개 보조금 가치 이상의 인두세 법안을 승인했음에도 불구하고, 하나님께서 이 의회의 노력을 축복하시어 왕국이 이로부터 이득을 얻었노라고 하고는, 국왕 폐하와 왕국에 그들이 행했던 좋은 일들의 목록을 펼쳤

습니다. (그들 말로는) 왕국을 위해 그들은 이런 일들을 했지요. *왕국에 연간 20만 파운드의 비용을 부과하는* 선박세를 철폐했습니다. 의복비와 임무수행비, 그리고 여타의 군사 비용을 없앴는데, 그들은 선박세보다 약간 적었노라고 말했습니다. 모든 독점을 억제했으며, 신민들이 연간 백만 파운드 이상을 절감했다고 계산했습니다. 스트래퍼드 경의 죽음, 핀치 대법관Heneage Finch (1620~1682)과 윈더뱅크 비서관의 도주, 캔터베리 대주교와 바틀렛 판사Robert Berkeley (1584~1656)의 투옥, 그리고 여타의 주교와 재판관의 탄핵으로 인해, 살아있는 고충거리들, 즉 사악한 참모와 행위자들을 진압하였습니다. 스스로 해산하기에 적절하다고 여겨질 때까지 현 의회를 지속시키기 위해 삼년제의회법과 다른 법안을 통과시켰습니다.

B. 즉 말하자면, 그들이 허용하기만 한다면 영원히로군요. 하지만 그들이 왕국을 위해 행했던 이 모든 일의 합계란 곧, 왕국을 정부도 없고, 힘도 없고, 돈도 없고, 법도 없고, 훌륭한 고문역도 없는 채로 남겨두었다는 겁니다.

A. 그들은 또한 고등판무관을 끌어내리고, 고문단, 그리고 주교와 그들 재판소의 권한을 축소하고, 종교에서 불필요한 의식을 없애고, 자기들 파벌에 속하지 않은 목사들의 성직록을 제거하고, *그 자리에* 자기편을 두고자 하였습니다.

B. 이 모두는 자기네들의 일일 뿐, 왕국의 일은 아니로군요.

A. 그들이 국왕께 행했던 선이란, 일단 (그들이 말하길) 북부 카운티의 구호를 위해 25,000파운드를 드린 것입니다.

B. 잉글랜드의 다른 카운티보다 북부에 더 많은 구호가 필요했던가요?

A. 예, 북부 카운티에서는 의회가 국왕께 반대하기 위해 소집한 스코틀랜드군이 숙영하였고, 결과적으로 그 병사들을 해산시켜야

했습니다.

B. 그렇습니다만, 의회가 그들을 소집했습니다.

A. 허나 그들은 아니라 합니다. 그리고 국왕께 그 신민을 보호할 의무가 있기 때문에, 이 돈이 그분께 주어졌다고 하지요.

B. 그분께는 그들이 그리하도록 제공한 자금 이상의 아무런 의무도 없습니다. 너무나도 뻔뻔스런 일이지요. 국왕께 맞서는 군대를 일으키고, 그 군대로 동료 신민들을 억압한 다음, 국왕께서 그들을 구호해 주시기를 요청드리다니, 즉 말하자면, 자기에게 맞서 싸우고자 소집된 군대에 지불할 책임을 지셔야 한다는 게 아닙니까.

A. 아뇨, 더 하지요. 그들은 스코틀랜드인들에게 준 300,000파운드를 국왕 폐하의 계정으로 산입했는데, 그것이 없었더라면 그들은 잉글랜드를 침략하지 않았을 겁니다. 그 외에도 다른 많은 것들이 있었는데, 지금 기억나지가 않는군요.

B. 인류가 이리도 뻔뻔하고 악랄하리라고는 생각치 못했습니다.

A. 그 모든 악을 보시기에 충분할 만큼 오래 세상을 관찰해보신 적이 없으시겠지요. 말씀드렸듯, 그들의 간언이 그러하였습니다. 그들은 세 가지 요점이 담긴 청원을 보냈습니다. 1. 폐하께서는 의회에서 주교들의 투표권을 박탈해주시고, 그들이 불러왔던 종교와 교회 통치권, 규율 상의 억압을 제거해주실 것, 2. 백성의 고충거리를 조장하는 모든 이를 고문역에서 배제하시고, 의회가 신뢰할 만한 인물들을 그분의 위대하신 공무에 기용하실 것, 3. 아일랜드 반란으로 왕실에 몰수된 땅을 내어주시지 않을 것이었습니다.

B. 제 생각으로는, 이 마지막 요점을 집어넣은 것은 당시로서는 현명치 못한 일이었습니다. 반란군을 제압할 때까지 미뤄두었어야

하는데, 아직 이에 대항하는 어떠한 군대도 파견되지 않았으니 말이지요. 사자를 죽이기도 전에 그 가죽을 파는 것이나 다름없군요. 그런데 다른 두 제안에 대한 대답은 무엇이었는지요?

A. 거부 이외에 무슨 대답이 있겠습니까? 거의 같은 시기에 국왕께선 몸소 의회에서 6인, 즉 서민원 중 5인과 귀족원 중 1인에 대해 대역죄로 고발하는 기소문을 발표하시고, 1월 4일에 몸소 서민원으로 가시어 그 중 5인을 요구하셨습니다. 허나 어느 배신자가 국왕 폐하에 관하여 은밀히 주의를 주어, 그들은 자리를 비웠으며, 이로써 폐하의 의도를 좌절시켰지요. 그리고 그분께서 떠나신 후, 의회는 이를 가증스러운 문제이자, 그들의 특권을 크게 위반한 것으로 만들고는, 웨스트민스터에서는 안전하지 않다고 주장하면서, 런던으로 산회하여 거기에서 일반평의회로 자리하였습니다. 국왕께서 그 인물들을 요구하기 위해 의사당으로 가셨을 때, 평소보다 다소 더 많은 참석자를 동행하셨습니다 (그러나 시종들이 하던 것 이상으로 무장하지는 않았습니다). 그리고 국왕께서 이후 그 인물들에 대한 기소를 포기하셨지만, 그런 식으로 국왕께서 의사당으로 향하시도록 조언한 이들을 밝히시지 않는 한, 그리하여 *잔인함* 대신 사용된 단어였던, *합당한 처벌*을 그들이 결국 받게 되지 않는 한, 평화란 없을 것이었습니다.

B. 가혹한 요구로군요. 국왕께서 적을 용납하셔야 하는 것만으로는 충분치 않고, 친구까지 배신하셔야 한단 말입니까? 주권 권력을 자기들 손에 넣기도 전에 이리도 국왕 폐하를 핍박하다니, 그것을 얻게 된다면 동료 신민들을 얼마나 핍박할런지요?

A. 하던 대로 하겠지요.

B. 평의회는 런던에 얼마나 오래 머물렀습니까?

A. 2~3일을 넘지 않았습니다. 그리고는 대단한 승전에 따라 수

로로 런던에서 의사당으로 옮겨왔고, 국왕께서 계심에도 불구하고 떠들썩한 수의 무장한 자들의 호위를 받으며 안전하게 앉아서는, 그분께 맞서 그들이 열거하는 만큼 많은 반역적인 행위를 저질렀지요. 그리고 이 소동을 빌미로, 자기 파벌에 속하지 않은 이들 모두를 귀족원에서 겁을 주어 쫓아내려 했습니다. 이 시기 *백성들의* 폭동은 너무나도 무례하여, 신변에 폭행을 당할까 두려워 주교 중 누구도 감히 의사당으로 향할 수 없었는데, 그들 중 12명은 거기로 오는 길에 스스로를 변명하며, 국왕께 청원을 통해 그 의무를 조용히 가서 수행할 수 없음을 간언하였고, 그리고 그들이 강제로 부재하는 동안 귀족원에서 통과되는 모든 결정에 대해 아무런 효력이 없다고 항의하였습니다. 서민원은 그들을 붙잡아서는, 반역죄로 고발하기 위해 의원 중 하나를 귀족원으로 보냈습니다. 그 후 그 중 10명이 런던탑으로 보내졌으며, 이후에는 더 이상 반역 운운하는 말들은 없었지만, 의회에서 그들의 투표권을 박탈하는 법안이 통과되었고, 이 법안에 대해 국왕 폐하의 동의를 얻었습니다. 그리고 그 후 9월 초에, 그들은 더 이상은 주교가 교회 통치권에서 아무런 역할도 하지 않아야 한다고 투표했지만, 이는 국왕 폐하의 동의를 얻지 못했고, 이제 전쟁이 시작되었습니다.

B. 의회가 주교제를, 그리고 특히 귀족원에 주교가 구성원으로 있는 것을 그토록 싫어하는 이유가 무엇인지요? 장로파이자, 귀족원에 봉사하기는 커녕, 반대로 그들의 권력을 끌어내리고, 자신들의 교회 회의와 계급에 그들을 복종시키기 위해 최선을 다할 가능성이 높은 가난한 교구 사제들을 만족시키기 위해서라면 그럴 이유가 없다고 생각하기 때문입니다.

A. 귀족원 중에서 장로파의 의도를 알아차린 이들이란 거의 없

었고, 게다가 그들은 (제가 믿기로는) 하원에 감히 반대하려 하지 않았을 겁니다.

B. 그런데 하원은 왜 그토록 진지했습니까?

A. 왜냐하면 그들은 자기들 교리를 이용하여, 가장된 신성으로 국왕 폐하와 그분의 당파를 백성들에게 증오받도록 만들고, 백성들의 도움으로 민주정을 확립하여 국왕 폐하를 퇴위시키거나, 아니면 그분께서 자기네들의 목적에 따라 행동하시는 동안에만 직위를 유지하시도록 하려 했기 때문입니다. 허나 의회 뿐만 아니라, 어떤 면에서는 잉글랜드의 모든 백성들이 주교의 적이었는데, 그들의 행동으로 인해, (말해지기를) 너무 오만한 존재이기 때문이었습니다. *[실로 그들 대부분은 마치 자기네들의 위대함이 국왕 폐하의 호의와 그들에게 권위를 부여하는 그분의 특허장이라 아니라, 그들(자신?)이 품은 (기지와?) 학문에 빚진 것처럼 그렇게 행동하였고, 제 관할권과 직분의 존엄성을 방어하는 데에 보인 과민함 이상으로 서로 간의 칭찬에 신경 썼(었?)으며, 자기들 영혼이나 사상에 반대하는 자들에 대해 언제나 심하게 불쾌감을 느꼈습니다. (그리고 결과적으로?) … 그들은 자기에게 최선이 되도록 하는 데에 다소 너무 부지런하다는 평판을 받았습니다.]* 이것이 그들의 혐의에 다채로이 놓인 모든 것이었지요. 그들을 무너뜨린 주요 원인은 장로파의 시기심이었고, 백성들을 그들과, 주교제 자체에 대해 분노케 하였습니다.

B. 장로파는 교회가 어떻게 다스려지게 할까요?

A. 국가와 지역의 교회 회의를 통하겠지요.

B. 국가적 총회를 대주교로, 지방적 총회를 그리 많은 주교들로 만드는 것이 아닌지요?

A. 그렇지요, 허나 모든 목사가 정부에 참여하는 기쁨을 가지

며, 결과적으로 그들의 학문을 존경하면서 지갑을 채우는 데에 도움을 주지 않는 자들에게 복수하고, 그리 하는 자들의 봉사를 얻을 수 있습니다.

B. 모든 특정인이 가질 수 있을 자기 이해관계 외에는 무엇도 없이, 마치 자기들 학문이 온 세상을 다스려야 하는 규칙이라도 되어야 하는 양, 다툼이 오직 의견에 관해서만, 즉 누가 가장 학식이 깊은가를 두고서만 두 파벌이 코먼웰스를 곤경에 빠뜨린다니, 곤란한 상황입니다. 그들은 무엇에 대해 배우는지요? 정치학과 국가의 통치입니까? 신학이라 불리운다는 것은 알고 있으나, 철학의 문제를 제외하곤 무엇에 대한 설교도 거의 듣지 못했습니다. 종교는 그 자체로 논쟁을 인정치 않으니까요. 그것은 왕국의 법이며, 논쟁의 여지가 없어야 합니다. 저는 그들이 우리 역시 그러하듯, 성경을 읽는 것 이외의 여느 다른 방법으로 하나님과 말하고 그분의 뜻을 안다고 주장하리라 생각치 않습니다.

A. 네, 그들 중 몇몇은 그리하며, 특별한 영감에 따라 선지자를 위해 스스로를 바칩니다. 허나 나머지는 (성직록을 그리고 영혼에 대한 책무를 키우고자) 다른 사람들보다 성경에 더 능숙하다고 주장할 뿐인데, 대학에서 자라 그곳에서 라틴어에 대해, 그리고 일부는 성경을 기록한 언어인 그리스어와 히브리어에 대해서도 지식을 얻었고, 그 외에도 공개적으로 가르쳐지는 자연철학에 대한 지식이 있다는 이유이지요.

B. 라틴어와 그리스어, 히브리어에 관해서라면, 한 때 (로마의 사기를 적발하고 로마의 권력을 쫓아내는 데에) 매우 유익하거나 거진 필수적이었지만, 그 일은 이제 끝났으며, 우리에겐 영어로 된 성경이 있고 영어로 설교하고 있으니, 저는 그리스어와 라틴어, 히브리어가 크게 필요치 않다고 봅니다. 우리 이웃들의 언어,

프랑스어와 네덜란드어, 스페인어를 잘 이해함으로써 저는 스스로에게 더 나은 자격이 있다고 여깁니다.-교황의 권능이 확립되기 전에는, 세상 어디에서도 철학이 코먼웰스의 권력에 많은 일을 수행한 전례가 없었으리라 생각합니다.

B. 하지만 철학은 신학과 더불어, 세상 대부분의 고대 왕국에서 왕의 권위 다음으로 교수들을 가장 큰 권위를 가진 자리로 승급하는 데에 크게 기여했으며, 그 시대의 역사에서 분명히 보여지지요.

B. 저자와 장소를 인용해 주셨으면 합니다.

A. 일단, 옛 시절 브리타니와 프랑스에서 드루이드란 무엇이었을까요? 카이사르와 스트라보Strabo (BC 64?~AD 24?), 그리고 다른 이들, 특히 아마도 지금까지 가장 위대한 고고학자인 디오도로스 시켈로스Diodorus Siculus에게서 이들이 어떠한 권위를 가졌는지를 보실 수 있으며, 프랑스에서 드루이드에 대해 말했던 (사로비데스Sarovides라는) 이는 이렇게 이야기합니다.- "*그들 가운데에는 철학자와 신학자도 있는데, 극히 존경받으며, 선지자이기도 하였다. 이들은 희생제물로 바쳐진 짐승의 창자로 점을 치고 관찰하는 기술에 따라, 앞으로 일어날 일을 예언하고, 군중이 이에 순종토록 하였다.*" 조금 뒤에 이렇게 이어집니다.- "*철학자 없이는 누구도 제사를 지내지 않는 것이 그들 사이의 관습이니, 왜냐하면 (그들이 말하길) 인간은 신께 스스로 감사를 표하는 것이 아니라, 신성한 본성을 알면서 같은 언어를 가진 이들에 의해야 하며, 모든 선한 일들은 이러한 이들에 의해 기원되어야 하기 때문이다.*"

B. 드루이드들이 자연철학이나 도덕철학에 매우 능했다니 믿기지 않는군요.

A. 저도 그렇습니다. 그들은 피타고라스가 그랬듯, 영혼이 하나

의 신체에서 다른 신체로 옮겨간다고 주장하고 가르쳤으니, 그 의견을 그들이 그로부터 취했는지, 아니면 그가 그들로부터 취했는지, 알 수 없습니다.

페르시아의 동방박사들이 철학자와 점성가 이외의 무엇이었을까요? 페르시아 자체나 유다보다 더 동쪽에 있는 어떤 나라에서 별의 인도로 우리 구주를 찾아왔음은 아시겠지요. 이들은 자기 나라에서 대단한 권위가 있지 않았을까요? 그리고 대부분의 기독교국가에서 이들이 왕으로 여겨지지 않았던가요?

이집트는 많은 이들에게 세상에서 가장 오래된 왕국이자 국가로 생각되어왔고, 그 제사장들은 여느 나라에서 여느 신민이 가졌던 것보다도 민사에서 가장 큰 권력을 가졌습니다. 그리고 그들이 철학자와 신학자 이외의 무엇이었는지요? 이들에 대해, 디오도로스 시켈로스도 이처럼 말했습니다. "*(이집트) 온 나라는 세 부분으로 나뉘는데, 제사장 집단은 신을 향한 헌신과 교육을 통해 얻은 이해로 인해, 백성들에게 가장 신뢰받는 집단입니다.*" ; 그리고 바로 이어집니다. "*일반적으로 이들은 모든 일 중 가장 큰 일에서 왕의 참모이며, 부분적으로는 집행하고, 부분적으로는 왕에게 알리고 조언하며, 또한 (점성술과 희생제물을 조사하는 기술에 따라) 장차 일어날 일을 그에게 예언하며, 거룩한 책에서 왕이 알기에 유익한 행동 같은 것들을 기록된 대로 읽어주었습니다. 그리스처럼 한 남자나 한 여자가 신권을 갖지는 않았지만, 그들 다수는 신들의 명예와 제의에 참여하고, 왕 다음으로 가장 큰 권력과 권위를 갖는 동일한 직분을 자기 후손에게 남겼습니다.*"

이집트인들 사이의 사법에 관해, 그는 이렇게 말했습니다. "*가장 저명한 도시들, 히에로폴리스와 테베, 멤피스에서 그들은 재판*

관을 뽑는데, 아테네의 아레오파고스Areopagus나 리케다이몬[123]*의 원로원에 못지않은 평의회입니다. 그들이 모였을 때 그 수는 서른이며, 그들 가운데에 한 사람을 최고재판관으로 선택하고, 그가 있었던 도시는 그 자리를 대신하여 다른 인물을 보냅니다. 이 최고재판관은 목에 금목걸이를 차고 있었고, 목걸이에는 보석이 박혀 있었는데 그 이름은 진리였습니다. 최고재판관이 이를 착용한 후 변론 등을 시작했을 때, 재판관들이 선고에 동의하면, 최고재판관은 이 진리의 보석을 변론 중의 하나에 놓았습니다."* 이제 철학과 신학의 결합으로 시민적 사안에서 어떤 권력을 얻었는지 보셨겠지요.[124]

이제 유대인들의 코먼웰스에 대해 살펴보지요. 한 친족 내에서의 (즉, 레위인의) 제사장이 또한 이집트의 제사장이기도 하지 않았습니까? 대제사장이 우림과 둠밈의 흉패로 심판을 내리지 않았습니까?[125] 아시리아 왕국과 칼데아인으로 불리는 철학자들을 보십시오. 아브라함 시대에도 (아시듯이) 칼데아인들의 우르에서 살았던 그들 가족에게 속한 땅과 도시가 있지 않았습니까? 이에 대해 동저자가 이처럼 말합니다. *"칼데아인은 이집트 제사장과 마찬가지로, 정치적인 종파이며, 신을 섬기도록 정해졌기 때문에, 평생을 철학에 바쳐, 점성술에서 특출난 명성을 얻었으며, 또한 정화*

---

123 스파르타의 다른 이름.-역주

124 *B.* [유대인인] 모세가 이집트에 살았을 시절에도 이런 종류의 정부와 사법제도가 사용되었는지요?
A. [예.] 모르겠습니다. *이 문답은 원고에서 홉스 본인의 손으로 삭제되었다.*

125 너는 우림과 둠밈을 판결 흉패 안에 넣어 아론이 여호와 앞에 들어갈 때에 그의 가슴에 붙이게 하라 (출애굽기 28:30)-역주

와 제의로 다가올 일을 예고하여 어떤 주술로 해를 예방하고 선을 가져올 수 있는지 알아내기 위해 많은 것을 예언한다고 주장하였습니다. 그들은 또한 점술에, 꿈과 기적을 해석하는 데에 능하고, 희생제물로 바쳐진 짐승의 내장으로 예언하는 기교에서도, 배움도 그리스인에 떨어지지 않으니, 칼데아인들의 철학은 가족에게 전통에 따라 전해져, 아들이 아버지로부터 받기 때문입니다."

아시리아에서 인도로 넘어가, 그곳에서는 철학자들이 어떤 존경을 받았는지 보기로 하지요. (디오도로스가 말하기를) "*전체 인도인 군중은 일곱 부분으로 나뉘는데, 그 중 첫번째는 철학자 집단이니, 숫자로는 가장 적고 탁월하기론 으뜸입니다. 그들은 세금으로부터 자유로운데, 그들이 다른 누군가의 주인이 아니듯, 다른 이들도 그들의 주인이 아니기 때문입니다. 신에게 가장 사랑받으며 지옥과 관련된 교리에 능숙하다 여겨지므로, 그들은 사인들에 의해 희생제의와 사자의 매장을 돌보도록 요청받으며, 이 직분으로 아주 상당한 선물과 영예를 받습니다. 그들은 또한 인도 백성들에게도 대단히 유용한데, 연초에 대의회에 참석하여, 큰 가뭄과 큰 비, 아울러 바람과 질병, 미리 알면 유익할 일들을 예언하기 때문입니다.*"

동저자가 에티오피아인의 법률에 관해서는 이렇게 말합니다. "*에티오피아인들의 법률은 다른 나라의 법과, 특히 왕의 선출에 관하여 매우 다른 것 같습니다. 제사장들은 그들 가운데 일부 주요 인물을 목록에 등재하고, (특정한 관습에 따라 축제에 참여하는) 신이 받아들이는 이를 제안합니다. 군중은 그를 왕으로 뽑아, 곧 신으로 숭배하고 존경하며, 신의 섭리에 따라 정부에 넣습니다. 왕으로 뽑혔으므로, 그는 법률에 따라 생활방식이 제약되며, 다른 모든 일을 나라의 관습에 따라 행하며, 처음부터 그들 간에*

법으로 정해진 것 이외에는 누구에게도 상을 주지도 벌을 주지도 않습니다. 누군가가 사형을 선고받더라도, 그를 형에 처하지 않고, 사형 증표와 함께 어떤 관리를 그에게 보냅니다. 증표를 본 이는 곧 자기 집으로 가서 스스로 자살합니다." 그리고 바로 이어집니다. *"하지만 모든 것 중 가장 이상한 것은 왕의 죽음에 관해 행하는 일입니다. 메로에에 사는 제사장들은 신을 숭배하고 공경하는 일에 시간을 쓰면서 가장 큰 권위를 갖습니다. 그들이 마음을 먹으면 왕에게 사자를 보내어 죽기를 청하는데, 이는 신이 그러한 명령을 내렸고, 불멸자들의 계명은 본질적으로 필멸자들이 결코 무시할 수 없기 때문입니다. 또한 오래 되고 지울 수 없는 관습으로 교육받은 대로, 단순한 판단력을 갖추고 불필요한 명령에 반론을 제기할 만한 충분한 이성을 갖지 못한 이들이 기꺼이 인정하는 다른 말들을 왕에게 사용합니다. 그러므로 옛날에는 왕이 제사장에게 순종했는데, 강압과 무기로 지배하는 것이 아니라, 미신에 따라 그들의 이성을 지배했습니다. 하지만 프톨레마이오스 2세Ptolemy II (BC 284~BC 246) 시절에 에티오피아 왕 에르가메네스Ergamenes는 그리스인들의 방식을 좇아 철학을 익혔고, 감히 그들의 권력을 경멸하는 최초의 인물이 되어 왕에 걸맞는 용기를 얻었습니다. 당시 에티오피아의 황금 신전이 있었던 아바톤Abaton이라 불렸던 장소로 병사를 끌고 와, 모든 제사장을 죽이고 관습을 폐지했으며, 그의 뜻에 따라 왕국을 바로잡았습니다."*

B. 죽임을 당한 이들이 비록 끔찍한 사기꾼들이긴 했지만, 잔인하군요.

A. 그렇습니다. 허나 제사장들은 조금 전까지 신으로 숭배하던 왕에게 스스로 목숨을 끊게 할 만큼 잔인하지 않았던가요? 왕은 신변의 안전을 위해 그들을 죽였고, 그들은 야심이나 변화에 대한

사랑으로 그를 죽였습니다. 왕의 행동은 백성들의 선으로 채색될 수 있습니다. 제사장들에겐 왕에 대해 아무런 구실도 없었고, 왕들이 실로 매우 경건하지 않았더라면, 결코 비무장의 사자가 전달한 제사장들의 명령에 순종하여 자살하지 않았겠지요. 우리의 선왕 폐하, 아마도 역사상 최고의 국왕께서 장로파 목사들의 선동에 따라 처음에는 전쟁으로 박해를 당하시다가, 아시다시피 살해당하셨지요. 따라서 그들은 그 전쟁에서 쓰러진 모든 이의 죽음에 대해 유죄입니다. 제가 믿기로, 잉글랜드와 스코틀랜드, 아일랜드에서 거의 100,000여명에 가까운 사람이 죽었습니다. 아마 1,000명도 되지 않을 선동적인 목사들이 설교하기 전에 죽임을 당하는 편이 훨씬 낫지 않았을까요? (고백컨대) 대량 학살이었겠지만, 100,000명의 죽음은 더 큰 학살입니다.

B. 주교들이 이 일에서 벗어나 다행입니다. 어떤 이들은 그들이 야심적이라 말하지만, 그들은 이 일에 참여한 자들에게 적이었으므로, 여기에서는 등장하지 않았습니다. *[비록 그들이 교회 통치권에 대해 (국왕 폐하의 허락에 기대지 않고) 신성한 권리를 주장했더라도, 수가 적고 백성들에게 그리 호의를 얻지도 못했는데, 어떻게 (국왕 폐하의 편) 이외의 다른 선택을 할 수 있었겠습니까?]*

A. 저는 이 인용으로 이방인들의 신학이나 철학을 칭찬하려는 것이 아니라, 이들 과학의 명성이 백성들 사이에 어떤 영향을 미칠 수 있는지를 보여주고자 할 뿐입니다. 그들의 신학이란 우상숭배에 지나지 않았고, 그들의 철학이란 (이집트 제사장들과 칼데아인들이 오랜 관찰과 연구로 천문학과 기하학, 산술에 대해 얻은 지식을 제외하고는) 거의 없었으며, 대부분 점성술과 점술로 남용되었습니다. 반면 종교와 아무런 친연성도 없으며, 오직 불평과

불화, 그리고 (근래 장로파와 성공회교도 사이의 차이에서 비롯된 소중한 경험으로 발견했던 대로) 결국에는 선동과 내전을 낳는 데에만 봉사하는, 아리스토텔레스와 다른 그리스인들의 재잘거리는 철학의 (로마 교회에 의해 도입되어, 부분적으로 여기에서 유지되었던) 혼합물을 제외하고 생각하면, 이 나라에서 성직자의 신학은 진정한 종교이지요. 허나 이러한 차이로 인해 양측은 권력을 잡으면 서로의 교리를 억압했을 뿐만 아니라, 어떠한 교리든 자기네들의 이해관계에서 나쁜 측면으로 보았기 때문에, 결과적으로 모든 참된 철학, 특히 시민적이고 도덕적인 철학이 야심에 있어, 혹은 주권 권력으로 인한 순종으로부터의 면제에 있어 결코 호의적으로 보일 수 없었지요. *[그들이 과학에서 갖는 명성은 그들이 그 과학으로 영향을 받은 무언가로부터 나온 것이 아니라, 그에 대해 아무런 것도 이해하지 못하고, 이해하지 못하는 것 외에는 아무런 것도 존경하지 않는 백성들의 나약함에서 비롯되었습니다. 근래에 자연철학과 수학의 촉진을 위해 젠틀맨들로 구성된 회사가 세워졌습니다. 그들이 무엇을 생산해낼지는 아직 모르지만, 확신하건대, 그 주제에 대해 저술될 책을 허가하는 권한은 그들이 아니라, 물리학에 대한 지식이 거의 없고, 수학에 대해서는 전혀 모르는 일부 신학자들에게 있습니다.]*

국왕께서 귀족원 의원 킴볼튼 경Edward Montagu (1602~1671)과 하원의원 홀레스Denzil Holles (1599-1680), 해슬릭Arthur Haselrig (1601-1661), 햄든John Hampden (1594?~1643), 핌, 스트로드William Strode (1598-1645) 등의 5인을 반역죄로 고발하시고, 의회가 주교들을 귀족원에서 쫓아내기로 의결한 후, 의회는 폐하를 향한 청원에서 특히 두 가지를 요구했습니다. 하나는 폐하께서 하셨던 대로, 의사당으로 가셔서 그들을 체포하시라 조언했던 인물들을 밝히시고, 그 인물들을 의회로 보내어 합당한 처벌을 받도록 해주십사 하는 것이었습니다. 그리고 이는 친구들을 저버리고 적들에게 배신하셨다는 불명예를 폐하께 뒤집어씌우기 위해서였지요. 다른 하나는 에식스 백작의 지휘를 받도록 경비병을 런던 시 밖으로 내보내도록 허락하시라는 것이었는데, 그 이유는 그들이 주장하길, 그러지 않고서는 안전하게 의석에 앉아있을 수 없다는 것이었으며, 이는 폐하께서 선동적인 의원 5명을 체포하시기 위해 평소보다 더 준비를 갖추시고 의회로 오셨음을 신랄하게 힐책하려는 구실에 지나지 않았습니다.

B. 국왕께서 경비병을 자신에게 맞서는 것으로 이해하셔야 한다는 의미가 아니라면, 경비병에 대한 청원에서 *왜* 그들이 런던 시를 특정하여 에식스 백작의 이름으로 지휘되어야 한다고 결정했는지, 그 이유를 모르겠습니다.

A. 그들의 뜻은 국왕께서 그리 이해하셔야 한다는 것이었고, (제가 진실로 믿는 것처럼) 모욕으로 받아들이셔야 한다는 의미였지요. 그리고 국왕께서도 그리 이해하셨고, 그들이 다른 식으로는 만족할 수 없다면, 국왕께서 전능하신 하나님께 지는 책임처럼 경비병이 그들에게 시중들도록 기꺼이 명하실 수도 있었으나, 청원을 허락치는 않으셨습니다. 이외에도 런던 시는 국왕께 신뢰할 수 있는, 즉 의회의 승인을 받았다거나 하는 인물들의 손에 (의심의 여지없이 몇몇 하원의원들에게) 런던탑을 맡기시고, 폐하와 의회의 안전을 위해 경비병을 임명하시라 청원했습니다. 떠들썩한 대규모 군중이 소란스레 청원을 제출하는 이 방식은 서민원에서 일상적이었는데, 그들의 야심은 비상한 공포 없이 탄원과 간청으로는 결코 채워질 수 없었습니다.

국왕께서 다섯 의원에 대한 기소를 포기하셨지만, 서민원에 몸소 방문하시라 조언했던 인물이 누구인지 밝히기를 거부하시자,

그들은 국왕 폐하의 명에 따라 자신들에게 기소문을 제시한 법무장관Edward Herbert (1591?~1658)을 문제 삼아, 의회 특권의 침해자로 의결했습니다. 그리고 그가 급히 그 땅에서 도망치지 않았더라면, 의심의 여지없이 그들의 잔인함을 느끼게 되었겠지요.

1월 말경, 그들은 양원에 명령을 내려 교황파 지휘관들이 아일랜드로 넘어가지 못하도록 막았는데, 이 기회에 국왕께서 직접 사령관을 뽑으시고는 의회에 맞서 아일랜드에서 본인을 돕도록 하실지도 모른다는 두려움 때문이 아니었습니다. 그런데 이는 거의 같은 시기, 즉 말하자면 1641년 1월 27일이나 28일쯤에 폐하께 보내어, 그럼으로써 비록 국왕께서 살아 계시는 동안 주권이라는 이름으로 도전하지는 않았더라도 사실상 잉글랜드의 절대 주권을 원했던 청원에 비하자면, 대단한 문제가 아니었습니다. 왕국에서 두려움과 위험을 제거하고, 그 평화에 적대하는 자들의 악의적인 계획을 막기 위해, 그들은 간청했지요. 폐하께서는 첫째로는 런던탑을, 둘째로는 다른 모든 요새를, 셋째로는 왕국의 모든 *민병대*를 양원에서 폐하께 추천 드리는 인물들의 손에 기쁘게 맡겨 두셔야 했습니다. 그리고 그들은 이를 필요한 청원으로 꾸몄지요.

B. 여기서 일반적으로 여겨지는 그러한 두려움과 위험이 실제로 무엇이라도 있었다던가, 혹은 청원서에 언급된 대로 당시 그러한 계획을 가진 어떤 적이 나타났었는지요?

A. 예. 허나 왕국의 평화에 가장 큰 적이 될 수 있는 의회 자체의 계획에 대해 여느 신중하고 정직한 사람이 정당하게 가질 수 있는 것 이상으로, 더 큰 위험에 대한 두려움이란 있을 수 없습니다. 이 청원이 "가장 은혜로운 주권자"라는 단어로 시작된다는 점도 주목해볼만 가치가 있습니다. 그들은 *민병대*의 주인이 곧 왕국의 주인이요, 결과적으로 가장 절대적인 주권을 소유하게 된다

는 것을 모를 정도로 어리석었습니다. 국왕께선 이제 윈저에 계셨는데, 화이트홀 문 앞 서민들의 소란에 더불어, 그들의 아우성과 모욕을 피하시기 위해서였지요. 그 후 2월 9일, 햄프턴 궁전에 도착하시어, 왕비 전하와 따님이신 오렌지 공주 전하Mary Henrietta Stuart (1631~1660)를 대동하시고 도버로 가셨고, 왕비 전하께서는 오렌지 공주 전하와 함께 네덜란드로 출항하셨지만, 국왕께서는 그리니치로 돌아오셔서 웨일스 공 전하[126]와 요크 공작 전하James II (1633~1701)를 부르시고는, 함께 요크로 향하셨지요.

B. *민병대* 청원에서 귀족원이 서민원에 합류했나요?

A. 직함으로는 그리 보이지만, 저는 그들이 감히 그러지 않을 수가 없었으리라 믿습니다. 서민원이 그들을 데려갔지만 실권이라곤 없이 직함 뿐인, 허수아비에 지나지 않았습니다. 아마도 그들 중 대부분은 국왕 폐하로부터 민병대를 빼앗는 것이 자기들 권력을 더하리라 여겼겠지요. 허나 서민원은 결코 이를 공유할 의향이 없었으니, 매우 큰 착각이었습니다.

B. 이 청원에 대해 국왕께서 무어라 답하셨는지요?

A. "*짐이 여러 카운티에서 민병대의 지휘관이 되고자 하는 이들에게 확립되어야 하는 권한의 범위를 알아야 한다면, 그리고 마찬가지로 어느 때건 의회의 조언 없이는 짐이 어떠한 권한도 단독으로 행사할 수 없도록 제약받아야 한다면, (모든 위험이나 질투로부터 그들을 보호하기 위해) 짐은 여러 카운티 내 요새 및 민병대의 모든 자리에 의회가 승인하거나 추천하는 인물들을 배치하는 것으로 만족하리라 선언하게 되리라. 그러므로 그들은 그들이 승인하거나 추천하는 인물들의 이름을 짐의 앞에서 선언해야 하며,*

126 찰스 2세를 말한다.-역주

이러한 인물들이 지명되는 않은 한, 짐은 정당하고 의문의 여지가 없는 예외를 가져야 하노라."

B. 의회는 *민병대*와 관련하여 어떠한 권한을, 어느 때에, 누구에 대해 요구했는지요?[127]

A. 국왕께서 전에 여러 카운티에 원하시는 대로 때를 가리지 않고 중위와 부위를 임명하셨던[128] 것과 같은 권한입니다.

B. 이 권한을 갖게 될 이들은 누구였습니까?[129]

A. 인쇄된 명부가 있습니다. 매우 많은 수에, 대부분 귀족이지요. (제 의견으로는) 그들을 호명하는 것은 불충성이나 어리석음의 낙인을 찍는 것이니, 이름을 댈 필요는 없겠지요. 그들은 명부를 만들어서는, 민병대에 대한 새로운 청원과 함께 국왕께 보냈습니다. 또한 얼마 후, 왕자 전하를 햄프턴 궁전에 남겨두시라 호소하는 전언을 폐하께 보냈지만, 국왕께서는 어느 쪽도 허락치 않으셨습니다.

B. 어찌되었든, 국왕께서 떠나시기 전에, (가능하다면) 그분에게서 인질을 얻어두는 편이 현명했겠지요.[130]

A. 그동안에 아일랜드 진압을 위한 자금 조달 차, 의회는 모험으로 돈을 벌 기회라며 다음과 같은 제안에 따라 사람들을 끌어들였습니다. 1. 아일랜드의 토지 250만 에이커[131]가 모험가들에게 다음의 비율로 할당되었습니다.

---

[127] 부여했는지요?

[128] 심어놓으셨던.

[129] 가졌던 이들은 누구였습니까?

[130] 좋았겠지요.

[131] 1에이커는 대략 4,046㎡로, 250만 에이커는 대략 1,000㎢이다.-역주

200	파운	모험에	얼스터에	1,000 에이커.
드를		걸면	코노트에	1,000 에이커.
300	파운	• •	먼스터에	1,000 에이커.
드를		•	렌스터에	1,000 에이커.
450	파운	• •		
드를		•		
600	파운	• •		
드를		•		

모두 잉글랜드식 척도에 따라 초원과 경작지, 수익성 있는 목초지로 구성되며, 습지, 숲, 민둥산이 이에 배정됩니다. 2. 에이커당 1페니에서 3펜스까지 수익이 왕실에 따로 비축됩니다. 3. 장원을 세우고, 폐기물과 공유지를 해결하고, 설교할 목사들을 유지하고, 기업을 만들고, 농장을 규제하기 위해 의회가 위원회를 파견해야 합니다. 나머지 제안은 모험가들이 청약한 금액의 지불시기와 방법과 관련되었을 뿐입니다. 그리고 폐하께서는 이 제안들에 대해서는 동의하셨지만, *민병대*에 대한 청원에는 동의를 거부하셨지요.

B. 그분께서 그러시지 않았더라면, 정말 놀라운 일이겠지요. 이후 의회는 무엇을 했는지요?

A. 그들은 또 다른 청원을 보냈는데, 그분께서 요크로 향하시던 길에 테오볼드에서 머무르시는 동안 제출되었습니다. 거기서 그들은 분명히 말했지요. *당시 보내졌던 사자에게 기꺼이 장담해주시지 않는 한, 그분께서 자신들의 앞선 바람을 충족시키고자 신속하게 동의를 보여주시지 않는 한, 폐하와 왕국의 안전을 위해 양원의 권위로 민병대를 처분하시도록 강제해야 하겠습니다,* 등등. 그

들은 또한 왕자 전하를 세인트 제임스나 런던 근처 폐하의 여느 다른 저택에 머물도록 해주십사 청원하였지요. 그들은 또한 의회의 권위와 동의 없이 *민병대를* 모집하고 명령하고 처분할 권한을 어떠한 기업에도 부여할 수 없으며, 스스로 방어 태세를 취했던 왕국의 일부는 양원의 지시와 왕국의 법률에 따라 정당한 일 이외에는 아무런 것도 하지 않았다고 말했지요.

B. 이에 대해 국왕께서는 어찌 답하셨나요?

**A.* *민병대* 뿐만 아니라 왕자 전하의 런던 거주에 대해서도 단호히 거부하셨습니다. 그 후 그들은 곧 다음처럼 의결했지요. 1. 폐하의 답변은 *민병대*에 대한 부정이라는 것. 2. 폐하께 조언한 자들은 국가의 적이라는 것. 3. 스스로 방어 태세를 취함으로써, 왕국의 일부는 정당한 일 이외의 아무런 것도 하지 않았다는 것이었습니다.

B. 그들이 방어 태세라 부르는 것이 무엇인지요?*

A. 스스로 무장하여, 의회가 승인하는 등의 장교 휘하에 두는 것이었습니다. 4. 그들은 다시금 왕자 전하께서 계속 런던에 머무르시기를 폐하께서 원하셔야 한다고 의결했습니다. 마지막으로, 그들은 양원이 폐하께 보낼 선언문을 의결했는데, 비록 폐하께서 직접 하시지는 않았으나 그분의 조언자들이 종교를 바꾸고자 했던 계획을 비난하고, 또한 그들이야말로 스코틀랜드 전쟁을 불러온 초대자이자 조장자이며, 아일랜드 반란의 입안자라고 비난하였습니다. 그리고 킴볼튼 경과 다섯 의원들을 고발하려 했으며, 스코틀랜드인들에게 맞서 일으킨 군대를 의회에 맞서 은밀히 사용하시고자 했다는 이유로 다시금 국왕 폐하를 신랄하게 힐책했지요. 이에 폐하께서는 뉴마켓에서 응답을 보내셨습니다. 이에 따라 극도의 위험과 폐하의 거부로 인해, *민병대*에 대해 양원이 동의한 법

령이 왕국의 기본법에 의해 백성들에게 의무를 부과하며, 아울러 양원의 동의없이 중위단의 입장에 따라 *민병대*에 권한을 행사하는 자는 누구라도 왕국의 평화를 어지럽지는 자로 간주할 것을 결의하였습니다. 이에 폐하께서는 헌팅던에서 양원에 전언을 보내셨는데, 제정된 법률에 순종하기를 요구하시고, 모든 신민들에게 법령을 구실로 *민병대*에 관하여 법률이 보장하지 않는 무엇도 집행하지 못하도록 금하셨습니다. 이에 따라 의회는 앞선 의결을 고수하고, 또한 왕국의 최고 사법기관인 귀족원과 서민원이 무엇이 이 땅의 법률인지를 선언할 때, 이를 의문시할 뿐만 아니라 부정하는 것은 의회의 특권을 크게 침해하는 것이라 의결하였습니다.

B. 저는 법률을 만드는 자가 무엇이 법률인지를 선언해야 한다고 여겼습니다. 법을 만드는 것 이외에, 무엇이 법인지를 달리 어떻게 선언하겠습니까? 고로 그들은 국왕 폐하에게서 *민병대* 뿐만 아니라, 입법권마저 빼앗아갔군요.

A. 그랬지요. 허나 저는 입법권(과 실로 모든 가능한 권한)이 *민병대* 권한에 포함되어 있다고 계산합니다. 이후, 그들은 톤수와 파운드수 법안 및 보조금 법안에서 폐하께 돌아갈 돈을 압수하여, 가능한 모든 방법으로 그분을 무력화할 수 있었지요. 그들은 또한 폐하께서 요크에 도착하신 후, 다른 수많은 오만불손한 전언과 청원을 보냈는데, 그 중엔 이런 것도 있었지요. "제독이 몸이 불편하여 함대를 몸소 지휘할 수 없으므로, 워릭 백작Robert Rich (1587~1658)에게 그 자리를 대신할 권한을 부여해주시면 제독이 기뻐할 것입니다." 그들은 국왕께서 앞서 *그 직무에* 존 페닝턴 경John Penington (1584~1646)을 앉히셨음을 알았습니다.[132]

---

[132] 앞서 거기에 존 페닝턴 경을 … 알았습니다.

B. 국왕께서 그토록 많은 청원과 전언, 선언, 간언을 받아들이시고, 그에 대한 응답을 내리셨던 목적이 무엇이었으며, 언제 그들이 그분으로부터 왕권을 빼앗고, 결과적으로 그분의 목숨을 빼앗기로 결심했음을 분명히 아실 수밖에 없었는지요? 자기들 안전을 위해서는, 그분께 그토록 큰 해를 가한 후에 그분이나 그분의 자손을 살려 둘 수가 없었으니까요.

A. 이외에도 의회는 동시에 요크에 상주하는 위원회를 두어 폐하께서 하시는 일을 감시하고 *뿐만 아니라* 의회에 알렸으며, 또한 국왕께서 카운티의 백성들을 자기 당파로 끌어들이지 못하도록 방해하였으므로, 폐하께서 거기에서 젠틀맨들에게 호소하실 때에 위원회는 그분께 맞서는 요먼[133]들을 선동하고 있었습니다. 또한 이에 목사들도 아주 크게 기여하였으므로, 국왕께서는 요크에서 기회를 잃으셨지요.

B. 왜 국왕께서는 위원회를 자기 손에 장악하거나, 마을에서 내쫓지 않으셨습니까?

A. 모르겠습니다만, 국왕께서는 의회가 요크셔 뿐만 아니라 요크에서도 그분보다 더 큰 당파를 가졌음을 아셨으리라 믿습니다. 4월 말로 향하며, 국왕께서는 헐 탄약창을 그대로 두어 달라는 요크셔 백성들의 청원에 따라, 북부의 더 큰 안보를 위해 이를 자기 손에 넣어두는 편이 적절하리라 여기셨습니다. 그분께서는 얼마 전에 그 마을의 통치자로 뉴캐슬 백작William Cavendish (1593?~1676)을 임명하셨지만, 이미 의회에 의해 타락했던 마을사람들은 그를 받아들이기를 거부하고, 의회에서 *그곳의* 통치자로 임명된 존 호섬

133 Yeomanry. 당시 잉글랜드 계급계도에서 서민 자영농 계층을 일컫는다.-역주

경John Hotham (1589~1645)을 받아들였지요. 그러므로 국왕께서는 종신들과 주변 지역의 소수 젠틀맨의 호위만 받으시면서 마을에 도착하셨고, 그 성벽 위에 서있던 존 호섬 경에게 출입을 거부당하셨습니다. 그 조치로 인해 존 호섬 경을 반역자로 선포하시고는, 의회에 전언을 보내어 말씀드린 호섬 경의 행동에 대한 정의를, 그리고 마을과 탄약창을 자기 손에 넘길 것을 요구하셨지요. 이에 대해 의회는 아무런 응답도 하지 않았고, 대신 폐하의 정부에 반하는 앞서의 중상 중 무엇도 생략하지 않은 채, 자기들 권리라 주장하는 특정한 선언적 명제들을 삽입한 또 다른 선언문을 발표하였습니다. 즉, 1. 그들이 법이라고 선언한 것이라면 무엇이든, 국왕 폐하에 의해 의문시되어서는 안 된다는 것. 2. 어떠한 선례도 그들의 절차를 제약하는 제한이 될 수 없다는 것. 3. 공익을 위해 의회는 국왕 폐하나 신민이 권리를 갖는 무엇이든 처분할 수 있으며, 국왕 폐하 없이도 의회는 공익의 심판자이며, 국왕 폐하의 동의가 필요치 않다는 것. 4. 그 사유가 먼저 의회에 제기되지 않는 한, 양원의 어떤 의원도 반역죄나 중범죄, 기타 범죄로 곤란을 겪어서는 안 되며, 그들이 사유가 있다고 판단할 경우, 사실을 판단하고 절차가 진행되도록 할 수 있다는 것. 5. 주권 권력은 양원에 있으며, 국왕께서 부정적인 목소리를 내셔서는 안 된다는 것. 6. 국왕 폐하의 개인적 명령에 맞서 군대를 소집하는 것은 (비록 그분의 존재를 수반하더라도) 국왕께 맞서는 선전포고가 아니지만, *그분의 정치적 인격,* 즉 그분의 법률 등에 맞서 선전포고하는 것은 비록 그분의 인격을 *수반하지* 않더라도, 국왕께 맞서는 선전포고라는 것. 7. 국왕께서 왕국을 위임받아 그 신탁을 이행하지 않는 한 그분의 인격에 맞서는 반역죄란 범해질 수 없으며, 그들은 그분께서 이 신탁을 행해*왔는*지의 여부를 판단할 권한을 갖는다는 것. 8. 그들이 그리고자 한다면 국왕 폐하를 처분할 수 있다는 것이었습니다.

B. 이는 명백한 행동이며 위선이 없군요. 런던 시가 이를 삼킬 수 있었을까요?

A. 네, 필요하다면, 그 이상도 가능하지요. 아시다시피 런던은 식욕이 왕성하지만, 미각이라든지 옳고 그름의 맛에 대해서는 모릅니다. 헨리 4세 폐하의 의사록에는, 대관식에서 국왕께서 선서하신 조항 중 이러한 것이 있습니다. *그대는 공정한 법률과 관습을 준수해야 함을 인정하며, 백성들이 결정한 것들을 그대를 통해 보호하고, 하나님의 영광을 위해 강화할 것임을 약속하는가*[134]. 마치 국왕께서 법률이 만들어지기도 전에, 그것이 좋든 나쁘든, 보호하고 강화하겠다고 맹세해야 하는 것처럼, 의회는 자기들의 입법권을 역설했고, 따라서 *백성들이 결정한 것*quas vulgus elegerit을 *백성들이 선택해야 할 것*으로 해석합니다. 반면 그 단어는 그들이 선택한 대로의 법률, 즉 말하자면 당시에 존재하는 의회법을 그분께서 보호하고 강화해야 한다는 것 이외의 아무런 의미도 없습니다. 그리고 재무부 기록에는 이렇게 되어 있습니다. “*이 왕국의 백성들이 보유한 법률과 정당한 관습을 지키고 유지할 것을 응낙하는가, 그리고 이를 보호하고 준수하겠는가? 등등.*” 그리고 이것이 그 점에 대해 폐하께서 하신 대답이었습니다.

B. 그리고 저는 이 응답이 매우 완전하고 명확하다고 생각합니다. 하지만 그 말을 다른 의미로 해석한다면, 국왕께서 그들에게

---

[134] Concedes justas leges et consuetudines esse tenendas; et promittis per te eas esse protegendas, et ad honorem Dei corroborandas, quas vulgus elegerit.

맹세해야 하실 이유가 없으리라 봅니다. 헨리 4세께서는 적법한 왕을 폐위하고 살해한 이 장기의회의 사악함에 못지않은 의회의 투표로 왕관을 쓰셨는데, 의회 자체가 아니라 리처드 2세 국왕 폐하를 살해한 찬탈자였다는 점을 제외한다면 말이지요.

A. 약 일주일 후인 5월 초, 의회는 국왕께 또 다른 서류를 보냈는데, 양원의 겸손한 청원과 조언으로 꾸민 19가지 제안이 담겨있었으니, 이를 들으시면, 그들이 국왕 폐하께 그 신민 중 하나보다 무슨 권력을 더 많이 남겨드리려 했는지 판단하실 수 있겠지요. 그 중 처음은 이것입니다.

1. 폐하의 추밀원에 속한 귀족 및 기타 인물들, 그리고 국내외의 모든 대국무관*과 장관들*은 양원 의회에 의해 승인되는 이들을 제외하고는, 해당 의회의 허가없이 누구도 직책을 얻을 수 없습니다. 그리고 모든 추밀원 의원들은 각자의 직책을 성실히 수행할 것을 해당 의회가 합의한 양식에 따라 선서합니다.

2. 왕국의 중대사는 오직 의회에서만 논의 및 결의, 교섭되며, 그에 상충한다고 추정되는 것이라면 무엇이라도 의회의 책망으로 유보됩니다. 그리고 폐하의 추밀원에 적합한 다른 국가적 사안은 양원 의회에서 때때로 그 직책을 위해 선출된 이들에 의해 논의되고 결론이 내려져야 합니다. 그리고 추밀원에 적합한 왕국의 업무에 관한 어떠한 공적 조치도 의회 다수의 조언과 동의에 따라 행해지고, 그들의 손으로 증명되지 않는 한, 왕의 권위에 따라 진행되는 일로 유효하게 존중되지 않습니다. 그리고 추밀원은 25인 이하, 15인 이상이어야 합니다. 추밀원의 직책이 의회의 휴회 기간 중 공석이 되는 경우, 추밀원의 과반 동의 없이 충원될 수 없으며, 다음 의회에서 이를 확정하지 않을 경우, 그러한 선출은 또한 무효가 됩니다.

3. 잉글랜드 왕실 집사장이나 보안무장관, 대법관, 대인장상서, 재무상, 옥새상서, 원수백, 해군 제독, 오항총독경, 아일랜드 총독, 재무장관, 와드재판소장, 국무장관, 두 명의 수석재판관과 재무재판관, 이들은 언제나 양원 의회의 허가를 얻어 선출하고, 의회 회기 동안에는 추밀원 과반에 의해야 합니다.

4. 국왕 폐하의 자녀분들의 보호자는 양원이 승인하는 자로 하고, 의회 회기 동안에는 추밀원이 승인하는 자로 하며, 그 시종은 의회의 이의가 있을 경우 해임됩니다.

5. 국왕 폐하의 자녀분들 중 누구의 혼사도 의회의 동의없이, 결정되거나 처리되지 못합니다.

6. 예수회와 사제, 교황파 반항자들에 대해 시행 중인 법률은 엄격하게 집행되어야 합니다.

7. 귀족원에서 교황파 귀족들의 투표권을 박탈하고, 교황파 자녀에게 개신교를 교육하도록 하는 법안이 통과되어야 합니다.

8. 국왕께서는 양원 의회가 권고하는 방식으로 교회 통치권과 예배를 기꺼이 개혁하셔야 합니다.

9. 국왕께서는 귀족원 및 서민원이 *민병대*를 명령하기 위해 지정한 절차에 기꺼이 만족하시고, 이에 반하는 선언과 포고를 취소하셔야 합니다.

10. 본 의회가 시작된 이래로 여느 자리나 직책에서 축출된 의원들이 복직되거나 보상받아야 합니다.

11. 모든 추밀원 의원과 판사들은 (의회법에 따라 합의되어 정해진 양식에 따라) 권리청원 및 본 의회가 만든 특정 법령을 유지한다는 선서를 해야 합니다.

12. 양원 의회의 승인으로 자리를 얻은 모든 판사와 장교는 *직책을 남용하지 않는 한*quam diu bene se gesserint 자리를 유지할 수 있어

야 합니다.

13. 의회의 정의는 왕국 내에 있든 밖으로 도망쳤든, 모든 범죄자에게 적용될 수 있으며, 어느 의회에서든 소환된 모든 인물은 의회에 출석하여 의회의 책망을 달게 받아야 합니다.

14. 폐하께서 제안하신 일반 사면은 양원이 권고하는 예외를 제외하고는 승인됩니다.

B. 이 얼마나 악의적인 조문입니까! 그 나머지 모두는 야심에서 비롯되었는데, 성품이 좋은 사람들도 자주 사로잡히고는 한다지만, 이는 비인간적이고 악마적인 잔인함에서 비롯된 것입니다.

A. 15. 요새와 성은 의회의 승인을 받아, 국왕께서 임명하시는 인물의 지휘 하에 두어야 합니다.

16. 국왕 폐하의 특별 경호원은 해임되어야 하며, 향후에는 법에 따라 실제적인 반란이나 침략의 경우가 아니라면, 누구도 징집되지 않아야 합니다.

B. 제 생각으로는 국왕께 보낸 바로 이 제안이 실제적인 반란입니다.

A. 17. 폐하께서 연합주[135]와 다른 이웃 개신교 군주 및 국가와 *기꺼이* 더욱 견고한 동맹을 맺으셔야 합니다.

18. 향후의 의회가 사악한 선례의 결과로부터 안전할 수 있도록, 폐하께서 의회 조치에 따라 킴볼튼 경과 다섯 명의 서민원 의원을 기꺼이 사면하셔야 합니다.

19. 폐하께서는 양원 의회의 동의를 얻지 않는 한, 이후 만들어진 귀족이 의회에서 의석에 앉거나 투표하지 못하도록 금지하는 법안을 기꺼이 통과시키셔야 합니다.

---

[135] 네덜란드를 말한다.-역주

이 제안이 승인될 경우, 그들은 폐하의 세입을 폐하께 최선의 이익이 되도록 규정하고, 왕실의 존엄을 명예롭고 풍요로이 뒷받침하도록 정할 것이며, 또한 헐 성시를 폐하께서 의회의 동의를 얻어 임명하실 인물의 손에 맡길 것을 약속하였습니다.

B. 폐하께서 청원인의 동의에 따라 임명하실 인물의 손에 맡긴다는 것인데, 그것은 그대로 자기들 손에 유지되는 것 이상은 아니지 않습니까? 그들은 이러한 약속이 아무런 가치가 없다고 생각하지도 못할 만큼 상식이 부족했거나, 아니면 국왕께서 그러시리라 생각했던 게 아닙니까?

A. 이 제안을 국왕께 보내고 폐하께서 허락을 거부하신 후, 양측은 전쟁을 준비하기 시작했습니다. 국왕께서는 요크셔에서 신변보호 차 경비병을 소집하셨으며, 의회는 그에 따라 국왕께서 의회를 상대로 전쟁을 일으키려 하신다고 의결하고는, 무장된 백성을 소집하여 훈련시키도록 명령을 내리고, 그들에게 현금이나 금속판을 가져오도록 권유하고 격려하거나, 혹은 자기들 손으로 국왕 폐하와 의회의 방어(이전에 선언했듯이, 국왕 폐하란 인격이 아니라 법률을 의미했습니다)를 위해 일정한 수의 말과 기병, 무기를 제공하고 유지하리라 약속하는 제안서를 발표하였는데, 이를 위해 100파운드당 8파운드의 이자로, 금속판은 온스당 12펜스로 상환하리라 약속하였습니다. 한편, 국왕께서는 노팅엄으로 오셔서 거기에 왕실기를 세우시고, 잉글랜드의 고대법에 따라 전쟁에서 그분께 봉사할 의무가 있는 이들을 부르기 위해 소집령을 내리셨습니다. 이 때에 이 소집의 적법성에 관하여 국왕 폐하와 의회 사이에 여러 선언이 통과되었는데, 너무 길어서 여기에서는 말씀드리기가 어렵겠군요.

B. 저도 이 문제에 관하여 어떠한 논쟁도 듣고 싶지 않습니다.

*백성의 안녕*에 관한 일반법과, 그리고 주권 권력을 앗아간 자들에 맞서 방어하실 권리가 왕국의 회복이나 반란군의 처벌을 위해 그분께서 해야 하시는 일이라면 무엇이라도 적법하게 만들기에 충분하다고 생각하기 때문입니다.

A. 그동안 의회는 군대를 일으켜 에식스 백작을 대장으로 삼았으며, 이 조치로 말씀드렸던 에식스 백작이 경비병을 지휘하도록 국왕께 청원 드렸을 때에, 앞서 뜻했던 바를 선언하였습니다. 그리고 이제 국왕께서는 *민병대*가 의회의 명령에 순종하는 것을 금하는 포고령을 내리셨고, 의회는 소집령의 실시에 반대하는 명령을 내렸습니다. 지금까지는 전쟁이 있었으나, 피를 흘리는 일은 없었습니다. 서로에게 서류 이외의 무엇도 쏘아대지 않았지요.

B. 저는 이제 의회가 왕국의 평화를 어떻게 파괴하였는지, 그리고 선동적인 장로파 목사와 야심에 찬 무지한 연설가의 조력에 따라 이 정부가 얼마나 쉽게 무정부상태에 빠져들었는지 이해가 되는군요. 하지만 다시 평화를 가져오고, 그들 자신이나 여느 다른 통치자 또는 정부 형태로 정부를 정착시키는 것이 그들에게 더욱 어려운 과제가 되리라 믿습니다. 왜냐하면 그들이 이 전쟁에서 승리를 거두었다고 인정한다면, 그들이 군 명령권을 부여한 자들의 용감함이나 훌륭한 지휘, 적절함에, 특히 훌륭한 성공을 이끈 대장에 대해, 의심의 여지없이 병사들의 사랑과 존경이 쏠리게 될 터이니, 그러한 자가 스스로 정부를 빼앗거나, 아니면 좋다고 여기는 자리를 몸소 차지할 권력을 갖게 되므로, 그들은 이를 예의 주시해야만 하기 때문이지요. 이런 경우, 그가 스스로 이를 취하지 않는다면 바보로 여겨질 것이요, 만약 취한다면 현 정부나 후임 정부에서 몫을 찾*고자 하*는 부하 지휘관들의 시기를 받게 되겠지요. 그들은 이렇게 말할 것이기 때문입니다. “우리의 위험과

용기, 조인 없이 그가 이 권력을 얻었겠습니까? 그리고 우리가 이렇게 키워 놓은 자에게 노예가 되어야 하겠습니까? 아니면, 왕에 맞섰던 그에게 있었듯, 그에 맞서는 우리에게도 그만한 정의가 있지 않겠습니까?”

A. 그들은 그럴 것이며, 그러했습니다. 크롬웰이 호국경이라는 명칭으로 잉글랜드와 스코틀랜드, 아일랜드의 절대권력을 자기 손에 넣은 후에도, 결코 감히 왕의 칭호를 받아들일 수 없었고, 그 자녀들에게도 이를 물려줄 수 없었던 이유가 바로 여기에 있습니다. 장교들은 그의 죽음 이후 그를 계승한다는 주장을 용납하지 않았을 것이며, 그가 단일 개인의 정부를 반대하노라 선언한 적이 있었으므로, 군대도 이에 동의하지 않았겠지요.

B. 하오나 국왕께로 되돌아가지요. 런던 시의 거대한 지갑과 잉글랜드 내 거의 모든 마을의 기부금으로 부양되면서, 필요한 만큼 충분히 무장을 갖추었던 의회군에 대항할 수 있는 군대에, 그분께서는 무슨 수단으로 지불하시고, 그들을 어떻게 무장하셨다는, 아니, 징집하셨다는 말인가요?

A. 국왕께서 크게 불리하셨음은 사실입니다만, 조금씩 상당한 군대를 모으셨고, 나날이 강해져 의회를 약화시킬 만큼 번영하셨습니다. 스코틀랜드인들이 21,000명의 군대를 잉글랜드로 끌고 와 그들에게 도움을 주기 전까지는 말이지요. 허나 전쟁에서 벌어진 일에 대해 구체적으로 이야기하기에는 시간이 모자라군요.

B. 그러시다면, 다음에 만나서 이야기해보기로 하지요.

대화편 III.

B. 우리는 전쟁에 대비한 양측의 준비를 이야기하다 멈추었습니다. 저 혼자 생각하기로, 이 과정에서 국왕께서 의회에 필적할 만한 가능성이 있으셨는지, 필요한 것 이상으로 런던 시와 다른 기업도시가 제공할 수 있으므로 지휘 하에 충분한 인력과 자금을 보유한 의회에 맞서는 이 같은 사업에 충분할만큼 그분께서 자금과 인력, 무기, 요새화된 장소, 선박, 고문역, 군 장교에 대한 희망을 가질 수 있으셨는지 심히 의아해 졌습니다. 그리고 그들이 군인으로 삼을 사람들이란 거의 모두 국왕 폐하와 그분의 당파 전체에 악의를 품은 자들이었는데, 그들은 이들을 교황파나 국왕 폐하의 아첨꾼, 아니면 런던 시와 다른 기업도시를 약탈하여 치부하고자 계획하는 자들로 간주하였습니다. 그리고 저는 비록 그들이 훌륭한 군인으로 여겨질 만큼 다른 이들보다 더 용맹스럽지도, 전쟁에 그리 많은 경험이 있었다고도 믿지 않습니다만, 전투시에 용기와 경험을 한데 합친 것보다 승리에 더 도움이 되는 것을 가지고 있었으니, 바로 악의였습니다.

그리고 무기의 경우, 주요 탄약창들과 런던탑, 킹스턴-어폰-헐시를, 그 외에도 여러 마을에 트레인드 밴즈용으로 놓아둔 대부분의 화약과 총알을 손에 넣었습니다.

당시 잉글랜드에는 요새화된 장소가 많지 않았고, 그 중 대부분이 의회의 손아귀에 있었지요.

국왕 폐하의 함대는 전적으로 워릭 백작의 지휘 하에 있었습니다.

참모들, 그들은 자기 신체에 속한 것 이상의 무엇도 필요하지 않았으므로, 국왕께서는 아마도 장교를 제외하고는, 그들에 비해 모든 면에서 열세이셨습니다.

A. 주요 장교들을 비교할 수는 없겠군요. 의회의 경우 (의회가 전쟁을 의결한 후) 에식스 백작이 잉글랜드와 아일랜드 양쪽 모든 군대의 대장이 되었고, 다른 모든 사령관들은 그에게서 임명을 받았습니다.

B. 그들이 에식스 백작을 대장으로 세운 이유는 무엇이었는지요? 그리고 그 직책을 수락할 만큼, 에식스 백작이 국왕께 그리도 불만을 품게 된 이유란 무엇이었을까요?

A. 그 질문들에 어찌 답을 드려야 할지 잘 모르겠습니다만, 에식스 백작은 해외에서 참전했었고, 그런 과업을 수행하는 데에 경험도, 판단력도, 용기도 부족하지 않았습니다. 그 외에도 그의 부친이 그에 앞서 백성들에게 얼마나 대단한 사랑을 받았는지, 그리고 칼레에서의 사업 성공과 다른 군사 행동으로 어떠한 영예를 얻었는지는 들어보셨으리라 믿습니다. 이에 덧붙이자면, 국왕께 맞서는 군대를 믿고 맡길 수 없을 정도로, 백작 본인이 궁정에서 백성들에게 그리 대단한 호감을 얻지도 못하였지요. 그리고 이로써, 아마도 의회가 그를 대장으로 뽑은 이유를 추측할 수 있으시겠지요.

B. 하지만 그들은 왜 그가 궁정에 불만을 품었다고 생각했을까요?

A. 모르겠습니다. 그가 정말로 그랬는지도 잘 모르겠군요. 그는 다른 귀족들처럼 기회가 있으면 국왕 폐하를 시중들기 위해 궁정으로 왔지만, (이 시기 직전까지도) 거기에 계속 머무르도록 의무를 부여하는 직책을 갖지는 못했습니다. 허나 불행한 결혼으로 인해 숙녀분들과의 대화에서 너무나도 낭패를 겪었으므로, 그 재난

의 균형을 맞추고자 그가 특별한 호의를 베풀지 않았던 한, 궁정이 그에게 적합한 요소가 될 수는 없었으리라 진실로 믿습니다. 허나 국왕 폐하에 대한 특별한 불만이나, 상상된 여느 불명예에 대한 복수의 의도란 전혀 없었다고, 또한 장로파 교리라든지, 교회나 국가에 대한 다른 광신적 교의에 중독되었던 것도 아니라고 믿습니다. 다만 잉글랜드가 절대군주정이 아니라 혼합군주정이라고 생각하는 (방식으로) 온 나라의 흐름에 휩쓸려서, 최고 권력이 국왕께 있건 의회에 있건, 언제나 절대적일 수밖에 없다고 여기지 않았다는 점을 말이지요.

B. 국왕군의 대장은 누구였나요?

A. 그분 이외에는 아직 아무도 없었고, 실로 아직 군대도 갖지 못하셨지요. 허나 그 때 그분의 두 조카, 루퍼트 공Prince Rupert of the Rhine (1619~1682)과 모리스 공Maurice of the Palatinate (1621~1652)이 왔기에, 그분께선 기병 지휘권을 루퍼트 공의 손에 맡기셨는데, 살아있는 사람 중 그보다 더 용기가 있거나 자기 임무를 수행하는 데에 있어 더 적극적이고 부지런한 이가 없었지요. 당시 아직 젊은이였지만, 독일에서 부친의 전쟁[136]에서 일부 역할을 맡았으므로, 병사들을 지휘한 경험이 없지 않았습니다.

B. 하온데 국왕께선 의회에 맞서는 데에 필요한 군대에 지불할 돈을 어떻게 찾으실 수 있었는지요?

A. 국왕 폐하도 의회도 그 당시 자기 손에 있었던 돈은 많지 않았으며, 기꺼이 자신들 편을 드는 자들의 자비에 기댔지요. (고백하건대) 의회가 엄청나게 유리했습니다. 그런 식으로 국왕 폐하를

---

[136] 루퍼트와 모리스는 30년 전쟁의 도화선이 되었던 인물이자 제임스 1세의 사위였던 프리드리히 5세의 자녀들이었다.-역주

도운 자들은 귀족과 젠틀맨 뿐이었는데, 그들은 의회의 절차를 승인하지 않고 모두가 기꺼이 일정한 수의 기병 지불을 떠맡았습니다만, 이를 지불한 이가 너무 소수인지라, 대단한 도움이 되었다고는 여겨지지 않습니다. 당시 국왕께서 보유한 다른 돈에 대해서는, 저지대국가에서 보석을 빌리신 것 외에는 들어본 바가 없습니다. 의회는 런던 뿐만 아니라 일반적으로 잉글랜드의 다른 모든 지역의 그들 파벌로부터 (1642년 6월 당시 국왕께서 자신들에게 선전포고를 하셨노라고 새로이 의결했던 귀족원 및 서민원에 의해 발표되었던) 특정 제안에 따라, 말과 기병을 유지하고, 공공의 평화 유지 및 국왕 폐하와 양원 의회의 방어를 위해 무기를 구입하기 위한 돈이나 금속판을 끌어모으는 것으로 매우 풍부한 기부금을 받았는데, 돈과 금속판의 상환을 위해서는 공공의 신뢰를 얻어야 했습니다.

B. 공공이 없는데, 무슨 공공의 신뢰란 게 있을까요? 내전에서 국왕 폐하없이, 무엇을 공공이라 부를 수 있다는 말입니까?

A. 사실 안보라는 것은 아무런 가치도 없었지만, 평화나 이익보다는 변화를 더 좋아하는 선동적인 얼간이들을 속이기에는 충분했습니다.

이런 방식으로 그들의 대의에 충분히 영향을 받은 자들로부터 기부금을 받고는, 이후 다른 이들에게도 비슷한 기부금을 강요하기 위해 이용했습니다. 다가오는 11월에, 당시 기부를 하지 않았거나, 기부했더라도 재산에 비례하지 않는 자들에게도 할당금을 매기는 법령을 제정했지요. 그러나 이는 의회가 제안에서 스스로 약속하고 선언했던 바와는 상충됩니다. 그들은 첫번째 제안에서 어떤 사람의 애정을 그 제안의 비율에 따라 측정해서는 안 된다고 선언했으므로, 비율이야 어떠하든 공무에 대한 선의 표명인 것이지요.

이외에도 다가오는 3월 초에, 그들은 잉글랜드 내 모든 카운티와 도시, 마을, 장소, 거의 모든 유산자에게 매주 상당한 금액을 부과하는 법령을 만들었습니다. 그 주간액은 (양원의 명령에 따라 1642년 3월에 인쇄 및 출판되었던 법령 자체에서 드러나듯) 거의 33,000파운드에 이르며, 결과적으로 연간 1,700,000파운드가 넘습니다. 이 모든 것 외에도 그들은 국왕 폐하의 토지 및 삼림 수익, 그리고 앞서 그분께 부여된 보조금 중 남아있는 미지급금이라면 무엇이든, 통상적으로 국왕께서 받으셨던 톤수 및 파운드수, 그 외에도 그들이 기꺼이 범법자라 의결했던 위대한 인물들에 대한 강제 관리 수익, 주교들의 토지 수익을, 1년 내지는 대충 그 이후쯤 하여 가져갔습니다.

B. 의회가 돈과 무기, 많은 병력으로 국왕께 우위를 점하고, 자기들 손아귀에 국왕 폐하의 함대를 쥐었던 것으로 보아, 국왕께서 승리 내지는 (주권을 저들 손에 넘겨주시지 않는 한) 존속의 희망을 가지실 수 있으리라 상상할 수가 없군요. 참모나 지휘관, 병사들의 결의에서 그들보다 유리한 부분이 있으셨다고는, 잘 믿기지가 않기 때문입니다.

A. 정반대로, 저는 그 점에 있어서도 약간의 불리함이 있으셨다고 생각합니다. 비록 그분께는 적어도 당시 의회에 복무했던 이들만큼 훌륭한 장교들이 있었지만, 필요한 만큼 그리 유용한 조언을 얻지 못하셨던 것은 아닌지 의심스럽기 때문이지요. 그리고 그분의 병사들은 저들만큼 강골이었지만, 그들의 용기는 다른 편의 저들처럼 악의로 그리 날카로워지지는 못했으므로, 적들처럼 예리하게 싸우지 않았습니다. 저들 중에는 전쟁 경험이 부족하여 눈앞에서 칼날이 번쩍이며 다가올 때 충분히 죽음과 부상에 대한 두려움

을 품었을 런던의 견습생들이 다수였지만, 판단력이 부족하여 총탄으로 인해 눈에 보이지 않게 찾아오는 죽음에 대해서는 거의 생각하지 못했으므로, 전장에서 몰아내기란 매우 어려웠습니다.

B. 그런데 국왕 폐하의 참모와 귀족들, 자질과 경험을 갖춘 그 외의 인물들에게서 어떤 잘못을 찾아내셨는지요?

A. 일반적으로 온 나라에 있었던 유일한 잘못이란, 그들이 잉글랜드 정부가 절대군주정이 아니라 혼합군주정이라 생각했고, 국왕께서 의회를 완전히 제압하신다면, 그분의 권력은 그분께서 기꺼워하시는 것이 되어, 그들의 권력은 그분께서 기꺼워하실 만큼 줄어들게 되리라 생각했다는 것이었는데, 그들은 이를 폭정으로 여겼지요. 이러한 의견은 전투를 피할 수 없을 때, 국왕 폐하를 위해 전투에서 승리를 얻으려는 그들의 노력을 약화시키지는 않았지만, 전쟁에서 절대적인 승리를 얻으려는 노력은 약화시켰습니다. 그리고 이런 이유로, 그들은 의회가 그분 손 안에 있는 것이라면 무엇이든 모든 왕권을 빼앗기로 굳게 결심했다는 것을 보았음에도 불구하고, 국왕께 드리는 그들의 조언은 어떤 경우에도, 조약과 화해를 제안하고, 선언문을 작성하여 발표하는 것이었는데, 이는 누구라도 쉽사리 결실이 없으리라 예견할 수 있었을 뿐만 아니라, 국왕께서 왕관을 회복하고 생명을 보존하시고자 취하는 조치에 대단히 불리하였습니다. 이는 반란군을 제압할 수 있는 경우에, 그들의 복무로 반란군 재산에서 대단한 편익을 구하는 가장 훌륭하고 가장 저돌적인 병사들의 용기를 앗아갔는데, 만약 사태가 조약으로 마무리되어야 한다면, 이런 편익이 전무해지기 때문이지요.

B. 그리고 그들에게는 이유가 있었습니다. 양측에서 가장 첨예하게 대립하는 자들이 희생되지 않고서는, 내전은 결코 조약으로 끝나지 않기 때문이지요. 로마에서 아우구스투스와 안토니우스의

화해가 어떻게 이루어졌는지 잘 아시겠지요.[137] 하지만 저는 그들이 서로에 맞서 일단 군인을 징집하기 시작한 후에는, 어느 쪽도 선언문이나 다른 서류상의 전쟁으로 돌아가지 않으리라 생각했는데, 만약 그런 것들이 무언가 좋은 일을 할 수 있었더라면, 오래 전에 그랬을 테니까요.

A. 허나 의회는 계속 글을 써서, 백성들에게 국왕 폐하의 소집령의 적법성에 반하는 선언문을 발표하고, 전과 같이 국왕께 매섭고 반항적인 청원을 보내어 국왕께서 병사들을 해산하고 의회로 오셔서 의회가 범법자라 부르는 인물들을 자기네들의 자비에 맡기시고, 자기네들이 조언한 법안들을 통과시켜 주시기를 요구하였습니다. 보건대, 그들이 국왕께 맞서 군대를 징집하였으니, 그분께서도 그들 법령의 불법성에 맞서 선언문과 포고령을 내리시고, 그들의 무례한 청원에 답하셔야 하지 않겠습니까?

B. 아니요. 전에도 그분께 아무런 소용이 없었으므로, 후에도 그다지 그럴 가능성이란 없었습니다. 논쟁에서 어느 편의 손을 들어줄지 결정해야 할 서민들은 어느 쪽의 이유도 이해하지 못했으며, 야심에 따라 일단 정부 교체 사업에 착수했던 자들은 대의의 이유와 정의가 무엇인지는 그다지 개의치 않으면서, 의사당에서의 간언이나 교회에서의 설교로 군중들을 부추김으로써 어떤 힘을 얻

---

137 카이사르 암살 이후, 안토니우스는 곧 로마에서 주도권을 잡았다. 그러나 카이사르가 후계자로 옥타비아누스를 지명했을 뿐만 아니라, 원로원도 안토니우스가 새로운 권력자로 부상하지 않을까 경계하였다. 이에 원로원은 옥타비아누스를 사령관으로 임명하여 안토니우스를 토벌케 하고, 이후 옥타비아누스 역시 정리하고자 하였다. 그러나 내전 와중에 안토니우스는 비밀협상으로 옥타비아누스와 동맹을 맺고는, 로마에서 원로원을 축출하였다.-역주

올 수 있는지에 신경 썼을 뿐이었습니다. 그리고 저라면 그들의 청원에 대해서는 이 이상의 대답을 하지 않았을 겁니다. 만약 그들이 군대를 해산하고 그분의 자비에 스스로를 놓아둔다면, 그들이 예상했던 것 이상으로 그분께 은혜를 구할 수 있으리라고 말이지요.

A. 전투에서 특별히 대단한 승리를 거두거나, 전쟁 전반에서 결국 승리하리라는 특별한 확신을 가진 후에 나왔더라면, 실로 당당한 응답이었겠군요.

B. 그분의 온화한 응답과 그 모든 합리적인 선언에도 불구하고, 결국 그분께서 겪으신 고통보다 더욱 나쁜 일이란 무엇이, 어떻게 일어날 수 있었겠습니까?

A. 전혀 없지요. 허나 누군들 알았겠습니까?

B. 누구라도 승리 없이는 그분께서 결코 권리를 회복하실 가능성이 없다는 것을 알 수 있었으며, 그분의 강인함이 백성들에게 알려졌다면, 선언문과 다른 글에 담긴 모든 법리나 웅변력이 이루어 낼 수 있었던 것보다 훨씬 더 많은 일손이 그분을 도왔겠지요. 그리고 국왕께서 이러한 결단을 내리시지 못하도록 방해한 인간들이 어떤 부류였는지 궁금합니다.

A. 기록과 앞서 보고된 사건들에서 매우 긴 인용으로 가득한 선언문 자체를 통해, 그 작성자들이 (직업적인) 법률가이거나, 그리 여겨질 만한 야심을 지닌 젠틀맨이라는 점을 아실 수 있습니다. 게다가 전에 말씀드렸듯, 이 일에서 그들의 조언을 구할 가능성이 가장 높은 자들은 절대군주정 뿐만 아니라 절대민주정이나 귀족정에도 반대하여, 모든 정부를 폭정으로 간주하였는데, 그들은 혼합군주정이라는 명칭으로 칭찬하고는 했던 *혼합정*과 사랑에 빠졌습

니다만[138], 이는 실로 순수한 무정부상태 이외의 무엇도 아니었습니다. 그리고 법률과 정치학의 이 논쟁에서 국왕께 가장 펜을 많이 놀렸던 이들은 (제가 잘못 알지 않았다면) 이 의회의 의원이었던 이들로서, 다른 것 못지않게 선박세와 기타 초의회적 세금에 반대하노라고 열변을 토했지만, 의회의 요구가 그들의 생각보다 더 커지는 것을 보고는 왕당파로 넘어갔습니다.

B. 그들은 누구였는지요?

A. 저는 이 고난 동안 인간의 어리석음과 다른 잘못에 대해 간단히 이야기해왔을 뿐, (특정인을 거명함으로써) 그대나, 어느 누구에게라도, 이제는 모든 측면에서 잘못을 용서받은 그들에 대하여 존경심을 잃을 기회를 드리고자 하는 것이 아니므로, 여느 누군가의 이름을 거명할 필요는 없겠습니다.

B. 군인을 징집하고, 해군과 무기, 양측의 군량을 압수함으로써 일이 *이제* 이 지경에 이르렀을 때, 그들이 서로에 대해 전쟁상태에 있음을 보지 못할 정도로 눈이 먼 사람이란 없었건만, 어찌 국왕께서는 (포고령이나 전언으로) 의심의 여지가 없는 권리에 따라 의회를 해산하시고, 그럼으로써 그들의 징집 권한과 부당한 다른 법령들을 일부 축소하시지 않았는지요?

A. 국왕께서 스스로 스트래퍼드 백작의 처형 법안을 통과시키시면서 동시에, 양원이 스스로 해산하기로 동의할 때까지 의회를 유지할 수 있는 권한을 그들에게 부여하셨다고 말씀드렸었는데 잊으셨나 보군요. 그러므로 그분께서 의회에 어떤 포고령이나 전언을

[138] *1815년판을 제외한 모든 수정본에서는* "군주정과 사랑에 빠졌습니다만" *이라 되어 있으며,* "일종의 군주정과" 는 *추측에 따른 것임이 분명하다.*

보내어 그들을 해산하셨더라면, 그들은 폐하의 조치에 대한 이전의 중상에다, 약속을 어기셨다고 덧붙였을 겁니다. 그리고 그분을 경멸하면서 회기를 계속했을 뿐만 아니라, 자기 당파를 늘리고 강화하는 데에 이용했겠지요.

B. 국왕께서 그들에 맞서 군대를 일으키신 것은 무력으로 그들을 해산하시려는 목적으로 해석되지 않겠습니까? 그리고 포고령으로 그들을 해산하시려는 것만큼이나, 무력으로 흩트리려 하시는 것도 약속 위반이 아니겠습니까? 게다가 저는 그 법안의 통과가 조건부 이외의 다른 의도였다고는 생각할 수가 없습니다. 국왕 폐하의 주권 권리와 상충되는 무엇도 제정해서는 안 되는 한, 그들은 이미 많은 법령을 위반한 상황이었습니다. 그리고 변경불가능한 자연법인 형평성의 법칙에 따르더라도, 주권권력자가 명시적으로 더 이상 주권 권력을 갖지 않겠노라고 말하지 않는 한, 자기 신민을 훌륭히 통치하기 위하여 보유해야 할 권리를 포기하고자 한들, 포기할 수가 없다고 생각합니다. 결과로만 보자면, 그에 따르는 주권을 포기하는 것은 (제 생각으로는) 주권을 포기하는 것이 아니라, 승인 자체가 무효에 불과한 오류입니다. 그리고 국왕께서 이 법안을 통과시키신 것은 양원이 원하는 한 의회를 지속시키기 위해서 였습니다. 하지만 양측 모두 이제 전쟁을 결의하였으니, 더 이상 글로 논쟁할 필요가 무엇이겠습니까?

A. 무슨 필요가 있었는지는 모르겠습니다. 허나 양측 모두 군인 징집에서 할 수 있는 만큼 서로를 방해할 필요가 있다고 생각했으므로, 국왕께서는 백성들에게 의회의 법령에 따라 설립된 새로운 *민병대* 장교들에게 순종해서는 안 된다는 것을, 아울러 소집령의 적법성을 알리시고자 선언문을 인쇄물로 발표하셨습니다. 그리고 의회는 의회대로 백성들에게 말씀드렸던 법령을 정당화하고, 소집

령을 불법으로 보이도록 하기 위해 같은 일을 했지요.

B. 의회는 군인을 징집하면서, 비록 자기 보존 이외에는 다른 명분이 없으셨고, 소집령이라는 명칭은 이전에 결코 들어본 적이 없었던 것이라 하더라도, 국왕께서 자신과 자기 권리를 지키기 위해 군인을 징집하시는 것이 적법하지 않다는 말입니까?

A. 저로서는, 인간 자신의 권리를 지키는 것보다 전쟁에서 더 좋은 명분이란 있을 수 없다고 생각합니다. 허나 당시 백성들은 의회가 만든 어떤 법령이 없다면, 국왕께서 적법하게 하실 수 있는 일이란 전무하다고 생각했습니다. 법률가들, 웨스트민스터 재판정의 판사들 말이지요, 그리고 일부 다른 이들은 잉글랜드의 보통법과 법령의 옹호자이면서도 자기들 기술로 대단한 명성을 얻었고, 그들이 선례라고 부르는, 편견에 찬 격언과 사례들로 잉글랜드 젠트리 대부분을 감염시켰으며, 자기들의 법률 지식이 매우 뛰어나다 생각하여, 국왕께 맞서 이를 보여주고, 그럼으로써 의회에서 훌륭한 애국자이자 현명한 정치인이라는 명성을 얻을 기회로 매우 기뻐하였습니다.

B. 이 소집령이라는 게 무엇인지요?

A. 정복왕 윌리엄께서는 승리로 잉글랜드의 모든 땅을 손에 넣으셨고, 일부는 자신의 휴양을 위한 숲과 사냥터로, 일부는 전쟁에서 그를 도왔거나 도와줄 귀족과 젠틀맨에게 처분하셨습니다. 그분께선 그분이 하사한 땅에 따라 어떤 이는 더 많은 병력으로 어떤 이는 더 적은 병력으로 전쟁에서 복무할 책임을 부과하셨는데, 국왕께서 사람을 보내어 그들의 봉사를 활용하고자 명을 내리시면, 무장한 채로 나타나서 자비로 일정 기간 동안 전쟁에서 국왕 폐하와 동행할 의무가 있었습니다. 그리고 본 국왕께서 당시 부과하셨던 명도 이와 같았지요.

B. 그런데 왜 적법하지 않습니까?

A. 의심의 여지없이 적법하였습니다. 허나 군주정을 폐하고, 서민원에 주권과 자의적인 절대권력을 두겠다는 그들의 계획에 반하는 무엇도 법률로 인정치 않기로 이미 결심했던 이들에게 이런 것이 무슨 가치가 있었을까요?

B. 군주정을 파괴하는 것, 그리고 서민원을 세우는 것은 두 가지 일입니다.

A. 그들은 결국에는 그렇다는 것을 알아챘지만, 당시에는 그리 생각치 않았습니다.

B. 이제 군사적인 부분으로 넘어가보지요.

A. 저는 그들의 불의와 뻔뻔스러움, 위선만을 이야기하려 했으므로, 전황에 대해서는 대체로 영어로 저술된 역사서를 참조하셨으면 합니다. 저는 그들의 여러 조치에서 관찰할 수 있듯, 그러한 속임수와 또한 어리석음을 채우는 데에 필요한 만큼만 꿰어가고자 합니다.

국왕께서는 요크에서 헐로 가셨는데, 거기엔 잉글랜드 북부를 위한 무기 창고가 있었고, 그들이 자신을 받아들일지 시험하시기 위해서였지요. 의회는 존 호섬 경을 도시의 통치자로 삼았는데, 그는 성문을 닫게 하고는 몸소 성벽에 나타나서 그분의 출입을 단호하게 거부하였으므로, 국왕께서는 그를 반역자로 선포하시고는, 의회가 그의 조치를 인정할지 아시고자 전언을 보내셨*는데, 그들은 인정하였*지요.

B. 무슨 근거로요?

A. 그 구실은 이러하였습니다. 이 도시든 잉글랜드 내 어떤 다른 도시든 잉글랜드 백성들의 신탁일 뿐, 국왕 폐하의 것이 아니라는 겁니다.

B. 하지만 의회에 대해서는 어떻습니까? *그러니까 그 도시가 그들 것인가요?*

A. 예, 그들은 이렇게 말합니다. 우리는 잉글랜드 백성들의 대표라고 말이지요.

B. 저는 이 논증의 효력을 알지 못하겠군요. 우리는 백성을 대표한다, *고로*, 모든 백성은 우리 것이다. 헐의 시장은 국왕 폐하를 대표합니다. 그러므로 국왕께서 헐에 보유하신 모든 것이 시장의 것입니까? 잉글랜드 백성들은 청원을 전달하는 등으로 제한적으로 대표될 수 있습니다. 이에 따라 청원전달자들이 잉글랜드 내 모든 도시에 대한 권리를 가져야 합니까? 이 의회는 언제부터 잉글랜드의 대표였나요? 1640년 11월 3일이 아니었나요? 그 전날, 즉 11월 2일에 국왕 폐하를 헐에서 쫓아내고, 그들 스스로 이 도시를 소유할 권리를 가졌던 이는 누구였습니까? 그때에는 의회가 없었으니까요. 그때 헐은 누구의 것이었습니까?

A. 헐이 왕도로 회자되었을 뿐만 아니라, 국왕 본인께서 당시 잉글랜드 백성들의 인격이시자 이를 대표하셨기 때문에, 국왕 폐하의 것이라 생각합니다. 만약 그렇지 않았다면, 의회가 존재하지 않았건만, 당시 누가 그러하였겠습니까?

B. 그들은 아마 당시에 백성들에겐 어떠한 대표자도 없었노라 말할지도 모릅니다.

A. 당시에는 코먼웰스가 없었으며, 결과적으로 잉글랜드의 모든 도시는 백성들 것이었고, 그대와 저, 그리고 다른 모든 사람들이 자기 몫을 차지했겠지요. 이로써 의회가 사용했던 것과 같은 추론에 따라 반란으로 끌려들어갔던 이들이 얼마나 약한 백성들인지, 그리고 그들을 그러한 오류에 빠져들게 한 이들이 얼마나 뻔뻔했는지 아실 수 있을 겁니다.

B. 분명 그들은 잉글렌드에서 가장 현명한 이들로 존경받는 자들이었고, 그런 연유로 의회에 선출되었습니다.

A. 그러면 그들은 또한 잉글랜드에서 가장 현명한 이들로 존경받아, 선출되었을까요?

B. 그건 알 수 없군요. 가능한 한, 보조금 지급을 가장 불쾌해하는 이들에 가장 가까운 이들을 선출하는 것이 카운티의 자영농들, 그리고 도시와 자치시의 상인들에게는 통례라 알고 있으니까요.

A. 8월 초에 국왕께서는 헐에 항복을 권유하시고, 부근의 몇몇 카운티들이 그분을 위해 무엇을 하고자 할지 시험하신 후, 노팅엄에 군기를 세우셨습니다. 허나 거기로 에식스 백작과 싸우기에 충분한 군대를 만들만큼 충분한 사람들이 오지 않았지요. 그분께서는 거기에서 슈루즈베리로 가셔서 신속하게 보급을 받으시고, 린지 백작Robert Bertie (1582~1642)을 대장으로 지명하신 후 런던으로 행군하기로 결심하셨지요.-에식스 백작은 이제 의회군과 함께 우스터에 있었는데, 그분의 진군로를 막고자 하지는 않았지만, 그분께서 지나가시자 마자 뒤를 바짝 좇아 행군했습니다.

그러므로 국왕께서는 에식스 백작의 군대와 런던 시 사이에 갇히는 것을 피하시고자, 방향을 바꿔 에지힐에서 전투를 벌이셨습니다. 비록 완전한 승리는 얻지 못하셨지만, 어느 쪽이든 더 나은 것을 얻었다면, 국왕께서 더 나은 것을 얻으셨고, 확실히 승리의 과실을 얻어, 의도하셨던 길을 따라 런던을 향해 진군하셨지요. 다음날 아침 밴버리 성을 취하셨고, 그곳에서 옥스퍼드로 향하시고, 브렌트포드로 가셔서 의회군의 세 연대에 대패를 안겨주신 후, 옥스퍼드로 귀환하셨습니다.

B. 국왕께서는 왜 브렌트포드에서 더 나아가지 않으셨는지요?

A. 국왕께서 슈루즈베리에서 행군해 오신다는 최초 통지에 따라, 의회는 (모든 상점의 문을 닫아걸 만큼 겁에 질렸던) 런던 시의 모든 트레인드 밴즈와 예비군을 소집하였으므로, 에식스 백작을 위해 가장 완전한 대군이 준비되었고, 이를 이끌기 위해 그는 당시 런던으로 잠입해 들어왔습니다. 그리고 이것이 국왕께서 옥스퍼드로 퇴각하신 이유였습니다.-그 후 2월 초에, 루퍼트 공이 의회에게서 많은 포로와 무기와 함께 사이렌세스터를 점령했습니다. 군수창이 새로 지어졌기 때문이었지요. 그리하여 국왕 폐하와 의회의 가장 큰 병력 사이에 전선이 섰습니다. 그동안 의회는 반경 12마일[139] 내의 런던 근방과 교외에 통신선을 구축했고, 에식스와 캠브리지, 서퍽 및 몇몇 다른 카운티의 연합을 위한 위원회를 구성하고 방어태세를 갖추었으며, 이 위원 중의 한 사람이 올리버 크롬웰로, 그는 이 직무를 통해 이후의 위대함을 얻었습니다.

B. 이 시기 동안 나라의 다른 지역에서는 무슨 일이 있었는지요?

A. 서부에서는 스탬포드 백작Henry Grey (1599?~1673)이 *민병대*에 대한 의회 법령을 집행하는 직책을 맡았고, 국왕 폐하를 위해서는 랄프 홉튼 경Ralph Hopton (1596~1652)이 소집령을 집행했습니다. 콘월의 리스커드에서 이 둘 사이에 전투가 벌어져, 랄프 홉튼 경이 승리를 거두었고, 곧 많은 무기와 군수품, 포로와 함께 살타쉬라는 마을을 점령하였습니다. 그동안 윌리엄 월러 경William Waller (1598~1668)은 의회를 위해 윈체스터와 치체스터를 장악했지요.-북부에서는 뉴캐슬 영주 각하가 소집령을, 페어팩스 영주 각하Ferdinando Fairfax (1584~1648)가 의회의 *민병대*를 맡았지요. 뉴캐슬 영주 각하는 의회로부터 태

---

139 1마일은 약 1.6km이다.-역주

드캐스터를 빼앗았는데, 나라에서 의회 병력의 상당 부분이 있던 곳이었기에, 어떤 면으로는 그 스스로 북부 전체의 주인이 되었습니다. 이 무렵, 즉 말하자면 2월에, 왕비께서 벌링턴에 도착하시어, 뉴캐슬 영주 각하와 몬트로즈 후작James Graham (1612~1650)의 수행을 받아 요크로 향하셨고, 그로부터 얼마 지나지 않아 국왕께로 가셨지요. 이외에도 왕당파는 북부에서 의회파에 대해 여러 다른 사소한 우위를 가지고 있었습니다.

또한 의회 측의 브룩 영주 각하Robert Greville (1607~1643)와 국왕 폐하 측의 노샘프턴 영주 각하Spencer Compton (1601~1643) 휘하, 스태퍼드셔에서 의회의 *민병대*와 소집령 사이에 큰 다툼이 일어나, 이 두 지휘관이 모두 살해당하는 일이 벌어졌습니다. 리치필드-클로즈를 포위 중이던 브룩 영주 각하는 총에 맞아 전사했으나, 그럼에도 불구하고 그들은 클로즈의 주인이 될 때까지 포위를 풀지 않았습니다. 허나 얼마 후, 노샘프턴 영주 각하가 국왕 폐하를 위해 다시 그곳을 포위하였고, 윌리엄 브레리턴 경William Brereton (1604~1661)과 존 겔 경John Gell (1593~1671)이 구원을 위해 리치필드로 향하였는데, 홉튼 히스에서 노샘프턴 백작과 마주쳐 패주하였습니다. 백작 자신은 살해당했지만, 그의 병력은 다시 포위를 위해 돌아왔고, 그 직후 당시 국내에 원정을 와 있던 루퍼트 공에 의해 탈환되었습니다. 이것이 1642년, 이 해의 주요 사건들이었고, 왕당파의 사정은 그다지 나쁘지 않았습니다.

B. 하오나 이제 의회에겐 더 나은 군대가 있었습니다. 에식스 백작이 즉시 (아직 제대로 요새화되지 않았던) 옥스퍼드로 국왕 폐하를 따라갔더라면 점령했을 가능성이 높았습니다. 그에게는 병력이나 탄약이 부족할 수 없었는데, (전적으로 의회에 헌신했던) 런던 시에 충분히 비축되어 있었기 때문이지요.

A. 그에 대해서는 판단할 수가 없군요. 허나 국왕께서 요크에서 처음 행군하셨던 상황을 고려해보면, 돈도 사람도 무기도 승리를 희망할 만큼 충분치는 않으셨으니, (전부 합해보면) 이 해에는 아주 순조로웠음이 분명하지요.

B. 그런데 이 첫 해에 의회의 행동에서 어떤 큰 어리석음이나 사악함을 관찰하셨는지요?

A. 그 점에 있어 그들에 대해 말할 수 있는 모든 것은 전쟁이라는 핑계로 변명되며, 반란이라는 명칭 아래 모이게 되지요. 그들이 어떤 마을을 소집할 때에는 언제나 국왕 폐하와 의회의 이름으로 하였는데, 국왕께서는 반대편 군대에 계셨고 여러 차례 포위 공격을 했는 데에도, 전쟁의 권리로 어떻게 그 같은 뻔뻔함을 정당화할 수 있는지 저는 모르겠습니다. 허나 그들은 국왕께서 언제나 사실상 양원 의회에 거하신다고 주장하면서, 그분의 인격을 자연적인 것과 정치적인 것으로 구분하였는데, 그 어리석음 이외에도, 그 뻔뻔함이란 더욱 대단하였지요. 남학생들이 (학교에서) 다른 식으로는 옹호할 수 없는 교리들을 유지하는 데에 이용하는 것들 마냥, 이는 대학의 말장난일 뿐이었습니다.

이 해 말에, 그들은 북부에서 뉴캐슬 백작의 힘을 누르기 위해 스코틀랜드인들에게도 군대를 이끌고 잉글랜드로 들어올 것을 요청하였는데, 이는 당시 의회군이 국왕군에 비해 열세임을 명백히 고백하는 것이었지요. 그리고 대부분의 사람들은 뉴캐슬 백작이 남쪽으로 진군하여 국왕군과 합류한다면, 대부분의 의원들이 잉글랜드에서 도망치리라 생각했습니다.

1643년 초, 의회는 북부에서 뉴캐슬 백작의 힘이 두려우리 만큼 성장한 것을 보고는, 스코틀랜드인들에게 그들을 잉글랜드 침략에 고용하겠노라는 전언을 보냈고, (그동안 그들에게 경의를 표하기 위해) 이전에 스코틀랜드인들이 주교세에 반대했듯이, 그들 사이에 언약을 맺고는 잉글랜드 전역에서 (성자의 형상이 담겼다거나 하는 등의) 십자가와 교회 창문을 철거하였습니다. 또한 그 해 중반, 그 민족과 엄숙한 동맹을 결성하여, 이를 엄숙동맹과 언약Solemn League and Covenant이라 칭하였습니다.

B. 스코틀랜드인도 아일랜드인만큼이나 외국인이라 불려야 마땅하지 않습니까? 그 때 그들은 의회에 맞서 아일랜드군을 쓰시라 국왕께 조언했다는 이유로 스트래퍼드 백작을 박해하여 죽음에 이르게 하였는데, 무슨 얼굴로 국왕께 맞서 스코틀랜드군을 불러들일 수 있다는 말입니까?

A. 그들이 스스로 왕국의 절대적인 주인이 되고 국왕 폐하를 폐위하려던 계획을 왕당파는 쉽사리 알아차릴 수 있었겠지요. 또 다른 대단한 뻔뻔함, 아니 차라리 짐승 같은 무례는 그 중에서도, 네덜란드에서 탄약과 잉글랜드 장교로[140] 국왕 폐하를 도왔다는 이유로, 왕비 전하를 반역자로 의결하였다는 것입니다.

B. 이 모든 일이 행해질 수 있다는 것이, 사람들이 서류와 선언문의 무용함을 보지 못한다는 것이, 그리고 국왕 폐하를 폐하고 스스로 그분의 자리에 오르는 것 이외에는 무엇으로도 그들을 만족시킬 수는 없음을 보지 못한다는 것이 가능하다는 말입니까?

A. 네, 매우 가능하지요. 국왕께 주권 권력이 있음을 알면서도, 그들 중에 누가 주권의 본질적 권리를 알았겠습니까? 그들은 왕과 양원의 혼합된 권력을 꿈꿨습니다. 분할된 권력에는 평화가 있을 수가 없다는 것은 그들의 이해를 벗어난 것이었지요. 그러므로 그들은 (국왕께 절대적인 순종으로 스스로 종속될까 두려워하여) 언

---

[140] 네덜란드에서 탄약과 군대로.

제나 국왕께 선언문과 조약을 촉구하고 있었는데, 이는 반란군의 희망과 용기를 증가시켰지만, 국왕께는 별무소용이었습니다. 백성들은 글로 쓰인 논쟁들을 이해하지 못했거나, 아니면 그로 인해 골머리를 앓기 보다는 오히려, 그분의 응낙과 전언으로 인해, 의회가 전쟁에서 승리할 가능성이 높으리라는 의견을 가져 버리기 때문입니다. 게다가 이들 서류의 필자와 고안자들은 이전에는 의회의 의원으로 다른 마음을 품고 있었고, 이제는 의회에서 자기네들이 예상했던 영향력을 가질 수 없었기 때문에 의회에 반란을 일으켰으므로, 그들이 썼던 것을 스스로 믿지 않는다고 사람들은 생각하기가 쉬웠습니다.

(본부에서 시작된) 군사 행동에 대해 말씀드리자면, 루퍼트 공이 의회 주둔지였던 버밍엄을 점령했습니다. 그 후 7월, 국왕군은 라운드웨이-다운의 데비즈 근처에서 의회군을 상대로 대승을 거두어, 2,000명의 포로와 황동병기 4점, 군기 28점, 그리고 모든 화물을 빼앗았습니다. 그 직후, 브리스톨이 국왕 폐하를 위해 루퍼트 공에게 항복했으며, 국왕께서는 몸소 서쪽으로 진군하시어 의회로부터 다른 많은 중요 지점들을 점령하셨지요.

허나 이러한 행운은 글로스터를 포위하시면서 적지 아니 누그러졌고, 최후의 숨으로 쪼그라든 후, 에식스 백작에 의해 안식을 찾았습니다. 그의 군대는 앞서 크게 소모되었지만, 이제 갑작스레 런던의 트레인드 밴즈와 견습자들로 보충되었습니다.

B. 이 경우 뿐만 아니라, 역사상 많은 사례에 의하면, 뱃속에 반란을 조장할 군대 한 둘을 품은 과잉성장한 도시가 없는 한, 장기적이거나 위험한 반란은 거의 일어날 수 없는 듯 보입니다.

A. 그 뿐만이 아닙니다. 반란군이 고충거리를 구실로 할 때, 그런 대도시는 반드시 반란군 측에 서야 할 필요가 있는데, 시민들

에게, 즉 사적 이익을 직업으로 하는 상인들에게 고충기리란 당연히 필멸의 적인 세금에 다름아니기 때문입니다. 그들에게 유일한 영광이란 매매의 지혜로 과도하게 부유해지는 것 뿐입니다.

B. 하지만 그들은 더 가난한 백성들을 일하게 함으로써, 코먼웰스에 가장 유익한 것들을 불러왔노라 회자됩니다.

A. 즉 말하자면, 자기네들에게 자기들 가격으로 가난한 백성들이 노동을 팔게 함으로써, 가난한 백성들은 대부분 방적과 직조, 그 밖에 그들이 할 수 있는 그러한 노동들보다, 브라이드웰[141]에서 일함으로써 더 나은 생활을 얻을지도 모릅니다. 약간 일함으로써 자기에게 조금 도움이 될 수 있다는 점을 제외한다면, 우리 제조업의 불명예이지요. 그리고 가장 천하게도 그들은 감히 자기네들의 힘을 믿고 반란을 처음으로 부추기는 자들이며, 그리하여 또한 대부분 자기네들의 힘을 지휘하는 이들에게 속아 처음으로 회개하는 자들이기도 합니다.

허나 전쟁으로 돌아가서, 국왕께서 글로스터에서 철수하셨지만, 도망치시기 위해서가 아니라 에식스 백작과 싸우시기 위해서였으며, 뉴베리에서 피비린내나는 전투를 하신 직후, 에식스 백작이 며칠 전 진군로에서 놀라움을 안겼던 사이렌세스터를 저울에 넣지 않는 한, 국왕께서는 최악의 상황은 아니셨습니다.

헌데 북부와 서부에서는, 국왕께서 의회보다 훨씬 더 사정이 나으셨습니다. 북부에서는 연초인 3월 29일에 뉴캐슬 백작과 컴벌랜

141 Bridewell. 헨리 8세의 거주지로 세워진 궁전이었으나, 에드워드 6세가 매춘부 대상의 감옥이자 고아원으로 이용하기 위해 런던시에 넘겼던 건물이다. 최초의 근대적 교도소였으며, 이후 영미권에서 교도소를 뜻하는 일반명사가 되었다.-역주

드 백작Henry Clifford (1592~1643)이 브램햄 무어에서 (그 지역에서 의회 측에서 지휘했던) 페어팩스 영주를 패퇴시켰으므로, 의회에 스코틀랜드인들의 지원은 시급해졌습니다.

다가오는 6월에 뉴캐슬 백작은 애더튼 히스로 (페어팩스 영주의 아들이었던) 토머스 페어팩스 경Thomas Fairfax (1612~1671)을 패퇴시키고는, 브래드포드까지 추격하여 2,000명을 잡아 죽이고, 다음날 무기 및 탄약 일체와 함께 마을을 점령하고 2,000명의 포로를 더 잡아들였습니다(토머스 경 자신도 거의 탈출이 어려웠지요). 이 외에도 페어팩스 영주를 핼리팩스와 베벌리에서 쫓아냈습니다. 마지막으로 루퍼트 공은 (의회 측의) 존 멜드럼 경John Meldrum (1590?~1645)이 7,000명의 병력으로 포위하고 있던 뉴어크를 구원했는데, 그 중 1,000명이 전사하고, 나머지는 무기와 가방, 짐을 뒤에 남겨둔 채로 떠났습니다.

(부분적으로) 이 성공의 균형을 맞추기 위해, 올리버 크롬웰을 중장으로 두었던 맨체스터 백작[142]은 혼캐슬 근처에서 왕당파를 상대로 승리를 거두어 400명을 살해하고, 800명의 포로와 1,000점의 병장기를 빼앗았으며, 직후 링컨 시 를 점령하고 약탈했습니다.

서부에서는 (5월 16일) 랄프 홉튼 경이 데본셔의 스트래튼에서 의회파에 승리하여, 1,700명의 포로와 황동병기 13점, 화약 70통 및 마을 내 다른 군수창에 있던 모든 탄약을 탈취했습니다.

또한 랜즈다운에서 랄프 홉튼 경과 윌리엄 월러 경 휘하의 의회파 사이에 격렬한 전투가 벌어졌는데, 어느 쪽이 승리했는지는 그리 분명치 않았습니다. 직후에 윌리엄 월러 경이 윌트셔의 데비즈까지 랄프 홉튼 경을 추격했으니, 의회파가 더 우세했던 듯 보일

[142] 본서에서 킴볼튼 경으로 언급되었던 인물이다.-역주

수 있다는 점을 제외하면 말이지요. 대가를 치루기는 해야 했습니다. 이미 말씀드렸듯, 그는 거기서 쫓겨났으니까요.

이후 국왕 폐하께서 몸소 서부로 진군하시어, 엑서터와 도체스터, 반스터블 및 여러 다른 곳들을 점령하셨으며, 귀환길에 글로스터를 포위하시어 의회에 새로 징집할 시간을 주지 않으셨더라면, 많은 이로 하여금 그분께서 서민원을 패퇴시키실 수 있었으리라 여겨졌습니다.- 허나 이 해 말에는 의회에 보다 유리해졌습니다. 1월에 스코틀랜드인들이 잉글랜드로 들어와, 3월 1일에는 타인 강을 건넜으며, 뉴캐슬 백작이 그들에게 진군하는 동안, 토머스 페어팩스 경은 요크셔에서 상당한 일대를 모았고, 맨체스터 백작이 린에서 요크로 진격했으므로, 뉴캐슬 백작은 *하나는* 뒤에서, 다른 하나는 앞에서, 반란군 두 부대를 맞게 되어 요크로 퇴각할 수밖에 없었는데, 거기에서 *맨체스터 백작이 합류하여* 삼군이 그를 포위하였습니다.[143] 이것이 1643년의 주요 군사 행동의 전부입니다.

같은 해 의회는 새로운 대인장을 만들게 했습니다. 대인장상서 Edward Littleton (1589~1645)가 예전의 인장을 옥스퍼드로 가져갔지요. 이에 국왕께서는 웨스트민스터의 판사들에게 전령을 보내어, 그 사용을 금하셨습니다. 전령은 체포되어 전쟁평의회에서 유죄 판결을 받고, 스파이 혐의로 교수형에 처해졌습니다.

B. 그게 전쟁의 법칙인가요?

A. 모르겠습니다만, 최고사령관에게 청원하거나 통지를 하지 않은 채로 병사가 적의 숙영지로 들어오면, 스파이로 간주되는 듯합니다. 같은 해, 런던에서 여느 젠틀맨들이 국왕 폐하로부터 도

[143] 그들 삼군이 합류하여 포위하였습니다.-*홉스의 교정.*

시 내에서 병력을 징집하라는 소집령을 받았을 때, 발각되어 유죄 판결을 받았고, 그 중 일부는 처형되었습니다. 이 사건도 앞선 경우와 그리 다르지 않습니다.

B. 새로운 대인장을 만든다는 것은 국왕 폐하에게서 사악한 참모들을 제거하기 위해서가 아니라, 정부에서 국왕 폐하 본인을 제거하기 위해 전쟁을 일으켰다는 충분한 증거가 되지 않겠습니까? 그런데 전언과 조약에 무슨 희망이 있을 수 있겠습니까?

A. 스코틀랜드인들의 침입은 국왕께서 예기치 못하신 일이었는데, 스코틀랜드에 있었던 지방관 해밀턴 공작에게서 받으셨던 지속적인 편지에 따라 스코틀랜드인들이 결코 침략할 의도가 없노라고 믿으셨기 때문이지요. 당시 옥스퍼드에 있던 공작을, (스코틀랜드인들이 이제 침입했다고 확신하셨던) 국왕 폐하께서 콘월의 펜데니스 성에 죄인으로 보내셨습니다.

1644년 초, 뉴캐슬 백작이 (말씀드렸듯) *요크에서* 스코틀랜드군과 맨체스터 백작, 토머스 페어팩스 경의 연합군에 의해 포위당하자, 국왕께서는 도시를 구원하시기 위해 루퍼트 공을 보내셨고, 가능한 한 빨리 적과 전투를 벌일 수 있도록 하셨습니다. 루퍼트 공은 랭커셔를 통과하여 그 길로 선동적인 도시 볼턴을 습격하고, 스토포드와 리버풀을 점령하였고, 7월 1일에 요크에 도착하여 구원하였습니다. 그곳에서 약 4마일 정도 떨어진 마스턴 무어라는 곳으로 적들이 몰려와 불운한 전투가 벌어졌으며, 국왕께서는 이로써 북부 전체를 상실하셨지요. 루퍼트 공은 왔던 길로 돌아갔고, 뉴캐슬 백작은 요크로 향한 후, 장교 중 일부와 함께 함부르크로 바다를 건넜습니다.

이 승리의 영광은 주로 (맨체스터 백작의 중장이었던) 올리버 크롬웰에게 기인하였습니다. 의회파는 전장에서 요크 포위로 돌아왔는데, 오래지 않아 명예로운 조문 하에서 항복을 받았습니다. 호의가 아니라,[144] 의회가 포위 공격에 많은 시간도, 많은 병력도 사용하지 않았기 때문이었지요.

B. 국왕 폐하의 번영이 대단히 그리고 갑작스레 위축되었군요.

A. 그랬습니다. 허나 이후 5~6주 이내에 변화가 이루어졌습니다. 윌리엄 월러 경은 (라운드웨이-다운에서 군대를 잃은 후) 런던 시에서 또 다시 군대를 일으켰으며, 이를 지불하기 위해 모든 시민들에게 한 끼의 고기값에 해당하는 주간 세금을 부과하였습니다. 이 군대는 에식스 백작군과 함께 옥스퍼드를 포위하려 했으나, 명철하신 국왕께서는 왕비 전하를 서부로 보내시고는, 몸소 우스터로 진군하셨습니다. 이로 인해 그들은 다시금 분리되었고, 백작은 서쪽으로, 월러는 국왕 폐하를 추격했습니다. 이로써 (그 결과로) 그들 양군 모두가 패배하였습니다. 국왕께서는 월러에게 반전하시어 크로프레디 교에서 패퇴시키셨고, 포병대와 수많은 장교들을 잡아들이신 후, 곧 콘월로 에식스 백작을 따라가시어 우위를 확보하셨으므로, 백작 본인은 작은 배로 플리머스를 향해 탈출해야 했습니다. 그의 기병은 야간에 국왕 폐하의 숙영지를 돌파했지만, 보병들은 모두 무기를 내려놓아야만 했고, 결코 다시는 국왕께 맞서 무기를 들지 않는다는 조건 하에서야 풀려날 수 있었습니다.

다가오는 10월에는 뉴베리에서 두번째로 치열한 전투가 벌어졌습니다. 이 보병들은 국왕 폐하와 맺었던 조건에 대해서는 아무런 양심의 거리낌 없이, 이제 베이싱스토크까지 런던을 향해 왔으며, 그 손에 다시 무기를 들었습니다. *런던의* 트레인드 밴즈 중 일

---

[144] 호의를 받았던 것이 아니라,-*홉스의 교정*.

부에 이들에 더해졌고, 에식스 백작은 갑작스레 너무나도 큰 군대를 갖게 되어, 뉴베리에서 다시 국왕 폐하를 공격하려 했으며, 확실히 낮 동안에는 우세했지만, 밤이 그들을 갈라놓아 완전한 승리를 거두지는 못했습니다. 그리고 여기서 관찰되기로, 백작의 군대 중 누구도 콘월에서 무기를 내려놓았던 이들만큼 치열하게 싸웠던 이는 없었습니다.

이것이 1644년의 가장 중요한 전투였습니다. 그리고 국왕께선 아직 (본인 뿐만 아니라 다른 이들도 그리 여겼듯) 의회만큼 괜찮은 상황이었는데, 의회는 당시 그들이 썼던 지휘관으로 인해 승산이 절망적이었습니다. 그러므로 비록 저는 잘못이라 생각하지만, 2차 뉴베리 전투에서 그들이 고대했던 만큼 많은 일을 하지 않았다는 이유로, 그들은 에식스 백작이 지나치게 왕당파적이라는 혐의를 제기하면서 신형군을 창설하기로 의결하였습니다. 에식스 백작과 맨체스터 백작은 그들이 하려는 바를 깨닫고는 자발적으로 지휘권을 내려놓았습니다. 그리고 서민원은 어느 쪽 의회 구성원도 군사적으로나 시민적으로나, 어떠한 직책이나 지휘권도 누리지 못하도록 법령을 제정하였습니다. 이러한 간접 타격으로 그들은 지금까지 그들을 너무나도 잘 섬겨왔던 이들을 떨쳐버렸지요. 그러나 그들은 이 법령에서 올리버 크롬웰을 예외로 하였는데, 그의 행동과 용기에 그들은 아주 크게 신뢰하였고(만약 그들이 이후에 그러하였듯 그를 잘 알았더라면, 그러지 않았겠지요), 새로 임명된 대장, 토머스 페어팩스 경의 중장으로 임명했습니다. 에식스 백작에 대한 위임장에는 폐하의 신변 보존 조항이 있었습니다. 비록 (대장 뿐만 아니라) 의회 역시 여전히 장로파였더라도, 새로운 위임장에는 이 조항이 빠졌지요.

B. 장로파는 또한 (자기들 목적을 위해) 국왕께서 시해당하셨더

라면 기뻐했을 듯 보입니다.

A. 저로서는 그러지 않았을까 의심합니다. 정당한 왕이 살아있는 한, 찬탈 권력은 결코 충분히 안전해질 수 없으니까요.

같은 해에 의회는 존 호섬 경과 그 아들을 헐의 인도와 관련하여 뉴캐슬 백작과 짰다는 이유로, 알렉산더 카레브 경Alexander Carew (1608~1644)을 그가 의회 측의 통치자로 있었던 플리머스를 넘겨주고자 노력했다는 이유로, 캔터베리 대주교를 스코틀랜드인들을 기쁘게 하려는 것 이외의 아무런 다른 이유 없이 사형에 처하였는데, 이 땅의 기본법을 파괴하고자 하는 일반적인 기소문이란 고발이 아니라, 단지 욕설에 지나지 않았을 따름이지요. 그들은 또한 성공회 기도서를 부결하고, 장로파 목사회가 새로이 구성한 예배서를 사용하도록 명령했습니다. 그들은 또한 웃브리지에서 국왕 폐하와 조약을 맺으려 크게 소란을 피웠는데, 이전의 요구 중 무엇도 철회하지 않았습니다. 국왕께서는 또한 이 때 웨스트민스터 의회에 불만을 품고 떠난 의원들로 구성된 옥스퍼드 의회를 보유하셨으나, 그들 중 자기네들의 옛 원칙을 바꾼 이들이 거의 없었으므로, 그 의회는 그다지 가치가 없었습니다. 아니 오히려, 그들은 전언과 조약, 즉 말하자면 병사들에게 전쟁에 따른 편익의 희망을 꺾는 데에만 노력했기 때문에, 대부분의 사람들은 그들이 국왕께 유익하기보다는 해가 된다고 생각했습니다.

1645년은 국왕께 매우 불운하였습니다. 한 번의 큰 전투에서 패하심으로써, 앞서 얻었던 모든 것을, 종국에는 목숨마저 잃으셨지요.-신형군은 옥스퍼드를 포위할지, 아니면 (당시 고링 영주George Goring (1608~1657)가 포위하고 있었고, 이후 바다에서의 활약으로 유명한 블레이크Robert Blake (1598~1657)가 방어했던) 톤턴을 구원하기 위해 서쪽으로 향해야 할지 논의한 후, 톤턴으로 향하기로 결정했고,

비록 국왕 폐하를 방해할 만큼 충분히 강하지는 않았더라도, 크롬웰에게 그분의 움직임에 주의하도록 맡겼습니다. 이 이점에 따라 국왕께서는 옥스퍼드에서 병력과 포병을 철수하셨습니다. 이로 인해 의회는 그들의 대장, 페어팩스를 다시 불러 옥스퍼드를 포위하라 명령했습니다. 그동안 국왕께서는 윌리엄 브레리턴 경이 포위중이던 체스터를 구원하시고 돌아와 힘으로 레스터를 점령하셨는데, 포병과 식량이 잘 갖추어져 대단히 중요한 곳이었지요.

이 성공에 따라 일반적으로 왕당파가 더 강하다고 생각되었습니다. 국왕 본인께서 그리 생각하셨고, 의회는 페어팩스에게 포위에서 벗어나 국왕 폐하와 전투를 벌이려 애쓰라 명함으로써 어떤 면에서 똑같은 고백을 하였지요. 국왕 폐하의 성공, 그리고 그들 사이에서 이제 자라나는 분열과 배반이 그들을 어느 하루의 행운에 의존하도록 몰아가고 있었으니까요. 그 날 네이즈비에서 국왕군은 완전히 거꾸러졌고, 그분께 다른 군대를 일으킬 희망이란 남아있지 않았습니다. 그러므로 전투가 끝난 후, 그분께선 소규모 당파와 더불어 이리저리 다니시며 여기저기에서 의회를 괴롭히셨지만, 결코 그 숫자가 크게 늘지 않았지요.

그 사이에 페어팩스는 일단 레스터를 수복한 다음, 서부로 진군하여 몇 군데만을 제외하고는 모두를 정복하여, (명예로운 조건으로) 홉튼 영주 각하가 군대를 해산하고 웨일스 공과 더불어 실리로 건너갈 수밖에 없도록 하였습니다. 오래지 않아 그들은 파리로 갔지요.

1646년 4월, 페어팩스 대장은 다시 옥스퍼드로 진군하기 시작했습니다. 그동안 우드스탁을 포위했던 레인즈버러Thomas Rainsborough (1610~1648)가 그곳을 항복시켰습니다. 그러므로 이제 옥스퍼드로 귀환하신 국왕께서는 우드스탁에서 불과 6마일 떨어진 곳에서 페어팩스에게 포위당하리라는 것을 의심치 않으셨고, 자신을 구원할 군대가 없으므로, 뉴어크 근교에서 스코틀랜드군으로 위장해 도망치기로 결심하셨지요. 그리고 5월 4일에 그곳에 도착하셨고, 스코틀랜드군은 고향으로 철수하면서 그분을 뉴캐슬로 데려가, 5월 13일에 도착하였습니다.

B. 국왕께서는 왜 스코틀랜드인들을 신뢰하셨을까요? 그들은 최초의 반란자였습니다. 그들은 장로파였으며, *즉, 다시 말해* 잔인했습니다. 게다가 가난하여, 결과적으로 돈을 받고 그분을 적들에게 팔아 넘기리라 의심할 수도 있었습니다. 그리고 마지막으로, 그들은 너무 약해서 그분을 보호하거나, 자기들 나라에서 지킬 수도 없었습니다.

A. 그분께서 무엇을 더 할 수 있었을까요? 국왕께서는 평화 제안을 받으시고자, 겨울이 오기 전에 통행권을 받아 리치먼드 공작 James Stewart (1612~1655)과 다른 이들을 의회에 보내려 하셨지요. 이는 거부되었습니다. 다시 보내셨고, 다시 거부되었습니다. 그런 다음 그분께서는 몸소 그들에게 오시려 하였으나, 이 역시 거부되었습니다. 같은 목적으로 몇 번이고 다시 보내셨지만, 그들은 이를 허가하는 대신 법령을 제정했습니다. 런던의 민병대 지휘관들은 국왕께서 통신선 내로 들어오시려 할 경우, 소요를 진압하고, 함께 오는 이들을 체포하고, 위험으로부터 그분의 신변을 보호하기 위해 (즉, 다시 말해 투옥시키기 위해) 적절하다고 생각하는 병력을 일으켜야 한다는 것이었습니다. 만약 국왕께서 위험을 무릅쓰고 오셔서 투옥되셨다면, 의회는 그분께 무엇을 할 수 있었을까요? 그들은 투표로 그분을 폐위했으므로, 그분께서는 설령 감옥에 있으시더라도 살아 계시는 동안에는 어떠한 안전도 보장받으실 수 없었습니다. 아마도 그들은 고등재판소에서 공개적으로 사형에 처

할 수 없었더라면, 다른 방법으로 은밀히 그리했겠지요.

B. 바다를 넘어가보려 하셨어야 합니다.

A. (옥스퍼드에서) 그것은 매우 어려웠습니다. 게다가 대체로 스코틀랜드군이 폐하 뿐만 아니라 함께 와야 했던 그분의 친구들도 그들 군대에서 신변은 물론, 그 명예와 양심도 또한 안전하리라 약속했던 것으로 믿어졌습니다.

B. 군대와 군대의 특정 군인이 서로 다를 때, 군대가 수행하고자 하지 않는 바를 군인에게 약속하게 하는 것은 거진 속임수이지요.

A. 7월 11일, 의회는 뉴캐슬에 계신 국왕께 제안을 보냈는데, 그들은 그 제안이 안정되고 확고한 평화를 위한 유일한 길이라 주장했습니다. 이는 펨브로크 백작Philip Herbert (1584~1650)과 서퍽 백작James Howard (1620~1689), 월터 에를레 경Walter Earle (1586~1665), 존 히피슬리 경John Hippisley (?~1655), 굿윈 씨Goodwin, 로빈슨 씨Robinson가 가져왔는데, 국왕께서는 담판 권한이 있는지를 물으셨고, (그들이 아니라 대답하자) 왜 나팔수도 보내지 않았는지를 물으셨습니다. 그 제안은 그들이 보내왔었던 폐위안과 같은 것이었으므로, 국왕께서는 동의치 않으셨지요. 스코틀랜드인들도 처음에는 삼키지 않았으나, 일부 예외를 두었는데, 단지 의회가 국왕 폐하를 공짜로 손에 넣지는 못하리라는 의도를 인식시키려던 것으로 보였습니다. 그래서 마침내 그들 사이에 협상이 이루어졌고, 200,000파운드의 지불금으로 국왕께서는 잉글랜드 의회가 그분을 맡기 위해 파견한 행정관의 손에 넘겨졌습니다.

B. 이 얼마나 비열한 행위란 말입니까, 거짓 종교와 심한 탐욕, 비겁함, 위증, 배신이 뒤범벅되었군요!

A. 숱한 보기 흉한 일들을 정당화하는 듯 보였던 전쟁이 이제

끝났으니, 이들 반란군에게서 어리석음에 더해 천박함과 거짓 이외에는 거의 아무런 것도 보지 못하실 겁니다.

이 무렵 의회는 국왕 폐하의 나머지 주둔지를 모두 점령했고, 그 중 마지막은 국왕께서 해밀턴 공작을 죄인으로 보내셨던 펜데니스 성이었습니다.

B. 그동안 아일랜드와 스코틀랜드에는 무슨 일이 있었는지요?

A. 아일랜드에서는 폐하의 명령으로 한동안 평화가 유지되어 왔지만, 아일랜드인들 사이의 내분으로 잘 유지되지는 않았습니다. (당시 거기에서 교황의 대사로 있었던) 교황파는 이 때를 잉글랜드에 의한 예속으로부터 벗어날 수 있는 기회로 삼았습니다. 게다가 평화기간은 이제 만료되었지요.

B. 어떻게 그들은 잉글랜드인에게, 잉글랜드인이 아일랜드인에게 했던 것 이상으로 복종했을까요? 그들은 잉글랜드 국왕에게 복종했지만, 또한 잉글랜드인도 아일랜드 국왕에게 그러했습니다.

A. 이 구분은 보통의 이해로는 좀 너무 미묘합니다.-스코틀랜드에서 몬트로즈 후작은 국왕 폐하를 위해 극소수의 병력과 기적적인 승리로 스코틀랜드 전역을 넘나들었는데, 그의 병력 중 많은 수가 (너무 많은 보호금으로 인해) 잠시간 자리를 비우도록 허용되었습니다. 그 정보를 습득한 적들이 갑자기 그들을 덮쳤으므로, 그들은 다시 징병을 위해 하이랜드로 쫓겨날 수밖에 없었습니다. 그가 힘을 회복하기 시작했을 때 (당시 뉴캐슬에서 스코틀랜드인들의 손아귀에 계셨던) 국왕께 해산을 명령받았고, *따라서* 바다로 스코틀랜드를 떠났습니다.

같은 해인 1646년 말, 의회는 국왕 폐하의 대인장을 파괴하였고, 또한 국왕께서는 홈비로 끌려가시어, 거기에서 의회 행정관의 관리를 받으셨습니다. 그리고 여기서 잉글랜드와 스코틀랜드에 관한 전쟁은 끝났지만, 아일랜드에 대해서는 아니었습니다. 이 무렵 의회가 *앞서* 버렸던 에식스 백작이 또한 사망하였습니다.

B. 잉글랜드에 평화가 찾아오고, 국왕께서 감옥에 투옥되신 지금, 주권 권력은 누구에게 있었는지요?

A. 권리는 확실히 국왕께 있었지만, 실권은 아직 누구에게도 없었습니다. 허나 1647년과 1648년 내내 의회와 토머스 페어팩스 경의 중장, 올리버 크롬웰 사이에 카드 게임 마냥, 싸움 없이 논쟁이 있었지요.

**B.* 크롬웰은 어떤 카드를 사용할 수 있었습니까?

*A.** 헨리 8세 국왕 폐하께서 여기에서 교황의 권위를 폐하시고 몸소 스스로를 교회의 수장으로 삼으셨을 때, 주교들은 그분께 저항할 수 없었으므로, 그에 불만을 품지 않았음을 아셔야 합니다. 왜냐하면 전에는 주교들의 교구 관할권이 *신성한 법에 따라*, 즉 하나님으로부터 직접 받은 권리가 아니라, 교황의 은사와 권위에 따라 교황이 허용하는 것이었던 반면, 이제 교황이 축출되었으므로, 그들은 의심의 여지없이 신성한 권리가 스스로에게 있다고 믿었기 때문입니다. 이후, 제네바 시와 바다 너머의 여러 다른 곳들은 교황권에 반란을 일으켜, 여러 교회의 통치권을 위해 장로회를 설립했습니다. 그리고 메리 여왕 폐하의 박해기 동안 바다 너머로 떠났던 여러 잉글랜드 학자들은 이 통치권에 많은 영향을 받았고, 엘리자베스 여왕 폐하 때 돌아와, 이후 교회와 국가에 큰 폐를 끼치면서 여기에 그러한 통치권을 수립하고자 노력하였고, 그곳에서 자기네들의 기지와 학문을 으스대면서 칭찬할 수 있었습니다. 그리고 이는 그들에게서 신성한 권리 뿐만 아니라 신성한 영감도 앗아갔습니다. 그리고 때때로 그들의 잦은 설교를 못 본 체하면서 지지했던 이들은 수많은 기이하고 유해한 교리들을 도입하여 (그

들이 주장했던 대로) 루터와 칼뱅John Calvin (1509~1564)의 종교개혁을 넘어섰지요. 루터와 칼뱅이 교황으로부터 벗어났던 것만큼이나 이전의 신성으로부터 (혹은 교회 철학으로부터, 종교는 또 다른 것이었으므로) 벗어났으며, 청중들을 브라운파와 재세례파, 독립파, 제5군주파, 퀘이커교도, 그리고 대개 광신자라는 명칭으로 불리우는 여러 다른 모두처럼, 수많은 종파로 흐트러뜨렸습니다. 장로파에게 그들 스스로 부화시킨 이 혈족만큼 위험한 적이란 없었지요.

이들은 크롬웰에게 최고의 카드였는데, 군대 내에 매우 많은 수가, 의회에도 몇몇이 있었으며, 그 자신도 그 중 하나로 여겨졌습니다. 비록 무엇도 확실히 하지는 않았지만, 그는 언제나 가장 강하고, 이와 같은 색채를 띈 파벌에 스스로를 바쳤습니다.

군대에는 적의 땅과 재물을 약탈하고 나누는 데에만 목적을 두었던 이들이 (다수는 아니었다 하더라도) 많았으며, 이들 역시 크롬웰의 용기와 행동에 대한 의견에 따라, 그에게 들러붙는 것보다 자기네들의 목적에 도달하기에 더 나은 길이란 있을 수 없다고 생각했습니다. 마지막으로, 의회 자체에서도 과반은 아니더라도, 상당수가 의심을 품고 의회의 결의를 지연시키기에 충분한 광신도들이었으며, 7월 26일에 그랬듯, 때때로 또한 빈약한 의회를 이용하여 크롬웰에게 찬성표를 던질 수도 있었습니다. 5월 4일에 선례를 따라 의회는 런던의 민병대를 시민위원회의 손에 맡기고, 그동안 시장경Abraham Reynardson (1589~1661)이 그 일원이 되어야 한다고 의결했지만, 직후에 독립파가 과반이 될 기회를 얻어, 군대에 보다 호의적인 이들의 손에 들어가도록 법령을 제정하였습니다.

의회가 가진 최고의 카드는 런던이라는 도시와 국왕 폐하라는 인물이었습니다. 대장이었던 토머스 페어팩스 경은 올바른 장로파였지만, 군대의 손아귀에 있었고, 군대는 크롬웰의 손아귀에 있었지요. 허나 어느 쪽이 우세할지는 게임의 수싸움에 달려있었습니다. 크롬웰은 여전히 의회에 순종과 충성을 단언했지만, 그에 못지않게, 본인을 생각하고 군대로 상대에게 해야 할 모든 일에 대해 변명할 길을 찾았습니다. 그러므로 그와 그만큼이나 계책에 능하고, 말과 글로는 더욱 능했던 그의 사위 아이어튼Henry Ireton (1611~1651) 총사령관은 어떻게 의회에 맞서 군사 반란을 일으킬지 궁리했습니다. 이를 위해 그들은 의회가 이제 국왕 폐하를 얻었기에, 군대를 해산하고, 체불임금을 야바위하고, 그들을 아일랜드로 보내어 아일랜드인들에게 궤멸되도록 하려 한다는 소문을 *비밀리에* 퍼뜨렸습니다. 이에 격분한 군대는 모든 부대와 중대마다 두 명의 병사들로 평의회를 세워, 군대의 이익에 대해 협의하고, 전쟁평의회에 조력하고, 왕국의 평화와 안전을 조언하기 위해 아이어튼의 가르침을 받았습니다. 이들은 보좌관이라 불렸는데, 크롬웰이 해야 하는 일이라면 무엇이든, 그들에게 시키기 위해 아무런 일도 할 필요없이, 비밀리에 이들 보좌관의 머리에 넣기만 하면 되었지요. 첫 협의의 결과는 국왕 폐하를 홈비에서 빼앗아, 군대로 모셔오는 것이었습니다.

이에 대장은 의회에 편지로 본인과 크롬웰, 그리고 군 수뇌부가 그 사실을 몰랐다고 변명하고는, 국왕께서 그분을 데려온 병사들과 함께 기꺼이 오신 데다가, 전군은 평화 이외에는 무엇도 의도치 않으며, 장로파에 반대하지도, 독립파에 영향을 끼치지도, 종교에 있어 어떠한 부도덕한 자유를 주장하지도 않음을 장담하였습니다.

B. 토머스 페어팩스 경이 여기 본인이 썼던 바를 믿을 정도로 크롬웰에게 속을 수 있었다니 이상한 일입니다.

A. 기병장교 조이스George Joyce (1618~?)가 국왕 폐하를 잡아오기 위

헤 1,000명의 병사를 이끌고 군대를 나설 수 있었는데, 대장도, 중장도, 군 수뇌부도 이를 알아차리지 못했다니, 저는 상상할 수가 없습니다. 그리고 국왕께서 기꺼이 *그들과 함께* 나서셨다는 것은 폐하께서 일부러 의회에 전달하신 전언에 따르자면 거짓으로 보입니다.

B. 여기에는 배반에 대한 배반이 있군요. 처음에는 국왕 폐하에 대한 의회의 배반이, 그리고 나중에는 의회에 대한 군대의 배반이 있었습니다.

A. 이는 크롬웰이 *그들에게* 수를 썼던 첫번째 속임수였으며, 이로써 그는 스스로 너무나도 큰 이점을 얻었다고 생각하여, 공개적으로 "의회를 주머니 속에 넣었다" 고 말했는데, 실로 그러했으며, 도시도 마찬가지였습니다. 그 소식에 그들은 모두 서로서로 매우 큰 혼란에 빠졌고, 군대가 런던으로 진군해오고 있다는 소문 탓에 더욱 그러하였습니다.

그동안 국왕께서는 햄프턴 궁전에 거처가 정해지기 전까지 이리저리 옮겨지셨는데, 약간의 과시도 없지 않았으나, 의회 행정관의 손에 계실 때보다는 훨씬 더 많은 자유와 존경을 받으셨지요. 그분 자신의 기도자가 허용되었고, 자녀들과 몇몇 친구들도 만나실 수 있도록 허락되었습니다. 그 외에도 국왕께서는 크롬웰에게 많은 경의를 받으셨는데, 그는 진지하고 열정적인 듯한 태도로 의회에 맞서 그분의 권리를 회복시켜드리겠노라 약속하였지요.

B. 그는 어떻게 그럴 수 있다고 확신했을까요?

A. 확신하지는 못했습니다만, 왕을 몰아냄으로써 스스로 일인자가 되려는 시도에서, 당장 가졌던 것 이상으로 더 나은 희망을 발견해내지 못하는 한, 도시와 의회로 진군하여, 국왕 폐하를 다시 세우기로 (그리고 이인자가 되기로) 결심하였습니다.

B. 의회와 도시를 상대로 크롬웰은 국왕께 어떤 조력을 기대할 수 있었습니까?

A. 직접 그의 편이라 선언하심으로써, 그분의 불행 이후 이제, 이전의 어느 때보다도 더 많아진 왕당파 전부를 얻을 수 있었지요. 의회 자체에는 동료들의 위선과 개인적인 목적을 발견한 이들이 많았고, 많은 이들이 자신의 자연적 이성에 따라 자기 의무를 전향했으며, 국왕 폐하의 고통에 대한 연민은 일반적으로 의회에 대한 분노를 낳았으므로, 만약 그들이 현존하는 군대의 비호 아래 한데 모여 구체화되었더라면, 크롬웰은 첫번째로는 국왕 폐하를 위해, 두번째로는 본인 자신을 위해, 하고자 했던 바를 했을지도 모릅니다. 허나 그는 국왕 폐하 없이도 할 수 있는 바를 일단 시도해보고, 그걸로 충분하다 여겨지면, 그분에 대해 손을 떼려 했던 듯 보입니다.

B. 의회와 도시는 군대에 맞서기 위해 무엇을 했는지요?

A. 첫째로, 의회는 대장에게 국왕 폐하를 자기들 행정관에게 다시 돌려 달라고 전했습니다. 이에 답하는 대신, 군대는 의회에 고발장을 보내어, 의원 중 11명을 기소하였는데, 모두가 현역 장로파였습니다. 고발장의 일부 내용은 이러하였습니다. 1. 자기부정조례[145]에 따라 의회가 거기 있어서는 안 되는 인물들을 일소할 것, 2. 왕국을 남용하고 위험에 빠뜨린 자들이 이후 그 같은 일을 못하게 할 것, 3. 본 의회를 마무리할 날을 정할 것, 4. 그들이 받은 막대한 금액을 왕국에 설명할 것, 5. 11인의 의원을 의회에서

[145] 1645년 잉글랜드 의회에서 통과되었던 법안으로, 앞서의 본문에서 잠시 언급되었듯, 의회 의원과 군 장교의 겸직을 금지했던 내용이다.-역주

곧 정직시킬 것이었습니다. 이것이 그들이 자기네들의 패로 놓은 고발장이었습니다. 의회는 그 중 무엇에도 응답하지 않았으나, 의원 11인의 정직에 대하여, 기소의 구체적인 내용이 나오기 전에는 법률로 할 수 있는 바가 없다고 말했지요. 허나 캔터베리 대주교와 스트래퍼드 백작에 대해 그들 스스로 진행했던 절차가 곧 대답이었습니다.

의회가 이렇게 어느 정도 두려움에 빠지게 되면서, 국왕께서는 어느 정도 자신감을 갖게 되셨고, 의회에 런던의 민병대를 다른 이의 손에 맡기도록 요구하면서, 크롬웰이[146] 도시를 맡게 되었습니다.

B. 다른 이의 손이라니요? 잘 이해하지 못하겠군요.

A. 런던의 민병대가 5월 4일에는 시장경과 다른 시민들의 손에, 그리고 그 직후 군대에 보다 우호적인 다른 사람들의 손에 맡겨졌노라 말씀드렸었지요. 그리고 이제 말씀드리건대, 7월 26일에 일부 견습자와 해산된 군인들의 폭력으로 인해 의회는 시민들 속에 원래대로 다시 머무를 수밖에 없었고, 이에 두 의장과 여러 의원들은 군대로 도망쳐, 의회의 본성에 따라 전쟁평의회에 앉아 의결하도록 요청받고 그리 하는 데에 만족하였습니다. 그리고 시민들의 손에서 민병대를 빼앗아, 7월 26일에 빼앗겼던 것을 다시 그들 손에 넣으려 하였지요.

B. 그 도시는 이에 대해 무어라 하였나요?

A. 런던 사람들은 그들의 일을 하였습니다. 즉, 통신선을 지키고, 전선 내에서 용맹스런 군대를 키우고, 훌륭한 장교를 뽑아, 그 모두가 도시가 명령을 내리기만 한다면 언제든 나가 싸우고자

---

[146] 그가-홉스의 교정.

열망하였으며, 그러한 태세로 적을 기다렸지요.

그동안 병사들은 토머스 페어팩스 경 및 의회, 군대와 생사를 건 약정을 맺었습니다.

B. 그건 아주 좋네요. 처음 국왕께 맞서 무장했을 때, 의회가 스스로를 국왕 폐하와 의회라 꾸미면서, 국왕께서 언제나 사실상 의회에 계셨노라고 주장했던 것을 따라했군요. 고로 이제 군대는 의회에 선전포고하면서, 스스로를 의회와 군대라 자칭하였는데, 그들은 크롬웰의 호주머니 속에 있었으므로, 사실상 의회가 군대 내에 있다고 말하는 데에 더 많은 이유가 있었을지도 모르겠습니다.

A. 게다가 그들은 런던으로 진군하는 근거를 담은 선언문을 보냈습니다. 어떤 면에서 그들은 의회의 재판관이 되었는데, 왕국의 일을 신탁하기에 적합한 자에게, 의회가 아니라, 웨스트민스터 젠틀맨의 칭호를 부여하였습니다. 7월 26일의 폭력 사태 이후, 군대는 의회를 적법한 의회로 인정하지 않았기 때문이었지요. 동시에 그들은 런던 시장과 시의원들에게 편지를 보내어, 근래의 폭동을 꾸짖고는, 그들이야말로 평화의 적이자, 의회를 배신했으며, 의회든 그들 자신이든 어느 쪽도 방어할 수 없으리라고 말했지요. 그리고 도시를 저들 손에 넘기라 요구했으며, 말하기를, 그러한 목적으로 지금 그들에게 가고 있노라 하였습니다. 대장은 또한 인접 카운티에 영장을 보내어, 훈련된 병사들이 자신들에게 합류하도록 소환하였습니다.

B. 훈련된 병사들이 대장의 군속이었나요?

A. 아니요, 봉급을 받지도 않았고, 의회의 명령이 없어서도 안 되었습니다. 허나, 이 땅의 법을 모두 터득한 마당에, 군대가 무얼 할 수 없었겠습니까? 군대가 런던에서 10마일 떨어진 하운슬로

히스에 이르자, 시의회는 무엇을 할지 고민하기 위해 소집되었습니다. 도시의 지휘관과 병사들은 기꺼이 나아가 싸울 의향이 있었고, 물자도 충분하였습니다. 허나 사우스워크 방면을 맡았던 한 장교가 배반하여, 런던 교 입구까지 진군해왔던 적의 소부대를 전선 내로 들여보냈고, 그 후 시의회는 좌절하여, 이러한 조건들에 굴복하였습니다. 민병대를 포기할 것, 11인의 의원을 버릴 것, 요새와 통신선을 런던탑과 그 안의 모든 군수품 및 무기와 함께 군으로 인도할 것, 병력을 해산하고 개혁파, *즉, 다시 말해* 에식스의 옛 병사 전부를 내보낼 것, 의회에서 경비병을 철수시킬 것이었지요. 이 모두가 이루어졌고, 군대는 도시의 주요 거리를 통해 의기양양하게 행진했습니다.

B. 그런 군대가 있었던 시장과 시의원들이 그토록 빨리 항복해야 했다니, 이상합니다. 다리에서 자기네 당파로 적의 당파에 맞서 저항하고, 또 자기들 잔당으로 적의 잔당에 맞설 수 있지 않았을까요?

A. 제가 그에 대해 판단할 수는 없겠으나, 그들이 다른 식으로 행동했더라면 제게는 기이한 일로 여겨졌겠지요. 저는 부유한 신민들 대부분이 기술이나 무역으로 자수성가했다고 여기는데, 현재의 이익 외에는 아무런 것도 거들떠보지 않으며, 그런 식으로 되어있지 않은 모든 것에 대해 맹목적으로 약탈하려 드는 바로 그 사고방식에 놀라움을 금할 수 없습니다. 만약 그들이 적법한 주권에 순종하여 재산을 보존함이 어떠한 미덕인지를 이해했더라면, 결코 의회 편을 들지는 않았을 것이므로, 우리가 무장할 필요도 없었겠지요. 따라서 시장과 시의원은 이 굴종으로 자기네들 재산을 보존할 수 있으리라 확신하고, 저항으로는 그 같이 확신할 수 없다고 여겼으니, 제게는 가장 현명한 선택을 취했던 듯 보입니

다. 의회도 도시보다 덜 유순하지는 않았지요. 곧이어 8월 6일, 대장은 도주한 의장과 의원들을 강력한 군 경비대와 함께 의회로 데려와, 의장을 자리에서 교체하였습니다. 이에 그들은 의회에서 대장에게 감사를 전했을 뿐만 아니라, 하루를 거룩한 감사의 날로 정하였지요. 그리고 오래지 않아 그를 잉글랜드 전군의 대원수 겸 런던탑의 보호자로 임명하였습니다. 허나 실상 이 모두가 크롬웰의 출세였습니다. 비록 재산이 토머스 페어팩스 경에게 있었더라도, 실사용권은 그에게 있었으니까요. 독립파는 즉시 통신선 일체를 끊었고, 이전에는 통합되었던 런던과 웨스트민스터, 사우스워크의 민병대는 나뉘어 졌습니다. 의회 법령에 따라 직책을 맡았더라도, 자기 편이 아니었던 마을 및 요새의 통치자들을 몰아내고는 대신 자기네 당파의 인물들을 임명했지요. 그들은 또한 7월 26일부터 8월 6일까지 의회에서 통과되었던 것 전부를 무효로 선언하도록 했고, 일부 귀족과, 일부 가장 저명한 시민들을 감옥에 가두었는데, 시장경도 그 중 하나였습니다.

B. 크롬웰은 이제 국왕 폐하를 복위해드릴 만큼 충분한 권력을 가졌습니다. 왜 그러지 않았을까요?

A. 그의 주된 목적은 스스로 그분의 자리를 차지하는 것이었습니다. 국왕 폐하의 복위는 의회에 맞선 예비책일 뿐이었으니, 의회가 그의 호주머니 안에 있었으므로, 이제는 방해물이 된 국왕 폐하가 더 이상은 필요치 않았지요. 그분을 군대 내에 두자니 골칫거리였고, 장로파 수중에 넘겨주자니 그의 희망을 꺾는 일이었고, 몰래 살해하자니 (그 행위의 끔찍함은 논외로 하더라도) 당시 중장에 불과했던 그에게는 자기 계획의 진전없이 스스로를 추악하게 만드는 일일 따름이었지요. 그의 목적상 그분께서 햄프턴 궁전에서 탈출하여 바다 너머 바라시는 곳으로 떠나시도록 내버려두는

것보다 더 나은 일은 없었습니다. 비록 크롬웰이 의사당에서 거대 당파를 지녔더라도, 그들이 그 주인에게서 야심을 보지 못하는 동안의 이야기일 뿐, 그것이 드러나는 즉시 그들은 그의 적이 되었겠지요.- 국왕께서 탈출을 시도하시도록 하기 위해, 그분을 구금하고 있던 자들 중 일부가 크롬웰의 지시에 따라, 보좌관들이 그분을 살해하려 한다는 말을 그분께 전하고, 게다가 그 같은 소문이 전반적으로 퍼지게 하여, 결국에는 그렇듯, 국왕 폐하의 귀에도 닿을 수 있었습니다.

따라서 어둡고 비 오는 밤에, 생각대로 경비병들이 고의적으로 물러났고, 국왕께서는 햄프턴 궁전을 떠나 사우샘프턴 근교의 바닷가로 가셨으며, 그곳에 그분을 실어줄 배를 준비해 두셨으나 실패하셨습니다. 따라서 국왕께서는 당시 와이트 섬의 통치자였던 해먼드 대령Robert Hammond (1621~1654)에게 자신을 맡기실 수밖에 없었습니다. 아마도 대령의 형제이자 폐하께서 총애하시는 기도자였던 해먼드 박사Henry Hammond (1605~1660)를 보아서라도, 어쩌면 약간의 친절을 기대해봄직 하였지요. 허나 이는 반대로 드러났습니다. 대령은 의회에 있는 그의 주인에게 그분에 관한 명령을 받고자 서신을 보냈기 때문이지요. 와이트 섬으로 들어가시는 것은 크롬웰의 계획 중 어느 부분과도 맞지 않았고, 그분께서 어디로 가실지, 어느 길로 가시게 될지도 몰랐습니다. 만약 배가 제 시간에 약속 장소에 도착했더라면, 해먼드도 다른 이들 이상으로 알지는 못했겠지요.

B. 국왕께서 프랑스로 탈출하셨더라면, 프랑스인들이 병력으로 왕국을 복원하도록 지원하여, 크롬웰과 그 밖에 국왕 폐하의 다른 모든 적들의 계획을 좌절시키지 않았을까요?

A. 예, 대단히요. 그들이 2년 전에 콘월에서 그곳으로 도망치셨

던 그분의 아드님, 가장 은혜로우신 현재의 주권자[147]를 도와드렸듯 말이지요.

B. 이웃 군주들이 흔히 그러하듯, 서로의 반란군들에게, 특히 그들이 군주정 자체에 반란을 일으킨 경우라면, 그들에게 호의를 보이는 것은 훌륭한 정책이 아니라고 저는 생각합니다. 오히려 일단 반란군에 맞서는 연맹을 결성한 후에, (구제책이 없다면) 맞서 싸워야 하지요. 히브리어나 그리스어, 라틴어 성경 구절의 해석이 내전, 그리고 하나님의 기름부음 받은 자를 폐하고 암살하는 원인이 될 때가 흔하니, 설교가 더 나은 모습이 될 때까지는 기독교 주권자들 사이에서도 별반 다르지 않겠지요. 그러나 신성을 논하는 자들과 아무리 오래 대화한들, 전쟁이든 평화든, 큰일에 쓰일 만큼 신중한 이는 백의 하나도 찾기 어려울 겁니다. 만인의 명시적 동의로 부여되었다 하더라도, 주권자가 자기 직무를 수행할 수 있도록 하는 것은 주권자의 권리가 아니라, 신민의 순종이며, 그들은 그러해야 합니다. 충성을 약속하고, 곧 이어 (일부 목사들이 설교단에서 하듯) *이스라엘아 너희의 장막으로 돌아가라*[148]고 외치는 것이 무슨 소용이 있겠습니까? 서민들은 옳고 그름을 스스로 숙고하여 알지 못하므로, 의무의 근거, 그리고 적법한 주권자에 대한 불순종에 재난이 뒤따르는 이유를 배워야 합니다. 허나 반대로, 우리의 반역자들은 설교단에서 공개적으로 반란을 배웠고, 설교자가 금하는 바를 행하거나 혹은 그들이 권하는 바에서 벗어나는 것 이외에는 죄라는 것도 없었습니다.-하지만 이제 국왕께서 의회의 죄인이 되셨으니, 왜 장로파가 그분을 복위함으로써 자기

147 찰스 2세를 말한다.-역주
148 열왕기상 12:16.-역주

네 이익을 증진하려 들지 않았겠습니까?

A. 독립파보다 장로파가 더 많았던 의회는 만약 그들이 비양심적이고 미련한 야심으로 자기들 목적으로 향하는 길을 막지 않았더라면, 국왕 폐하 생전에 그들이 얻으려던 바를 얻었을지도 모릅니다. 그들은 그분께 네 가지 제안을 보냈고, 그분께서는 서명하시고 의회법으로 통과시키셨습니다. 이것이 승인되자, 그들은 그분께 다른 조문들을 처리하기 위해 행정관을 보내겠다고 했지요.

제안은 이와 같았습니다. 첫째로는, 의회는 20년 동안 *민병대*와 이를 유지하기 위한 세금부과 권한을 가져야 하며, 그 기간 이후에는 의회가 왕국의 안전에 관계된다고 여기는 경우에, 그 실권을 국왕께 돌려드릴 것이었습니다.

B. 첫 조문은 국왕 폐하에게서 *민병대*를 빼앗고, 결과적으로 주권 전체를 영원히 빼앗아버리는 군요.

A. 둘째로는, 국왕께서 본인에 대한 의회의 절차를 정당화하시고, 의회에 대해 하셨던 모든 선언문을[149] 무효로 선언하셔야 한다는 것이었습니다.

B. 이는 그분을 전쟁과 그로 인해 흘린 모든 피에 대해 유죄로 만드는 것이로군요.

A. 셋째로는, 1642년 5월 국왕께 대인장이 전달된 후, 수여하신 모든 명예 작위를 박탈하는 것이었습니다.

넷째로는, 언제, 어디에서, 얼마나 오래 휴회할지는 의회가 스스로 원하는 대로 해야 한다는 것이었습니다.

이 제안들은 국왕께서 이유가 있으셨으므로 허락치 않으셨으나, 의회에 그리 덜 유리하지 않은 본인의 다른 제안을 보내셨고, 왕

[149] 모든 맹세와 선언문을-*원고에서 일부 단어가 삭제되었다.*

국의 평화를 정착시키기 위해 의회와 개인적으로 조약을 맺기를 바라셨지요. 허나 의회는 그 목적상 충분치 않다 하여 거부하였고, 그분께 어떠한 청원을 드리지도, 그분에게서 어떠한 전언을 받지도 않을 것이며, 그분 없는 왕국을 자리잡게 하리라 의결하였습니다. 그리고 당시 서민원에 현존했던 군 파벌의 연설과 위협을 일부 의결했는데, 그 중 한 사람은 세 가지 사항을 조언했습니다. 1. 국왕 폐하를 내륙의 어느 성에서 경비병으로 보호해드릴 것, 2. 그분에 대한 탄핵소추문을 작성할 것, 3. 그분을 밀어내고, 그분 없는 왕국을 정착시킬 것이었지요.

또 다른 이는 그분께서 네 가지 법안을 거부하신 것은 신민에 대한 보호를 거부하신 것이므로, 그들이 그분께 복종하지 않을 수 있다고 말하면서 덧붙이기를, 의회가 군대를 버리지 않는 한, 군대도 의회를 결코 버리지 않으리라 하였지요. 이것은 위협이었습니다.

마지막으로, 크롬웰 본인이 그들에게 말하기를, 이제 의회가 왕국을 통치하고 방어해야 하며, 더 이상 백성들이 하나님께서 심장을 강퍅하게 한 이에게서 안전을 기대하도록 놓아두지 말아야 하고, 또한 의회를 잘 방어한 이들이 여느 다른 방법으로 자신들의 안전을 구하지 않도록, 화해할 수 없는 적의 분노에 내버려두어서도 안 된다고 하였습니다. 이는 다시금 위협이었지요. 말하면서 또한 손을 칼에다 얹었던 것처럼 말입니다.

이에 무청원의결이 법령으로 제정되었습니다. 의회는 나중에 취소하려 했으나, 크롬웰로 인하여 약속을 지킬 수밖에 없었지요.

스코틀랜드인들은 이에 불쾌해 했습니다. 부분적으로는 그들의 형제 장로파가 잉글랜드에서 상당한 권력을 잃었기 때문이었고, 부분적으로는 또한 자기들 손으로 국왕 폐하를 팔아 넘겼기 때문이었지요.

국왕께서는 이제 백성들에게 이 가혹한 처사에 대해 격렬한 불만을 표하셨고, 백성들은 그분을 가여이 여기기는 하였으나, 아직 그분을 위해 나서지는 않았지요.

B. 이때야말로 크롬웰이 자기 것을 챙길 순간이 아니었을까요?

A. 결코 아닙니다. 아직 제거되어야 할 장애물이 많았습니다. 그는 군의 대장이 아니었습니다. 군대는 여전히 의회의 편이었지요. 런던 시는 *민병대*에 불만을 품었습니다. 스코틀랜드인들은 군대가 국왕 폐하를 구출해주기를 기대했습니다. 그의 보좌관들은 수평파였고 군주정에 반대하였는데, 비록 그들이 그를 의회로 끌어들이는 데에는 도움을 주었지만, 잡은 것을 물어오는 법은 쉽사리 배우면서 내주는 법은 쉽사리 배우지 못하는 개처럼, 그를 왕으로 세우지는 않았겠지요. 고로 크롬웰은 자신을 공식적으로 주권 군주로 세우기 전에, 다음의 일들을 극복해야 했습니다. 1. 대원수가 될 것, 2. 국왕 폐하를 제거할 것, 3. 이곳의 모든 반란을 진압할 것, 4. 스코틀랜드인들에게 반대할 것, 그리고 마지막으로 현 의회를 해산할 것이었지요. 따라서 저는 그가 왕이 되려 했다고 믿을 수 없으며, 언제나 그의 주된 정책이었던, 가장 강한 당파에 잘 봉사하는 것으로만 거기까지 나아갈 수 있으며 운이 따라야 했습니다.

B. 의회가 자신들이 가졌던 것보다 더 나은 지휘권으로 군대를 보유하기 전에, 국왕 폐하를 져버렸던 것은 분명 사악하기보다는 어리석은 일이었습니다.

A. 1648년 초, 의회는 펨브로크 백작 필립에게 임무를 주어, 옥스퍼드 학장으로 임명하였고, 백작만큼 훌륭한 신학자 일부와 함께 옥스퍼드 대학을 일소토록 하였습니다. 그 덕으로 그들은 자기

파벌에 속하지 않았던 모든 이들과 성공회 기도서 사용을 승인했던 모든 이들, 또한 여러 수치스러운 목사들과 학자들(즉, 필요없이 습관적으로 하나님의 이름을 입에 올렸던 자들이나 제멋대로 말하곤 했던 자들, 음탕한 여자 무리와 자주 어울렸던 자들)을 드러냈습니다. 이 마지막에 대해서는 그들을 칭찬치 않을 수가 없습니다.

B. 저도 그렇습니다. 절름발이라는 이유로 사람들을 병원에서 쫓아내는 것처럼, 그것은 경건의 또 다른 부분이기 때문입니다.[150] 사람들이 경건함을 배우고, 그 악행을 바로 잡는 법을 배우기에 그러한 목적으로 세워진 대학보다 더 좋은 곳이 어디에 있을 수 있겠습니까?

A. 의회는 다르게 생각했을지도 모릅니다. 저는 부모들에게서 자기 자녀들이 거기에서 음주와 방자함, 노름, 그리고 이에 따른 다른 악덕으로 방탕해졌노라는 불만을 자주 들었기 때문입니다. 또한 많은 젊은이들 사이에서 흔히 그들보다 약간 더 나이 들었던 개인교사가 있었음에도 불구하고 서로를 타락시켰다 한들, 놀라운 일은 아닙니다. 그러므로 저는 의회가 젊은이들에게 덕을 함양함에 있어, 대학이라는 기관을 그리 존경하지 않았다고 생각합니다. 비록 그 중 많은 이들이 거기에서 설교를 배웠고, 출세와 부양의 역량을 갖추게 되었으며, 일부는 부모에 의해 그곳으로 보내졌더라도, 이는 가장 다스리기 어려운 시기의 아이들을 집에서 다스리는 수고를 덜고자 하는 것이었지요. 또한 의회가 다른 이들이 그랬던 것보다 성직자들에게 더 많이 신경썼다고도 생각치 않습니

---

150 중세에 신체적 · 정신적 장애는 죄악의 결과로 여겨질 때가 많았다.-역주

다. 허나 확실히 대학은 성직자에게 훌륭한 하인이며, 주의 깊게 들여다보지 않으면 성직자란 (교리상의 이견과 그 이견을 발표하는 이점으로 인해) 왕국을 파벌로 분열시키는 훌륭한 수단입니다.

B. 하오나 철학과 다른 인문과학을 높이 평가하지 않는 곳이란 이 세상 어디에도 없는 것으로 보아, 대학보다 더 잘 배울 수 있는 곳이 어디이겠습니까?

A. 다른 과학이라니요? 신학자들은 자기들 신학 안에서 모든 시민철학과 도덕철학을 이해하지 않습니까? 그리고 자연철학에 관해서라면, 옥스퍼드와 캠브리지에서 런던의 그레셤 칼리지으로 옮겨, 관보를 통해 배워야 하지 않겠습니까? 그런데 우리의 주제에서 벗어났군요.

B. 그렇습니다. 실로 왕국의 더 큰일로부터 벗어났으니, 괜찮으시다면 다시 돌아가기로 하지요.

A. 첫번째 반란, 아니 그보다는 소란은 4월 9일에 견습자들에 의하였습니다. 허나 이는 국왕 폐하의 책임에 따른 것이 아니라, 무어필즈에서 여가를 위한 관습적인 집회에서 비롯되었으니, 훈련된 병사들 중 일부 열성적인 장교들이 그들을 무력으로 몰아내야 할 필요가 있었으나, 그들 자신들은 돌을 맞고 쫓겨났고, 그 부관들은 견습자들에게 붙잡혔는데, 그들은 거리를 돌아다니면서 시장경을 자택에서 겁박하였고, 드레이크라는 총을 빼앗아 몇몇 성문에 경비병을 세웠으며, 남은 하루내내 오르락내리락하며 유치하게 허풍을 떨었습니다. 그러나 다음날 대장이 몸소 도시 내로 행군하여, 신속하게 해산시켰지요. 이는 작은 일일 뿐이었지만, 의회가 백성들에게서 사랑받지 못한다는 것*만*을 보여주기에는 충분하였습니다.

다음에는 웨일스인들이 그들에 맞서 무장하였습니다. 웨일스에는 로안Rowland Laugharne (1607?~1675)과 포이어John Poyer (1605~1649), 파월Rice Powell (?~?)이라는 세 명의 대령이 있었는데, 그들은 앞서 의회에 훌륭히 복무했으나, 이제는 해산하라는 명령을 받아 그러기를 거부하였고, 자기네들의 힘을 강화하는 편이 더 낫다고 여기고는 국왕 폐하의 편이라 선언하였는데, 그 수는 약 8,000명이었습니다.

거의 같은 시기, 웨일스에서도 니콜라스 케메이스 경Nicholas Kemeys (1593?~1648)이 이끄는 반란과 존 오언 경 휘하의 또 다른 반란이 있었으므로, 이제 웨일스 전역이 의회에 반란을 일으켰지요. 그러나 비록 양측에 유혈이 상당했더라도, 크롬웰과 그의 장교들은 이 모두를 한 달 이내에 극복하였습니다.

B. 저는 저들끼리의 다툼을 국왕께 전가하는 자들이 망자가 되었다 하여 그다지 안타깝지는 않습니다.

A. 이 일이 있은 직후, 서레이의 일부 백성들이 국왕 폐하와 의회 사이에 개인적인 조약을 맺어달라는 청원을 의회에 보냈으나, 그들의 전령은 웨스트민스터와 왕실 마구간 근처에 주둔했던 병사들에게 두들겨 맞은 채로 집으로 돌려보내어졌습니다. 그 후 켄트 주민들이 비슷한 청원을 전달하면서 그것이 얼마나 나쁘게 받아들여지는지를 보고는, 이를 던져버리고 무기를 들었습니다. 그들에게는 많은 용감한 장교들과 대장으로는 노리치 백작George Goring (1585~1663)이 있었고, 견습자들과 해산된 노병들로 나날이 늘어났습니다. 의회는 기꺼이 도시에 민병대를 복원하여 템스 강변에 경비병을 갖추었으며, 페어팩스는 적을 향해 진군했습니다.

B. 그런 다음 제가 생각하기에, 런던 시민들은 처음에는 의회를, 다음으로는 페어팩스의 8,000명을, 마지막으로는 크롬웰의 군대를 손쉬우면서도 갑작스레 장악할 수 있었거나, 아니면 적어도 스코틀랜드군이 런던으로 무사히 진군할 기회를 주었겠지요.

A. 그렇습니다만, 도시는 결코 모험에 능하지도 않았고, 그들이나 스코틀랜드인들은 국왕 폐하의 아래가 아니라 위에 서는 것을 원칙으로 하였지요. 페어팩스는 왕당파에 맞서 8,000명을 이끌고 행군하여, 그들 중 일부를 메이드스톤에서 패퇴시켰고, 또 다른 일부를 켄트에서 멀리 떨어진 곳에서 사로잡았습니다. 그리고 노리치 백작은 잔당들과 함께 블랙히스로 와서는 도시를 통과하여 찰스 루카스 경Charles Lucas (1613~1648)과 조지 리슬레 경George Lisle (1615~1648) 휘하 에식스에서 일어났던 이들과 합류하기 위해 도시에 서신을 보냈지만, 거부당했고, 켄트인들 대부분이 그를 버렸습니다. 500명이 안 되는 잔여병들과 더불어 그는 템스 강을 건너 독스 섬으로, 거기에서 보우로, 그리곤 콜체스터로 갔지요. 페어팩스는 이를 알고 그레이브젠드에서 템스 강을 건넜으며, 그들을 추월하여 콜체스터에서 포위했습니다. 이 도시는 흙벽 이외에는 아무런 방비가 없었지만, 스코틀랜드군이 구원해 주리라는 희망 하에 두 달 간을 버텼습니다. 스코틀랜드인의 패전 소식에 그들은 항복할 수밖에 없었습니다. 노리치 백작은 런던으로 포로로 호송되었습니다. 충성스럽고도 용감했던 두 인물인 찰스 루카스 경과 조지 리슬레 경은 총살당했습니다. 킹스턴 근처에서 홀란드 백작Henry Rich (1590~1649)이 이끌었던 또 다른 작은 반란도 있었지만, 빠르게 진압되었고, 그 자신도 포로로 잡혔습니다.

B. 스코틀랜드인들은 어찌 그리도 신속히 처리되었는지요?

A. (이야기되는 것처럼) 그저 행동력의 부족 때문이지요. 그 군대는 해밀턴 공작이 이끌었는데, 그는 포로로 잡혀 있었던 펜데니스 성이 의회파에게 점령되었을 때 자유를 얻었습니다. 그는 기병 및 보병 15,000명과 함께 잉글랜드를 침입했는데, 그 중 잉글랜드 왕당파는 3,000명이 넘었습니다. 이에 맞서 크롬웰은 기병 및 보

병 11,000명과 함께 웨일스에서 진군하여, 랭커셔의 프레스턴 근교에서 2시간도 되지 않아 그들을 물리쳤습니다. 그리고 그 원인은 말해지기를, 스코틀랜드군은 모두가 전투에 참여할 수도, 동료들을 구원하러 올 수도 없도록 명령받았다고 합니다. 패배 후 그들에게는 잉글랜드 내로 더 깊숙이 들어가는 것 이외에는 도망칠 길이 없었으므로, 추격으로 거의 모두 사로잡혔고, 군대가 잃어버릴 수 있는 모든 것을 잃었습니다. 집으로 돌아왔던 소수도 다들 자기 검을 들고 오지 못했으니까요. 해밀턴 공작은 사로잡혔고, 오래지 않아 런던으로 호송되었습니다. 그러나 크롬웰은 에든버러로 진군했고, 거기에서 해밀턴 반대파의 도움을 받아 자기 계획이 방해받지 않도록 확실히 하였지요. 그 중 첫째는 국왕 폐하의 목숨을 의회의 손으로 앗아가는 것이었습니다.

이런 일들이 북부에서 진행되는 동안, (크롬웰이 자리를 비웠던) 의회는 원래대로 돌아와서, 무청원의결을 취소하고, 국왕께 전보다 (많지는 않았지만) 다소 완화된 새로운 제안을 보냈습니다. 국왕 폐하의 응답을 받고자, 그들은 와이트 섬의 뉴포트에서 그분을 응접하고자 행정관을 보냈는데, 그곳에서 그들은 사소한 일로 너무 오래 그분을 피했고, 크롬웰은 그들이 일을 마무리하기 전에 런던으로 돌아와 국왕 폐하를 파멸시켰습니다. 군대는 이제 전적으로 크롬웰에게 헌신했고, 그는 다시금 보좌관들이 서민원에 간언하도록 움직였는데, 그들은 이렇게 요구하였습니다. 1. 국왕 폐하를 재판에 회부할 것, 2. 왕자 전하와 요크 공작 전하를 지정한 날짜에 출두하도록 소환하여, 그들이 만족하는 바에 따라 절차를 진행할 것, 3. 의회가 평화와 향후의 정부를 정착시키고, *그런 다음* 스스로 합리적인 회기를 정하여, 매년 또는 격년으로, 향후 의회를 확정할 것, 4. 국왕 폐하의 주요 앞잡이 중 충분한 수를 치형할 것이었지요. 그리고 이는 서민원, 그리고 서약에 따라 증언한 백성들의 일반적 합의, 모두에 의해 이루어져야 했습니다. 그들은 답변을 위해 머무르는 대신, 곧 의회 문에 경비병력을 배치하고, 웨스트민스터 홀에 또 다른 병사들을 배치하여, 자기 편에 봉사할 이들 외에는 누구도 의회에 들어가지 못하도록 했습니다. 다른 모두는 겁에 질려 도망가거나 투옥되었고, 여러 논쟁 중 일부는 중단되었는데, 왜냐하면 그 중 90명 이상이 스코틀랜드인들에 대해 반대표를 던지기를 거부했으며, 그리고 다른 이들은 무청원의결에 대해 반대표를 던졌기 때문이었으며, 나머지가 크롬웰 편으로 의회에 있었습니다. 군대의 지원을 받는 도시 내 광신도들은 또한 새로운 평의회를 구성하여, 그 중 40명은 시장보다 위에 섰으며, 그들의 첫번째 작업은 국왕 폐하에 대해 정의를 요구하는 청원을 틀 지우는 것이었는데, (도시를 국왕 살해와 연루시킨) 시장, 티크본Robert Tichborne (1604?~1682?)은 이를 의회에 전달했습니다.

동시에 그 비슷한 폭력으로, 그들은 재판 준비가 될 때까지 국왕 폐하를 와이트 섬의 뉴포트에서 허스트 성Hurst Castle으로 데려갔습니다. 그동안 의회는 (위증을 피하기 위해) 법령에 따라 최고주권과 충성의 맹세를 무효로 선언하고, 이후 곧 국왕 폐하를 재판에 부치기 위해 또 다른 법령을 제정했습니다.

B. 이는 제가 전에 이해하지 못했던 법률의 일부인데, 많은 이가 각자 맹세한 경우, 그들이 모였을 때 원한다면 스스로를 면책할 수도 있다는 것입니다.

A. 작성된 법령은 의회에 상정되어, 세 차례 남짓 낭독된 후 "잉글랜드 귀족원 및 서민원은 의회에 모여, 왕국의 기본법에 따라 잉글랜드의 국왕이 의회를 상대로 전쟁을 선포한 것을 반역이라 선언한다"고 의결되었습니다. 그리고 이 의결이 귀족원에 보

내졌는데, 귀족원이 동의하기를 거부하자, 서민원은 분노하여 또 다른 의결을 했습니다. “평의회의 모든 구성원은 귀족원이 동의하든 하지 않든, 법령에 따라 절차를 진행하고 조치를 취해야 한다. 그리고 하나님 아래 백성들이야말로 모든 정당한 권력의 원천으로, 서민원은 국가 최고 권력을 가지며, 서민원이 제정하는 것이라면 무엇이든 법이다.” 이 모든 것이 *아무런 모순없이* nemine contradicente 통과되었습니다.

B. 이 제안은 잉글랜드 국왕 뿐만 아니라 세상 모든 왕에 맞서 싸우는 군요. 그들이 그에 대해 생각했던 것은 훌륭했습니다. 하지만 저는 하나님 아래에서 모든 법률의 원천이 백성들에게 있다고 믿습니다.

A. 허나 백성들은 그들과 상속자를 위해, 동의와 맹세로, 오래 전에 국가 최고 권력을 국왕의 손에, 국왕과 상속자에 대해, 결과적으로 알려져 있는 적법한 주권자이신[151] 국왕 폐하의 손에 맡겼습니다.

B. 하지만 의회는 백성을 대표하지 않습니까?

A. 네, 어떤 목적으로는요. 국왕 폐하의 권력에 고충거리를 만드는 것이 아니라, 그들이 맡겨 놓고 크나큰 불편을 겪을 때 국왕께 청원을 올리는 것처럼 말이죠. 게다가 의회는 국왕께서 그들을 부르시는 경우가 아니라면 결코 백성을 대표하지 않으며, 그분께서 본인을 폐위하시고자 의회를 부르시는 것도 상상할 수 없습니다. 예를 들자면, 모든 카운티와 자치시는 선의로 일정액을 의회에 기부하여야 하며, 모든 카운티는 카운티 재판소나 다른 곳에서, 모든 자치시는 시청에서 회의를 열어, 각각 의회에 각자의 금

---

[151] 적법한 상속자이신-홉스의 교정.

액을 전달할 *확실한* 인물을 선정하여야 했습니다. 이러한 인물들이 온나라를 대표해 오지 않았습니까?

B. 네, 의심의 여지가 없지요.

A. 이러한 의회가 대표로 간주되어 소집되는 것이 합리적이라 생각되시는지요?

B. 아니요, 확실히 아닙니다. 그런데 이 경우도 마찬가지라고 말씀드려야 하겠습니다.

A. 이 법령에는 첫째로, 국왕 폐하에 대한 기소를 요약한 내용을 담고 있는데, 핵심은 이렇습니다. 선왕들께서 백성의 자유를 침해하셨던 데에 만족치 않고, 폭압적인 정부를 세우고자 하였으며, 이를 위해 이 땅에서 의회에 반하는 내전을 일으키고 지속하였는데, 그로 인하여 나라는 끔찍하게 황폐화되었고, 국고가 소진되었으며, 수천의 백성이 살해당하고, 그 밖의 무한한 해악을 범했다는 것이지요. 둘째로, 고등재판소에 대한 규정이 통과되었는데, 즉, 일정 수의 위원으로 구성되어, 그 중 20인이 국왕 폐하를 재판하여, 소송 결과에 따라 형을 선고하고, 신속히 이를 집행할 권한을 갖게 되었습니다.

1월 20일 토요일에 위원들이 웨스트민스터 홀에 모였으며, 국왕께서 그들 앞에 끌려와 의자에 앉으신 채 공소장 낭독을 들으셨으나, 어떠한 적법한 권위에 따라 거기로 끌려 나오게 되었는지를 아시기 전에는 유무죄를 변론하지 않겠노라 하셨습니다. 위원장은 의회가 자기들 권위를 확정했노라 말씀드렸고, 국왕께서는 계속해서 변론을 거부하셨습니다. 그분과 위원장 사이에 많은 말이 오갔지만, 이것이 모든 것의 핵심이었지요.

1월 22일 월요일에 다시 재판정이 열렸고, 법무관이 국왕께서 재판정의 권위를 부정하시기를 고집하신다면, 기소장이 *자백*$_{pro}$

confesso으로 받아들여질 수도 있다고 하였으나, 국왕께서는 여전히 그들의 권위를 부정하셨습니다.

1월 23일에 다시 만나, 법무관은 재판정에 판결을 요구하였으며, 그에 따라 국왕께서는 최종 답변을 요청받으셨는데, 다시금 그들의 권위를 부정하셨습니다.

마지막으로 1월 27일에 다시 만나, 국왕께서는 페인티드 챔버[152]에서 귀족원 및 서민원의 심리를 받고자 하시었고, 그 후에 재판정의 판결에 따르겠노라 약속하셨습니다. 위원들은 이를 숙고하기 위해 30분여 동안 퇴장한 후 돌아와, 다시 국왕 폐하를 재판정으로 데려와서 말하기를, 국왕께서 제안하신 바는 재판정의 관할권에 대한 또 다른 부정일 따름이며, 달리 하실 말씀이 없다면 절차를 진행할 것이라 하였지요. 그러자 국왕께서 더는 할 말이 없다고 답하셨고, 위원장은 의회 절차의 정당화에 대해 긴 연설을 시작하면서, 잉글랜드와 스코틀랜드, 그 밖의 세상 다른 곳에서, 옛날과 오늘날, 사악한 의회에 의해 살해되거나 폐위된 왕들의 예를 숱하게 제시하였습니다. 그는 이 모든 것을 백성이 최고 권력을 가지며, 의회가 곧 백성이라는, 단 하나의 원칙으로 정당화하려 애썼지요. 이 연설이 끝나고 사형 선고가 낭독되었으며, 다음 화요일인 1월 30일에 그분의 것이었던 화이트홀 궁전 문 앞에서 처형되셨지요. 그분께서 선고와 처형 사이에 병사들에게 얼마나 악랄하게 대우받으셨는지를 기쁘게 읽을 수 있다면 연대기 자체를 찾아볼 수 있겠지요. 거기에서 사악한 의회 의원들이 기소장에 폭

[152] Painted Chamber. 웨스트민스터 궁전의 일부로 의회개회식 등 주요 국가행사에 사용되었으나, 1834년 화재로 본래의 면모를 잃고 1851년 철거되었다.-역주

군이자 배신자, 살인자로 꾸몄던 이 군주께서 얼마나 용기와 인내심, 지혜, 선함이 있으셨는지를 보게 될 겁니다.

국왕께서 붕어하시고, 같은 날 그들은 다음과 같은 의회법을 만들었습니다. 왕관 등에 대해 여러 주장이 있을지도 모르지만, 현 의회와 그 권위에 따라, 어떠한 개인도 잉글랜드의 찰스 선왕 폐하의 아드님이시자, 보통 웨일스 공이라 불리우시는 찰스 스튜어트를 비롯하여, 어떠한 인물에 대해서도 잉글랜드나 아일랜드 등의 국왕이라 선언하거나, 선포하거나, 발표하거나, 혹은 어떤 방식으로든 선전할 수 없다고 제정하였습니다.

B. 국왕께서 붕어하시고, 그 후계자를 막아 선 것으로 보아, 무슨 권위로 평화를 유지했겠습니까?

A. 그들은 귀족원에 대한 분노로, 앞서 국가 최고 권력이 서민원에 있노라 선언하였고, 2월 5일에는, 이제 귀족원이 무용하며 위험하다고 의결했습니다. 따라서 왕국은 민주정으로, 아니 오히려 과두정으로 바뀌었습니다. 곧 그들은 입법을 하였는데, 무청원 의결에 반대하여 격리되었던 의원 중 누구도 다시 받아들여져서는 안 된다는 것이었지요. 이들은 일반적으로 *격리원들*the secluded members이라 불렸고, 나머지에 대해 어떤 이들은 의회라고 꾸몄으며, 또 어떤 이들은 *잔부파*the Rump라 하였습니다.

이제 그대에게는 장기의회를 구성했던 그들 대부분의 악덕이나 범죄, 어리석음의 목록이 필요하시지 않으리라 생각합니다. 세상에서 이보다 더 대단한 것이란 있을 수가 없지요. 무종교와 위선, 탐욕, 잔인함보다 더 큰 악덕이란 무엇이겠으며, 장로파 의원과 장로파 목사들의 행동에서 그처럼 두드러지게 드러나지 않았겠습니까? 하나님의 기름부음 받은 자를 모독하고 살해하는 것보다 더 큰 범죄란 무엇이겠습니까? 이는 독립파의 손을 빌렸지만, 그분을 배신하고 살인자들에게 팔아 넘긴 장로파의 어리석음과 최초의 반역에 의해 행해지지 않았습니까? 국왕 폐하의 권력을 빼앗음으로써 자기네들의 특권이 상실될 것을 보지 못했거나, 아니면 자기네들의 숫자로든 판단력으로든, 어떤 식으로든 스스로 서민원에 상당한 도움이 되리라 여겼던 귀족원의 어리석음도 과히 작다 할 수는 없지요. 그리고 법률에 능했던 이들에 대해서는, 이 땅의 법률이 국왕 폐하에 의해 만들어져, 그 신민들에게 평화와 정의의 의무를 지우며, 이를 만드신 그분 자신에게는 의무를 지우지 않는다는 것을 인식하지 못했으니, 썩 대단한 이해력을 드러내 보이지는 못했지요. 그리고 마지막이자 일반적으로, 모든 인간은 스스로에게 좋은 것이라면 무엇이든, 그 자리에 더 좋은 무언가를 세우기 전에 무너뜨리는 바보들입니다. 군대로 민주정을 수립하려는 이는 이를 유지할 군대를 가져야 하나, 이들은 이를 무너뜨리기로 결심한 군대를 가지고는 그리 하였습니다. 이러한 어리석음에 대해 저는 훌륭한 인물들의 어리석음을 더할 수 있는데, 그들은 키케로나 세네카, 다른 반군주론자들의 저술을 읽고는, 자신을 정치에 충분하다 여겼으며, 국가 경영에 부름을 받지 못하자 불만을 표시하고, 국왕 폐하나 그분의 적들에게서 소홀히 여겨졌다고 공상할 때마다 이쪽저쪽을 오갔답니다.

대화편 IV.

A. (스스로 믿었던 대로) 잉글랜드와 아일랜드 두 민족의 최고 권력을 보유하여, 군대를 하인으로 두었던 잔부파를 보셨습니다. 비록 크롬웰은 다른 식으로 생각하면서도, 자기 목적의 진전을 위해 부지런히 그들에게 봉사하였지요. 그러므로 저는 이제 그 과정을 보여드리려 합니다.

B. 먼저 알려주세요, 잔부파 내지는 서민원의 유물 하의 이러한 정부를 어찌 불러야 하겠습니까?

A. 의심할 여지없이 과두정이지요. 최고 권위란 한 사람이나 그 이상에게 있어야 하기 때문입니다. 만약 한 사람에게 있다면 군주정이니, 잔부파는 군주가 아니었지요.[153] 만약 권위가 둘 이상에게 있다면, 모두에게 있거나, 모두보다는 더 적게 있는 것입니다. 모두에게 있다면 민주정입니다. 모든 이가 주권 재판소를 만드는 총회에 들어갈 수 있기 때문이며, 그들은 여기에서 그리 할 수 없었습니다. 따라서 권위가 소수에게 있었고, 결과적으로 국가가 과두정이었음이 분명합니다.

B. 백성들이 잘 다스려지려면 하나 이상의 주인에게 순종하는 것으로는 불가능하지 않습니까?

A. 잔부파와 모든 다른 주권 총회 모두, 만약 그들이 하나의 목소리만 가질 뿐이라면 비록 여러 사람일지라도, 하나의 인격일 뿐입니다. 상반되는 명령이 하나의 같은 목소리로 구성될 수는 없으며, 가장 큰 부분의 목소리이므로, 정직과 기지가 충분하다면, 잘

[153] 군주정이 아니었지요.

다스릴 수 있을지도 모릅니다.

잔부파의 첫 조치는 앞서 국왕 폐하의 재판을 위한 법령 입안을 폭력으로 막으려 했던 서민원 의원들을 배제하는 것이었습니다. 이들은 무청원법령을 반대하는 듯 보였으므로 배제되어야 하였는데, 왜냐하면 잔부파의 향후 계획에 장애물이 될지도 모르기 때문이었습니다.

B. 오히려 소수의 권위라야 자기네들 각자의 몫에서도 그렇고, 그들 모두가 왕의 위엄에도 더 가까워질 수 있으므로, 숫자가 더 적을수록 더 낫다고 생각하지 않았을까요?

A. 네, 확실히 그것이 그들의 주요 목적이었습니다.

B. 이들이 쫓겨났을 때, 왜 카운티와 자치시들은 그 자리에 다른 이를 뽑지 않았는지요?

A. 의회의 명령 없이는 그리 할 수 없었습니다.

이후 그들은 40인 회의를 구성하여, 국무원이라 명했는데, 이 직책은 잔부파가 명하는 바를 집행하는 것이었습니다.

B. 왕도 귀족원도 없다면, 그들은 스스로 의회라고 부를 수 없었는데, 왜냐하면 의회란 왕과 귀족원, 서민원이 코먼웰스의 일을 함께 의논하는 회합이었기 때문이지요. 잔부파는 누구와 의논하였습니까?

A. 사람들은 자기들 집회에 어떤 명칭이든, 그러한 명칭이 이전에 어떤 의미였건, 원하는 대로 붙일 수 있습니다. 그리고 잔부파는 자기네들 목적에 가장 적합하므로 의회라는 명칭을 취했고, 백성들 사이에서 존경받아왔던 대로 그러한 명칭은 수백 년 간 보조금과 여타 세금 부과를 지원받으면서 가치를 높여 왔는데, 다른 식으로는 신민들에게 아주 불쾌감을 주는 것이었지요. 그 후 그들은 또한 *잉글랜드 자유의 수호자*Custodes Libertatis Angliæ라는 또 다른

명칭을 취하였는데, 이 직함은 재판정에서 발행하는 영장에서만 사용되었습니다.

B. 법에 묶여 있는 신민이 어떻게 어떤 하나의 정부 형태에서 다른 정부보다 더 자유를 가질 수 있는지 모르겠군요.

A. 어찌되었든, 그들이 열거하는 바를 하는 것 이외의 무엇도 하지 못하는 것을 자유로 이해하는 백성들에게는 보람없는 호칭이지요.

그들의 다음 작업은 백성들의 생명과 자유, 재산의 보존에 관한 국가의 기본법을 온전히 유지하기로 결정했다는 공개 선언문을 발표하는 것이었습니다.

B. 국가의 기본법이란 무엇을 의미했나요?

A. 백성들을 악용하는 것 이외의 무엇도 아니었습니다. 모든 코먼웰스의 유일한 기본법이란 때때로 백성들이 최고 권력을 부여한 자가 만들게 될 법률에 순종하는 것입니다. 그렇다면 아주 흔히 그들의 적법한 주권자로 인정했던 그분을 그들 스스로 살해했던 이들이 기본법을 지킬 가능성이 얼마나 되겠습니까? 게다가 이 선언을 발표하면서 동시에, 그들은 해밀턴 공작과 홀란드 백작, 카펠 영주Arthur Capell (1608~1649)의 목숨을 앗아간 고등재판소를 건립하고 있었습니다. 그들에게 기본법이 무엇을 의미했든 간에, 이 재판소의 건립은 잉글랜드에 있었던 이전의 어떠한 법률이나 전례에서도 보장되지 않았으므로, 이를 위반한 것이었습니다.

동시에 또한 그들은 병사들로 세금을 부과하고, 자유 숙영을 허용했으며, 다른 많은 조치를 취했는데, 만약 국왕께서 그리 하셨더라면, 신민의 자유와 예의에 반한다고 말했을 것들이었습니다.

B. 평범한 부류의 백성들이 그토록 상스러이 속임을 당하다니, 얼마나 어리석은 일인지요!

A. 이런 문제에 관해서라면, 어떤 종류의 백성들이 평범하지 않겠습니까? 전체 잔부파 중 가장 교활한 악당들도 그들이 속인 나머지들보다 조금도 더 현명하지 못했습니다. 그들 중 대부분은 그들이 일반에 부과하는 바와 같은 것이 정당하고 합리적이라 믿었고, 특히 대단한 열변가들과 배웠다 주장하는 이들이 그러했지요. 키케로와 세네카, 카토Cato (BC 95~BC 46), 그 밖의 로마의 정치가들과 아테네의 아리스토텔레스처럼 왕을 늑대나 다른 게걸스러운 짐승으로밖에 말하지 않는 군주정의 적들에게서 원칙을 취한 이들이 군주정에서 훌륭한 신민이 될 수 있겠습니까? 아마도 사람이 통치자에게 빚진 의무, 그리고 통치자가 자신에게 명령할 권리에 대해 알기 위해서는 타고난 훌륭한 기지 이외에는 무엇도 필요치 않다고 생각하실 지도 모르지만, 그렇지 않습니다. 왜냐하면 그것은 과학이며, 확실하고 명확한 원칙을 바탕으로 세워지며, 깊고 신중한 연구나 이를 깊이 연구한 스승에게서 배울 수 있는 것이기 때문입니다. 그리고 의회나 국가에서 누가 그 명백한 원칙을 찾아내어, 그로부터 정의에 필요한 규칙, 그리고 정의와 평화에 필요한 연관성을 도출할 수 있었겠습니까? 백성들에겐 7일에 하루 정도 가르침을 들을 여가가 있고, 그들에게 의무를 가르치도록 임명된 목사들이 있습니다. 허나 그 목사들이 자기 직무를 어떻게 수행해 왔습니까? 그들 중 상당수, 즉 장로파 목사들은 전쟁 기간 내내, 국왕께 맞서는 백성들을 선동했으며, 독립파나 다른 광신적인 목사들도 마찬가지였습니다. 나머지는 자기 생활에 만족하면서, 교구 내에서 뻔뻔스러운 종교에 대하여, 자기들 사이에서 자선의 위반에 불과한 것에 대하여 매우 효과적으로, 혹은 백성들이 이해하

지 못하거나 관심이 없다고 여기는 다른 우아한 것들[154]에 대하여 논쟁점을 설교하였지요. 허나 이런 종류의 설교자들은 좋은 일이란 거의 하지 않았으므로, 해도 거의 끼치지 않았습니다. 해악은 전적으로 장로파 설교자로부터 비롯되었는데, 그들은 오래 연마한 연극적인 재능으로 반란을 강력하게 설교했답니다.

B. 무슨 목적으로요?

A. 국가가 대중화되면, 교회도 역시 그리 되어, 총회에 의해 통치될지도 모르며, 결과적으로 (그들이 생각했던 대로) 정치가 종교에 종속되고, 그들이 통치함으로써, 재물로 자기네들의 탐욕스러운 기분 뿐만 아니라, 그 지혜를 존경하지 않는 모든 이들을 무력화시킬 권력으로 자기네들의 악의를 만족시키려는 목적이었지요. 백성들을 어리석다고 하셨으니, 기지의 부족이 아니라 정의의 과학이 부족하였기에, 그들이 이러한 곤경에 처하게 되었음을 보여드리고자 이러한 여담을 할 수밖에 없었습니다. 재산을 축적한 사람이나, 더 크게 불린 이들, 유창한 웅변가, 매혹적인 시인, 교활한 법률가, 아니면 훌륭한 사냥꾼이나 노련한 노름꾼에게 기지가 없다고 설득하실 수 있다면, 하십시오. 그러나 이 모든 이들 중에는 잔부파에게 속아 넘어가 *여전히* 같은 잔부파의 일원으로 속했을 만큼, 너무나도 어리석은 자들이 대단히 많았습니다. 그들에게는 기지가 아니라, 한 인격은 통치할 권리를, 그리고 나머지들은 순종할 의무를 갖는 이유와 근거에 대한 지식이 부족하였는데, 그러한 근거를 백성들에게 가르쳐야 하며, 그러지 않고서는 그들 사이에서 오랫동안 평화로이 살아갈 수가 없습니다.

B. 괜찮으시다면, 잔부파의 상황으로 돌아가기로 하지요.

---

154 웅변적인 것들.

A. 이 해의 남은 기간 동안 그들은 나라의 동전에 대해 새로운 인지세를 의결하였습니다. 또한 외국에 파견될 요원들에 대해서도 고려하였고, 근래에 고등재판소가 행했던 일로 군대의 갈채를 받았으며, 그 같은 일을 더욱 확대하라는 격려를 받아, 또 다른 고등재판소를 만들어[155] 해밀턴 공작과 홀란드 백작, 카펠 영주, 노리치 백작, 존 오언 경을 재판하였습니다. 그에 따라 앞서 말씀드렸듯, 앞의 세 사람은 참수되었지요. 이로 인해 여러 국왕파가 겁을 먹고 이 땅을 떠났으니, 그들 뿐만 아니라, 국왕 폐하를 위해 무기를 들었던 모든 이들의 목숨이 당시 매우 큰 위험에 처했기 때문이었습니다. 군대가 전쟁 평의회에 그들 전부를 학살해야 할지 말지에 대해 질문을 던졌으므로, 반대파들에게 두 목소리가 있을 수 없었지요. 마지막으로 3월 24일, 그들은 왕권 폐지법의 선포를 거부했다는 이유로, 런던 시장을 집무실에서 쫓아내고 2,000 파운드의 벌금을 부과하고는, 시민권을 박탈한 후 런던탑에서 2개월 간의 징역형을 선고했습니다. 그리하여 1648년과 월간 금식[156]이 끝이 났고, 하나님께서는 그들이 금식*하고 기도*했던 대로, 국왕 폐하의 죽음과 그분의 유산을 소유케 하셨습니다. 이 절차에 의해 그들은 이미 일반 백성들의 마음을 잃었고, 군대 이외에는 믿을 것이 없었는데, 군대는 그들이 아니라, 크롬웰의 권한이었지요. 그는 기회가 있을 때면, 그들에게 백성들이 추악하게 여길 모

---

155 말씀드렸던 고등재판소를 완전케 하여.

156 아일랜드 반란으로 정치적 위기가 닥치자, 의회는 찰스 1세에게 건의하여 매월 네번째 수요일을 단식일로 정하는 법안을 1642년에 통과시켰다. 이는 금욕주의로 대중을 통제하려던 시도였으며, 1649년에 굴욕의 날Humiliation Day을 따로 지정하는 법안을 통과시키며 폐지될 때까지 내전 기간 내내 이어졌다.-역주

든 공적을 돌리는 데에 결코 실패하지 않았는데, 향후에 자기 목적에 부합할 때마다 그들을 해산시키기 위해서였지요.

1649년 초에 스코틀랜드인들은 선왕에 대한 잔부파의 처리에 불만을 품고, 잉글랜드를 새로이 침략키 위해 병사들을 징집하기 시작했습니다. 잉글랜드가 적시에 대응하지 못했던 아일랜드 반란군은 끔찍하게 성장했으며, 보좌관들에게 감염된 본토의 잉글랜드군은 경건한 자들 사이에서, 즉 그들 자신과 다른 이들 사이에서 그들이 바라는 대로 그 땅을 어떻게 나눌지를 저울질하고 있었으므로, 수평파라 불리게 되었습니다. 또한 당시 잔부파는 자금을 제대로 조달받지 못했으므로, 그들이 가장 먼저 했던 일은 군대의 유지를 위해 한 달에 90,000파운드의 세금을 백성들에게 부과하는 것이었습니다.

B. 국왕께서 의회에서 백성들의 동의없이 세금을 부과했던 것이 그분과 그들 사이의 다툼 중 하나가 아니었습니까?

A. 이로써, 잔부파가 스스로를 의회라 자칭했던 이유를 아실 수 있겠지요. 의회가 부과하는 세금은 항상 백성들의 동의에 의한다고 이해되었고, 따라서 적법했기 때문입니다.-스코틀랜드인들을 달래기 위해, 그들은 저들이 국왕께 종사하지 못하도록 하기 위해 아첨하는 편지와 함께 사자를 보냈지만, 헛수고였습니다. 왜냐하면 저들은 국왕 폐하와 귀족이 없는 *웨스트민스터의* (저들이 그리 부르기를) *서민원*으로부터 아무런 것도 들으려 하지 않았으니까요. 허나 저들은 국왕께 행정관을 보내어, 그분을 위해 무엇을 하고 있는지를 아뢰었습니다. 보병 17,000명과 기병 6,000기로 구성된 군대를 (스스로) 일으키기로 결정했기 때문이었지요.

아일랜드 구원을 위해, 잔부파는 잉글랜드의 군대 중 11개 연대를 파견하기로 결정했습니다. 이것은 크롬웰에게 좋은 일이었지요. 각 연대에서 많은 수가, 어떤 연대에서는 과반이 수평파 병사였는데, 그들은 본토에서 땅을 나누는 대신, 아일랜드로 목숨을 걸고 모험하러 가기를 단호히 거부하였고, 솔즈베리 근처에서 자신들의 대령을 현금화했던 한 연대는 같은 결의를 한 세 연대와 합류하기 위해 행군하였지만, 대장과 크롬웰은 버퍼드에서 그들을 공략하여 완전히 패배시켰고, 얼마 지나지 않아 전군을 순종케 하였습니다. 이로써 크롬웰의 전진을 가로막았던 또 다른 장애물이 곧 제거되었습니다. 이 일이 끝나자, 그들은 옥스퍼드로, 그리고는 런던으로 돌아왔지요. 옥스퍼드에서는 대장과 크롬웰에게 시민법 박사 학위를 수여했고, 런던에서는 시에서 연회를 베풀고 선물을 주었습니다.

B. 우선 석사가 되고, 그리곤 박사가 되지 않았나요?

A. 그들은 이미 스스로 법과 의회의 주인[157]이었지요. 군대는 이제 순종적이었고, 잔부파는 아일랜드의 *통치자*로 임명된 크롬웰 박사의 지휘 하에 그 왕국으로 11개 연대를 파견하였으며, 페어팩스 영주는 여전히 이곳과 그곳, 양군 모두의 대장으로 남았습니다.

(이제는 공작인) 오몬드 후작James Butler (1610~1688)은 아일랜드에서 국왕 폐하의 총독이었는데, 반란군은 그들끼리 연합을 이루었고, 이 연합군은 총독과 일종의 연맹을 맺어, 종교행사의 자유가 주어지면, 국왕께 충성을 바치고 조력하기로 합의하였습니다. 여기에 캐슬헤이븐 백작James Tuchet (1612?~1684)과 클랜리카르드 백작Ulick Burke (1604~1657), 인치킨 영주 각하Murrough O'Brien (1614~1673)가 일으킨 병력도

---

[157] 석사와 주인이라는 뜻을 함께 지닌 master라는 단어를 이용한 말장난이다.-역주

합류하였으므로, 그들은 섬에서 최대연합세력이 되었습니다. 허나 그들 중에는 결코 개신교도들에게 복종하지 않을 다수의 다른 교황파들이 있었는데, 이들을 눈티오파Nuntio's party라 불렀던 반면, 다른 이들은 연합파라 불렀지요. 이 당파들은 의견이 맞지 않았으며, 연합파는 조약을 깨뜨렸고, 총독경은 그들이 더블린에서 자신을 포위하고자 준비하는 것을 보면서도 방어할 수가 없었으며, 개신교도를 위한 공간을 보존하기 위해 잉글랜드 의회에 항복하였고, 당시 군대에 의해 이리저리 옮겨지다가 국왕께로 왔습니다. 그는 잉글랜드에서 (이제는 국왕이신) 왕자 전하께로 와서, 파리에 머물렀습니다.

허나 잔부파가 그곳으로 군대를 보낸다는 소식에 겁을 먹은 연합군은 왕자 전하께 편지를 보내 국왕 폐하의 권위에 절대적으로 복종하고, 오몬드 영주 각하에게 그분의 총독으로서 순종하리라 약속하면서, 오몬드 영주 각하를 돌려 보내주시기를 원했습니다. 그리하여 그는 귀환하였습니다. 이는 크롬웰에게 정복되기 약 1년 전의 일이었습니다.

당시 아일랜드에서 연합파와 눈티오파 사이의 불화, 그리고 지휘에 대한 불만으로 인해, 다른 식으로는 충분했을 이 힘은 아무런 효과도 낳지 못했고, 8월 2일, 그들이 포위하고 있었던 더블린에서의 출병으로 인해 마침내 패배하였습니다. 도착 후 며칠 만에 크롬웰은 비상한 부지런함과 끔찍한 처형으로, 머무른 지 12달도 되지 않아 어떤 면으로는 전국을 정복했고, 그들 중 상당수를 죽이거나 절멸한 후, 사위 아이어튼에게 나머지를 정복하도록 맡겼습니다. 허나 아이어튼은 거기에서 (일이 완전히 마무리되기 전에) 전염병으로 사망하였습니다. 이는 크롬웰이 왕위에 오르는 데에 한 걸음 더 나아가는 것이었지요.

B. 아일랜드는 로마의 학문으로 인해, 뿐만 아니라 잉글랜드는 장로파 성직자의 학문으로 인해, 어찌나 비참한 상태가 되었는지요!

A. 전년도 말엽에 국왕께서는 파리에서 헤이그로 오셨고, 얼마 지나지 않아 선왕 폐하에 대한 공소장을 작성하는 데에 고용되었던 시민법 박사, 도리슬라우스Isaac Dorislaus (1595~1649)가 잔부파의 대리인으로 그곳에 왔습니다. 허나 그가 온 첫날 밤, 저녁식사를 하고 있을 때 10여명의 기사당원들이 그의 방에 침입하여 그를 살해하고 도망쳤습니다. 오래지 않아, 마드리드에 있던 그들의 대리인으로, 그 주인들을 옹호하는 글을 썼던 아샴Anthony Ascham (1614?~1650)도 같은 식으로 살해당했습니다. 이 무렵 두 권의 책이 나왔는데, 하나는 장로파였던 살마시우스Claude Saumaise (1588~1653)가 국왕 시해에 반대하여 쓴 것이었고, 또 다른 하나는 잉글랜드 독립파였던 밀턴John Milton (1608~1674)이 이에 응답하여 쓴 것이었습니다.

B. 저는 둘 다 본 적이 있습니다. 양쪽 모두 라틴어가 매우 훌륭하여 어느 쪽이 더 나은지 판가름하기 어려우며, 양쪽 모두 논리가 매우 빈약하여 어느 쪽이 더 못한지 판가름하기 어렵지요. 마치 한 사람의 같은 인물이 수사학 학교에서 그저 연습용으로 만든 *찬반*의 두 선언문처럼 말이지요. 독립파에 대해 장로파도 이와 같았습니다.

A. 이 해에 잔부파는 국내에서 많은 일을 하지 않았습니다. 연초에 잉글랜드를 다음과 같이 운영되는 법률에 따라 자유국으로 만들었다는 점을 제외하고는 말이지요. "*본 의회와 그 권위에 따라 잉글랜드 백성과 부속의 모든 통치령과 영토가 코먼웰스이자 자유국이고, 그러해야 하며, 그에 따라 구성되고, 세워지고, 선언되었음을 제정하고 선언하노라. 등등.*"

B. 그들에게 자유국과 코먼웰스가 무슨 의미였을까요? 백성들이 더 이상 법률에 종속되지 않는다는 것이었나요? 그런 의미일 수는 없었지요. 의회가 자기들 법률에 따라 그들을 다스리고, 이를 어겼을 때 처벌한다는 의미였으니까요. 잉글랜드가 여느 다른 해외 왕국이나 코먼웰스에 종속되어서는 안 된다는 의미였을까요? 어떠한 왕이나 백성도 그들의 주인이라 주장하지 않았던 걸로 보아, 그 법은 제정될 필요가 없었습니다. 그렇다면 무슨 의미였을까요?

A. 현재의 왕도, 어떤 왕도, 어떤 단일 인격도 아니라, 오직 그들 자신이 백성들의 주인이라는 의미였으며, 이해할 수 없는 말로 백성들을 쉽사리 속일 수 있는 것처럼, 만약 이해할 수 있는 말로 그럴 수 있었더라면, 평이한 말로 적었겠지요.

이후 그들은 왕당파의 땅과 재화로, 서로에게 돈과 재산을 주었습니다. 그들은 또한 다음과 같은 말로 만인이 받아들여야 하는 약정을 제정했습니다. *너희는 지금 수립된 대로, 왕이나 귀족원이 없는 잉글랜드 코먼웰스에 진실하고 충실할 것을 약속하리라.*

그들은 또한 런던에서 20마일 이내의 모든 왕당파를 추방했으며, 그들 모두가 거주지에서 5마일 이상 떠나지 못하도록 금지하였습니다.

B. 아마도 필요할 경우, 학살을 준비하려던 의도였겠지요. 그런데 이 때 스코틀랜드인들은 무엇을 했습니까?

A. 국왕 폐하를 위해 징집하고 있던 군대에서, 자기 아버지를 섬기듯 충성스러웠던 모든 이들, 모든 독립파, 그리고 해밀턴 공작의 군대에서 지휘했던 모든 이들을 지휘에서 배제시킬 방법을 모색하고 있었습니다. 그리고 이것이 이 해에 있었던 주요 사건이었지요.

1645년에 소수의 병력으로 단시간에 스코틀랜드에서 선왕 폐하의 적을 상대로 거의 믿기지 않는 일들을 해냈던 몬트로즈 후작이 1650년 초, 다시 스코틀랜드 북부에 상륙하여, 현왕 폐하의 임명을 받아 그분의 부친께 하였듯 훌륭히 봉사하기를 희망하였습니다. 허나 상황이 바뀌었습니다. 당시 스코틀랜드군은 잉글랜드에서 의회에 복무했던 반면, 이제 그들은 스코틀랜드에 있었고, (예정된 침략을 위해) 더 많은 수가 새로이 일어났기 때문입니다. 게다가 후작이 데려온 병사들은 소수였고, 외국인이었으며, 그가 예상했던 대로 하이랜더[158]들은 그에게로 오지 않았지요. 그는 곧 패배했고, 사로잡힌 직후, 에든버러의 언약자들에 의해 5월 2일, (복수가 요구하던 것보다 더욱 악랄한 방식으로) 처형당했습니다.

B. 조약 와중에 국왕 폐하의 가장 훌륭한 하인 중 하나였던 그에게 그토록 많은 악의를 드러낸 이들과 합류한다고 하여, 국왕께서 무슨 이득을 기대하실 수 있었겠습니까?

A. 의심의 여지없이 (당시 그 성직자들에게 만연했듯) 만약 그들이 어리석은 열망에 따라 국가의 정부를 얻을 수 있었더라면, 잉글랜드 의회가 그분의 부친께 했던 대로 그들은 현왕께 많은 일을 했겠지요. 독립파가 장로파보다 더 나쁘다고 믿지 마십시오. 양쪽 어느 쪽이건 자기네들의 야심을 가로막는 것이라면 무엇이라도 파괴하기로 결심했습니다. 허나 필요에 따라 국왕께서는 양쪽 모두와 그들에게서 비롯된 다른 수많은 불명예를 보고 넘기셔야 했는데, 잉글랜드에서 자신의 권리 추구를 싸늘하게 식히기보다는, 그리하여 절멸보다는 약간이나마 더 나은 것을 얻으시기 위해서였지요.

---

[158] Highlander. 스코틀랜드 고지대 지방에 거주하는 주민들을 말한다.-역주

B. 실로 저는 왕국이 오래된 빚으로 고통받게 된다면, 다시 회복되기 어려우리라 믿습니다. 게다가 국왕께서는 승리가 어디에서 빛을 발하든, 전쟁에서 적 이외에는 무엇도 잃을 수 없으리라 확신하셨습니다.

A. 5월에 몬트로즈가 사망할 무렵, 크롬웰은 아직 아일랜드에 있었고, 그의 일은 끝나지 않았습니다. 허나 스코틀랜드인들에게 맞서 준비 중인 원정대에서 그의 존재가 계획에 필요하다는 사실을 깨달았거나, 아니면 친구들에게서 그러한 통지를 받고서는, 자신의 귀환과 관련하여 잔부파의 의향을 알고자 그들에게 서신을 보냈습니다. 하지만 그럼에도 불구, 그들의 답변을 받고자 머무를 필요가 없다는 것을 알았거나, 혹은 그리 생각하여 길을 떠났고, 다음 달 6월 6일에 런던에 도착하여 잔부파의 환영을 받았습니다. 진정으로 장로파가 되었다 주장했던 페어팩스 대장은 이제 이곳에서 장로파 목사들에게 교리 교육을 받았으므로, 스코틀랜드의 형제들에 맞서 싸우기를 거부하였고, 잔부파나 크롬웰도 그 점에서 그의 양심을 바꾸려 하지 않았습니다. 이렇게 페어팩스는 그의 임무를 내려놓았고, 크롬웰이 이제 잉글랜드와 아일랜드 전군의 총사령관이 되었으며, 주권 권력으로 향한 또 다른 단계였습니다. * 그리고 스코틀랜드 지배라는 단 하나의 과제만이 더 남은 듯 보였습니다. 그는 6월 12일에 행군을 시작하여, 7월 21일에 바윅에 도착했는데, 그의 군대는 기병과 보병을 다하여 16,000명에 이르렀습니다.*

B. 국왕께서는 어디 계셨습니까?

A. 스코틀랜드에 막 도착하셨지요. 그분께서는 북부에 상륙하여, 비록 스코틀랜드인들과 그분 사이에 모든 것이 잘 합의되지는 않았지만, 에든버러로 명예로이 호송되셨습니다. 그분께서는 선왕

께서 와이트 섬에서 양보하셨던 것처럼 어려운 조건에 양보하셨지만, 국왕께서 더 이상 참지 못하시고 다시 북부로 떠나시기 전까지, 그들에게는 여전히 약간 더할 것들이 있었습니다. 그런데 그들은 그분께 돌아오시라 호소하기 위해 사자를 보냈지만, 만약 그분께서 거절하실 경우, 힘으로라도 데려오기에 충분한 힘을 사자들에게 딸려 보냈습니다. 결국 합의했으나, *그들은* 국왕 폐하건 왕당파이건, 어느 쪽도 군대를 지휘하도록 허용하지는 않을 것이었습니다.

B. 전부 감안해보면, 국왕께서는 포로셨군요.

A. 크롬웰은 바윅에서 스코틀랜드인들에게 선언문을 보내어, 자신은 스코틀랜드 백성이 아니라, 국왕 폐하를 끌어들여 두 민족의 평화를 어지럽힌 악의적인 당파와 다투려는 것이며, 협의를 통해 만족할 만한 내용을 주고 받거나, 아니면 전투로 대의의 정의를 판가름할 의향이 있다고 말했습니다. 이에 스코틀랜드인들이 응답하기를, 왕가 및 이전 방식의 죄상에 대한 국왕 폐하의 인정, 그리고 양쪽 왕국에서 하나님의 백성들에게 만족할 만한 내용이 주어지기 전이나 주어지지 않고서는, 국왕 폐하의 이익을 제단하지 않으리라 선언하였습니다. 현왕 폐하의 부친께서 잉글랜드 장로파의 손아귀에 있었을 때처럼, 국왕께서 여기에서 나쁜 상태에 처하셨었는지 아닌지는 이로써 판단해 보시지요.

B. 장로파는 어디서나 똑같습니다. 그들은 아무런 변명거리도 없이 그들이 상대하는 모두의 절대적인 통치자가 되고자 하지만, 그들이 통치하는 곳은 하나님께서 통치하는 곳일 뿐, 다른 무엇도 아니지요. 하지만 저는 국왕께서 왕가의 죄를 인정해야 한다는 요구가 이상하다 생각합니다. 왜냐하면 모든 신학에서 확실히, 어떤 인간도 자기 자신의 죄 이외의 다른 누구의 죄도 인정할 의무가

없다고 주장되어왔다 생각했으니까요.

A. 국왕께서는 교회가 요구하는 모든 것을 양보하셨고, 스코틀랜드인들은 예정된 전쟁을 진행하였습니다. 크롬웰은 에든버러로 진군하여 최선을 다해 전투를 도발하였지만, 그들은 거부했고, 잉글랜드군의 식량 부족이 심해지자, 크롬웰은 던바어로 퇴각하였고, 승리가 좌절되어 해로나 육로를 통해 잉글랜드로 돌아가려 하였습니다. 그리고 대장(크롬웰)이 임무수행을 위해 군대를 너무 크게 증대하여 끌고 왔으므로, 만약 행운과 적의 잘못이 그를 구원하지 않았더라면, 그의 모든 영광이 수치와 형벌로 끝날 상황이었습니다. 그가 후퇴함에 따라, 스코틀랜드인들은 던바어에서 1마일 이내로 바싹 따라붙었으니까요. 에든버러 너머로 바다로 굽이진 언덕의 능선이 있었고, 던바어와 베릭 사이의 공도를 건너면, 코퍼스피스라 불리우는 촌락이 있었는데, 그 통로는 너무나도 까다로워서 스코틀랜드인들이 그곳을 지키고자 적시에 극소수의 병력을 파견했더라면, 잉글랜드인들은 결코 집으로 돌아갈 수 없었을 겁니다. 스코틀랜드인들은 언덕을 지키고 있었으므로, 싸우지 않더라도 대단히 유리하였고, 거의 2대1의 상황이었습니다. 크롬웰군은 북쪽의 언덕 기슭에 있었고, 언덕과 그 사이에 큰 도랑 혹은 급류가 흐르는 수로가 있었으므로, 결코 육로로는 돌아갈 수 없었고, 완전한 군대의 파멸 없이는 배를 타려 시도할 수도 없었으며, 식량 부족으로 인해 머물러 있을 수도 없었습니다. 이제 크롬웰은 길이 트였다는 것을 알고, 기병과 보병 중 유능한 부대에게 이를 점령하라 명했으며, 스코틀랜드인들은 그들이 가두었다고 자랑했던 그들을 놓아주거나, 아니면 싸워야 했기 때문에, 최고의 기병으로 잉글랜드인들에게 돌격하여, 처음에는 잠시 위축되게끔 하였습니다. 허나 잉글랜드 보병이 다가오자 스코틀랜드인들은 도

망쳤고, 기병이 도망치자 보병도 교전이 어려워졌으므로, 나머지 기병들이 또한 그러했듯, 그들도 도망쳤습니다. 따라서 스코틀랜드 지휘관들의 어리석음은 두 작고 동등한 부대 사이에 모든 가망성을 엇비슷하게 하였습니다. 그 결과 행운은 잉글랜드인들에게 승리를 가져다 주었는데, 그들은 스코틀랜드인들 중 죽거나 포로로 잡힌 자들의 수보다 그리 많지 않았습니다. 그리고 교회는 대포, 자루와 짐, 10,000점의 무기, 그리고 거의 모든 군대를 잃었지요. 패잔병은 레슬리Alexander Leslie (1580?~1661)가 스털링에 집결시켰습니다.

B. 이 승리는 국왕께 좋은 일이었겠군요. 스코틀랜드인들이 승리했더라면, 장로파가 그곳과 이곳 양쪽에서 다시 권세를 부렸을 것이고, 국왕께서는 부친께서 뉴캐슬에서 스코틀랜드군의 손아귀에 계셨던 때와 같은 상황에 처하시게 되었을 테니까요. 승리를 추구하면서, 잉글랜드인들은 마침내 국왕께서 자기 권리를 회복하셔야 할 때라면 언제든, 스코틀랜드인들이 그분께 순종케 하는 퍽 훌륭한 습관을 불러왔기 때문이지요.

A. 승리를 추구하면서 잉글랜드인들은 (스코틀랜드인들이 떠난) 에든버러를 향해 진군하여 리스를 요새화하였고, 이제 두 나라 사이의 경계가 된 프리스 이편에서 그들이 적절하다 여겼던 모든 세력과 성을 점령하였습니다. 그리고 스코틀랜드 교회는 자기들 자신을 더 알아가기 시작하여, 그들이 양성하고자 했던 새로운 군대에서 왕당파 중 일부를 지휘관으로 인정하기로 결정했습니다. 크롬웰은 적들에게 싸움을 도발하기 위해 에든버러에서 스털링을 향해 진군했지만, 위험을 포착하고는 에든버러로 돌아와 성을 포위했습니다. 그동안 그는 스트라챈 일족Strachan과 커 일족Kerr을 진압하기 위해 부대를 스코틀랜드 서부로 파견했는데, 이들은 새로운

군대를 위해 병력을 징집 중이었던 장로파의 두 거대세력이었습니다. 그리고 같은 시기에 스코틀랜드인들은 스쿤에서 국왕께 왕관을 씌웠습니다.

크롬웰 측에서는 에든버러 성을 점령하고 프리스를 통과하거나, 아니면 스코틀랜드군을 이겨낼 다른 방법을 시도하려 하였고, 스코틀랜드인들 측에서는 북부에서의 징집을 서두르는 가운데, 스코틀랜드에서 남은 한 해가 지나갔습니다.

B. 이 시기 동안 잔부파는 본토에서 무엇을 했는지요?

A. 그들은 종파에 대하여 양심의 자유를 의결했습니다. 즉, 백성들에게 기이한 의견을 극심하게 강요하고, 종교에 적절치 않으면서도, 장로파 목사들의 권력 증진에만 기여하도록 구성되었던 장로회의 독침을 뽑아냈습니다. 또한 그들은 더 많은 병사를 징집하여, 이제는 소장이 된 제5군주파 인물, 해리슨Thomas Harrison (1616~1660)에게 그 지휘권을 주었는데, 이 병사 중 2개 기병 연대와 1개 보병 연대는 장로파의 폭정으로부터 자유를 얻은 데에 대한 감사로서, 제5군주파와 다른 종파의 인물들로 모집되었습니다. 또한 그들은 거래소에 있었던 선왕 폐하의 동상을 철거하고, 그 동상이 서있던 벽감에 이러한 글귀를 새기게 했습니다. *폭군, 마지막 왕의 퇴장*Exit tyrannus, Regum ultimus, *등등.*

B. 그게 무슨 소용이었으며, 왜 나머지 왕들 전부의 동상을 철거하지 않았을까요?

A. 이성이 아닌, 악의라든지 그 비슷한 열정에서 비롯된 행위를 어떻게 설명할 수 있을까요? 이외에도 포르투갈과 스페인에서 온 대사를 맞이하여, 자기네들의 힘을 인정받았습니다. 그리고 바로 그 연말에 네덜란드와의 우호를 위해 대사를 보내려 했지요. 그 외에 그들이 했던 일이라고는 왕당파를 박해하고 처형하는 것이

전부였습니다.

1651년 초에 딘 대장Richard Deane (1610~1653)이 스코틀랜드에 도착했고, 4월 11일에는 스코틀랜드 의회가 소집되어, 더 나은 단결과, 국왕 폐하를 향한 더 나은 순종을 위해 어떤 조치를 취하였는데, 이제 국왕께서는 더 많은 징집을 기대하시면서, 보유하신 스코틀랜드군과 함께 스털링에 계셨습니다. 크롬웰은 스코틀랜드인들에게 싸움을 도발하기 위해 여러 차례 에든버러에서 스털링을 향해 나아갔습니다. 거기에는 병력을 건너게 해 줄 여울이 없었고, 마침내 런던과 뉴캐슬에서 온 배가 도착하자, 오버턴 대령Robert Overton (1609?~1678)은 (이제 7월이었으므로, 처음에는 오래 걸렸지만) 자기 군 보병 1,400명 이외에도, 또 다른 보병 연대와 기병 중대 4부대를 수송하여, 반대편 노스페리에 자리를 잡았으며, 스털링에서 어떤 도움이 오기 전에 램버트 소장John Lambert (1619~1684) 역시 더 많은 병력과 함께 건너왔습니다. 이 무렵 존 브라운 경John Browne은 그들과 맞서기 위해 4,500명의 병력을 끌고 왔는데, 잉글랜드인들이 거기에서 이들을 패배시켜, 2,000명을 죽이고 1,600명을 포로로 잡았습니다. 이렇게 되자, 크롬웰은 수송되는 군대가 훨씬 더 많아야 한다고 여겼으며, (그의 프리스 통과 소식에 던디로 떠나버린 스코틀랜드 의회가 있었던) 세인트 존스톤으로 와서 군대를 소집하였고, 같은 날, 국왕께서 스털링에서 잉글랜드를 향해 진군 중이시라는 소식이 날아들었는데, 이는 사실이었습니다. 허나 국왕께서 사흘 앞서 진군하셨음에도 불구하고, 그는 그분에 앞서 도시를 차지하기로 결심하였으며, 그에 따라 다음날 항복시켰습니다.

B. 국왕께서 잉글랜드로 오시면서, 적 이외에는, 앞뒤로 아무도, 적어도 무장한 이는 아무도 없었으니, 무슨 희망을 가지셨겠

습니까?

A. 그렇지요, 그분 앞에는 대체로 잔부파를 싫어하는 런던 시가 있었는데, 잘 무장된 병사 20,000여명으로 합리적으로 계산될 수 있었으며, 사람들 대부분은 그분께서 도시 근처로 오시면, 그들이 그분 편에 서리라 믿었습니다.

B. 그럴 개연성이 얼마나 있었을까요? 잔부파가 시장, 그리고 도시 *민병대*를 지휘하는 자들의 복무에 대해 확신하지 못했다고 생각하시는지요? 그리고 그들이 진정으로 국왕 폐하의 친구였더라면, 그분께서 런던으로 오실 때까지 기다려야 할 필요가 있었을까요? 그들은 원했더라면, 스스로를 방어할 가능성이 없었던 잔부파를 체포했을지도 모릅니다. 최소한 의사당에서 쫓아내기라도 했겠지요.

A. 그들은 그러지 않았고, 반대로, 나라를 국왕께 넘겨주지 않기 위해 크롬웰군을 모집하고 양성하도록 허용했습니다. 국왕께서는 7월 말, 스털링에서 진군을 시작하셨고, 8월 22일에는 약 13,000명의 지친 군을 이끌고 칼라일을 거쳐 우스터에 도착하셨는데, 크롬웰이 뒤따라와 새로운 징집병들과 함께 40,000명의 병력으로 우스터를 포위하여, 9월 3일에는 국왕군을 완전히 물리쳤습니다. 여기서 그분의 형제이셨던 해밀턴 공작은 참수되어 살해당했지요.

B. 국왕께선 어찌 되셨나요?

A. 밤이 오고, 도시가 완전히 점령되기 전에 떠나셨고, 어두워지자 도시 내에 그분을 뒤쫓을 적의 기병이 전혀 없었으며, 약탈 중이었던 보병이 성문을 닫아걸고는 기병이 들어와 전리품을 챙기지 못하도록 하였습니다. 아침에 되기 전에 국왕께서는 우스터에서 25마일 떨어진 워릭셔에 도착하시어, 그곳에서 잠시 위장하고

계셨으며, 그 후 발각될 큰 위험을 무릅쓰고 이곳저곳을 헤매시다가, 마침내 서섹스의 브라이트-헴프스태드에서 프랑스로 건너가셨습니다.

B. 크롬웰이 떠난 후, 스코틀랜드에서는 무슨 일이 더 일어났는지요?

A. 크롬웰이 7,000명의 병력과 함께 거기에 남겨놓은 몽크 중장George Monck (1608~1670)은 8월 14일에 스털링을 항복시켰고, 9월 3일에는 던디를, 그들이 항전하였기에 강습으로 점령하였습니다. 스코틀랜드인들이 안전을 위해 자기네들의 가장 값진 귀중품을 에든버러와 세인트 존스톤에서 그곳으로 보내 놓았기 때문에, 병사들은 약탈하여 괜찮은 전리품을 얻었습니다. 마찬가지로 애버딘과 (스코틀랜드 목사들이 처음으로 바보짓을 배웠던 장소인) 세인트 앤드류[159]를 항복시켜 점령하였습니다. 또한 하이랜드에서 알러드 대령John Alured (1607-1651)은 귀족과 젠틀맨들, 즉, 네 명의 백작과 네 명의 영주, 20명 이상의 기사와 젠틀맨을 포로로 잉글랜드에 보냈습니다. 그리하여 스코틀랜드에서 더 이상 두려워해야 할 것은 아무것도 없었습니다. 잔부파에게 남은 모든 곤란이란 해야 했던 일을 결정짓는 것이었지요. 마침내 그들은 잉글랜드와 아일랜드를 하나의 코먼웰스로 합치고 통합하기로 결정하였습니다. 이를 위해 세인트 존Oliver St John (1598?~1673)과 베인Henry Vane (1613~1662), 그리고 기타 행정관들을 거기로 보내어, 그들에게 공개 선언문으로 이 연합을 제안하고, 하원의원과 시의원을 뽑아 웨스트민스터로 보내라고 통

[159] St Andrew. 중세 스코틀랜드 교회의 중심지로, 세인트 앤드류 대학교가 있었으며, 스코틀랜드 종교개혁의 시발점이기도 하였다.-역주

고했습니다.

B. 아주 대단한 호의로군요.

A. 저도 그리 생각합니다. 그러나 많은 스코틀랜드인들, 특히 목사들과 다른 장로파가 거부했습니다. 목사들은 잉글랜드 병사들의 봉급을 위한 세금 부과에는 동의했지만, 잉글랜드 행정관들의 선언문에 대해서는 절대로 응하지 못하도록 금했습니다.

B. 제 생각에는, 정복자들의 임금에 기여하는 것은 예속의 표식이었던 반면, 연합에 들어가는 것은 그들을 자유롭도록 하며, 잉글랜드인들과 동등한 특권을 부여하는 것이었습니다.

A. 장로파 *목사들* 스스로 만들었던 연합을 거부한 이유는 이와 같습니다. 그리스도의 일에 있어 교회가 시민국가에 종속되어 버린다는 것입니다.

B. 이는 모든 왕과 코먼웰스 일반에 대한 노골적인 선언입니다. 장로파 목사는 그리스도의 일에 있어 그들 중 누구에게도 진정한 신민이 되지 않을 것이며, 그들이 무엇인지를, 그들 스스로 판단하겠지요. 그렇다면 이 소인배들이 교황의 자리를 대신하여, 대중에게 그들의 침묵 이외에, 유익할 바를 아무런 것도 가져오지 않는다면, 우리가 교황의 폭정에서 구출되어 얻는 것이란 무엇일까요? 그들의 학문에 대해 말하자면, 그리스어와 라틴어에 대한 불완전한 지식, 그리고 성경의 언어에서 그에 적합한 몸짓과 어조로 습득된 준비성에 지나지 않습니다. 그러나 (종교의 정수인) 정의와 자선에 대해서는[160] 제가 이미 말씀드린 이야기에서 명백해지듯, 지식도 실천도 없습니다. 또한 그들은 경건한 자와 경건하지 않은 자를 구분하는 것이 아니라, 판단력 있는 자에 대해서는 계획에

---

[160] 종교의 예의범절인 정의와 자선에 대해서는.

부합하는지에 따라, 평범한 백성들에 대해서는 자기네들의 설교를 반복하는지에 따라 구분합니다.

A. 허나 스코틀랜드인들의 이러한 음침함은 아무런 소용이 없었습니다. 웨스트민스터에서 두 민족의 연합과 스코틀랜드 군주정의 폐지를 제정하고, 이 조치를 어기는 자들에 대한 처벌을 규정했으니까요.

B. 이 해에 잔부파는 또 무슨 일을 했습니까?

A. 그들은 세인트 존과 스트릭랜드Walter Strickland (1598?~1671) 대사를 헤이그에 파견하여, 연합주에 동맹을 제안하였는데, 그들은 3월 3일에 청중을 만났습니다. 세인트 존은 연설에서 이 동맹으로 잉글랜드의 항구와 항만을 이용함으로써, 그들이 무역과 항해에 어떠한 이점을 얻을 수 있는지 이들 나라에 보여주었습니다. 네덜란드인들은 이 일에 대단한 적극성을 보이지 않으면서도, 이를 그들과 함께 처리하기 위해 위원을 임명하였습니다. 허나 백성들은 대체로 대사와 그 추종자들을 (그들이 그러했듯) 배신자와 살인자라 부르며 반대했고, 국가가 그들을 진정시킬 때까지 추종자들이 감히 해외로 나가지 못하도록 그들의 집 근처에서 소란을 피웠습니다. 잔부파는 이에 통지하여, 곧 그들을 다시 불러들였습니다. 세인트 존이 임무를 포기하면서 위원들에게 했던 인사말은 들어볼 만한 가치가 있습니다. 그가 말하길, 당신들은 스코틀랜드의 사정을 주시하고 있으므로, 우리가 제안한 우정을 거절하시는군요. 이제 제가 장담하건대, 의회의 많은 이들은 우리가 그들과 왕 사이에서 그 문제를 분리할 때까지는, 당신들에게 어떠한 대사도 보내서는 안 된다는 의견이었고, 그런 다음에야 당신들의 대사가 우리에게 오리라 예상하였습니다. 이제야 저는 우리의 잘못과 그들 젠틀맨이 옳았음을 깨닫습니다. 곧 그 일이 끝나는 것을 보시게 될

터이니, 그 때에는 당신들이 찾아와 우리가 아무런 대가 없이 제안했던 바를 구하실 것이요, 우리의 제안을 거부하셨던 것이 난처해지게 되겠지요.

B. 세인트 존은 스코틀랜드의 일이 그렇게 끝나리라고 확신하지 못했습니다. 스코틀랜드인들이 던바어에서 패배하기는 했지만, 이후에 벌어진 잉글랜드 침입 사건에 대해서는 확신할 수 없었으니까요.

A. 허나 그는 제대로 추측했습니다. 우스터 전투 이후 한 달 만에 잉글랜드 선박이 아닌 다른 선박으로 상품을 수입하는 것을 금지하는 법안이 통과되었으니까요. 잉글랜드인들은 또한 우리 해안에서 그들이 어업을 하지 못하도록 괴롭혔습니다. 그들은 또한 여러 차례 (우리와 프랑스 간의 전쟁을 계기로) 그들의 배를 수색하여 그 중 일부를 노획하였습니다. 그리고 네덜란드인들은 그들이 이전에 거절했던 바를 원하여 이곳으로 대사를 보냈지만, 부분적으로는 또한 잉글랜드가 해군을 얼마나 준비했는지, 그리고 백성들이 정부에 얼마나 만족하는지를 알기 위해서이기도 하였습니다.

B. 그들은 얼마나 서둘렀나요?

A. 잔부파는 이제 네덜란드인들이 그 때 그랬듯 합의하려는 의향을 거의 보여주지 않았는데, 결코 수락되지 않을 것 같은 조건을 걸었습니다. 첫째로는, 잉글랜드 해안에서의 어업에 대해서는, 대가를 지불하지 않고서는 그럴 수 없다는 것이었습니다. 둘째로는, 스페인 국왕에 맞서는 반란 이전에 그랬듯, 잉글랜드인들이 미들버그에서 안트베르펜까지 자유 무역을 할 수 있어야 한다는 것이었습니다. 셋째로는, 오래된 (그러나 결코 잊혀진 적은 없었

던) 암보이나 사건[161]의 잘못을 고쳐달라 요구했습니다. 그러므로 비록 계절 탓에 다가오는 봄까지는 행동에 나설 수 없었더라도, 전쟁은 이미 확실했습니다. 잉글랜드 측에서 분쟁의 진짜 원인은 제안했던 친선이 경멸받고 대사가 모욕당한 것이었으며, 네덜란드 측에서는 모든 해상로를 장악하려는 탐욕, 그리고 우리와 그들 자신의 힘을 잘못 평가한 것이었습니다.

이런 일들이 진행되는 동안, 비록 2년 후에도 완전히 진정되지 않았지만, 아일랜드와 스코틀랜드, 양국에서 전쟁의 유산을 소홀히 할 수 없었습니다. 왕당파에 대한 박해도 계속되었는데, 그 중 하나였던 러브 씨Christopher Love (1618~1651)는 국왕 폐하와 서신을 주고받았다는 이유로 참수형을 당했습니다.

B. 저는 장로파 목사들이 자기네들의 총회가 그리스도의 일에서 최고 권력을 갖는다 생각하므로, 결과적으로 잉글랜드에서 (법령에 따라) 반역자가 되기 때문에, 그들이 그들인 한, 왕당파가 될 수 없다고 생각했습니다.

A. 제가 러브 씨를 왕당파라 불렀더라도, 그것은 단지 그가 유죄를 받은 하나의 행위 때문이었을 따름이니까요. 웃브리지에서 조약을 맺는 동안, 그곳의 위원들 앞에서, 천국과 지옥에서나 왕과 의회가 합의할 수 있노라고 설교했던 자가 바로 그였습니다. 그와 나머지 장로파는 과거에도 현재에도 국왕 폐하를 위해서가 아니라 자신들을 위해, 국왕 폐하의 적이었던 크롬웰과 그의 광신

---

161 Amboyna massacre. 1623년 인도네시아 암본 섬에서 네덜란드 동인도회사와의 갈등으로 인해, 잉글랜드 동인도회사의 고용인 10명을 포함한 총 21명이 고문받고 처형된 사건이다. 이후 영란전쟁의 구실 중 하나가 되었다.-역주

도들에게 적입니다. 그들의 충성심은 헐에서 국왕 폐하를 막아서고, 후에 뉴캐슬 후작에게 같은 식으로 배반했던 존 호섬 경과 유사하였습니다. 그러므로 이들 장로파는 두 개의 부정이 긍정을 만드는 것처럼, 두 개의 반역이 충성심을 만든다고 생각하지 않는 한, 올바로 충성스럽다고 할 수 없으며, 오히려 이중적인 기만이라 부를 수 있겠지요.

이 해에는 또한 실리 섬과 맨 섬, 바베이도스, 세인트 키츠가 잔부파에 순종하게 되었습니다. 한 가지 그들이 좋아하지 않았던 것이 닥쳤는데, 크롬웰이 삼년제의회법에 따라, 그들의 의석을 결정하리라 예고했다는 것이었습니다.

B. 실로 가혹했군요.

A. 1652년 5월 14일, 이런 식으로 네덜란드 전쟁이 시작되었습니다. 해협에서 여러 상인들을 태운 네덜란드 맨오브워[162] 세 척을 몇몇 잉글랜드 프리깃을 지휘하던 영Anthony Young 함장이 발견하고는, 그 제독에게 깃발을 내리라 명령했고(협해에서 잉글랜드의 지배권을 인정하여 통상적으로 행해지는 일이었습니다), 이에 따라 그는 그리 하였습니다. 그런 다음, 부제독에게로 가서 (다른 이들처럼) 깃발을 내리라 요청하였는데, 그는 명확히 그러지 않겠노라 답하였지요. 허나 네댓 번 현측포를 주고받고는, 양측에 피해가 있은 후, 그는 깃발을 내렸습니다. 하지만 영 함장은 또한 부제독 자신이나, 그의 배가 이미 가한 손해를 배상하라고 요구하였는데, 부제독은 깃발은 내렸더라도, 자신과 자기 배를 방어하리라 응답하

[162] men-of-war. 다수의 대포를 장착한 전투용 범선으로, 프리깃에 비해 매우 속도가 느린 반면 무장이 강력한 것이 특징이다. 군함 일반을 뜻하는 경우도 있다.-역주

였습니다. 이에 영 함장은 다른 배의 함장들과 의논하고는, 조약의 시기에 개전의 책임이 자신에 돌아오지 않도록, 그리고 밤도 다가오므로, 일을 더 크게 벌이지 않는 편이 좋으리라 생각했습니다.

B. 전쟁은 확실히 이 때 시작되었습니다. 하지만 누가 시작했을까요?

A. 잉글랜드 영해의 지배권은 의문의 여지가 없었으니, 네덜란드가 이를 시작했지요. 말씀드렸던 지배권이 잉글랜드인들에게 속한다는 것을 처음에는 제독 자신이 평화로이, 결국에는 부제독이 그들의 깃발을 들고 자인하였습니다.

그로부터 약 2주 후에 비슷한 상황에서 또 다른 전투가 벌어졌습니다. 42척의 맨오브워를 거느린 반 트롬프Maarten Tromp (1598~1653)가 굿윈 샌드 후방으로 와서(당시 본 소령Nehemiah Bourne (1611~1691)은 몇 척의 의회 선박과 함께 다운스에 있었고, 블레이크는 나머지와 함께 좀 더 서쪽에 있었습니다), 본에게 두 명의 함장을 보내, 그곳에 온 것을 변명하였습니다. 본은 이 응답에, 전언은 예의바르나 그것이 진짜처럼 보이려면, 떠나야만 한다고 응수하였습니다. 그래서 트롬프는 블레이크 쪽으로 항해한다는 의미로 떠났고(이제 본은 만족했지요), 그는 그리 하였습니다. 허나 본 역시 최악의 상황을 두려워하여 그리 하였습니다. 트롬프와 블레이크가 서로 가까이 가자, 블레이크는 트롬프에게 깃발을 들라는 경고로, 그의 배 위로 총을 쏘았습니다. 그가 이를 세 차례 반복하자, 트롬프는 그에게 현측포로 돌려주었습니다. 그리하여 (처음에 본이 진입했던 곳에서) 전투가 시작되어 2시부터 밤까지 이어졌는데, 잉글랜드인들의 형편이 더 나았고, 예전처럼 깃발이 다툼을 낳았습니다.

B. 양국이 진심으로 싸우기로 결정했을 때, 누가 먼저 시작해야

했는지 이처럼 많은 경의를 표해야 할 필요가 무엇이겠습니까? 그럼으로써 친구와 동맹을 얻는 것에 관해, 저는 헛되다고 생각합니다. 그러한 경우에 군주와 국가들은 그다지 이웃의 정의에 따라서가 아니라, 사건에 있어 자기 관심사에 따라 고려한다는 것을 알고 있으니까요.

A. 허나 이 경우에는 협해의 지배권이 멋진 칭호이고, 해안에 닿는 모든 민족이 부러워하며, 결과적으로 그에 반대할 가능성이 있다는 것을 알았던 네덜란드인들이 이 지점을 분쟁상태로 만들기에 충분할 만큼 현명하게 행동했습니다.-이 전투 후, 잉글랜드에 주재하는 네덜란드 대사들이 국무원에 서한을 보냈는데, 여기에서 그들은 이 최근의 교전을 *성급한 행동*이라 규정하고, 그들의 주인인 네덜란드 의회가 모르게 그 의지에 반하여 이루어졌다고 확언했으며, 격앙된 상태에서 돌이킬 수 없을 어떠한 일도 일어나지 않기를 바란다고 하였습니다. 이에 의회는 다음처럼 의결하였습니다. 1. 네덜란드 의회는 자신들이 지불한 비용과 이 사건으로 입은 손해에 대해 배상하여야 한다는 것, 2. 배상이 이루어진 후, 모든 적대 행위를 중단하고, 빼앗은 모든 선박과 재화를 상호 반환할 것, 3. 양측이 두 코먼웰스 사이에 동맹을 맺기로 합의하여야 한다는 것이었습니다. 이 의결이 말씀드린 서신의 답변으로 네덜란드 대사들에게 보내졌지만, 서문에는 잉글랜드가 예전에 네덜란드에 베풀었던 친절이 채워졌고, 잉글랜드 함대를 파괴하는 것 이외의 다른 어떠한 명백한 계획도 없었던, 맨오브워 150척의 새로운 함대에 주목했습니다.

B. 네덜란드인들이 이에 어떻게 응답했는지요?

A. 무응답이었습니다. 트롬프는 곧 질랜드로 항해하였고, 블레이크는 맨오브워 70척과 함께 오크니 제도로 가서, 모선을 장악하

고 동인도에서 오는 네덜란드 선박 5척을 기다렸습니다. 그리고 바베이도스에서 막 귀환한 조지 애스큐 경George Ayscue (1616?~1672)은 맨오브워 15척과 함께 다운스로 돌아와, 템스 강에서 신병 모집을 위해 머무르라는 명을 받았습니다.

반 트롬프는 이제 120척을 동원하여, 조지 애스큐 경과 강 하구 사이에 진입하려 했으나, 역풍으로 인해 너무 오래 지체되었고, 상인들이 호송을 요청하여 더 이상은 머무를 수 없었습니다. 그리하여 그는 네덜란드로 돌아간 후, 오크니로 가서, 말씀드렸던 5척의 동인도 선박을 만나 귀국시켰습니다. 그리고 나서 그는 블레이크와 교전하려 노력했지만, 갑작스런 폭풍으로 인해 바다로 밀려나갔고, 함대는 뿔뿔이 흩어져 42척만이 함께 귀환하였고, 나머지는 할 수 있는 한 단독으로 그리하였지요. 블레이크도 귀국하였지만, 일단 900명의 포로와 6척의 맨오브워를 나포하여 네덜란드 해안으로 향했는데, 이는 그가 모선을 지키고 있던 이들을 발견하여 나포한 12척 중의 일부였습니다. 이것이 선전포고 후의 첫번째 회전이었습니다.

이어지는 8월에 50척의 맨오브워를 거느린 질랜드 제독 드 로이테르Michiel de Ruyter (1607~1676)와 40척을 거느린 조지 애스큐 경이 플리머스 근처에서 싸웠는데, 조지 경이 더 우세했고, 전체 함대가 교전했더라면 완전한 승리를 거두었을 수도 있었습니다. 문제가 무엇이었든, 잔부파는 (비록 그에게 보상을 주었지만) 그가 돌아온 후 결코 더 이상 바다에서 복무할 기회를 주지 않았으며, 이듬해에 세 명의 대장, 이미 대장이었던 블레이크, 그리고 딘과 몽크를 뽑았습니다.

이 무렵 레오폴드 대공Archduke Leopold Wilhelm of Austria (1614~1662)이 덩케르크에서 포위되었고, 프랑스인들이 이를 구원하기 위해 함대를 파견하자, 블레이크 대장은 칼레에서 프랑스인들과 마주쳐 7척의 함선을 빼앗았는데, 이것이 도시가 항복했던 이유였습니다.

9월에 그들은 다시 싸웠는데, 드 비트Johan de Witt (1625~1672)와 드 로이테르가 네덜란드인들을 지휘했고, 블레이크가 잉글랜드인들을 지휘했는데, 네덜란드인들은 다시금 최악의 상황에 처했습니다.

다시금 11월 말, 반 트롬프는 몸소 80척의 맨오브워를 이끌고 굿윈 샌드 후방에 나타났고, 블레이크에게는 비록 40척 뿐이었지만 그와의 전투에 모험을 걸어 최악의 상황에 봉착하였고, (야간에 싸움에서 이탈해) 템스 강으로 퇴각하였습니다. 반 트롬프가 바다를 지키는 동안, 잉글랜드인들에게 별볼일 없는 몇몇 선박들을 빼앗았으며, (말씀드렸듯) 유치한 허영심으로 주돛대 상단에 빗자루를 매달았는데, 이는 잉글랜드 선박 전부를 바다에서 쓸어버리겠다는 의미였습니다.

이후 2월에 반 트롬프와 함께 네덜란드인들은 포츠머스 근교에서 블레이크와 딘 휘하의 잉글랜드인들과 마추쳤고, 최악의 상황에 처했습니다. 그리고 이것이 협해에서 이 해에 있었던 그들 간의 교전 전부입니다. 그들은 레그혼에서도 한 차례 싸웠는데, 여기에서는 네덜란드인들이 우세했습니다.

B. 아직 어느 쪽에도 대단한 가망이 보이지는 않습니다. 만약 조금이라도 있었다면, 잉글랜드인들 쪽이었겠지요.

A. 또한 둘 중 어느 쪽도 평화 쪽으로 마음이 기울지 않았습니다. 네덜란드인들은 선전포고에 서명케 하여 자기네들 편으로 끌어들이기 위해, 덴마크와 스웨덴, 폴란드, (통상 타르와 밧줄이 있었던) 한자 동맹에 사절을 보내고는, 잉글랜드에서 온 대사들을 소환하였습니다. 그리고 잔부파는 이전의 가혹한 제안을 한 음절도 줄이지 않고, 지체 없이 작별의 회견을 하였으며, 곧 이듬해의

전쟁을 계속하기 위해 백성들에게 *매월* 120,000파운드의 세금을 매겼습니다.

B. 그동안 고국에서는 무슨 일이 있었습니까?

A. 크롬웰은 이제 (자기 계획에 마지막이자 최대 장애물이었던) 잔부파와 다투고 있었습니다. 이를 위해 매일 군대에서 청원서와 연설문, 간언, 기타 서류들이 쏟아져 나왔고, 그 중 일부는 잔부파가 스스로 해산하고 또 다른 의회를 만드는 길을 열어 달라 촉구하였습니다. 잔부파는 굴복하고자 하지는 않았지만 감히 거부하지도 못하여, 1654년 11월 5일에 회기를 끝내기로 결정했습니다. 허나 크롬웰은 그리 오래 기다리려 하지 않았지요.

그동안 아일랜드에서 군대는 항복을 받고, 아일랜드인들의 이송을 허가했으며, 정죄를 위해 거기 세워진 고등재판소에서 그들이 원하는 대로 유죄 판결을 내렸습니다. 처형된 이들 중에는 펠림 오닐 경Phelim O' Neale (1604?~1653)이 교수형에 처해졌는데, 처음으로 반란을 시작한 인물이었지요. 스코틀랜드에서 잉글랜드인들은 그 완고한 국가에 굴레를 씌우기 위해 몇 개의 성채를 건설했습니다. 그렇게 1652년이 끝났습니다.

B. 그럼 1653년으로 넘어가지요.

A. 크롬웰은 이제 그의 야망을 마무리하는 데에 겨우 한 발짝이 부족했을 뿐이었고, 그것은 장기의회의 목에 발을 딛는 것이었습니다. 그는 1653년이라는 해의 4월 23일, 제때를 만났습니다. 비록 네덜란드인들이 아직 정복되지는 않았지만, 훨씬 약해져 있었고, 적들에게서 거둔 전리품과 왕당파에게 짜낸 것으로 국고는 꽤나 풍족했고, 매월 120,000파운드의 세금이 *막* 들어오기 시작하였는데, 이 모두가 군권을 쥐었던 자신의 것이었습니다.

그러므로 더 이상의 소동 없이, 램버트 소장과 해리슨 소장, 몇몇 다른 장교들, 그리고 그가 적절하다 여기는 만큼의 병사들을 수반하고 의사당으로 가서, 그들을 해산하고는, 밖으로 내보낸 뒤에 문을 잠갔습니다. 그리고 이 조치로 그는 백성들에게 전쟁에서의 어떤 승리보다도 더 많은 갈채를 받았으며, 의원들은 그만큼 경멸과 비웃음을 받았습니다.

B. 이제는 의회가 없었는데, 누가 주권 권력을 가졌습니까?

A. 권력을 통치권이라는 의미로 말씀하셨다면, 누구도 *여기서* 이를 갖지 못했습니다. 최고의 무력을 의미하셨다면, 분명히 잉글랜드와 스코틀랜드, 아일랜드 전군의 대장으로 복종을 얻었던 크롬웰이었지요.

B. 그가 명분을 주장했습니까?

A. 아니요. 허나 직후에 이 같은 명분을 발명했지요. 일단 의회가 무기를 들었으니(즉 말하자면, 반란을 일으켰으니), 대의를 지키기 위해 특별한 조치에 의지해야 했다는 것이었습니다. 장기의회의 반란 구실이 *백성의 안녕*, 즉 교황파와 국내의 악의적인 당파의 위험한 음모에 맞서는 국가의 안전이었으며, 만인에게는 힘닿는 대로 (군대 이외에는 누구도 할 수 없으며, 의회는 지금껏 소홀히 해왔던) 국가 전체의 안전을 확보해야 할 의무가 있다는 것이었음을 아시겠지요. 그렇다면 대장의 의무란 그것을 행하는 것이 아니었겠습니까? 그러니 그가 옳지 않았나요? *백성의 안녕*이라는 법칙은 백성을 보호하기에 충분한 힘을 가진 자, 즉 최고 권력을 가진 자에게만 향하니까요.

B. 네, 확실히 그에겐 장기의회만큼이나 좋은 명분이 있었습니다. 하지만 장기의회는 백성을 대표하였고, 주권 권력은 본질적으로 백성들의 대표에게 귀속되는 것 같습니다.

A. 예, 만약 그가 주권 권력을 받기 위해 그들을 한데 모아, 대

표자, 즉 (이런 경우에는) 왕을 세운다면, 그럼으로써 그는 스스로를 찬탈하는 것이요, 다른 무엇이 아니지요. 의회 하원은 국가 전체의 대표가 아니라, 서민의 대표일 뿐이며, 의회는 어떠한 귀족이나 성직자에게도 자신들의 조치나 법령으로 의무를 부과할 권력을 갖지 못합니다.

B. 크롬웰이 *백성의 안녕*이라는 명분만을 내세웠는지요?

A. 아니요. 이는 극소수의 인간만이 이해하는 명분이니까요. 그의 노정은 의회가 부여한 최고 권력을 얻는 것이었습니다. 그러므로 그는 의회를 소집하여, 그에게 최고 권력을 주어야 한다는 조건으로 의회에 최고 권력을 부여했습니다.[163] 재치 있지 않습니까? 따라서, 첫째로, 그는 의회를 해산하는 이유에 대하여 선언문을 발표했습니다. 요지는 이랬습니다. 하나님 백성들의 선을 증진하려 노력하는 대신, 의회를 소집하여 자기들 권력을 영속화 할 법안을 준비하여 통과시키려 했다는 것입니다. 다음으로 그는 잉글랜드의 최고 권위가 되기 위해 자신의 피조물인 국무권을 구성하였지만, 오로지 다음 의회가 소집되어 모이기 전까지로 한한다는 것이었습니다. 셋째로, 그는 그 자신이나 그가 신뢰할 수 있는 장교들이 고른 인물 142명을 소환하였는데, 그들 대부분은 무엇을 할지 지시받았고, 무명씨들은 비록 크롬웰에 의해 충성심과 정직성을 가진 이들로 꾸며졌지만, 대부분 광신자였습니다. 이들에게 국무원은 최고 권위를 넘겼고, 이들은 오래지 않아 크롬웰에게 이를 넘겼습니다. 7월 4일에 이 의회는 모여, 루스 씨Francis Rous (1581?~1659)를 의장으로 선출했으며, 그때부터 스스로를 잉글랜드 의회라고 불렀습니다. 허나 크롬웰은 더욱 확실히 하기 위해, 국무

---

[163] 결국에는 그에게 다시 … 부여했습니다.

원도 구성하였는데, 이들 같은 하찮은 친구들이 아니라, 그 자신과 본인의 주요 장교들로 구성되었습니다. 이들은 공사를 막론하고, 모든 업무를 처리하였는데, 법령을 만들고, 외국 대사들과 접견하였지요. 허나 그는 이제 전보다 더 많은 적이 생겼습니다. 제5군주파의 수장이었던 해리슨은 임무를 내려놓은 채로, 그에게 맞서기 위해 자기 파를 동원하는 일 이외에는 아무런 것도 하지 않았고, 그로 인해 이후 수감되었습니다. 그동안 이 작은 의회는 백성들에게 너무나도 우스꽝스럽고 불쾌한 법안들을 만들고 있었기에, 그가 집권 의회 전체를 경멸에 빠트리고, 군주정에 대한 신뢰를 다시 불러오기 위해 그들을 뽑았다고 여겨졌습니다.

B. 어떤 법안들이었나요?

A. 그 중 하나는 모든 결혼이 치안판사에 의해 이루어져야 한다는 것으로, 다음 정기시에서 사흘 남짓 현수막이 걸렸습니다. 누구도 목사에 의한 결혼이 금지되지는 않았지만, 치안판사 없이는 결혼이 무효가 되므로, 여러 조심성 있는 연인들은 (나중에 후회할지도 모르더라도 어쨌든, 확실히 하기 위해) 두 방법 모두에 따라 결혼했습니다. 또한 그들은 약정을 폐기하여, 이를 받아들이지 않았던, 즉 최근의 잔부파를 인정하지 않았던 어떤 재판소에서도 아무도 소송을 제기할 수 없게 되었습니다.

B. 이 중 어느 쪽도 크롬웰에게는 해가 되지 않았겠군요.

A. 그들은 또한 현행의 모든 법률과 법전을 취소하고, 제5군주파의 유머에 보다 적합한 새로운 법을 만들기 위한 법안을 손에 들고 있었었는데, 그들 중 많은 수가 본 의회에 있었지요. 그들의 신조란 우리 왕 예수 이외에 누구도 주권자가 되어서는 안 되며, 성도들 이외에는 누구도 그분 아래에서 통치할 수 없다는 것이었습니다. 허나 그들의 권위는 법안이 통과되기 전에 끝장났지요.

B. 이는 크롬웰에게 무엇이었습니까?

A. 아직 아무 것도 아니었습니다. 허나 그들은 마찬가지로 이제 거의 문제가 되려던 법안이 있었는데, 이후 의회는 하나가 끝날 때마다 다른 하나가 이어져, 영속적이어야 한다는 것이었습니다.

B. 이해할 수가 없군요. 의회가 짐승이나 불사조처럼 하나씩 계속 낳을 수 있는 게 아니라면 말이죠.

A. 왜 불사조 같지 않을까요? 의회는 만료일에 새로운 의회를 구성하는 영장을 보낼 수 있지 않습니까?

B. 그들이 본인들을 새로이 소집하기 보다는 차라리, 웨스트민스터로 다시 오는 수고를 덜기 위해 그 자리에 가만히 앉아있으리라 생각되지 않으십니까? 아니면 그들이 새로운 선거를 위해 나라를 소집한 후에, 스스로 해산한다면, 어떠한 최고 권위도 서 있지 않은 상태에서, 백성들은 어떤 권위에 따라 카운티 재판소에 모이게 될까요?

A. 그들이 했던 모든 일은 비록 그들이 알지 못했더라도 터무니없는 일이었습니다. 아니 또한 *이는 크롬웰을 불쾌하게 하였는데,* 주권의 계획자를[164] 이 법안의 고안자는 인식하지 못했(던 듯 보이)지만, 의사당 내 크롬웰파는 충분히 잘 알고 있었지요. 그러므로 (계획대로) 의원 하나가 일어나면서 제청하기를, 자신들이 의석에 앉아있다 하여 코먼웰스에 편익을 가져다 줄 가능성이 거의 없으므로, 스스로 해산해야 한다는 것이었습니다. 해리슨과 그의 종파들은 이에 곤경에 빠져, 반대 연설을 하였으나, 크롬웰파의 일원이었던 의장은 의회를 떠나, 철퇴를 들고 화이트홀로 가서 자기네들에게 권력을 주었던 크롬웰에게 자신들의 권력을 넘겨주

[164] 아니, 또한 이는, 주권의 계획자를.

었습니다. 그래서 그는 의회법에 따라 주권을 얻었고, 그로부터 4일 후인 12월 16일, 삼국의 호국경으로 임명되어, 양피지에 큰 글씨로 쓰여 그 앞에서 낭독되었던 통치법을 준수하겠노라 맹세하였습니다. 이 글은 통치장전이라 불리웠지요.

B. 그가 맹세했던 규칙이란 무엇이었습니까?

A. 하나는, 3년마다 의회를 소집하는 것이었는데, 그 중 처음은 다가오는 9월 3일에 시작되는 것이었습니다.

B. 9월 3일로 택일한 것은 1650년과 1651년에 던바어와 우스터에서 운이 좋았기 때문으로, 약간 미신적이었다고 생각합니다.

A. 허나 그는 1658년 화이트홀에서 국가 전체에 얼마나 그 같은 행운이 따를지는 알지 못했지요.[165]

또 다른 것은, 어떤 의회도 회기가 5개월이 되기 전에 해산되어서는 안 되며, 그들이 그에게 제출한 법안은 20일 이내에 통과되어야 하며, 그러지 않을 경우 그와는 무관하게 통과시키리라는 것이었습니다.

셋째로는, 21인 이하, 13인 이상의 국무원을 두어야 하며, 호국경의 사망 시 이 국무원이 모여 해산하기 전에 새로운 호국경을 선출해야 한다는 것이었습니다. 그 외에도 많은 것들이 있지만, 굳이 언급해야 할 필요는 없겠습니다.

B. 네덜란드인들과의 전쟁은 어떻게 진행되었는지요?

A. 잉글랜드 측의 대장은 블레이크와 딘, 몽크였고, 네덜란드 측에서는 반 트롬프였는데, (이 작은 의회가 시작되기 한 달 전이었던) 6월 2일에 그들 사이에 전투가 벌어져, 잉글랜드인들이 승

---

165 본문에서도 이후 언급되지만, 올리버 크롬웰은 1658년 9월 3일에 질병으로 인해 사망하였다.-역주

리하여 적들을 저들의 항구로 몰아냈지만, 대포에 맞아 전사한 딘 대장을 잃었습니다. 이 승리는 네덜란드인들이 조약을 맺기 위해 잉글랜드로 대사를 파견하게 할 만큼 충분히 대단했지만, 그 사이에 그들은 또 다른 함대를 준비하여 바다로 내보내어, 7월 말에 몽크 대장에게 패배하였고, 대장은 이전보다 더 큰 승리를 거두었습니다. 그리고 이로 인해 네덜란드인들은 자기들이 전쟁 비용을 지불하고, 다른 조문들 사이에 잉글랜드인들이 깃발의 권리를 갖는다고 인정하는 내용으로 평화를 사야 할 정도로 위축되었습니다.

이 평화는 3월에 체결되어, 이 해 말로 이어졌는데, 4월까지는 선포되지 않았습니다. 그때까지 돈이 지불되지 않았던 것 같습니다.

이제 네덜란드 전쟁이 끝나자, 호국경은 막내아들 헨리Henry Cromwell (1628~1674)를 아일랜드로 보내어, 얼마 후 또한 거기에서 총독으로 임명하였고, 몽크 중장을 스코틀랜드로 보내어, 이들 나라를 순종케 하였습니다. 이 해에 본토에서 기억할 만한 다른 일은 없었습니다. 회자되듯, 호국경의 목숨을 노린 왕당파의 음모를 적발한 것을 제외하고는 말이지요. 호국경은 이 모든 일이 진행되는 동안 궁정의 배신자[166]에게서 국왕 폐하의 계획에 대한 정보를 들었는데, 그는 이후 이러한 방식으로 사로잡혀 살해당했지요.

B. 어떻게 그는 국왕께 그토록 많은 신임을 얻게 되었을까요?

A. 그는 전쟁에서 선왕 폐하 측에서 전사한 대령의 아들이었습

166 존 제라드John Gerard (1632~1654)를 말한다. 그를 중심으로 일부 왕당파가 올리버 크롬웰을 암살하려 시도했는데, 이후 왕당파 작가들은 그가 남긴 기록을 바탕으로 이를 조작이라 주장했다.-역주

니다. 게다가 그는 여기에서 국왕 폐하의 충성스러운 총신들에게 고용되었노라 주장하며, 때때로 그들이 폐하께 보내는 돈을 전달하였으며, 이를 신뢰할 수 있도록, 크롬웰 본인이 그가 돈을 전달하도록 만들었습니다.

이듬해, 1654년은 전쟁*에 대한 것*이 아니라, 민법 제정과 판사 임명, (찬탈자들의 질투로 인한) 음모 방지, 국왕 폐하의 친구들을 처형하고 그들의 토지를 매각하는 데에 소요되었습니다. 통치장전에 따라 9월 3일, 의회가 열렸는데, 귀족원은 없었고, 서민원은 예전처럼 하원의원과 시의원으로 구성되었습니다. 허나 자치시 당 두 명의 시의원, 카운티 당 두 명의 하원의원이 있었던 예전과는 달랐는데, 왜냐하면 자치시에는 대부분 한 명의 시의원이, 일부 카운티에는 6~7명의 하원의원이 있었기 때문이었습니다. 게다가 스코틀랜드를 위해 20명의 의원이, 아일랜드를 위해서도 그만큼이 있었습니다. 따라서 크롬웰은 이제 새로이 선사받은 육마차six coach-horses에서 자신의 통치 기술을 보여주는 것 이외에는 달리 할 일이 없었고, 자신만큼 반항적이었던 육마차의 마부석 밖으로 떨어져 거의 죽을 뻔하였지요.

B. 크롬웰이 앞선 두 의회, 긴 것과 짧은 것을 어떻게 다루는지를 보았으니, 이 의회는 분명 예전의 그들보다 더 잘 처신할 기지를 배웠겠지요?

A. 네, 특히 이제 크롬웰이 첫 의회 연설에서 단일 인물이나 의회가 정부나 민병대에, 혹은 의회의 영속화, 양심의 자유를 빼앗는 것에 간섭하지 못하도록 명시적으로 금지하였고, 의사당 내의 모든 의원이 자리에 앉기 전에 여러 가지 점에서 그의 권력을 인정해야 한다고 말했으니까요. 그러자 비록 나중에는 (일부 마음이 누그러져) 300인 이상이 착석했지만, 처음에는 400인 이상 중 200

인에 미치지 못하였지요. 다시 말씀드리지만, 그들이 착석하자마자, 그는 회기일 이전의 일자가 기재된 본인의 법령을 발표하여, 자신의 법안이 그들의 법안만큼이나 유효하다는 것을 알 수 있도록 하였습니다. 허나 이 모든 것을 그들 스스로는 알지 못했습니다. 그들은 모든 인정 조항에 대하여 논의를 진행했습니다.

B. 그들은 그것을 받아들이기 전에 논의해야 했습니다.

A. 허나 그들은 착석하도록 허용된 적이 없었습니다. 크롬웰은 그들의 완고한 절차를 보고 받고, 그들에게서 어떠한 지지도 기대할 수 없게 되자 이들을 해산하였습니다.

그 밖에 이 해에 통과된 것이란 일부 왕당파들의 음모에 대해 고등재판소가 시행하도록 했던 것이 전부였습니다.

1655년에 잉글랜드인들은 거의 10,000명에 가까운 숫자로 금과 은의 약탈을 기대하며 히스파니올라에 상륙하여, 산토 도밍고 마을에 대단한 풍요로움이 있다고 생각하였지만, 소수의 스페인군에게 완전히 박살 났고, 1,000여명의 병력을 잃은 채 자메이카로 가서 그곳을 점유하였습니다.

이 해에도 또한 왕당파는 서부에서 또 다른 시도를 했고, 거기서 찰스 2세 국왕 폐하를 선포하였지만, 그들과 합류하는 이는 거의 없었고, 일부는 떨어져 나가 곧 진압되었으며, 주요 인사 중 많은 수가 처형되었습니다.

B. 이 많은 반란에서, 왕당파들은 좋은 의도를 가졌지만, 조급함으로 국왕께 해를 입혔을 뿐입니다. 호국경이 준비했던 그토록 많은 대군에 맞서 그들이 무슨 희망으로 승기를 잡을 수 있었겠습니까? 그 군대의 위대한 지휘관들의 불화와 야심으로 인해 국왕 폐하의 일이 더 잘 이루어지는 것을 보면서 절망할 이유란 무엇이며, 그 중 많은 수가 크롬웰 본인처럼 그들 사이에서 존경받고자

하는 편애를 갖지 않았습니까?

A. 그건 다소 불확실하였습니다. 호국경은 산토 도밍고에서 자금 조달 희망이 좌절되어, 왕당파에게서 영지의 10분의 1씩을 매년 빼앗기로 결심하였습니다. 그리고 이를 위해 주로, 잉글랜드를 11개의 소장령으로 분할하고는, 모든 소장들에게 왕당파 중 인물 모두의 이름과 자기 구역 내 그들의 영지를 등재하고,[167] 또한 그들을 감시하고, 국가에 맞서는 행동을 하지 말 것이며, 그들이 알게 되는 모든 음모를 파헤치고, 자기 수하에게도 그 같은 임무를 부여하도록 명하였습니다. 그들은 또한 경마와 백성들의 회합을 금지하고, 이러한 십분형*에서 발생하는 돈*을 받아 정산하라는 명을 받았습니다.

B. 이로써 찬탈자는 잉글랜드 영지 전체의 가치와, 자질 있는 모든 인물의 행동과 기질을 쉽사리 알 수 있었으며, 여태까지 있었던 것 중 가장 큰 폭정으로 간주되었습니다.

A. 1656년이라는 해는 통치장전에 따라 의회가 열리는 해였습니다. 이 해 초부터 회기시작일이었던 9월 17일까지, 이들 소장들은 여러 지방에 거하며, 매우 폭압적으로 행동했습니다. 그들의 다른 폭정 중에는 선거를 경외하고, 본인들과 그들이 원하는 이들을 의회 의원으로 복귀시키는 것이 있었습니다. 이 또한 그 구성에서 크롬웰의 설계 중 일부로 여겨졌습니다. 왜냐하면 근래에 프랑스인들과 평화를 맺고는, 스페인과 전쟁을 일으켰기에, 베푸는 의회가 필요했기 때문이지요.

이 해에 스타이너 함장Richard Stayner (1625~1662)이 카디스 근처에서 숫자로는 8척이었던 스페인 보물함대를 목표로 하여, 2척을 침몰

[167] 자기 구역 내 그들의 토지 중 10분의 1을 받아 등재하고.

시키고, 2척을 나포하였는데, 그 중 한 척에는 8레알 은화 2백만 개가 있었으며, 이는 400,000 파운드 스털링에 해당하는 금액이었지요.

이 해에는 또한 제임스 네일러James Naylor (1618~1660)가 브리스톨에 나타나서, 예수 그리스도로 받아들여졌습니다. 그는 갈라진 수염을 길렀고, 머리는 *볼토 산토*[168]와 비슷하게 꾸몄으며, 질문을 받으면 때때로 대답하기를, 그대가 그리 말씀하시었나이다라고 하였지요. 그에겐 또한 제자들이 있었는데, 그들은 진흙 속에 다리가 절반 가량 빠질 때까지 그의 말 옆에서 동행하였지요. 의회에서 파견된 이들에게 그는 기둥칼에 채워져, 혓바닥을 뚫리고, 이마에 신성모독죄blasphemy를 뜻하는 글자 B를 새기고, 브라이드웰에 머무르라는 선고를 받았습니다. 군대의 대단한 지지를 받았던 램버트는 그를 구하려 노력하였는데, 부분적으로는 그가 그의 병사였기 때문이요, 부분적으로는 군대의 종파들에게 환심을 사기 위해서였지요. 그는 이제 더 이상 호국경의 호의를 받지 못했기에, 그의 권력을 계승할 방법을 찾으려 할 뿐이었습니다.

이보다 약 2년 전에 콘월에 한 예언자[169]가 나타났는데, 꿈과 환상으로 많은 유명세를 얻어, 많은 이들이 그녀의 말에 귀를 기울였고, 그 중 일부는 저명한 장교였습니다. 허나 그녀와 그녀의 공범 중 일부는 투옥되어, 더 이상 소식을 들을 수 없습니다.

B. 저는 장기의회의 모든 시간을 예언했던 릴리William Lilly

[168] Volto Santo. 이탈리아 루카의 산 마르티노 대성당에 있는 대형 예수십자가상이다.-역주

[169] 안나 트랩넬Anna Trapnell을 말한다. 크롬웰 정부를 비판하다 체포되어, 이후 풀려났다.-역주

(1602~1681)라는 다른 사람에 대해 들은 적이 있습니다. 그들이 그에게는 무얼 했는지요?

A. 그의 예언은 다른 종류였습니다. 그는 연감의 저자였고, 그럴듯하게 올바른 점성술 기술을 가장하는 자였으며, 무지한 군중에게서 생계를 이어가는 단순한 사기꾼이었습니다. 그리고 그의 예언이 의회에 조금이라도 불리했더라면, 의심의 여지없이 심문차 소환되었지요.

B. 광인의 꿈과 예지가 (미래의 우발적 사건을 예언하는 모든 것을 그런 종류로 여기기에) 어떻게 코먼웰스에 대단한 불이익이 될 수 있는지 모르겠군요.

A. 네. 인간의 사려를 어렵게 만드는 것은 미래의 불확실성 뿐이며, 행동의 후과를 예견하는 것만큼 인간을 신중함으로 잘 이끄는 것도 없음을 아시겠지요.[170] 예언은 예언된 사건의 주요 원인이었던 경우가 많습니다. 만약 어떤 예측에 따라, 올리버 크롬웰과 그의 군대가 향후 언젠가 완전히 패망하리라는 확신을 백성들이 갖게 되었다면, 모든 이가 그에게 패배를 안겨줄 당파를 돕고, 떠받들기 위해 노력하지 않을까요? 이로 인해 점쟁이와 점성가들은 로마에서 아주 흔히 추방되었습니다.

이 해에 마지막으로 기억할 만한 일은 런던의 시의원이었던 어떤 의회 의원이, 호국경의 칭호를 버리고 왕을 칭하시라 호국경에게 청원하고 의회에 권고하는 동의안을 제출했던 것이었습니다.

B. 그것은 실로 대담한 동의안이며, 만약 성공했더라면 *대단히* 많은 이의 야심과 전군의 방탕함을 종식시켰겠군요. 저는 그 동의안이 호국경 자신과 그의 야심 찬 장교들을 모두 망치려는 목적

---

170 네, 그렇지요, … 아시겠지요.

으로 제출되었다고 생각합니다.

A. 그럴지도 모르지요. 1657년에 의회가 가장 먼저 했던 일은 호국경에게 왕의 칭호와 함께, 삼국의 정부를 맡으십사 하는 청원을 작성하는 것이었습니다. 앞선 다른 의회처럼 이 의회에서도, 대부분이 강제로 의회에서 쫓겨나거나, 아니면 스스로 의석에서 물러나 올리버 국왕을 세우는 죄를 지었습니다. 허나 의석에 있었던 소수는 4월 9일, 화이트홀의 연회장에서 호국경에게 청원을 제출하였는데, 의장인 토머스 위드링턴 경Thomas Widdrington (1600~1664)이 첫 번째 논변을 했고, 호국경은 사안이 중하므로, 하나님께 간구할 시간을 원하였습니다. 다음날 그들은 응답을 얻으려 위원을 보냈으나, 대답이 불분명하자 다시금 결의를 촉구하였고, 이에 그는 긴 연설로 답하였는데, 단호한 거부로 끝났습니다. 그래서 여전히 호국경이라는 칭호를 유지하면서, 말씀드렸던 청원에 포함된 특정 조문에 따라 정부를 맡았습니다.

B. 왕의 칭호를 거부한 이유가 무엇이었습니까?

A. 당시에는 감히 받아들일 수가 없었기 때문입니다. 군대는 위대한 장교들에게 중독되어 있었고, 위대한 장교들 중에는 그를 계승하고자 희망하는 자들이 많았으며, 후계가 램버트 소장에게 약속되어 있었으므로, 그에 맞서 반란을 일으켰겠지요. 따라서 그는 보다 유리한 국면을 위해 머무를 수밖에 없었습니다.

B. 그 조문들은 무엇이었나요?

A. 그 중 가장 중요한 것은 다음과 같습니다. 1. 잉글랜드와 스코틀랜드, 아일랜드의 최고 행정관직을 호국경이라는 칭호로 행사하고, 앞서 말씀드렸던 청원과 조언에 따라 통치할 것, 그리고 생전에 후계자를 지명할 것이었습니다.

B. 스코틀랜드인들이 처음 반란을 일으켰을 때, 올리버 크롬웰

에게 그러하였듯, 결코 절대적으로 통치받으리라고 생각치는 못했으리라 믿습니다.

A. 2. 최대 매 3년마다 의회를 소집할 것, 3. 적법하게 의원으로 선출된 인물들이 의회의 동의 없이 격리되지 않을 것. 이 조항을 허용하면서, 호국경은 바로 이 의회에서 격리원들이, 그에 따라 다시 받아들여지리라고는 인지하지 못했습니다. 4. 의원들은 자격을 갖출 것, 5. 다른 의회[171]의 권한이 정의될 것, 6. 의회법에 의하지 않고서는 어떠한 법률도 제정되지 않을 것 7. 육군과 해군의 유지를 위해 매년 백만 파운드, 정부의 지원과 그 외에 서민원이 적절하다 간주하는 여타의 임시 세출을 위해 300,000파운드의 일정한 세수가 정산될 것, 8. 국가의 모든 장교가 의회에 의해 선출될 것, 9. 호국경은 사역을 장려할 것, 마지막으로는, 신앙고백이 합의되어 발표되도록 해야 한다는 것이었습니다. 덜 중요한 여러 다른 조문들도 있습니다. 조문에 서명한 후, 그는 곧 성대한 의식으로 새로이 임명되었습니다.

B. 그는 여전히 호국경일 뿐인데, 어찌 그런 것이 필요했습니까?

A. 허나 이 청원의 조문은 이전의 통치장전과 완전히 같지는 않았습니다. 이제 다른 의회가 있어야 했고, 전에는 국무원이 후계자를 지명했던 반면, 이제 그는 스스로 그리할 권력을 가졌으므로, 그는 절대군주가 되었고, 그러고자 한다면 자기 아들에게 후계를 물려주어 세습하거나, 아니면 그가 원하는 누군가에게 이양할 수도 있었습니다.

---

[171] Other House. 본문에서 정리된 겸손한 청원과 조언에 따라 상원 격으로 제정되었던 의회.-역주

의식이 끝나자, 의회는 다가오는 1월 20일까지 휴회하였고, 이후 다른 의회도 *청원 조문에 따라 격리원들이* 그들의 동료들과 함께 착석하였습니다.

서민원은 이제 꽉 차서, 다른 의회에 대해서는 거의 주목하지 않았는데, 그곳의 60명 중 귀족은 9명을 넘지 않았습니다만, 그들은 격리되었던 시기동안 동료들이 했던 모든 일에 의문을 품고, 왜 호국경에게 새로이 부여된 권력이 무효인지를 물었습니다. 그러므로 의회로 가서 연설하면서, 그는 이런 말로 끝을 맺었습니다. 현존하시는 하나님에 따라, 저는 당신들을 해산시켜야만 하고, 그리합니다.

이 해에, 잉글랜드인들은 산타 크루즈에서 다시 한 번 스페인군에 큰 타격을 입혔는데, 이는 전년도에 카디스 만에서 입혔던 것에 비해 그리 작지 않았습니다.

이 의회가 해산될 무렵, 왕당파는 호국경에 맞서는 또 다른 계획을 갖고 있었는데, 잉글랜드에서 반란을 일으키기 위해 *당시* 플랑드르에 계시던 국왕 폐하께서 군대로 자기들을 지원할 준비를 하시는 것이었지요. 허나 이 역시 배반으로 발각되어, 그에 가담한 자들은 파멸에 이를 수밖에 없었고, 이듬해 초에 많은 이가 고등재판소에 의해 투옥되어, 일부는 처형당했습니다.

이 해에 또한 램버트 소장이 모든 직무에서 쫓겨났는데, 올리버 이외에는 누구에게도 뒤지지 않는 군대의 지지를 받던 인물이었습니다. 허나 그는 그 지지에 따라 혹은 호국경의 약속에 따라, 최고 권력의 후계자가 되리라 기대했기 때문에, 군 지휘권을 그에게 맡겨 두는 것은 위험하였는데, 호국경은 자신의 장남 리처드Richard Cromwell (1626~1712)를 후계자로 계획하고 있었으니까요.

1658년 9월 3일, 화이트홀에서 호국경이 죽음을 맞았습니다. 그는 지난 취임 이래로 왕당파의 필사적인 암살 시도로 살해당할지도 모른다는 두려움에 어쩔 줄 몰라 해왔었지요.

와병 중에 추밀원은 그에게 후계자를 지명해줍시라 끈질기게 요구하였는데, 그는 자신의 아들 리처드를 지명하였습니다. 리처드는 자기 야심이 아니라, 플리트우드Charles Fleetwood (1618?~1692)와 데스버로우John Desborough (1608~1680), 설로John Thurloe (1616~1668), 그리고 추밀원의 다른 이들에게 등을 떠밀려 이를 맡는 데에 만족하였고, 곧 잉글랜드와 스코틀랜드, 아일랜드의 군대에서 연설이 이루어졌습니다. 그의 첫 업무는 부친에 대한 부담스럽고 화려한 장례식이었습니다.

이렇게 리처드 크롬웰은 부친을 계승하여 잉글랜드와 아일랜드, 스코틀랜드의 왕좌에 앉았고, 당시 도시에 있던 군 장교들이 이를 떠받쳤으며, 삼국의 군대 전체로부터 축하를 받았고, 그에게 특별히 아첨하는 연설을 깜박했던 주둔군이란 거의 없었지요.

B. 군대가 인정하였는데, 어떻게 그는 그리도 빨리 버려졌을까요?

A. 군대는 불안정했고, 그 스스로에게는 결단력이 없었으며, 군사적 영광도 없었지요. 그리고 비록 주요 장교 두 사람이 그와 가까운 관계였지만, 그 중 누구도 아닌 램버트가 군대의 대단한 지지를 받았습니다. 그는 플리트우드에게 호국경직을 맡아줍시라 호소하고, 병사들에게 뇌물을 줌으로써, 다시 대령이 되었지요. 그와 나머지 장교들은 (플리트우드가 거주하던) 월링포드 하우스에서 리처드를 쫓아내고자 회의를 열었습니다. 아직 그 이후에 국가를 어떻게 통치할지에 대해서는 고려해 본 적이 없었지만 말이지요. 반란이 시작될 때, 야심의 방법론은 늘 이러하였습니다. 우선 파괴하라, 그런 다음 무엇을 세워야 할지 생각하라.

B. 화이트홀에서 궁정을 지키던 호국경이 그리도 가까운 월링포드 하우스에서 장교들이 무엇을 하는지 밝혀낼 수 없었을까요?

A. 그렇지요, 그는 여러 친구들에게서 그에 대한 정보를 얻었고, 그들 중 일부가 수괴를 죽이라 조언하면서 그러려 하였지만, 그는 그런 임무를 맡길 만한 용기를 갖지 못했습니다. 그러므로 그는 보다 온건한 인물들의 조언을 받아들여, 의회를 소집하였습니다. 이에 따라 지난 의회에서 다른 의회에 있었던 이들에게 곧 영장이 보내졌고, 보안관들에게는 다가오는 1월 27일에 하원의원 및 시의원 선출을 위해 모이라는 또 다른 영장이 보내졌습니다. 오랜 방식에 따라 선거가 이루어졌고, 서민원은 이제 올바른 잉글랜드인들의 기질에 따라 구성되어, 숫자로는 대략 400명이었는데, 그 중 20명은 스코틀랜드를 대표했고, 아일랜드를 위해서도 그만큼 포함되었습니다. 호국경과 다른 의회 없이, 그들은 스스로 모여 의회가 되었고, 삼국의 최고 권력을 가졌습니다.

그들의 첫 업무는 다른 의회의 권력을 *의문시* 하는 것이었습니다. 허나 호국경이 첫 업무로 자신의 호국경 권력을 인정하는 법안을 (이미 작성하여) 권고하였기 때문에, 이것부터 시작하였고, (2주 간의 심의 후에) 인정 법안을 부분으로 하는 법안을 제청하면서, 또 다른 부분으로 호국경의 권력을 한정 짓고, 의회의 특권과 신민의 자유가 확보되어야 한다 하였고, 이 모두가 함께 통과되어야 한다고 의결하였습니다.

B. 왜 이들은 처음에 호국경의 소환에 응하여, 그에게 순종했을까요? 그것은 그의 권력을 필요한 만큼 완전히 인정했던 게 아니었나요? 왜 그들은 이러한 전례로 백성들에게 그에게 순종해야 한다고 가르친 다음, 그에게 법률을 적용함으로써 정반대의 것을 가르쳤을까요? 호국경이 의회를 만들지 않았던가요? 왜 그들은 그들

의 창조주를 인정하지 않았을까요?

A. 제가 믿기로, 통치하는 것은 인간 대부분의 욕망이지만, 직위에 칼의 권리 이외에 다른 무엇이 있어야 하는지를 아는 이는 거의 없습니다.

B. 그들이 칼의 권리를 인정했다면, 세 왕국의 전군에 의해 세워지고 승인된 정부에 반대했던 것은 정당하지도 현명하지도 않았습니다. 서민원의 원칙은 의심의 여지없이 반란을 시작했던 이들과 완전히 같았으며, 만약 그들이 충분한 군대를 일으킬 수 있었더라면, 호국경에 맞서 같은 일을 했을 터이고, 그들 군대의 대장도 같은 식으로 그들을 잔부파로 만들어버렸겠지요. 군대를 거느리면서, 이를 지배할 수 없는 자는 자기 집에서 사자를 기르는 사람처럼 이에 굴복해야 합니다. 엘리자베스 여왕 폐하 시대 이래로, 의회의 기질은 이 의회와 같았으며, 장로파와 민주파 원칙을 가진 인물들이 선거에 비슷한 영향을 미치는 한, 언제나 그러할 것입니다.

A. *이* 다음으로 다른 의회에 관하여 결의하기를, 이번 회기 동안 이들과 교섭을 하되, 귀족들의 권리를 침해하지 않을 것이며, 향후 모든 의회에서 그들에게 영장을 보내기로 하였습니다. 이 의결이 통과되자, 또 다른 의결을 진행하였는데, 스스로 민병대의 권한을 맡는다는 것이었지요. 또한 자신들의 최고 권력을 보여주기 위해, 전임 호국경이 (그들이 말하기를) 불법적으로 회부한 이들 중 일부를 감옥에서 석방하였습니다. 시민권과 종교에 관한 다른 사항들도 백성들에게는 매우 기쁘게도, 또한 이제 그들의 고려사항이 되었습니다. 따라서 이 해 말에 호국경은 월링포드 하우스의 장교단 못지않게, 의회를 시기하였습니다.

B. 무지한 인물들이 개혁에 착수할 때란 이와 같겠군요. 여기

세 당파가 있으니, 호국경과 의회, 군대입니다. 호국경은 의회와 군대에 맞서고, 의회는 군대와 호국경에게 맞서고, 군대는 호국경과 의회에 맞서니 말입니다.

A. 1659년 초 의회는 여러 다른 법안을 통과시켰습니다. 하나는 호국경과 양원의 명령없이 군장교단의 회합을 금지하는 것이었고, 다른 하나는 누구도 자기 휘하의 군대 이외에는 어떠한 지휘권이나 신뢰*받는 자리*를 맡아서도, 결코 의원을 가로막아 그들이 의회에서 자유로이 모여 토론하지 못하도록 해서도 안 된다는 것이었습니다. 그리고 병사들에게 기쁘게도, 그들은 곧 체불임금의 지불수단을 고려하기로 의결하였습니다. 허나 그들이 이를 고려하는 동안, 호국경은 (이 법안의 첫 조항에 따라) 월링포드 하우스의 장교 모임을 금지하였습니다. 이로 인해 호국경과 군대의 의견차이로 이미 느슨했던 정부는 산산조각이 났습니다. 월링포드 하우스의 장교들이 충분한 병사들과 함께 화이트홀로 와서, 호국경이 서명할 수 있도록 (데스버로우에게 의회해산권을 부여하는) 위임장을 작성하여 가져왔고, 또한 그의 심장과 그의 당파가 그를 낙담케 하였으므로, 서명하였습니다. 그럼에도 불구하고 의회는 계속 의석에 자리하였습니다만, 주말에 의회는 내주 월요일인 4월 25일까지 휴회하였습니다. 월요일 아침에 돌아왔을 때, 그들은 의사당 문이 닫히고, 병사들로 가득한 통로를 발견하였는데, 그들은 의원들에게 더 이상 의석에 앉아서는 안 되노라고 또렷하게 말했습니다. 도시에서 리처드의 권위와 일은 이렇게 끝이 났고, 시골로 은퇴하여 며칠 만에 (부친의 성대한 장례식으로 인한 채무의 지불을 약속하면서) 호국경직의 사임에 서명하였습니다.

B. 누구에게요?

A. 누구에게도요. 허나 열흘 간 주권 권력이 중단된 후, 도시에

있었던 잔부파 중 일부가 전임 의장이었던 윌리엄 렌설 씨William Lenthal (1591~1662)와 함께, 그리고 램버트와 헤이즐리그Arthur Haselrig (1601~1661), 역시나 잔부파였던 다른 장교들과 함께 모두 42명이 의사당으로 향하기로 결심하여, 그리 하였고, 군대에 의해 의회로 선포되었습니다.

그 당시 웨스트민스터 홀에는 또한 군대가 1648년에 격리했던 이들 중 몇몇이 사적인 용무로 있었는데, 그들은 격리원들이라 불리웠지요. 이들은 자신들이 같은 권위에 따라 선출되어, 의석에 자리할 같은 권리가 있음을 알고, 의회에 들어가려 시도하였지만, 병사들에 의해 가로막혔습니다. 다시 의석에 앉은 잔부파의 첫번째 의결은 *1648년 이래로 지금까지 의회의 의원으로 의회에 자리하지 못했던 이들은 추가적인 의회의 명령이 있을 때까지 의회에 착석할 수 없다는 것*이었습니다. 그리하여 잔부파는 1653년 4월에 잃었던 권위를 1659년 5월 7일에 되찾았지요.

B. 최고 권위의 이동이 너무 많았으므로, 청컨대, 기억을 위해 시간과 순서에 따라 간략하게 반복해주시기를 바랍니다.

A. 첫번째로는, 1640년부터 국왕께서 살해당하신 1648년까지로, 주권은 찰스 1세 국왕 폐하와 장로파 의회 사이에서 다투어 졌습니다. 두번째로는 1648년부터 1653년까지로, 국왕 폐하의 재판을 의결하고, 국왕 폐하나 귀족원 없이 잉글랜드와 아일랜드의 첫째이자 최고 권위를 가졌음을 스스로 선언했던 의회 일부에게 권력이 있었습니다. 장기의회에는 장로파와 독립파라는 두 파벌이 있었는데, 전자는 국왕 폐하의 직접적인 파괴가 아니라 굴복만을 추구하였으며, 후자는 그분의 직접적인 파괴를 추구하였고, 이들을 일컬어 잔부파라 하였습니다. 세번째로, 4월 20일부터 7월 4일까지 최고 권력은 크롬웰이 구성했던 국무원의 손에 있었지요. 네번

째로, 7월 4일부터 같은 해 12월 12일까지 크롬웰에게 부름을 받은 인물들의 손에 있었는데, 그는 이들을 충성스럽고 청렴한 이들이라 부르며, 의회로 만들었습니다. 그 의원 중 하나[172]에 대한 경멸로 베어본 의회라 회자되었지요. 다섯번째로, 1653년 12월 12일부터 1658년 9월 3일까지 호국경 칭호를 단 올리버 크롬웰의 손에 있었습니다. 여섯번째로, 1658년 9월 3일부터 1659년 4월 25일까지 부친의 후계자로서 리처드 크롬웰이 가졌지요. 일곱번째로, 1659년 4월 24일부터 같은 해 5월 7일까지는 어디에도 없었습니다. 여덟번째로, 1659년 5월 7일부터는 1653년에 문 밖으로 쫓겨났던 잔부파가 이를 다시 되찾았고, 안전위원회에 다시 잃어버리고는 다시 되찾고, 다시 올바른 소유자에게 잃어버리게 되지요.

B. 누구에 의해, 어떤 기교로, 잔부파가 두번째로 쫓겨나게 되었는지요?

A. 누군가는 그들이 충분히 안전했노라 생각하겠지요. 런던에 있을 때 올리버를 도와 잔부파를 쫓아냈던 스코틀랜드의 군대는 이제 항복하여 용서를 빌며, 순종을 약속하였습니다. 도시에서 병사들은 봉급을 보전받았고, 지휘관들은 어디에서나 옛 약정을 취하여, 이로써 그들의 권위를 인정받았지요. 그들은 또한 의회 내에서 대원수였던 의장에게서 임명을 받았습니다. 플리트우드는 중장이 되었는데, 잔부파는 대장이었던 올리버가 어떻게 복무했는지를 기억하였으니, 그들에게 필요하다 여겨졌던 아주 많은 제약이 붙어있었지요. 또한 아일랜드 총독이었던 헨리 크롬웰은 명령에 따라 직무를 사직하고, 잉글랜드로 귀환하였습니다.

---

[172] 프레이즈갓 베어본Praise-God Barebone (1598?~1679)을 말한다. 제5군주파의 일원으로 피혁상 출신이라는 이유로 조롱받았다.-역주

허나 (회자되듯) 올리버가 후계를 약속했던 램버트와, 뿐만 아니라 잔부파는 올리버의 발자취를 따라 호국경직으로 향하는 길을 알았고, 기회가 닿는 대로 이를 진행하기로 결심하였는데, 이는 직후에 곧 드러났습니다. 예전 방식대로 다시 박해되었던 왕당파의 일부 음모 외에도, 격리원들 중 하나였던 조지 부스 경George Booth (1622~1684)이 이끌었던 체셔의 장로파에 의해 그들에 대한 반란이 일어났습니다. 그 수는 약 3,000명이었고, 구실은 자유 의회를 위해서였습니다. 데본셔와 콘월에서 동시에 또 다른 봉기가 일어나거나, 혹은 일어나려 한다는 이야기가 무성하였습니다. 조지 부스 경을 진압하기 위해, 잔부파는 램버트 경 휘하에 충분한 정도 이상의 군대를 파견하여, 체셔당파를 신속히 물리치고, 체스터와 리버풀 및 그들이 장악했던 다른 모든 곳을 되찾았습니다. 전투 중이나 이후에 지휘관 중 여럿이 포로로 잡혔는데, 조지 부스 경 본인도 그 중 하나였습니다.

이 공적을 이룬 램버트는 귀환하기 전에, 요크셔에 있는 자기 집에서 오락으로 병사들을 위문하고, 그들에게 의사당에 제출할 청원에 대한 동의를 얻었는데, 군대가 여느 외부 권력에 의해 판단되어야 한다는 것은 부적절하므로, 군에서 대장이 임명될 수 있다는 내용이었습니다.

B. 그런 부적절함이란 모르겠습니다.

A. 저도 그렇습니다. 허나 (제가 듣기로는) 헨리 베인 경의 공리였습니다. 허나 이는 잔부파를 아주 심히 불쾌하게 하여, 군대가 이미 정해진 것 이상으로 더 많은 대장을 갖는 것은 불필요하고, 부담이 되며, 코먼웰스에 위험하다고 의결했지요.

B. 비록 체셔의 승리는 올리버가 던바어에서 거둔 승리만큼이나 영광스러웠지만, 올리버를 대장으로 만든 것은 승리가 아니라, 페

어팩스의 사임과 크롬웰을 대장으로 임명하려던 의회에 의한 제안이었기에, 이는 올리버의 방법이 아니었습니다.

A. 허나 램버트는 이를 기대할 만큼 스스로를 훌륭하다 여겼습니다. 그러므로 런던으로 귀환했을 때, 그와 다른 장교들은 월링포드 하우스에 모여, 청원을 구체화하여, 이를 대의라고 불렀습니다. 어떤 면에서 주요 요점은 대장을 두는 것이었지만, 덜 중요한 다른 많은 요점이 추가되었고, 데스버로우 소장에 의해 10월 4일, 의회에 제출되었습니다. 그리고 이는 어느 정도 그들을 놀라게 하여, 곧 논의에 참여하겠다고 약속하게 할 만큼 우호적인 태도를 가르쳐주었습니다. 그들은 그리 하였고, 10월 12일, 정신을 차리고 의결하기를, 램버트와 데스버로우, 그리고 여타 월링포드 하우스 장교단의 임관이 무효화되어야 한다는 것, 군대는 다가오는 2월 12일까지 플리트우드, 몽크, 헤이즐리그, 월튼Valentine Walton (1594~1661), 몰리Herbert Morley (1616~1667) 그리고 오버턴이 임명받아 다스려져야 한다는 것이었습니다. 그리고 그들이 램버트에게서 예상되었던 병력에 맞서기 위해, 헤이즐리그와 몰리에게 신뢰할 수 있을 만한 장교들에게 영장을 발부하여, 다음날 아침 웨스트민스터로 병사들을 데려오라고 명령하였는데, 이는 다소 너무 늦게 이루어졌습니다. 램버트는 일단 거기로 병사들을 데리고 와 의회를 에워싸고, 당시 그곳으로 오던 의장을 돌려보냈습니다. 허나 성 제임시즈 공원의 벽을 따라 행군하던 헤이즐리그군이 성 마가렛 성당으로 들어와서, 양쪽 당파가 종일 서로 원수처럼 노려보았지만, 싸우지는 않으려 하니, 잔부파는 의회를 점유하지 못하였고, 장교들은 전과 마찬가지로 월링포드 하우스에서 회합을 이어갔습니다.

거기에서 그들은 도시 내 몇몇 소수와 자기네들 중에서 안전위원회라 자칭했던 위원을 뽑았는데, 그들의 우두머리는 램버트와 베인이었고, 그들은 일반장교단의 조언에 따라 범법자들을 재판에 회부하고, 반란을 진압하고, 외국과 협상하는 등의 권력을 가졌습니다. 이제 잔부파가 잘려나가고, (*백성의 안녕*으로 기소된) 최고 권력이 장교단으로 이양되었음을 보셨습니다. 그러나 램버트는 결국에는 권력을 희망하였습니다. 허나 그들의 한계 중 하나는 6주 이내에 새로운 정부 형태를 군대에 제시해야 한다는 것이었습니다. 만약 그들이 그리 했더라면, 자기 자신보다는 오히려, 램버트라든지, 아니면 다른 누군가를 최고 권위로 선호했으리라 생각하시는지요?

B. 그리 생각치 않습니다. 잔부파가 군정, 즉 말하자면 삼국의 정부를 위해 다른 몇몇 가운데에서 직무를 맡겼을 때, 이미 스코틀랜드에서 군대의 총사령관이었던 몽크 대장이 이 전쟁에서 램버트보다 훨씬 더 대단한 일들을 해냈는데, 어찌 감히 그를 안전위원회에서 제외할 수 있었겠습니까? 그랬을 경우 몽크 대장이 이를 용서하고, 다시 잔부파를 그러모으려 애쓰지 않으리라고, 램버트가 어찌 생각할 수 있었겠습니까?

A. 그들은 그에 대해 생각하지 않았습니다. 그의 용감성은 아일랜드와 스코틀랜드라는 외딴 무대에서 드러났었습니다. 그의 야심은 정부를 향한 투쟁에서 나타나지 않았는데, 그는 리처드와 잔부파 모두에 순응하였습니다. 몽크 대장이 서신으로 램버트와 그 동료들의 절차에 대한 혐오감을 표시하자, 그들은 매우 놀랐으며, 예전보다 그를 더 중요하게 생각하기 시작했습니다만, 너무 늦었지요.

B. 어째서요? 그의 군대는 그런 대단한 기획을 하기에는 보잘것 없었는데요.

A. 대장은 자기 병력과 그들의 병력이 무엇이며, 어떻게 증강될

수 있고, 대체로 도시와 나라가 바라는 바가 무엇인지, 즉 왕정복고라는 것을 매우 잘 알고 있었으니, 이를 불러오기 위해서는 (그리 대단치는 않더라도) 그의 군대를 런던으로 오게 하는 이상의 무엇도 필요치 않았으며, 그러는 데에는 램버트와 함께 하는 군대 이외의 어떠한 장애물도 없었습니다. 이런 경우에 그가 무엇을 할 수 있었을까요? 만약 그가 곧 국왕 폐하나 자유 의회를 지지한다고 선언했더라면, 잉글랜드 내의 전군이 그에 맞서 대항했을 것이요, 의회를 참칭하여 자기네들 스스로 자금을 마련했겠지요.

몽크 대장은 이렇게 서신으로 장교단과 다툰 후, 재세례파였기에 신뢰할 수 없었던 자기 군대의 장교들을 일단 확보하고는, 그 자리에 다른 이들을 배치하였습니다. 그런 다음 병력을 모아 베릭으로 진군했습니다. 거기에서 그는 스코틀랜드인들의 대회를 고발하였는데, 그의 부재 중에 그들이 국가의 안전을 위해 질서를 잡고, 행군 중인 군대를 위해 약간의 유지비를 조달하기를 원했습니다. 대회는 국가의 안전을 위해 최선의 노력을 다하리라 약속했고, 당면한 필요를 변명하면서, 대단치는 않지만, 목적에는 충분한 자금액을 조달하였습니다. 다른 한편으로, 안전위원회는 그에게 맞서기 위해 군에서 최대이자 최고인 부대와 함께 램버트를 파견하면서도, 동시에 여러 전언과 중재자를 통해 담판을 촉구하였는데, 그는 이에 동의하여, 런던으로 장교 세 명을 파견하여 동수의 상대측과 함께 이를 처리하려 하였습니다. 이들 6인은 돌연히 (대장에게서 받은 권한 없이) 이러한 조문으로 결론을 내렸습니다. 왕을 배제할 것, 자유국을 정착시킬 것, 사역과 대학을 장려할 것, 그리고 여러 다른 것이 있었지요. 대장은 마음에 들지 않았고, 임무를 남용했다는 이유로 그의 대리인 중 하나를 투옥시켰습니다. 그후 5대5의 또 다른 조약이 합의되었습니다. 허나 이 조약이 처리되는 동안, 잔부파의 일원이었던 헤이즐리그가 포츠머스를 점령했고, 안전위원회가 이를 저지하기 위해 파견했던 병사들은 대신, 도시로 들어가 헤이즐리그에게 합세했습니다. 둘째로, 런던 시가 자유 의회를 요구하며 다시 소요를 일으켰습니다. 셋째로, 역시나 잔부파의 일원이자 요크셔에서 대단한 지지를 받았던 페어팩스 영주가 램버트 배후에서 병력을 모으고 있었는데, 램버트는 이제 두 군대 사이에 있었으므로, 그의 적들은 기꺼이 대장과 싸우고자 하였습니다. 넷째로, 데본셔와 콘월에서 병사를 모집한다는 소식이 있었습니다. 마지막으로, 램버트군은 돈이 부족했고, 세금을 부과할 권한도 힘도 없는 장교단으로부터 보급받지 못하리라는 것이 확실해지면서, 불만이 커졌고, (그들의 자유 숙영으로 인해) 나라 북부에서 혐오감을 샀습니다.

B. 스코틀랜드인들이 그렇게 몽크 대장에게 자금을 조달할 준비가 되어 있었던 이유가 궁금합니다. 그들은 잔부파에게 친구가 아니었으니까요.

A. 모르겠습니다만, 잉글랜드인들이 자기들 사이에서 서로 다투지 않아야 했던 것보다, 스코틀랜드인들이 훨씬 더 큰 금액을 담당했으리라 믿습니다. 이제 그토록 많은 적들에게 에워싸이게 된 장교단은 신속하게 정부 형태를 만들었습니다. 이는 자유 의회를 갖는 것이었는데, 12월 15일에 모여야 하였으나, 왕도 없고, 귀족원도 없는 자격 요건으로 인해 도시를 전보다도 더욱 분노케 하였습니다. 서부로 병사를 보내 그곳에서 봉기한 자들을 진압하고자 하였으나, 그들은 도시에 대한 두려움으로 감히 그럴 수 없었으며, 돈이 부족하여 다른 군대를 일으킬 수도 없었습니다. 결국 스스로 월링포드 하우스를 부수고 나와, 전향하는 수밖에는 남아있지 않았습니다. 자기네들의 군대가 북부에 있다는 사실을 알게 되

자, 그들은 램버트를 버렸고, 잔부파는 12월 26일, 다시 의회를 장악했습니다.

B. 이제 잔부파가 다시 자리했으니, 몽크 대장이 런던으로 진군하면서 주장했던 일이란 끝이 났겠군요.

A. 잔부파가 비록 자리했더라도, 그리 안착되지는 않았으며, (자유 의회를 요구하는 그토록 많은 소요 가운데에서) 이전과 마찬가지로 당장 대장이 와야 할 필요가 있었습니다. 그러므로 그는 아직 그들이 충분히 안전하다 않다고 생각하므로, 군대와 함께 런던으로 가리라는 전언을 그들에게 보냈습니다. 그들은 이를 받아들였을 뿐만 아니라, 그리 해주십사 간곡히 부탁하였으며, 그의 봉사에 연간 1,000파운드를 지급하기로 의결하였습니다.

런던을 향해 진군하는 대장에게, 전국 각지에서 자유 의회를 청원하였습니다. 잔부파는 런던에 그 군대의 공간을 마련하기 위해, 자기들 군대를 쫓아냈습니다. 이 모두에 대해 대장은 이 기간 내내 자신의 최종 계획의 선언으로 받아들여질 수 있는 말이란 한마디도 흘리지 않았습니다.

B. 잔부파는 램버트에게 어떻게 복수했는지요?

A. 그들은 결코 그를 괴롭히지 않았으며, 그를 그리 온건하게 대했던 이유에 대해서는 모르겠습니다. 허나 확실히 램버트는 그들이 고용할 수단과 필요가 있을 때, 그들에게 봉사해야 하는 장교 중 가장 유능한 자였습니다. 대장이 런던에 도착한 이후, 잔부파는 안전위원회의 침탈 이전에 그들이 제정했던 법안에 따라, 6개월 동안 매월 100,000파운드의 세금 중 그들 몫을 도시로 보냈습니다. 허나 도시는 잔부파에게 적대적이었고, 자유 의회를 열망했기에, 그들의 적에게 그리고 자신들에게 반하는 목적에 자기네들의 돈을 주도록 놓아둘 수가 없었습니다. 이에 잔부파는 대장에

게 도시 성문과 쇠살문을 부수고, 일부 완고한 시민들을 투옥하라는 명령을 보냈습니다. 그는 이를 수행하였고, 이것이 그가 그들에게 행한 마지막 봉사였습니다.

이 무렵 몽크 대장이 다른 이들과 함께 군정을 자기 손에 넣도록 장교단의 찬탈 이전에 잔부파에게 임명받았던 기한이 만료되었는데, 당시 잔부파는 이를 갱신하였습니다.

B. 이로써 그는 코먼웰스 전군의 대장 중 6번째가 되었군요. 제가 잔부파였더라면, 그는 유일한 대장이 되었을 겁니다. 이런 경우에, 째째하게 구는 것보다 더 큰 악덕이란 있을 수 없습니다. 야심은 자유로워야 합니다.

A. 성문을 철거한 후, 대장은 그 봉사가 자신의 천성에 *매우* 크게 반한다는 것을 알리고, 전쟁 내내 도시가 의회에 얼마나 훌륭히 봉사했는지를 상기시키기 위해 잔부파에 서신을 보냈습니다.

B. 네. 도시가 없었더라면 의회는 결코 전쟁을 일으킬 수 없었고, 잔부파도 결코 국왕 폐하를 살해할 수 없었을 겁니다.

A. 잔부파는 도시의 미덕이나 대장의 선량한 천성에 대해서는 고려하지 않았습니다. 그들은 바빴지요. 직무를 부여하는 중이었고, 국왕 폐하와 그 혈통의 포기에 대한, 그리고 옛 약정에 대한 법안을 만드는 중이었으며, 도시에서 돈을 얻고자 협의하는 중이었습니다. 대장은 또한 일부 잔부파와 일부 격리원들 간의 협의를 듣고자 하였는데, 그들이 겪었던 격리의 정당성과 그들을 다시 받아들임으로써 따를 수 있는 해악에 관한 것이었습니다. 그리고 허락되었지요. 오랜 협의 후에, 대장은 잔부파의 구실이 불합리하고 야심적이라 판단하여, (도시와 함께) 몸소 자유 의회를 선언하고, (화이트홀에서 그와 만나기 위해 약속하고 머물러 있던) 격리원들과 함께 웨스트민스터로 와서, 의회에서 잔부파들 가운데 그들로

대체하였습니다. 고로 죽은 자들과 옥스퍼드에서 신왕께 갔던 사들을 제외하고는, 이제 1640년의 서민원에 있었던 짐승들이 다시 거기에 모두 똑같이 있었습니다.

B. 하오나 (제 생각에) 그들이 더 나은 원칙을 배우지 않았더라면, 국왕께 무슨 소용이 있을 리가 없습니다.

A. 그들은 아무 것도 배우지 못했습니다. 과반은 이제 다시 장로파였습니다. 그들이 몽크 대장에게 매우 감사하여 그를 삼국에서 전군의 대장으로 삼은 것은 사실입니다. 그들은 약정을 무효로 만드는 것도 잘 하였지만, 그것은 그 법안이 자기네 당파에 해를 끼쳤기 때문이었으며, 그들 자신의 반역적인 법령에 대해서는 아무런 것도 기억하지 못했으며, 현왕 폐하의 선을 위해서는 아무런 것도 하지 않았습니다. 정반대로 그들은 의결로 선언하기를, 선왕께서 양원에 맞서 전쟁을 시작하셨노라는 것이었습니다.

B. 양원은 두 인격으로 간주되는데, 그들은 국왕 폐하의 두 신하가 아니었습니까? 만약 국왕께서 신하에 맞서 군대를 일으키셨을 때, (이 경우처럼) 신하가 굴복하여 평화를 얻을 수 있음에도, 신하가 무력으로 저항하는 것이 적법하다는 말입니까?

A. 그들은 자기네가 사악하고 미련하게 행동했음을 알았지만, 언제나 통상의 지혜와 경건함을 크게 넘어선다고 주장해왔기 때문에, 이를 고백하기를 꺼렸습니다. 장로파는 이제 신앙고백을 만들 때가 되었다고 보고, 이를 서민원에 제출하였는데, 서민원은 자기들 원칙이 변하지 않았음을 보여주기 위해 (의사당에서 여섯 번 낭독한 후) 인쇄하여,[173] 매년 한 번씩 모든 교회에서 공개적으로

---

[173] 하원은 … 보여주기 위해 하원에서 여섯 번 낭독한 후, 인쇄하여.

낭독하기로 의결하였습니다.

B. 다시 말씀드리지만, 이 같은 장기의회의 재수립이 국왕께 무슨 소용이 있을 리가 없습니다.

A. 조금만 기다려 보시지요. 그들은 재수립되면서 두 가지 조건을 덧붙였는데, 하나는 3월 말 이전에 의석이 결정되어야 한다는 것이요, 다른 하나는 새로운 선거에 출마하기 전에 영장을 보내야 한다는 것이었습니다.

B. 충분하군요.

A. 이는 국왕 폐하를 모셔오게 하였습니다. 이 장기의회에서 (나라가 그들의 앞선 봉사에 대해 현명하다고 느껴) 다시 선출될 수 있었던 이는 거의 없었기 때문이지요. 새 의회는 1660년 4월 25일에 시작되었습니다. 이들이 얼마나 국왕 폐하를 요구하였는지, 얼마나 큰 기쁨과 승리감으로 맞아들였는지, 폐하께서 얼마나 진지하게 망각법안을 의회에 압박하셨는지, 그로부터 예외가 되었던 이가 얼마나 적었는지는, 저 뿐만 아니라 그대도 잘 알고 계십니다.

B. 하지만 저는 아직 장로파에게서 앞선 그들의 원칙을 망각하는 모습을 보지 못했습니다. 우리는 단지 선동이 시작되던 때의 상태로 되돌아갔을 뿐입니다.

A. 그렇지 않습니다. 그전에는 비록 잉글랜드 국왕께서 주권에 따라 민병대에 대한 권리를 가지셨더라도, 분란이 없었고, 그 목적에 대하여 직접적인 특정 의회법이 없었습니다만, 이제는, 이 피비린내나는 분란 이후, 그 다음의 (현존하는) 의회는 적절하고 명시적인 용어로 여느 의회도 아닌, 오직 국왕께서 그 같은 권리를 가지실 뿐이라 선언하였고, 이 조치는 주권자라는 칭호에서 나온 어떤 논증보다 백성들에게 보다 더 교육적이며, 결과적으로 향

후의 모든 선동적인 열변가의 야심을 무장해제하기에 더욱 적절합니다.

B. 그리 증명되기를 하나님께 기원드립니다. 어찌되었든, 저는 이 의회가 우리의 평화를 보전하기 위해 할 수 있는 바를 전부 했다고 고백해야 하겠군요. 설교자들이 청중들에게 악한 원칙을 주입하지 못하도록 조심한다면, 또한 충분하리라 생각합니다. 저는 이 혁명에서 두 찬탈자를 통해 주권 권력의 회전운동을 보았습니다. *아버지와 아들*, 선왕 폐하로부터 그분의 아드님께로 말이지요. (일시적이었을 뿐, 신탁 이외에는 소유하지 못했던 장교단의 권력을 제외한다면) 그것은 찰스 1세 국왕 폐하에게서 장기의회로, 그리고는 잔부파로, 잔부파로부터 올리버 크롬웰에게로, 그리고는 다시 리처드 크롬웰에게서 잔부파로 돌아가고, 그후 장기의회로, 그런 다음 찰스 2세 국왕께로 옮겨졌으니, 이는 길이 남겠지요.

A. 아멘. 그리고 그분께서 그런 대장을 필요하신 만큼 자주 얻으실 수 있기를.

B. 이제 끝에 이르기까지 대장에 대해서는 거의 말씀하지 않으셨지만, 진실로 저는 그의 작은 군대를 스코틀랜드에서 런던으로 전부 데려온 것이, 지금까지의 역사상 가장 위대한 전략이었노라 생각합니다.

수사술

신들이시여, 대지를 가벼이 하시고,
우리 조상의 그림자를 누르는 무게를 없애 주시기를.
유골함 주위에 크로커스 꽃이 피고, 영원한 봄이 오게 하시기를.
스승이 부모의 신성한 자리를 차지해야 하노라,
주장했던 자들일지니.

유베날리스Decimus Junius Juvenalis (55~128), 7편. 207-210.[174]

---

174 Di, majorum umbris tenuem, et sine pondere terram,
Spirantesque crocos, et in urna perpetuum ver,
Qui præceptorem sancti voluere parentis
Esse loco.-역주

[다음은 1681년 8판에 수록된, 본고와 『잉글랜드 법률에 관한 담화Discourse of the Laws of England』에 대한 서문이다.]

독자들에게.

비록 이 저작들이 위대한 인물 홉스 씨의 사상과 비문을 담은 것처럼, 그 자체의 진정한 본질적 가치를 완전히 표현한 것으로 보일 수도 있겠지만, 교회에 현관이 필요하듯 일반적인 관습에 따라 책에는 서문이 제공되어야 하며, 만사에서 어떤 의식은 피할 수 없으므로, 이 점에 있어 양식과 관습을 충실히 따라야 하겠다.

사고와 표현의 독특한 순수함, 그리고 자기 의견을 유지하려는 끊임없는 불굴의 결의가 그 저자를 충분히 확인시켜주지 않더라도, 이 저작들이 진실하며, 믿음직한 증언을 산출해낼 수 있다는 것이 그리 한다. 게다가 이 저작들은 이제 그 본인의 진짜 사본에서 출간되었으니, 이는 일부 그의 작업에서 결여되었던 이점이다.

그 중 첫번째는 아리스토텔레스의 『수사학』에서 가장 유용한 부분을 담은 요약본으로, 약 30년쯤 전에 쓰여졌다. 홉스 씨는 『인성론Human Nature』에서 이미 본성에 대한 본원적 초안과 거의 동일한 정확함으로 인간을 묘사하였고, 『법의 기초Elements of Law』에서 정부 구성을 명시하고, 그것이 어떠한 무장된 이성으로 유지되는지를 보여주었다. 그리고 자연 상태에서 인간이 자기 목적을 달성하는 유일한 매개체란 원초적인 싸움술이라는 것을 입증하였고, 이 설계로 사회에서 어떤 힘이 그것을 대신하여 통치를 이어받았는지를 보여주고자 하였으니, 즉 말하기의 기술을 의미하는 바, 개연성의 공유지 및 인류의 태도와 정념에 대한 지식을 사용함으로써, 믿음의 작용을 통해 무엇이든 이익을 가져올 수 있는 것이다.

이러한 기술이 얼마나 필요한지는 고대 연설가들의 웅변이 백성들의 마음을 사로잡았던 강력한 힘에서 분명히 드러난다. 시대를 막론하고 찬사를 받아왔고, 특히 로마 웅변의 아버지이자 아주 유능한 재판관에 의해 높이 평가받았던, 그 주제에 관하여 지금까지 세상에 나왔던 저술 중 가장 뛰어난 저술인 아리스토텔레스의 『수사학』을 홉스 씨는 본인의 번역으로 추천하기로 결정했다. 여기에 그는 전의trope[175]와 형태에 관한 부분과 관련된 일부 사소한 사안을 더하는 것이 적절하다 생각했으며, 또한 거짓과 기만적인 추론의 일부 사소한 속임수에 관한 짤막한 발견도 마찬가지이다.

다른 저작은 잉글랜드의 법률에 관한 담화로, 수년에 걸쳐 완성되었다. 여기에서 그는 자신의 정치에 대한 일반 관념을 잉글랜드 군주정의 특수한 구성에 맞추려 노력했다. 이는 적지 않은 어려움이 있는 계획으로, 이에 성공했다면 대단한 명예를 받을 만하며, 계획에 차질을 빚었다면 선선히 용서받을 만하다. 이는 법조계에서 가장 위대한 인물들에게서 많은 존경을 얻는 행운이 따랐으므로, 어느 정도 탁월함을 담은 것으로 추정될 수 있다. 그러나 모든 이가 그의 의견에 굴복하리라고 예상되지는 않지만, 현재 이 논고를 출간하는 데에 불쾌감을 갖는 이가 없기를 희망한다. 왜냐하면 여기에서 어떤 새로운 환상적인 개념을 발견하지는 못하겠으나, 이미 그 자신 및 다른 저명한 학자의 강력한 논증으로 단언된 것들 뿐이기 때문이다. 적어도 대중에게는 이러한 편익이 발생할 수 있으며, 유능한 저술가라면 논쟁을 일으켜, 맞수를 상대로 필

[175] 비유를 의미한다.-역주

히 승리를 얻을 수 있는 명성에 대한 욕망으로 나아갈 수 있을지도 모른다.

수사술 총론

제1권

제1장

수사학은 재판관의 정념을 움직이는 것뿐만 아니라,
주로 증명으로 구성되는 기술이라는 것,
그리고 이 기술은 유익하다는 것.

우리는 모든 사람이 본성적으로 어떤 식으로든 *고발*하고 *변명*할 수 있다는 사실을 안다. 일부는 우연에 의하지만, 일부는 방법론에 따른다. 이 방법론은 밝혀낼 수 있으며, 방법론을 밝히는 것은 기술을 가르치는 것이나 매한가지이다. 만약 이 기술이 단지 죄를 덮어씌우는 것으로만, 그리고 재판관의 분노나 시기, 두려움, 동정심, 혹은 여타 정서를 자극하는 기교로 구성된다면, 심리 중에 원인에서 벗어나지 못하도록 금하는 질서정연한 코먼웰스와 국가에서 수사학자는 어떤 것도 말할 수 없게 될 것이다. 재판관에 관한 이러한 왜곡은 모두 논외의 이야기이다. 그리고 변론자가 보여야 하는 것, 그리고 재판관이 선고를 내려야 하는 것이란 오직 이뿐이니, *그것은 그렇다*, 또는 *그렇지 않다*이다. 나머지는 이미 입법자에 의해 결정되었는데, 보편적인 것과 미래의 일에 관하여 판단하는 자는 더럽혀질 수 없다. 게다가 인간이 그가 쓰고자 하는 통치자를 구부러뜨리려는 것은 터무니없는 일이다.

그러므로 그것은 주로 증명, 즉 추론으로 구성된다. 그리고 모든 추론은 *삼단논법*이므로, *논리학자*가 평이한 삼단논법과 수사학적 삼단논법인 생략삼단논법 간의 차이를 인지한다면, 최고의 *수사학자*가 된다. 참을 추론하든 개연성을 추론하든, 모든 삼단논법과 추론은 논리학에 속하기 때문이다. 그리고 이러한 기술이 없다면 악한 자들이 타고난 능력을 이용하여, 선에 반하는 악한 대의를 내세우는 일이 흔히 일어날 것이기 때문에, 이는 적어도 변론자를 기술적으로 동등하게 하여, 오직 원인의 우수성에만 승산을 남겨두기에 유익함을 가져다 준다. 게다가 통상적으로 재판관인 자들은 인내심이 없고, 많은 삼단논법을 통해 원리로부터 도출되는 기나긴 과학적 증명의 역량을 갖추지 못하였으므로, 수사학적인 지름길로 설명받아야 할 필요가 있었다. 마지막으로, 육체의 단련에 있어서는 패배를 수치스러워 하면서도, 정신을 제대로 표현하는 미덕에 대해서는 열등함을 수치스러워 하지 않는 것은 어리석은 일이었다.

제2장

수사학에 관한 정의.

수사학이란 어떤 주제에 관해 청자의 믿음을 얻는 데에 무엇이 도움이 되는지를 이해하는 재능이다.

믿음을 낳는 것들 중 일부는 우리가 이용할 뿐 창안하지는 않는 증인이나 증거 등으로서, 기술의 도움을 요하지 않으나, 일부는 기술을 요하며 우리가 창안한다.

우리의 창안에서 비롯되는 믿음은 부분적으로는 화자의 행동에서, 부분적으로는 청자의 정념에서 오지만, 특히 우리가 주장하는 바의 증명에서 온다.

논리학에서의 *귀납법*이나 *삼단논법*처럼, 수사학에서 증명은 *예증*이나 *생략삼단논법*이다. 예증이란 간략한 귀납법이며, 생략삼단논법이란 간략한 삼단논법인데, 이 중 청자가 반드시 이해하고 있으리라 여겨지는 것은, 장황함을 피하고, 공무시간을 불필요하게 쓰지 않도록, 불필요한 것으로 생략한다.

제3장

여러 종류의 연설에 관하여,

그리고 수사학의 원리에 대하여.

모든 연설에서, 청자들은 그저 듣기만 하거나, 또한 판단도 한다.

그저 듣기만 하는 것은 첫번째 종류 연설로, *표명*이라 한다.

판단한다면, 다가올 일이나, 지나간 일에 대해 판단해야 한다.

다가올 일에 관한 것이라면, 다른 종류의 연설로, *숙의*라 한다.

지나간 일에 관한 것이라면, 세번째 종류의 연설로, *심사*라 한다.

고로 세 가지 종류의 연설이 있으니, *표명*과 *심사*, *숙의*이다.

이는 각기 적합한 때에 속한다. 표명은 *현재*에, 심사는 *과거*에, 숙의는 *다가오는 시간*에 속한다.

그리고 각기 적합한 직무가 있다. 숙의는 *권유*와 *만류*를, 심사는 *고발*과 *변호*를, 표명은 *칭찬*과 *비난*을 위한 것이다.

그리고 각기 적합한 목적이 있다. 숙의는 어떤 것이 *유익*한가 *무익*한가를, 심사는 *정당*한가 *부당*한가를, 표명은 *명예*스러운가

*불명예스*러운가를 증명하기 위한 것이다.

*생략삼단논법*에서 도출되는 수사학의 원리란 *유익*한가 *무익*한가, *정당*한가 *부당*한가, *명예*스러운가 *불명예*스러운가와 관련하여 사람들이 갖는 *공론*이며, 이러한 것들이 여러 종류의 연설에서 문제시되는 점이다. 확실하고 오류 없는 지식이 증명의 목표인 논리학에서 원리란 일체의 *오류 없는 참*이어야 하듯, *수사학*에서 원리란 재판관이 이미 보유하고 있는 것과 같은 *공론*이어야 한다. 왜냐하면 수사학의 목적은 승리인데, 이는 *믿음*을 얻는 것으로 구성되기 때문이다.

그리고 이미 *행해졌거나 행해질 것* 이외에는 유익하거나 무익하거나, 정당하거나 부당하거나, 명예롭거나 불명예스러운 것이란 없으며, *가능*하지 않은 어떤 것도 *행해질 것*이 아니기 때문에, 그리고 유익하거나 무익하거나, 정당하거나 부당하거나, 명예롭거나 불명예스러운 것에는 정도가 있기 때문에, 연설가는 다른 원리, 즉 *행해진 것*과 *행해지지 않은 것*, *가능한 것*과 *가능하지 않은 것*, *일어날 것*과 *일어나지 않을 것*, 그리고 *더 큰 것*과 *더 작은 것*에 대비해야 하는데, 이는 일반적으로든 특수하게든, 문제시되는 것에 적용되며, 일반적으로는 *더 많은 것*과 *더 적은 것*, 특수하게는 *더 유익한 것*과 *덜 유익한 것* 등이 있다.

제4장

숙의의 주제에 관하여, 그리고 국가의 일을 숙의하려는 자에게 요구되는 능력에 관하여.

*숙의*에서 연설가가 권유하거나 만류하는 *주제*와 그에 따른 *목적*

이 고찰되어야 한다.

*주제*는 언제나 우리 자신의 힘에 대한 무언가로, 그에 관한 지식은 수사학이 아니라 대부분 정치학에 속하며, 어떤 면에서 다음의 다섯 항목으로 나타낼 수 있다.

1. *과세에 관한 것*. 해야 하는 말을 하려는 자는 어느 정도 사전에 국가의 세수에 대해, 그것이 얼마이고, 어떻게 구성되며, 또한 그에 필요한 비용과 지출이 얼마나 큰지 알아야 한다. 이 지식은 부분적으로는 인간 자신의 경험에 의해, 부분적으로는 관계와 쓰여진 기록에 의해 얻는다.

2. *평화와 전쟁에 관한 것*. 고문역이나 숙의자는 코먼웰스의 무력이 현재 어느 정도이고, 향후에는 얼마일 수 있는지, 그리고 그에 따라 국력이 어떻게 구성되는지에 관해 알아야 한다. 그 지식은 부분적으로는 국내에서 경험과 관계에 의해, 부분적으로는 해외의 전쟁과 그 사건을 지켜보는 것으로 얻어진다.

3. *국방에 관한 것*. 주둔군의 형태와 규모, 위치를 아는 자만이 조언할 수 있다.

4. *식량에 관한 것*. 이에 대해 제대로 말하기 위해서는 국가를 유지하기에 충분한 것이 무엇인지, 국내에서 재배하는 물품이 무엇인지, 필요로 인해 수입해와야 하고, 풍요로 인해 수출할 수 있는 것이 무엇인지 알아야 한다.

5. *입법에 관한 것*. 이를 위해서는 정부의 여러 종류가 무엇이며, 외재적으로든 내재적으로든, 각각 어떤 수단으로 보존되거나 파괴되는지를 알만큼, 상당한 정치철학 또는 시민철학이 필요하다. 그리고 이러한 지식은 부분적으로는 역사를 통해 과거의 여러 정부를 관찰함으로써, 그리고 부분적으로는 여행을 통해 여러 민족에 현존하는 정부를 관찰함으로써 얻어진다.

따라서 국무원에서 말하고자 하는 자는 이와 같은 것이 필요한 바, 역사, 전쟁에 대한 조망, 여행, 그가 사는 국가의 세수 및 지출, 병력, 피난처, 주둔지, 상품, 식량에 관한 지식, 그리고 국가에서 수출되거나 수입되어야 하는 것이 그것이다.

제5장

숙의에서 연설가가 제시함으로써,
권유하거나 만류하는 목적에 관하여.

연설가는 *권유*시에, 언제나 그가 권유하는 행동으로 얻게 되는 *행복*이나 *행복*의 *일부*를 제시하며, *만류*시에는 그 반대이다.

*행복*이란 보통 미덕을 갖춘 번영, 혹은 확실성 있는 삶의 지속적인 만족을 의미한다.

그리고 그 요소들은 *육체*나 *정신*, 부에서 우리가 좋다고 하는 것들인데, 이는 다음과 같다.

1. *태생의 훌륭함*. 이는 국가나 민족에 있어 오랜 거주민으로, 전쟁에서 유명한 장군, 또는 경쟁의 대상이 되는 유명한 인물을 가장 오래도록 가장 많이 보유해왔다는 것이다. 그리고 사인에게는, 가문의 합법적인 후손으로, 미덕이나 부, 또는 일반적인 평가상의 무언가로 세상에 잘 알려진 인물을 가장 오래도록 가장 많이 배출해왔다는 것이다.

2. *많은 훌륭한 자녀들*. 이는 또한 *공적*이기도 *사적*이기도 하다. *공적인 것*은 국가에 미덕, 즉 *육체*에 관해서는 체격과 아름다움, 체력, 손재주를, *정신*에 관해서는 용기와 절제를 갖춘 젊은이가 많은 경우이며, *사적인 것*은 누군가가 남자든 여자든 그런 자

녀를 많이 보유한 경우이다. 여성에게 보통 존중되는 미덕은 *육체*에 관해서는 아름다움과 체격이며, *정신*에 관해서는 절제와 천박하지 않은 가정생활이다.

3. *부*. 이는 돈과 가축, 땅, 가재도구로, 이를 처분할 권한과 함께 갖는 것이다.

4. *영광*. 이는 미덕 내지는 모두 또는 대부분의 사람이, 혹은 현명한 이들이 바라는 것들을 소유했다는 평판이다.

5. *명예*. 이는 다른 이에게 편익을 베푼다거나 베풀 수 있다는 것에 대한 영광이다. *다른 이에게 편익을 베푼다는 것*은 다른 사람의 안전이나 부에, 쉽사리 얻지 못하는 무언가를 기여하는 것이다. *명예*의 요소로는 희생, 기념비, 보상, 토지 봉납, 우선권, 묘지, 동상, 공적 연금, 찬사, 선물이 있다.

6. *건강*. 이는 육체를 사용할 체력과 더불어, 질병으로부터 자유로운 것이다.

7. *아름다움*. 이는 연령에 따라 다르다. 젊은이에게는 육체적 체력과 보기 좋은 외양이다. 한창 때의 인간에게는 전쟁에 적합한 육체적 체력, 그리고 두려움을 불러오는 보기 좋은 표정이다. 노인에게는 불쾌하지 않은 표정과 더불어, 필요한 노고에 충분한 체력이다.

8. *체력*. 이는 움직이는 자의 마음대로 무언가를 움직이는 능력이다. 움직인다는 것은 당기거나 밀거나 들거나 누르거나 조인다는 것이다.

9. *체격*. 육체의 신장과 넓이, 두께가 최대치를 초과하더라도, 움직임의 신속성에 아무런 방해가 되지 않는다면, *합당*한 것이다.

10. *훌륭한 노년*. 이는 늦게, 그리고 최소한의 곤란으로 찾아오는 것이다.

11. *많고 좋은 친구들*. 이는 그를 위해 그에게 좋으리라 생각하는 것을 하려는 이들이 많은 것이다.

12. *번영*. 이는 우리가 재산으로 여기는 재화를 전부 내지는 대부분, 또는 가장 많이 보유한 것이다.

13. *미덕*. 이는 우리가 *칭찬*에 대해 이야기할 때, 정의될 것이다.

이런 것이 우리가 *권유*하는 근거들이다.

*만류*는 이와 반대되는 것에 비롯된다.

제6장

선악과 관련한 특색 또는 공론에 관하여.[176]

*숙의*에서, 증명을 도출하는 원리나 요소는 선악과 관련된 공론이다. 그리고 이러한 원리는 *절대적*이거나 *상대적*이다. 그리고 *절대적*인 것은 *논쟁의 여지가 있는 것*이거나 *논쟁의 여지가 없는 것*이다.

*논쟁의 여지가 없는 원리*란 이러하다. *선*이란 우리가 그 자체로 사랑하는 것이다. 그리고 우리가 다른 무언가를 사랑하기 위한 것이다. 그리고 만물이 바라는 것이다. 그리고 만인에게 그 이성이

176 여기에서 선은 good이다. 흔히 이야기되듯 good은 선과 좋음, 어느 쪽으로도 번역될 수 있고, 대체로는 좋음으로 번역되지만, 홉스는 good에 대비되는 개념으로 evil, 즉 악이라는 단어를 쓰고 있으므로 선이라는 단어를 사용하였다. 다만 맥락에 따라 어색한 경우에는 좋음으로 번역하기도 하였다.-역주

명하는 것이다. 그리고 우리가 가졌을 때, 좋거나 만족스러운 것이다. 그리고 만족시키는 것이다. 그리고 이 중 무언가의 원인 또는 결과이다. 그리고 이 중 무언가를 보존하는 것이다. 그리고 이 중 무언가와 반대되는 것을 막거나 파괴하는 것이다.

*선*을 취하고 *악*을 거부하는 것 또한 *선*이다. 그리고 더 작은 *선*보다는 더 큰 *선*을 취하는 것, 더 큰 *악*보다는 더 작은 *악*을 취하는 것이다. 더욱이 모든 미덕은 *선*이다. 그리고 쾌락이 그러하다. 그리고 아름다운 만물이 그러하다. 그리고 정의로움, 용기, 절제, 관용, 고결함 및 다른 비슷한 습관이 그러하다. 그리고 건강, 아름다움, 체력 등이 그러하다. 그리고 부가 그러하다. 그리고 친구가 그러하다. 그리고 명예와 영광이 그러하다. 그리고 말하거나 행하는 능력이 그러하다. 또한 열망, 의지 등이 그러하다. 그리고 어떤 것이든 기술이나 과학이 그러하다. 그리고 생명이 그러하다. 그리고 무엇이든 정의로운 것이 그러하다.

*논쟁의 여지가 있는 원리*란 다음과 같다.

*악*과 반대되는 것은 *선*이다. 그리고 우리의 적에게 *선*이 되는 것에 반하는 것이 그러하다. 그리고 우리의 적에게 기쁨이 되는 것에 반하는 것이 그러하다. 그리고 너무 많을 수 없는 것이 그러하다. 그리고 많은 수고와 비용이 소요되는 것이 그러하다. 그리고 많은 이가 바라는 것이 그러하다. 그리고 칭찬받는 것이 그러하다. 그리고 우리의 적과 악인조차 칭찬하는 것이 그러하다. 그리고 우리가 선호하는 물품이 그러하다. 그리고 우리가 조언하는 것이 그러하다. 그리고 가능한 것은 착수하기에 *좋은 것*이다. 그리고 쉬운 것이 그러하다. 그리고 우리 자신의 의지에 달린 것이 그러하다. 그리고 우리가 하기에 적절한 것이 그러하다. 그리고 다른 누구도 할 수 없는 것이 그러하다. 그리고 무엇이든 특별한

것이 그러하다. 그리고 적합한 것이 그러하다. 그리고 목직에 악간 필요한 것이 그러하다. 그리고 우리가 능숙해지고자 희망하는 것이 그러하다. 그리고 우리에게 적절한 것이 그러하다. 그리고 악인이 행하지 않는 것이 그러하다. 그리고 우리가 행하기 좋아하는 것이 그러하다.

제7장

선악과 관련한 상대적인 특색 또는 공론에 관하여.

*선의 상대적인 특색*은 부분적으로 다음과 같은 *상대성*에 관한 정의에 따라 달려있다.

1. *더 많은 것은 그 외에 아주 혹은 다소 많은 것*이다.

2. *더 적은 것은 다른 것이 아주 혹은 다소 많은 것*이다.

3. *수적으로 더 큰 것* 및 *더 많은 것*은 오직 *수적으로 더 작은 것* 및 *더 적은 것*과 *상대적으로* 이야기될 뿐이다.

4. *큰 것*과 *작은 것*, *많은 것*과 *적은 것*은 *같은 종류 중 상대적으로 최대의 것*으로 취해진다. 따라서 *큰 것*과 *많은 것*은 *같은 종류 중 최대의 것*을 *초과하는* 것이요, *작은 것*과 *적은 것*은 그에 의해 *초과되는* 것이다.

부분적으로는 *절대적인 선*에 관한 앞선 정의에서 취해진다.

*상대적인 선*과 관련한 공론이란 이러하다.

*더 큰 선*은 더 작은 것보다 많거나, 많은 것 중의 하나이다.

그리고 가장 큰 것이 다른 종류 중 가장 큰 것보다 더 큰 종류가 *더 크다*. 그리고 그 선이 다른 선보다 *더 큰 것*은, 그 종류가 다른 종류보다 *더 크다*. 그리고 다른 선을 뒤따르는 것보다, 그

선이 뒤따르는 것이 *더 크다*. 그리고 세번째 것을 초과하는 둘 중, 가장 많이 초과하는 것이 *더 크다*. 그리고 더 큰 선을 *야기*하는 것이 그러하다. 그리고 더 큰 선*에서 비롯*되는 것이 그러하다. 그리고 다른 무언가에서 선택된 것보다 그 자체로 선택된 것이 *더 크다*. 그리고 *끝*이 끝이 *아닌 것*보다 더 크다. 그리고 다른 것을 *더 적게* 필요로 하는 것이 *더 많이* 필요로 하는 것보다 그러하다. 그리고 *독립적인 것*이 다른 것에 *의존적인 것*보다 그러하다. 그리고 *시작*은 시작이 *아닌 것*보다 그러하다.

(*시작*은 시작이 *아닌 것*보다, 그리고 *끝*은 끝이 *아닌 것*보다, 더 큰 선이나 악이니, 이런 특성에서 양쪽 모두를 논할 수 있다. 레오다마스Leodamas는 카브리아스Chabrias (BC 420?~BC 357?)에게 반대하면서는 조언자보다 행위자를 더 탓했고, 칼리스트라토스Callistratus (BC 415?~BC 355?)에게 반대하면서는 행위자보다 조언자를 더 탓했다[177].)

그리고 원인이 *아닌 것*보다 *원인*이 그러하다. 그리고 *더 큰* 시작이나 원인을 갖는 것이 그러하다. 그리고 *더 큰 선악*의 시작이나 원인이 그러하다. 그리고 *희소한 것*이 *풍부한 것*보다 더 큰데, 왜냐하면 더 얻기 어렵기 때문이다. 그리고 *풍부한 것*은 *희소한 것*보다 그러한데, 왜냐하면 더 자주 쓰이기 때문이다. 그리고 *쉬운 것*이 *어려운 것*보다 그러하다. 그리고 그 *반대*가 더 큰 것이 그러하다. 그리고 그 *필요*가 더 큰 것이 그러하다. 그리고 *미덕*이 미덕이 *아닌 것*보다 더 큰 선이다. *악덕*은 악덕이 *아닌 것*보다 더

[177] 레오다마스와 카브리아스, 칼리스트라토스는 모두 고대 아테네의 군인들이다. 기원전 366년, 아테네의 지배 하에 있던 오로포스를 테바이가 기습했을 때, 칼리스트라토스와 카브리아스는 외교적 협상으로 상황을 해결하고자 했으나, 실패한 후 소송에 휘말렸다.-역주

큰 악이다. 그리고 그 *결과*가 더 *명예롭기나* 더 *수치스러운 것*이 더 큰 선악이다. 그리고 더 큰 미덕이나 악덕의 *결과*가 그러하다. 그리고 그 과잉이 더욱 견딜 만하다면, 더 큰 선이다. 그리고 더 많은 명예를 바랄 수 있는 것이 그러하다. 그리고 더 나은 것에 대한 욕망이 그러하다. 그리고 그 지식이 더 나은 것이 그러하다. 그리고 더 나은 것에 관한 지식이 그러하다. 그리고 현명한 사람이 선호하는 것이 그러하다. 그리고 더 나은 사람에게 있는 것이 그러하다. 그리고 더 나은 사람이 선택하는 것이 그러하다. 그리고 *기쁨*이 덜한 것보다, 더한 것이 그러하다. 그리고 *명예*가 덜한 것보다, 더한 것이 그러하다. 그리고 우리 자신과 친구들을 위해 갖고자 하는 것이 더 큰 선이며, 그 반대는 더 큰 악이다. 그리고 *지속되는 것*이 지속되지 *않는* 것보다 그러하다. 그리고 *견고한 것*이 견고하지 *않은* 것보다 그러하다. 그리고 *다수*가 바라는 것이 *소수*가 바라는 것보다 그러하다. 그리고 상대방이나 재판관이 더 크다 자인하는 것이 더 크다. 그리고 *흔한 것*이 흔하지 *않은* 것보다 그러하다. 그리고 흔하지 *않은* 것이 *흔한 것*보다 그러하다. 그리고 더 칭송할 만한 것이 그러하다. 그리고 더 명예로운 것이 더 큰 선이다. 그리고 더욱 처벌받는 것이 더 큰 악이다. 그리고 선악 모두 나뉜 것이 나뉘지 않은 것보다 더 크게 *보인다*. 그리고 복잡한 것이 단순한 것보다 더 크게 *보인다*. 그리고 기회, 연령, 장소, 시간으로 이루어지는 것은 불리하다는 의미로, 다른 것보다 더 크다. 그리고 *타고난 것*이 *획득한 것*보다 그러하다. 그리고 큰 것의 일부가 더 작은 것의 같은 부분보다 그러하다. 그리고 설계된 목적에 가장 가까운 것이 그러하다. 그리고 *자기 자신*에게 선악이 *단순히* 그런 것보다 그러하다. 그리고 *가능한 것*이 가능하지 않은 것보다 그러하다. 그리고 우리 생명의 끝을 향해 오는 것이 그러하다. 그리고 *보여주기 위해* 하는 것보다 *실제로* 하는 것이 그러하다. 그리고 우리가 되고자 *하는 듯 보이는* 것보다 *되고자* 하는 것이 그러하다. 그리고 *더 많은 목적에* 선인 것이 더 큰 선이다. 그리고 큰 필요에 도움이 되는 것이 그러하다. 그리고 더 적은 곤란이 결합된 것이 그러하다. 그리고 더 많은 즐거움이 결합된 것이 그러하다. 그리고 둘 중, 세번째 것이 더해진 것이 전체를 더 크게 만든다. 그리고 가진 것 중, 우리가 더 잘 느낄 수 있는 것이 그러하다. 그리고 만물에서 우리가 가장 존중하는 것이 그러하다.

제8장

정부의 여러 종류에 관하여.

*권유*와 *만류*는 코먼웰스에 관한 것이고, 선악의 요소로부터 도출되기 때문에, 우리가 이미 그에 관해 *추상적*으로 말했듯, 또한 그에 관해 *구체적*으로, 즉 특히 각 종류의 코먼웰스에 무엇이 선악인지를 말해야 한다.

코먼웰스의 정부는 *민주정* 또는 *귀족정*, *과두정*, *군주정*이다.

*민주정*이란 동등한 권리를 가진 만인이 제비뽑기로 최고위직을 주는 것이다.

*귀족정*이란 최고의 교육을 받은 자들 중에서, 법이 최선이라 정하는 바에 따라 최고위직이 선출되는 것이다.

*과두정*이란 최고위직이 재산으로 선출되는 것이다.

*군주정*이란 한 사람이 모든 정부를 갖는 것으로, 그가 이를 법으로 제한하면 *왕정*이라 하며, 자기 뜻에 따라 그리하면 *참주정*이

라 한다.

민주정, 즉 인민 정부의 목적은 *자유*이다.

*과두정*의 목적은 *다스리는 자들의 부*이다.

*귀족정*의 목적은 *도시의 좋은 법률과 질서*이다.

*군주정*이나 *왕*의 목적은 *백성의 안전과 자기자신의 권위 보존*이다.

그러므로 각 종류의 정부에서 *선*이란 이들 목적에 부합하는 것이다.

그리고 *믿음*은 *증명* 뿐만 아니라 *태도*에서도 얻어지므로, 국사에 대해 설득하거나 단념시키려는 자는 각 종류의 코먼웰스의 *태도*에 대해 잘 이해하고 있어야 한다. 그 *태도*는 그 *설계*로, 그 *설계*는 그 *목적*으로, 그 *목적*은 무엇을 *쾌락*으로 받아들이는지를 보는 것으로 알 수 있다. 하지만 이에 관해 보다 정확한 내용은 『정치학』에 있다.

제9장

명예로움과 불명예스러움의 특색에 관하여.

*칭찬*이나 *비난*을 주제로 하는 표명 연설에서, 증명은 *명예로움*과 *불명예스러움*의 요소에서 도출된다.

여기에서 우리는 *믿음*을 얻는 두번째 방법을 예기하는데, 이는 화자의 *태도*에서 비롯된다. *칭찬*에 관해서는, 그것이 주된 일이든 부수적인 일이든 여전히 같은 *원리*에 달려 있으니, 이런 것들이다.

*명예로움*은 우리가 그 자체로 사랑하고 또 칭송할 만한 것이요,

*선*이니, 오직 그것이 선이기 때문에 우리를 기쁘게 하며, 그리고 미덕이다.

*미덕*은 선한 것을 얻고 보존하는 역량이며, 많은 큰 일을 잘하는 역량이다.

그 종류는 이러하다.

1. *정의로움*, 이는 만인이 법에 따라 자기 것을 얻는 미덕이다.

2. *불굴의 용기*, 이는 위험에 처했을 때 명예로이 법에 따라 스스로를 지키는 미덕이다.

3. *절제*, 이는 쾌락의 문제에서 법에 따라 스스로를 다스리는 미덕이다.

4. *후함*, 이는 돈 문제에서 다른 이에게 편익을 베푸는 미덕이다.

5. *아량*, 이는 쉬이 크게 편익을 베푸는 미덕이다.

6. *웅대함*, 이는 쉬이 큰 비용을 치르는 미덕이다.

7. *신중함*, 이는 *지적인* 미덕으로, 행복으로 이끄는 모든 선에 관해 제대로 숙고할 수 있게끔 한다.

그리고 *명예로움*은 명예로운 일의 원인이자 결과이다. 그리고 미덕의 작품이다. 그리고 미덕의 징표이다. 그리고 그 행위에 대한 보상이 *명예*이다. 그리고 그에 대한 보상은 돈보다는 *명예*이다. 그리고 우리가 우리 자신을 목적으로 하지 않는 것이다. 그리고 우리 자신을 경시하고, 나라의 선을 위해 행하는 것이다. 그리고 그 자체로는 선이지만 소유자에게는 그렇지 않은 것이 *명예로운 것*이다. 그리고 산 자보다는 죽은 자에게 일어나는 것이다. 그리고 우리가 다른 사람들, 특히 은인에게 행하는 것이다. 그리고 편익을 베푸는 것이다. 그리고 우리가 수치스러워 하는 것과 반대되는 것이다. 그리고 상대에 대한 두려움 없이, 진심으로 애쓰는 것이다.

그리고 더 *명예롭고* 더 나은 사람일수록, 미덕은 더욱 *명예로워진다*. 그리고 자기자신의 편익으로 향하는 것보다는 다른 사람의 편익으로 향하는 미덕이 더욱 *명예롭다*.

그리고 *명예로움*은 정의로운 것이다. 그리고 복수는 *명예롭다*. 그리고 승리가 그러하다. 그리고 명예가 그러하다. 그리고 기념비가 그러하다. 그리고 살아있는 자에게 일어나지 않는 것이 그러하다. 그리고 탁월한 것이 그러하다. 그리고 우리 이외에는 누구도 행할 수 없는 것이 그러하다. 그리고 우리가 어떠한 유용함도 수확하지 못하는 소유가 그러하다. 그리고 특히 여러 장소에서 *명예를 누리는 것들*이 그러하다. 그리고 칭찬의 징표가 그러하다. 그리고 하인이나 용병, 직공에게는 전무한 것이 그러하다.

그리고 명예로워 *보이는* 것이 그러하다. 즉, 다음과 같은 것들이다. 미덕을 제한하는 악덕. 그리고 극단적인 미덕. 그리고 청중이 명예롭다 *생각하는* 것. 그리고 그렇다고 평가받는 것. 그리고 관습에 따라 행해지는 것.

그 외에도 *표명* 연설에서 연설가는 칭찬하는 자를 거리낌없이 기꺼이 칭찬했음을 보여야 한다. 그리고 자주 그 같은 일을 하는 자는 그리 한다.

*칭찬*은 미덕이나 행동, 일의 위대함을 선언하는 말이다. 하지만 일꾼의 미덕으로 일을 칭찬하는 것은 순환논증이다.

*과장하는 것*과 *칭찬하는 것*은 *행복*과 *미덕*으로서 그 자체로 다르다. 칭찬은 어떤 사람의 *미덕*을 선언하는 것이요, *과장*은 그의 *행복*을 선언하는 것이기 때문이다.

칭찬은 일종의 뒤집힌 교훈이다. "*그것이 선이니 그렇게 하라*"고 말하는 것은 교훈이지만, "*그렇게 했기에 그는 선하다*"라 말하는 것은 칭찬이기 때문이다. 연설가는 *칭찬*할 때, 또한 *강화*형을 사용해야 하니, 이런 식이다. 그가 그것을 최초로 해냈다. 그것을 해낸 유일한 사람이다. 그것을 해낸 특별한 사람이다. 그는 그것을 불리한 때에 해냈다. 그는 그것을 거의 도움받지 않고 해냈다. 그는 법률이 그러한 행동을 대해 보상과 명예를 정한 원인이었다.

그 외에도, 누군가를 *칭찬*하려는 자는 반드시 그를 다른 이와 비교하고, 그의 행동을 다른 이의 행동, 특히 유명인의 행동과 비교해야 한다.

그리고 *강화*는 다른 무엇보다도 *표명* 연설에 더 적합하다. 여기서는 행동이 공언되고, 연설가의 역할은 이에 위대함과 광택을 더하는 것뿐이기 때문이다.

제10장

해악의 정의와 더불어, 고발과 변론에 관하여.

*고발*과 *변론*으로 구성되는 *심사* 연설에서, 증명되어야 하는 것은 *해악*이 이루어졌다는 것인데, 그 증명에서 도출되어야 하는 항목은 다음의 세 가지이다.

1. 해악을 유발하는 원인.
2. 해악을 행하기 쉬운 인물.
3. 미움을 사거나 해악을 입기 쉬운 인물.

해악은 법에 반하여 다른 사람을 자의적으로 공격하는 것이다.

*자의적*이란 누군가가 알면서 강제당하지 않고 행하는 것이다.

자의적 행동의 원인은 무절제, 그리고 바람직한 것에 관한 악의

적인 성향이다. 탐욕스러운 인간이 돈에 대한 무절제한 욕망으로 법을 어기는 것과 같다.

모든 행동은 행위자의 성향에서 비롯되거나, 그렇지 않다. 행위자의 성향에서 비롯되지 않는 것은 *우연*에 의해, *강제*로, *본성적 필요*에 의해 행해지는 것들이다. 행위자의 성향에서 비롯되는 것은 *습관*에 의해, *사전계획*에 따라, *분노*나 *무절제*에 따라 행해지는 것들이다.

*우연에 의한 것*은 그 원인도 범위도 분명치 않으며, 질서정연하지도 않고, 언제나 혹은 전반적으로 같은 방식을 따르지도 않는다고 이야기된다.

*본성에 의한 것*은 그 원인이 행위자에게 있으며, 질서정연하게, 언제나 혹은 대개 같은 방식으로 이루어진다고 이야기된다.

*강제에 의한 것*은 행위자의 욕구나 계율에 반하여 이루어지는 것이다.

*습관에 의한 것*은 행위자가 자주 해왔기 때문에, 그러한 원인으로 행해졌다고 이야기된다.

*사전계획에 따른 것*은 목적이나 목적 달성 방법처럼, 이익을 위해 행해지는 것이라 이야기된다.

*분노에 따른 것*은 복수의 목적으로 행해지는 것이라 이야기된다.

*무절제에서 비롯된 것*은 즐거운 것이기 때문에 행해진다고 이야기된다.

요컨대, 모든 *자의적* 행동은 *이익*이나 *쾌락*을 향한다.

*유익함*의 *특색*은 이미 기술되었다. 다음으로는 *유쾌함*의 *특색*이다.

제11장

쾌락에 관한 특색 또는 공론에 관하여.

*쾌락*은 본성적인 것을 향한, 영혼의 갑작스럽고 감지가능한 움직임이다. *괴로움*은 그 반대이다.

그러므로 *유쾌한 것*은 그러한 움직임의 원인이다. 그리고 자신의 본성으로 돌아가는 것이다. 그리고 습관이다. 그리고 폭력적이지 않은 것이다.

*불쾌한 것*은 걱정, 공부, 다툼과 같이 필요로부터 비롯되는 것이다. 그와는 반대로, 편안함, 노동과 걱정에서의 해방, 또한 놀이, 휴식, 수면은 *유쾌하다.*

*유쾌한 것*은 또한 우리가 욕구를 갖는 것이다. 또한 갈증, 허기, 정욕처럼 감각되는 경우, 욕구 그 자체이다. 또한 우리가 설득과 이성에 따라 욕구를 갖는 것이 그러하다. 그리고 현재였을 당시에 유쾌했던 불쾌했건, 우리가 기억하는 것이 그러하다. 그리고 우리가 희망하는 것이 그러하다. 그리고 분노가 그러하다. 그리고 사랑에 빠지는 것이 그러하다. 그리고 복수가 그러하다. 그리고 승리가 그러하니, 그러므로 또한 카드놀이, 체스, 주사위놀이, 테니스 등과 같이 경쟁적인 놀이도 있으며, 사냥이 그러하며, 법적 소송이 그러하다. 그리고 명예롭고 평판 높은 사람들 사이에서의 명예와 높은 평판이 그러하다. 그리고 사랑하는 것이 그러하다. 그리고 사랑받고 존중받는 것이 그러하다. 그리고 감탄받는 것이 그러하다. 그리고 아첨받는 것이 그러하다. 그리고 아첨하는 자가 그러하니, 그는 사랑하면서 감탄하는 듯 보이기 때문이다. 그리고 같은 것을 자주 하는 것이 그러하다. 그리고 변화와 다양

성이 그러하다. 그리고 새로움으로 돌아가는 것이 그러하다. 그리고 배우는 것이 그러하다. 그리고 감탄하는 것이 그러하다. 그리고 선을 행하는 것이 그러하다. 그리고 선을 받는 것이 그러하다. 그리고 쓰러진 자를 다시 일으켜 세우는 것이 그러하다. 그리고 불완전한 것을 마무리하는 것이 그러하다. 그리고 모방이 그러하니, 그러므로 그림 그리는 기술, 상을 조각하는 기술, 시를 짓는 기술, 그리고 회화와 동상이 그러하다. 그리고 다른 사람의 위험이 그러하니, 그들이 가까울 때 그러하다. 그리고 거의 피하기 어려운 것이 그러하다.

그리고 서로를 유쾌하게 하는 종류의 일이 그러하다. 그리고 만인에게 자기자신이 그러하다. 그리고 흔들림을 견디는 것이 그러하다. 그리고 현명하게 생각하는 것이 그러하다. 그리고 잘하는 것에 머무르는 것이 그러하다. 그리고 우스꽝스러운 행동, 말, 인물이 그러하다.

제12장

해악을 가하는 인물로부터 도출되는 해악에 관한 추정,
또는 해악을 입한 인물의 적성에 관한 공론.

*해악*을 유발하는 *원인*, 즉 *이익*과 *쾌락*에 관해서는, 이미 이야기되었다(6장, 7장, 11장). 다음으로는 해악을 행하기 쉬운 *인물*에 대한 이야기이다.

*해악을 가하*는 *자*는 그것을 행할 수 있다고 생각하는 자들이다. 그리고 해악을 가하고도 발각되지 않으리라 생각하는 자가 그러하다. 그리고 발각되더라도, 그것이 문제시되지 않으리라 생각하는

자가 그러하다. 그리고 문제시되더라도, 그 스스로나 친구들이 *해악*으로 얻는 이득보다 벌금이 더 적으리라 생각하는 자가 그러하다.

*해악을 가할 수 있는 자*는 언변이 유창한 자들이다. 그리고 업무에 숙련된 자가 그러하다. 그리고 절차에 능숙한 자가 그러하다. 그리고 많은 친구를 가진 자가 그러하다. 그리고 부자가 그러하다. 그리고 부유한 친구나 부유한 하인, 부유한 동료를 가진 자가 그러하다.

*해악을 가하고도 발각되지 않는 자*는 고발된 범죄를 저지르기에 적절하지 않는 자들이니, 연약한 사람, 도살자, 빈자와 아름답지 않은 사람, 간음한 자처럼 말이다. 그리고 발각될 수밖에 없다고 생각하는 자가 그러하다. 그리고 전례가 없는 해악을 가하는 자가 그러하다. 그리고 적이 전무하거나 많은 자가 그러하다. 그리고 자기가 하는 것을 쉽사리 숨길 수 있는 자가 그러하다. 그리고 누군가에게 잘못을 전가하는 자가 그러하다.

공공연하게 해악을 가하는 자는 친구가 피해입은 자이다. 재판관을 친구로 가진 자가 그러하다. 그리고 법률상의 재판을 피할 수 있는 자가 그러하다. 그리고 재판을 미룰 수 있는 자가 그러하다. 그리고 재판관에게 뇌물을 먹일 수 있는 자가 그러하다. 그리고 벌금 납부를 피할 수 있는 자가 그러하다. 그리고 납부를 연기할 수 있는 자가 그러하다. 그리고 전혀 납부하지 않을 수 있는 자가 그러하다. 그리고 벌금은 불확실하고 작으며 향후의 일인데, 해악으로 명백히 많은 것을 현재에 얻는 자가 그러하다. 해악으로 돈을 얻고, 형벌로는 단지 치욕만을 당하는 자가 그러하다. 그리고 반대로 해악으로 명예를 얻고, 벌금으로 돈만 잃거나, 추방당하는 등의 일을 당하는 자가 그러하다. 그리고 자주 빠져나가거나

발각되지 않았던 자가 그러하다. 그리고 자주 헛되이 시도한 자가 그러하다. 그리고 향후의 고통보다 현재의 쾌락을 더 중요하게 여기는 자가 그러하니, 따라서 무절제한 사람들은 해악을 가하기 쉽다. 그리고 현재의 고통보다 향후의 쾌락을 더 중요하게 여기는 자가 그러하니, 따라서 절제력 있는 사람들은 해악을 가하기 쉽다. 그리고 운이나 본성, 필요, 습관에 따라, 그리고 불의보다는 차라리 실수로 해악을 가하는 듯 보이는 자가 그러하다. 그리고 사면을 얻을 수단을 가진 자가 그러하다. 그리고 가난한 사람처럼 필수품이 부족하거나, 혹은 부유한 사람처럼 비필수품이 부족한 자가 그러하다. 그리고 평판이 아주 좋거나 아주 나쁜 자가 그러하다.

제13장

해악을 당하는 인물 및 해악의 문제에서 도출되는 해악에 관한 추정.

해악을 가하는 자들과 그들이 왜 그렇게 하는지에 관해서는, 이미 이야기되었다. 이제 고통받는 *인물*과 고통받는 *문제*에 관하여, *공론*은 이러하다.

해악을 당할 만큼 미움을 사는 *인물*이란 이러하다. 필요하거나 즐거운 것처럼, 우리가 원하는 것을 가지고 있는 자가 그러하다. 그리고 우리로부터 멀리 떨어져 있는 자가 그러하다. 그리고 가까이에 있는 자가 그러하다. 그리고 조심성 없고 쉽게 믿는 자가 그러하다. 그리고 게으른 자가 그러하다. 그리고 겸손한 자가 그러하다. 그리고 많은 해악을 감내한 자가 그러하다. 그리고 우리가 전에 자주 해악을 가해온 자와 전에는 결코 그랬던 적이 없는 자가 그러하다. 그리고 우리를 위험에 처하게 하는 자가 그러하다. 그리고 일반적으로 사랑받지 못하는 자가 그러하다. 그리고 시기받는 자가 그러하다. 그리고 우리의 친구들이 그러하며, 우리의 적들이 그러하다. 그리고 친구가 부족하면서, 말이나 행동에서 대단한 능력을 갖지 못한 자가 그러하다. 그리고 이방인과 일꾼처럼, 법으로 가면 패소하게 되는 자가 그러하다. 그리고 겪고 있는 해악을 가한 자가 그러하다. 그리고 범죄를 저질렀거나, 저지르게 되거나, 저지를 예정인 자가 그러하다. 해악을 가함으로써, 우리의 친구나 윗사람을 기쁘게 하는 경우가 그러하다. 그리고 우리가 막 우정에서 벗어나 고발하는 자가 그러하다. 그리고 우리가 하지 않는다면, 다른 이가 해악을 가하려 하는 자가 그러하다. 그리고 해악을 가함으로써, 선을 행할 더 큰 수단을 얻는 경우가 그러하다.

해악을 당할 만큼 미움을 사는 *문제*란 이러하다. 모든 사람, 혹은 대부분의 사람이 부당하게 처리하곤 하는 것이 그러하다. 그리고 쉽사리 숨겨지고, 다른 이의 손으로 밀어내거나, 달라지는 것이 그러하다. 그리고 고통을 겪기에 수치스러운 것이 그러하다. 그리고 해악의 고발이 다툼에 대한 사랑으로 여겨질 수 있는 것이 그러하다.

제14장

정당함과 부당함의 정의를 아는 데에 필요한 것에 관하여.

사실이 분명할 때 다음 의문은 그것이 *정당한가 부당한가*의 여부이다. *정당한*과 *부당함을* 정의히기 위해서는 *법*이란 무엇인지, 즉 무엇이 *자연법*이고, 무엇이 *국법*이고, 무엇이 *시민법*이고, 무엇이 *성문화된 법*이고, 무엇이 *성문화되지 않은 법*인지, 그리고 *인물*에 대해, 즉 무엇이 *공인* 또는 *도시*인지, 그리고 무엇이 *사인* 또는 *시민*인지를 알아야 한다.

만인의 의견에 따르면, *부당함*이란 *자연법*에 반하는 것이다.

거래하고 함께 모이는 모든 국민의 의견에 따르면, *부당함*이란 *그 국가의 공통된 법*에 반하는 것이다.

단지 하나의 코먼웰스에 따르면, *부당함*이란 *시민법* 또는 코먼웰스의 법에 반하는 것이다.

*공인*이나 *사인*을 상대로 무언가를 저질렀다고 고발된 자는 *무지로* 혹은 *마지못해, 분노로, 사전계획 하에* 행했다고 고발된다.

그리고 *가져갔지만 훔치지는* 않았고, *했지만 간음하지는* 않았다고 하는 자처럼, 피고인이 여러 차례 *사실*을 자백하면서도, *불의*에 대해서는 부인하기 때문에, *절도*와 *간음*, 그리고 여타 모든 범죄의 정의를 알아야 할 필요가 있다.

어떤 사실이 *성문화된 법*에 위배되는지는 *법 그 자체*로 알 수 있다.

성문화된 법 이외에 *정당*한 것이라면 무엇이든 *형평성*이나 *선함*에서 비롯된다.

*선함*에서 비롯되는 것은 칭찬받거나 명예로운 것이다.

*형평성*에서 비롯되는 것은 성문화된 법이 명하지 않더라도, 합리적으로 해석되고 제공되는 것으로, 우리의 뜻에 따라 요구되는 듯 보이는 조치들이다.

*형평성*에 따른 조치란 이러하다. 오류나 불운한 일, 해악을 너무 엄격하게 처벌하지 않는 것이 그러하다. 인류에 고착된 잘못을

용서하는 것이 그러하다. 그리고 *법*보다는 *입법자의 정신*을 더욱 많이 고려하는 것이 그러하며, *단어*가 아니라, 법의 *의미*를 더욱 많이 고려하는 것이 그러하다. 그리고 사실에 너무 치중하기보다는, 행위자의 의도를 고려하는 것이 그러하며, 사실의 일부가 아니라 전체를 고려하는 것, 행위자가 *지금* 어떠한지보다는 늘 혹은 대체로 어때*왔는지*를 고려하는 것이 그러하다. 그리고 나쁜 것보다는 좋은 것을 받았음을 더 잘 기억하는 것이 그러하다. 그리고 해악을 참을성 있게 견디는 것이 그러하다. 그리고 칼보다는 재판관의 선고에 복종하는 것이 그러하다. 그리고 재판관보다는 중재자의 선고에 복종하는 것이 그러하다.

제15장

상대적인 해악과 관련한 특색 혹은 공론에 관하여.

상대적인 해악과 관련한 *공론*이란 이러하다.

더 큰 죄악에서 비롯되는 해악이 더 크다. 그리고 더 큰 피해가 발생하는 것이 그러하다. 그리고 어떠한 복수도 없는 것이 그러하다. 그리고 어떠한 구체책도 없는 것이 그러하다. 그리고 때때로 해악을 당한 자가 스스로에게 어떤 해를 가하게 되는 것이 그러하다.

더 큰 해악을 가한 자는, 최초로 하거나, 혼자서 하거나, 소수와 함께 한 자이며, 자주 하는 자이다.

더 큰 해악은 애초에 법과 형벌이 만들어지게 된 것이다. 그리고 더욱 잔인하거나 짐승의 행동에 더욱 가까운 것이다. 그리고 더 많이 사전계획된 것이다. 그리고 더 많은 법을 위반한 것이다.

그리고 처형장에서 행해진 것이다. 그리고 해악을 당한 자에게 가장 수치스러운 것이다. 그리고 마땅한 자격자에 대해 저질러진 것이다. 그리고 *성문화되지 않은* 법에 반하여 저질러진 것이니, 왜냐하면 선한 사람은 처벌에 대한 두려움 때문이 아니라 정의를 위해 법을 지켜야 하기 때문이다. 그리고 *성문화된* 법에 반하여 저질러 것이니, 왜냐하면 *성문화된* 법에 정해진 형벌을 무시하고 해악을 가하려는 자는 형벌이 전혀 없는 *성문화되지 않은* 법을 어길 가능성이 훨씬 높기 때문이다.

제16장

인위적이지 않은 증명에 관하여.

*인위적인 증명*에 대해 우리는 이미 이야기하였다.

*인위적이지 않은 증명*이란 우리가 창안하지 않았으나 사용하는 것으로, 다섯 가지 종류가 있다.

1. *법률*. 그리고 이는 *시민법* 또는 *성문화된 법*이다. *국법* 또는 *국가의 관습*이 있고, *보편적인 자연법*이 있다.

2. *증인*. 그리고 이는 *문제*와 관련된 자, 그리고 *태도*와 관련된 자이다. 또한 그들은 *옛날* 사람이거나 *현재의* 인물이다.

3. *증거* 또는 기록.

4. *질문* 또는 고문.

5. *선서*. *주거나 받거나*, 둘 다 하기도 하고, 둘 다 하지 않기도 한다.

*법률*의 경우, 우리는 이렇게 사용한다. *성문화된 법*이 우리에게 불리할 때, 우리는 가장 큰 정의이자 가장 큰 형평성이라 주장하

면서 *자연법*에 호소한다. *자연법*은 불변하며, *성문화된 법*은 변할 수 있다는 것이다. *성문화된 법*은 표면적인 정의에 불과하고, *자연법*이야말로 바로 정의이니, 정의는 그렇게 보이는 것이 아니라, 그러한 것 가운데 있다는 것이다. 재판관은 참된 정의와 불순한 정의를 분별해야 한다는 것이다. 성문화된 법보다는 성문화되지 않은 법에 순종하는 자가 더 나은 사람이라는 것이다. 우리에게 불리한 법이 여타 다른 법률과 모순되는 경우가 있다는 것이다. 그리고 법이 이중으로 해석될 때, 우리에게 유리한 것이 참된 해석이라는 것이다. 그리고 법의 원인이 철폐된다면, 법도 더 이상 유효하지 않다는 것이다.

하지만 우리에게 *성문화된 법*이 유리하고, 상대방에게는 *형평성*이 그러할 때, 이렇게 주장해야 한다. 형평성은 법에 반하여 판단할 자유가 아니라, 법을 알지 못할 때 위증에 대한 안전장치로서 단지 사용될 수 있다는 것이다. 인간은 형평성이 단순히 좋기 때문이 아니라, 자신에게 좋기 때문에 이를 추구한다는 것이다. 법을 만들지 않는 것과 사용하지 않는 것은 같은 일이라는 것이다. 다른 기술, 즉 물리학에서와 마찬가지로, 잘못은 해로우므로, 코먼웰스에서 법에 반하는 구실을 대는 것은 해롭다는 것이다. 그리고 제도를 잘 갖춘 코먼웰스에서, 법보다 더 현명해 보이는 것은 금지된다는 것이다.

*증인*의 경우, 이렇게 말해야 한다. 증인을 갖지 못했다면, 우리는 *추정*에 근거하여 이렇게 말해야 한다. 형평성에 따라, 선고는 가장 높은 개연성에 따라 내려져야 한다는 것이다. 추정은 그 일 자체에 대한 증언이며, 뇌물을 먹일 수 없다는 것이다. 거짓말을 할 수 없다는 것이다.

증인을 갖지 못한 자에 대해 증인을 가졌다면, 이렇게 말해야 한다. 추정은 거짓일지라도 처벌받을 수 없다는 것이다. 추정으로 충분하다면, 증인은 불필요하다는 것이다.

*기록*의 경우, 우리에게 유리할 때, 이렇게 말해야 한다. *기록*은 사적이고 특수한 법이며, 증거의 이용을 없애는 자는 법을 철폐한다는 것이다. 계약과 협상은 *기록*에 의해 통과되므로, 그 사용을 금하는 자는 인간 사회를 해체한다는 것이다.

기록이 상대방에게 유리하다면, 그에 반대해 이렇게 말할 수 있다. 법은 기만적으로 통과된 것에 구속되지 않으니, 기록에는 더더욱 그렇지 않으며, 정의를 베풀어야 하는 재판관은 무엇이 기록에 있는지 보다는 무엇이 정당한지를 고려해야 한다는 것이다. 기록은 사기나 강제로 얻을 수 있지만, 정의는 그 어느 쪽으로도 얻지 못한다는 것이다. 기록은 시민법이나 자연법, 또는 정의나 정직함에 반한다는 것이다. 그 이전이나 이후의 여타 기록에 반한다는 것이다. 재판관의 편리를 넘어서는 것으로, 직접적으로 이야기되는 게 아니라, 교활하게 암시될 뿐이라는 것이다.

*고문*의 경우, 우리에게 유리함을 준다면 이렇게 말해야 한다. 그것이 확실한 유일한 증언이라는 것이다. 하지만 그것이 상대방에게 유리하다면, 이렇게 말해야 한다. 고문으로 강요받은 사람들은 참된 것만큼이나 거짓된 것도 말한다는 것이다. 견딜 수 있는 자는 진실을 감추고, 그럴 수 없는 자는 고통에서 벗어나기 위해 거짓을 말한다는 것이다.

*선서*의 경우, 상대방의 선서를 받아들이고자 하지 않는 자는 이렇게 주장할 수 있다. 그는 위증하기를 주저하지 않는다는 것이다. 맹세함으로써, 맹세하지 않으면 틀림없이 패소하게 될 소송을 이어가려 한다는 것이다. 상대방보다는 재판관의 손에 소송을 맡기겠다는 것이다.

선서하기를 *거부*하는 자는 이렇게 말할 수 있다. 그 문제는 그만한 가치가 없다는 것이다. 만일 자신이 악인이었다면, *맹세*하고 소송을 이어왔으리라는 것이다. 경건한 사람이 경건하지 않은 자를 상대로 *맹세*함으로써 이를 시도하는 것은, 전투에서 약자가 강자에게 맞붙는 것만큼이나 어려운 일이라는 것이다.

기꺼이 선서를 받아들이고자 하는 자는 이렇게 주장할 수 있다. 상대방보다는 오히려 스스로를 신뢰한다는 것, 그리고 경건하지 않은 자가 선서*하는* 것과 경건한 자가 선서*받는* 것은 동등한 처우라는 것이다. *재판관에게 맹세하도록* 요구했으므로, 선서를 받아들이는 것이 자신의 의무라는 것이다.

선서*하는* 자는 이렇게 주장할 수 있다. 경건하게 신께 소송을 맡긴다는 것이다. 상대방이 스스로 판단하도록 하겠다는 것이다. 재판관에게 맹세를 요구하는 자가 맹세하지 않는 것은 어처구니없는 일이라는 것이다.

그리고 이 중에서 선서를 *하면서 받지 않는* 경우, *받으면서 하지 않는* 경우, *하면서 받는* 경우, *하지도 받지도 않는* 경우에 사용하는 형식으로 결합된다.

그런데 누군가가 앞선 선서와 반대되는 맹세를 하게 된다면 이렇게 주장할 수 있다. 강요받았다는 것이다. 속았다는 것으로, *위증*은 자의적인 것이므로, 이 중 어느 것도 *위증*이 아니라는 것이다.

하지만 상대방이 그리 한다면 이렇게 말할 수 있다. *맹세*한 것을 지키지 않는 자는 인간 사회를 전복시킨다는 것이다. 그리고 (재판관에게 돌아서면서) 이렇게 말할 수 있다. 우리가 우리 스스로 맹세한 것을 지키려 하지 않으니, 소송을 판단하도록 그대가 *맹세*해야 한다고 요구해야 할 이유가 무엇이겠습니까?

그러면 *인위적이지 않은 증명*에 대해서는 이쯤으로 충분하다.

제2권

제1장

개요.

우리의 *창안*에서 비롯되는 *믿음* 중, *증명*으로 구성되는 부분은 이미 이야기되었다.

다른 두 부분이 뒤따르는 바, 그 중 하나는 *화자*의 *태도*에서 비롯되고, 다른 하나는 *청자*의 *정념*에서 비롯된다.

말하는 자의 태도에 관하여 어떤 이의 믿음이 근거하는 *원리*나 *특성*, *공론*은 부분적으로는 앞서 *미덕*에 관해 말한 부분(제1권, 제9장)에서, 부분적으로는 *정념*과 관련되어 차근차근 이야기될 것에서 얻게 된다. 인간은 *신중함*이나 *정직함*, 즉 *미덕*을 이유로, 또는 *정념* 가운데 *선의*를 이유로 *믿음*을 얻는다.

청자의 정념에서 비롯되는 믿음에 관한 *원리*는 이제 여러 가지 정념에 대해 차례대로 말하게 될 것으로부터 획득된다.

이 모두에서, 세 가지를 고려해야 한다.

1. 첫째, 인간은 *어떻게* 영향받는가.

2. 둘째, *누구를 대상으로 하는가*.

3. 셋째, *무엇에 대한 것인가*.

제2장

분노에 관하여.

*분노*는 자신 또는 자신의 일부가 *무시*당하거나, 그렇게 보이는 데에 대한 괴로움과 결합된 복수의 욕망이다.

분노의 대상은 언제나 특정한 것 내지는 개별적인 것이다.

분노 속에는 또한 다가오는 복수의 상상에서 비롯되는 쾌락이 있다.

*무시*한다는 것은 거의 또는 전혀 존중하지 않는 것으로 세 가지 종류이다. 1. *경멸* 2. *무례함* 3. *모욕*.

*경멸*이란, 누군가가 다른 사람을 자신과 비교하여 가치 없다고 생각하는 것이다.

*무례함*이란, 자기 이익에 대한 고려 없이 다른 사람의 의지를 방해하는 것이다.

*모욕*이란, 자신의 유흥을 위해 다른 이를 수치스럽게 하는 것이다.

따라서 분노에 관한 *공론*은 다음과 같다. 무시당했다고 생각하는 자는 쉽사리 분노한다. 다른 이들보다 뛰어나다고 생각하는 자가 그러하니, 부자가 빈자에게, 고귀한 자가 천한 자에게 등등의 경우와 같다. 제대로 대접받을 자격이 있다고 생각하는 자가 그러하다. 방해받거나, 반대되거나, 도움을 받지 못하여 괴로워하는 자가 그러하니, 그러므로 병든 사람이나 가난한 사람, 사랑에 빠진 자, 그리고 일반적으로 바라면서도 얻지 못하는 모든 이들이 그들의 욕구에 가만히 있으면서 무심한 자들에게 분노한다. 그리고 선을 기대하다가 악을 발견한 자가 그러하다.

인간이 분노하는 것이란 이러하다. 조롱이나 비웃음, 우롱당하는 것이 그러하다. 그리고 어떤 종류든 모욕을 당하는 것이 그러하다. 그리고 가장 노고를 들이고 연구한 것이 업신여겨지는 것이 그러하며, 그에 대해 뒤처져 보이는 경우에 더욱 그러하다. 그리고 친구가 아닌 자보다는 친구에게 그러하다. 그리고 우리를 명예로이 하던 자들이 계속 그러지 않을 경우에 그러하다. 그리고 예의에 보답하지 않는 것이 그러하다. 그리고 열등한 자들이 반대노선을 따르는 경우에 그러하다. 그리고 친구가 우리에게 악하거나, 선하지 않게 말하거나 행동하는 경우에 그러하다. 그리고 우리의 간청에 귀를 기울이지 않는 것이 그러하다. 그리고 우리의 고난에 기뻐하거나 평온한 것이 그러하다. 그리고 우리를 곤란하게 하면서 스스로는 곤란해하지 않는 것이 그러하다. 그리고 우리가 망신당하는 것을 기꺼이 듣거나 보고자 하는 것이 그러하다. 그리고 우리의 경쟁자나 우리가 경탄하는 자, 우리에게 경탄하는 자, 우리가 경외하는 자, 우리를 경외하는 자의 면전에서 우리를 무시하는 것이 그러하다. 그리고 우리를 도와야 하는 자들이 이를 무시하는 것이 그러하다. 그리고 진지하고자 할 때 농담하는 것이 그러하다. 그리고 우리, 또는 우리의 이름을 잊어버리는 것이 그러하다.

그러므로 연설가는 연설로 재판관이나 청중이 *분노*하기 쉽도록 틀을 짜고는, 상대방을 사람들이 *그로 인해 분노하게 되는* 인물처럼 보여야 한다.

제3장

화해 또는 분노를 진정시키는 것에 관하여.

*화해*는 분노를 푸는 것이다.

사람들이 쉽게 화해할 수 있는 자란 이러하다. 무시로 감정을 상하게 하지 않는 자가 그러하다. 그리고 자기 의지에 반하는 일을 행한 자가 그러하다. 그리고 행한 바와 반대되는 것이 행해졌기를 바라는 자가 그러하다. 그리고 스스로에게 많은 것을 행한 자가 그러하다. 그리고 고백하고 회개하는 자가 그러하다. 그리고 겸손한 자가 그러하다. 그리고 사람들이 진지하게 행하는 일을, 진지하게 행하는 자가 그러하다. 그리고 가한 해보다 지금까지 더 많은 선을 행한 자가 그러하다. 그리고 무엇으로든 소송을 당한 자가 그러하다. 그리고 오만하지도, 조롱하지도, 제 성향상 다른 이를 경시하지도 않는 자가 그러하다. 그리고 일반적으로 사람들이 통상 그로 인해 분노하게 되는 이들과는 반대되는 성향을 가진 자가 그러하다. 그리고 사람들이 두려워하거나 경외하는 자가 그러하다. 그리고 그들에게 경외하는 자가 그러하다. 그리고 분노로 죄를 범한 자가 그러하다.

*화해가능*하다는 것은 이러하다. 앞에서 우리를 쉽사리 분노케 한다고 말했던 자들과는 반대의 결과를 빚어낼 때가 그러하다. 그리고 놀고, 웃고, 즐기고, 번영하고, 풍요롭게 사는 경우에 그러하니, 요약하자면 괴로움의 원인을 갖지 않는 모든 경우가 그러하다. 그리고 분노의 시간을 보내온 때가 그러하다.

사람들은 이러한 원인들로 인하여 분노를 내려놓는다. 왜냐하면 승리를 얻었기 때문이다. 왜냐하면 그들이 가하려 했던 것 이상으로 가해자가 고통을 겪었기 때문이다. 왜냐하면 다른 이에게 복수를 당했기 때문이다. 왜냐하면 스스로 겪는 고통이 정당하다 생각하기 때문이다. 그리고 왜냐하면 복수가 자기를 향한 것으로, 해악에 대한 대가라고 느끼지 못하거나, 또는 깨닫지 못한다고 생각하기 때문이다. 그리고 왜냐하면 가해자가 죽었기 때문이다.

그러므로 누구라도 *청중*의 분노를 *진정*시키고자 한다면, *화해*할 만한 모습으로 스스로를 보여야 하며, *청중*에게 그와 *화해가능*하다는 의견을 낳도록 해야 한다.

제4장

사랑과 친구에 관하여.

*사랑*한다는 것은 다른 이에게 잘하고자 한다는 것으로, 우리 자신이 아니라 다른 사람을 위하는 것이다.

*친구*는 *사랑하는* 자이자, *사랑받는* 자이다.

서로 간의 *친구*란 당연히 서로를 *사랑*하는 자이다.

그러므로 *친구*란 이런 자이다. 다른 이의 선에 기뻐하는 자이다. 그리고 그가 당한 해에 괴로워하는 자이다. 그리고 선이든 해이든, 제3자에 대해 우리와 같은 것을 소망하는 자이다. 그리고 동일인에 대해 함께 *적*이거나 *친구*인 자이다.

우리가 *사랑*하는 자는 이러하다. 우리 또는 우리 것에 선을 행한 자로, 특히 많이, 쾌히, 제때에 그런 경우이다. 우리의 친구에게 *친구*인 자이다. 우리의 적에게 *적*인 자이다. 용감한 자이다. 정의로운 자이다. 그리고 우리를 사랑하는 자이다. 그리고 좋은 동료이다. 그리고 농담을 잘 받아줄 수 있는 자이다. 그리고 농담을 반아치는 자이다. 그리고 우리를 칭찬하는 자로, 우리가 스스로에게 의심하는 무언가에 대해 특히 그러하다. 그리고 깔끔한 자이다. 그리고 우리의 악덕이나 편익에 대해 꾸짖지 않는 자이다. 그리고 해악을 빨리 잊어버리는 자이다. 그리고 우리의 오류를 가장 적게 보는 자이다. 그리고 입이 험하지 않은 자이다. 그리고 우리의 악덕에 대해 무지한 자이다. 그리고 우리가 바쁘거나 분노했을 때 무례하지 않은 자이다. 그리고 우리에게 공손한 자이다. 그리고 우리와 비슷한 자이다. 그리고 동일한 인생경로이나 생업을 따르는 자인데, 서로를 문제삼지 않는 경우이다. 그리고 같은 일에 노고를 쏟는 자인데, 양쪽 모두 만족될 수 있는 때이다. 그리고 우리에게 자유로이 자기들 잘못을 말하기를 수치스러워 하지 않으면서, 따라서 우리를, 그리고 그들 자신의 양심보다는 세상이 정죄하듯 그 잘못을 경멸하지 않는 자이다. 그리고 바로 자기들 잘못을 우리에게 말하면서 수치스러워 하는 자이다. 그리고 우리를 명예로이 하면서, 시기하지 않고 본받으려 하는 자이다. 그리고 우리가 우리 자신에게 더 큰 해를 끼치는 경우를 제외하고는, 선을 행하고자 하는 자이다. 그리고 고인에게도 우정을 이어가는 자이다. 자기들 심중을 말하는 자이다. 그리고 끔찍하지 않은 자이다. 그리고 우리가 의지할 수 있는 자이다.

*우정*의 여러 *종류*에는 *사교성*, *친숙함*, *동질성*, *친밀감* 등이 있다.

사랑을 낳는 것은 편익을 *무상으로*, *부탁받지 않고*, *사적으로* 베푸는 것이다.

제5장

적의와 증오에 관하여.

*증오*와 관련된 *특색*이나 *공론*은 사랑 및 우정과 관련된 것과는 *반대되는 것*에서 취해야 한다.

*증오*는 분노와 이런 점에서 다르다. 분노는 자신에게 일어난 일에만 관련되지만, *증오*는 그렇지 않다. 그리고 이에, 분노는 특수에만 관련되고, 증오는 보편에도 또한 그러하다. 그리고 이에, 분노는 치유가능하지만, 증오는 그렇지 않다. 그리고 이에, 분노는 상대방의 번뇌를 추구하지만, 증오는 피해를 추구한다. 분노에는 언제나 괴로움이 따르지만, 증오에는 언제나 그렇지는 않다. 분노는 결국에는 충족될 수 있지만, 증오는 결코 그러지 못한다.

그러므로 이로써 어떻게 재판관이나 청중이 우리에게 *친구*나 *적*이 될 수 있는지, 그리고 어떻게 우리의 상대가 재판관에게 *친구*나 *적*이 될 수 있는지, 그리고 우리가 상대에게 *적*으로 보이도록 어떻게 대답할 수 있는지가 드러난다.

제6장

두려움에 관하여.

*두려움*은 해를 가하거나 파멸시킬 수 있는 악이 가까이 있다는 불안감으로 인해 발생하는 마음의 곤란이나 번뇌이다. *위험*은 두려워하는 악이 가깝다는 것이다.

두려워해야 하는 *것*이란 이러하다. 해를 가할 힘을 가진 것이 그러하다. 그리고 힘 있는 자의 분노와 증오처럼 우리를 해치려는 외지의 징후이다. 그리고 힘과 결합된 불의이다. 그리고 힘과 결합되어 도발된 용기이다. 그리고 힘 있는 자가 두려워하는 것이다.

두려워해야 하는 *사람*이란 이러하다. 우리의 잘못을 아는 자가 그러하다. 그리고 우리에게 해악을 가할 수 있는 자가 그러하다. 그리고 우리에게 해악을 입었다고 생각하는 자가 그러하다. 그리고 우리에게 해악을 가한 자가 그러하다. 그리고 양쪽 모두를 충족시킬 수 없는 것에 대한 경쟁자가 그러하다. 그리고 우리보다 더 힘 있는 사람들이 두려워하는 자가 그러하다. 그리고 우리보다 더 위대한 인물들을 파멸시킨 자가 그러하다. 그리고 열등한 자를 침략하고는 하는 자가 그러하다. 그리고 열성적이지는 않지만 위선적이고 교활한 자를 성마르고 자유로운 자보다 더욱 두려워해야 한다.

특히 두려워해야 하는 것이란 이러하다. 오류를 범했을 때, 그 오류를 고칠 수 없는 경우, 내지는 최소한 우리의 뜻이 아니라 상대방의 뜻에 따라야 하는 경우가 그러하다. 그리고 어떤 도움도 받을 여지가 없거나, 쉽게 도움받지 못하는 것이 그러하다. 그리고 다른 이에게 이루어졌거나 이루어질 일로 인해 동정하게 되는 것이 그러하다.

두려워하지 않는 자란 이러하다. 악을 예상하지 않거나, 지금은 아니라 생각하거나, 이것은 아니라 생각하거나, 이들에서 비롯되리라고 예상하지 않는 자이다. 그러므로 인간은 *번영* 중에는 거의 두려워하지 않는다. 그리고 이미 고통을 겪어왔다고 생각하는 사람은 거의 두려워하지 않는다.

그러므로 청중에게 *두려움*을 갖게 하려는 연설가는 그들이 미움을 사고 있음을 보여야 하며, 그들보다 더 위대한 이들이 이로 인해 고통을 겪으며 고통을 겪어왔고, 적어도 당시에는 생각지도 못했던 고통임을 보여야 한다.

제7장

확신에 관하여.

*확신*은 도움이 가까이 있거나, 악이 멀리 있다는 상상에서 비롯되는 희망이다.

그러므로 확신을 낳는 것은 이러하다. 두려워해야 하는 것에서 멀고, 그 반대되는 것이 가까운 것이다. 그리고 크거나 많은 도움 또는 구제책의 용이함이다. 그리고 해악을 당하지도 받지도 않은 것이다. 그리고 경쟁자가 없거나 대단한 자가 없는 것, 내지는 대단한 자가 있다면, 최소한 우리가 의무를 지거나, 우리에게 의무가 있는 친구인 것이다. 그리고 위험이 우리 이상으로 더 많이 혹은 더 크게 확대되는 것이다.

*확신*하거나 *자신감*을 갖는 자란 이러하다. 자주 위험에서 벗어났던 자이다. 그리고 대부분의 일이 잘 풀렸던 자이다. 그리고 동등하거나 열등한 자에게 염려하지 않는 자이다. 그리고 부와 힘 등등처럼, 자신에게 두려움을 갖도록 할 만한 것을 가진 자이다. 그리고 다른 이에게 아무런 잘못도 저지르지 않은 자이다. 그리고 전능하신 신과 좋은 관계를 맺고 있다고 스스로 생각하는 자이다. 그리고 이전에 그래왔듯, 성공하리라 생각하는 자이다.

제8장

수치심에 관하여.

*수치심*이란 과거나 현재, 또는 향후에, 본인 또는 그 친구의 평판에 악영향을 미치는 악에 대한 우려에서 비롯되는 마음의 동요이다.

그러므로 사람들이 *수치스러워* 하는 것이란 악덕에서 비롯되는 행동들이다. 무기를 버리고 도망치는 것은 비겁함의 징표와 같다. 신뢰로 맡겨진 것을 부인하는 것은 불의의 징표와 같다. 함께 있으면 안 되는 이와, 여느 곳에서 여느 때에 함께 있는 것은 무절제의 징표와 같다. 작고 하찮은 것으로 이득을 취하는 것, 우리가 누구에게 얼마만큼 돈을 빌려주어야 하든 돕지 않는 것, 비열한 인간으로부터 도움을 받는 것, 돈을 빌리려 한다고 생각하는 자에게 쓸 돈을 부탁하는 것, 빌려주기 전에 다소간의 상환을 기대하는 자에게 빌리는 것, 그리고 더 빌리려 한다고 생각하는 자에게 빌려준 것을 다시 요구하는 것, 그리고 부탁하는 자로 여겨질 수 있도록 칭찬하는 것, 이는 비참함의 징표와 같다. 면전에서 칭찬하는 것, 미덕을 지나치게 칭찬하고 악덕을 덧칠하는 것, 이는 아첨의 징표와 같다. 그보다 더 나이든 자, 더 허약한 자, 태생이 더 뛰어난 자, 체력이 더 약한 자가 견디는 노고를 견디지 못하는 것, 이는 나약함의 징표와 같다. 다른 이에게 자주 끌려 다니는 것, 그리고 끌고 다니는 자를 꾸짖지 않는 것, 이는 소심함의 징표와 같다. 본인에 대해 필요 이상으로 너무 많이 말하고 약속하는 것, 이는 오만함의 징표와 같다. 본인과 동등한 자, 그들 중 모두나 대부분이 이룬 것이 부족한 것 또한 수치스러운 일이다.

그리고 다른 이의 신체에 봉사하거나 비천한 행위에 고용되는 것처럼, 불명예스러운 일을 겪는 것이 그러하다.

본의이든 본의가 아니든, 무절제한 행동은 *수치*스러우며, 강요에 따른 행동은 오직 본의가 아닌 경우에만 그러하다.

우리가 *그 앞에서* 수치스러워 하는 사람이란 우리가 존경하는 자, 즉 우리에게 경탄하는 자이다. 그리고 우리에게 경탄하기를 바라는 자이다. 그리고 우리가 경탄하는 자이다. 명예를 두고 우리와 겨루는 자이다. 우리가 비난하지 않는 의견을 가진 자이다. 그러므로 사람들은 이러한 자 앞에서 가장 수치스러워 하니, 나이 들고 교육을 잘 받은 사람 앞에서 그러하다. 우리가 늘 함께 살아야 하는 이들 앞에서 그러하다. 같은 잘못으로 유죄를 받지 않은 자 앞에서 그러하다. 쉽게 용서하지 않는 자 앞에서 그러하다. 우리의 잘못을 들추어내기 쉬운 자 앞에서 그러하니, 해악을 당한 사람, 뒷담화 하는 자, 조소하는 자, 희극 시인 같은 자이다. 그리고 그 앞에서 우리가 늘 훌륭한 성공을 거두어 왔던 자 앞에서 그러하다. 그리고 이전에 우리에게 결코 어떤 것도 요구하지 않았던 자 앞에서 그러하다. 그리고 우리의 우정을 바라는 자 앞에서 그러하다. 그리고 우리의 범죄에 대해 전혀 모르는 친지 앞에서 그러하다. 그리고 앞서 명명한 자들 중 누구라도 우리의 잘못을 들춰내려는 자 앞에서 그러하다.

하지만 사람들 대부분이 그 판단을 경멸하는 자 앞에서는, 수치스러워 하지 않는다. 그러므로 우리는 또한 우리가 경외하는 자 앞에서 수치스러워 한다. 그리고 우리 자신이나 조상, 친족의 행동이나 불행이 수치스러운 경우, 이들과 관련된 자 앞에서 그러하다. 그리고 그 경쟁자 앞에서 그러하다. 그리고 그 불명예를 아는 자와 함께 살아가는 자 앞에서 그러하다.

*뻔뻔함*에 관한 *공론*은 이와 반대되는 것에서 취해진다.

제9장

은혜 또는 호의에 관하여.

*은혜*란 필요한 사람에게 선행을 하거나 봉사하는 미덕인데, 본인이 아니라 그가 그렇게 하는 자를 그 원인으로 하는 것이다.

큰 은혜는 필요가 크거나, 베풀기가 어렵고 힘든 일이거나, 시점이 적절하거나, *호의*를 베푸는 유일한 또는 최초의 인물일 경우이다.

*욕구*는 바라는 것의 부재로 인한 괴로움과 결합된 욕망이다. 그러므로 필요하지 않은 자에게 *은혜*가 이루어진다면, 은혜가 아니다. 그러므로 누구든 *은혜*나 *호의*를 베풀었음을 증명하고자 한다면, 그것이 필요로 하는 자에게 이루어졌음을 보여야 한다.

우연에 따라 이루어진 것은 *은혜*가 아니다. 필요에 따라 이루어진 것도 아니다. 보답받는 것도 아니다. 자기 적에게 이루어지는 것도 아니다. 사소한 것도 아니다. 무가치한 것도 아닌데, 주는 자가 그 잘못을 아는 경우에 그러하다.

그리고 이런 식으로 사람은 곤경을 넘어가고, 그것이 *이렇게* 된 것에 대한 *은혜*였는지, *얼마만큼* 그러하였는지, *그렇게* 된 것에 대해서인지, 또는 *지금* 그러한지 등에 대해 편익을 검토할 수 있다.

제10장

동정심 또는 연민에 관하여.

*동정심*은 그런 일을 당할 만하지 않은 다른 자가 해를 입거나 곤란을 겪는다는 우려에서 비롯되는 마음의 동요로, 그런 일이 자신이나 가까운 이에게 일어날 수도 있다고 생각하는 것이다.

그리고 그가 다른 이에게 동정하는 불행에 자신이나 가까운 이가 빠질 수 있다고 생각하는 것이 *동정심*과 관련되기에, *가장 많이 연민하는* 자란 이러하다. 불행은 겪어온 자이다. 그리고 노인이다. 그리고 약한 사람이다. 그리고 겁 많은 사람이다. 그리고 배운 사람이다. 그리고 부모와 아내, 자녀를 둔 이들이 그러하다. 그리고 정직한 사람이 있다고 생각하는 자가 그러하다.

그리고 *더 적게 연민하는* 자란 이러하다. 큰 절망에 빠진 자이다. 크게 번영하는 자이다. 그리고 분노하는 자가 있으니, 그들은 고심하지 않기 때문이다. 그리고 매우 자신감 넘치는 자가 있으니, 그들 또한 고심하지 않기 때문이다. 그리고 오만불손하게 행동하는 자가 있으니, 그들 또한 이를 고심하지 않기 때문이다. 그리고 두려움으로 몹시 놀란 자이다. 그리고 누구도 정직하지 않다고 생각하는 자이다.

동정받아야 하는 *것*이란 이러하다. 슬픔과 이에 더해 해를 입는 것이 그러하다. 파멸하는 것이 그러하다. 불운한 재난이 큰 경우가 있으니, 친구가 전무하거나 적은 것, 기형, 허약함, 절름발이 등등이다. 그리고 선이 예상되던 곳에 닥치는 악이 그러하다. 그리고 극심한 악 이후의 작은 선이 그러하다. 그리고 일생에서 그 자체로 선한 일을 전혀 제시받지 못하거나, 제시받더라도 누릴 수 없는 것이다.

동정받아야 하는 *사람*이란 이러하다. 우리에게 알려진 자들이 있으니, 그들이 우리에게 너무 가깝지 않은 한, 그 해를 우리 자신의 것처럼 느끼게 된다. 같은 연배에 속하는 자가 그러하다. 태도에서 우리와 비슷한 자가 그러하다. 같은 혈통이거나 동족에 속하는 자가 그러하다. 지위가 동등한 자이다. 최근에 고통을 겪었거나, 곧 해악을 겪게 될 자, 그리고 해악의 과거 흔적이 남아 있는 자이다. 그리고 현재 불행에 처해있음을 말이나 행동으로 보이는 자이다.

제11장

의분에 관하여.

선한 자에게 동정심과 반대되는 것은 *의분*인데, 이는 가치 없는 사람의 번영에 대한 괴로움이다.

언제나 *동정심*에는 역경을 당할 만한 자에 대한 만족감이 따르듯, 언제나 *의분*에는 가치 있는 자의 번영에 대한 기쁨이 따른다.

사악한 사람에게 동정심의 반대는 *시기심*인데, 그 동료로서 또한 *다른 이의 해를 기뻐하는 것*으로, 그리스인들은 이를 한 단어로 *에피카이레카키아*ἐπιχαιρεκακία라 불렀다. 하지만 이에 대해서는 다음 장에서 다루기로 한다.

사람들은 정의로움 등과 같은 미덕 때문에 다른 이에 대해 *의분*을 느끼지 않으니, 왜냐하면 이는 사람을 가치 있게 하기 때문이요, 미덕을 부여받은 사람, 출신이 고귀한 사람, 잘생긴 사람이 가치를 갖는 그러한 선 이외에는 우리가 가치 없다고 생각하는 사람에게 *의분*을 갖는다. 그리고 오래되기보다는 새로이 권력과 부를 얻은 인물, 그리고 특히 부, 명령권처럼 이러한 것으로 다른 선을 얻은 경우에 그러하다. 우리가 오래된 부자보다 새로운 부자에게 더 큰 *의분*을 느끼는 이유는, 후자는 무엇도 제 것이 아닌 것을 소유한 듯 보이지만, 오래된 부자는 자기 것을 가진 듯 보이기 때문이니, 서민들에게 그토록 오래된 것은 권리에 따라 그러해야 하는 것이기 때문이다. 그리고 가장 용감한 아킬레우스의 무기가 가장 웅변적인 오디세우스에게 주어진 것처럼[178], 부조리하게 재화가 주어진 경우가 그러하다. 그리고 용감한 이가 보다 용감한 이와 비견되는 경우처럼, 열등한 것을 동등한 것으로 비견하거나, 혹은 훌륭한 학자가 선한 사람과 비견되는 경우처럼, 절대적으로 우월한 것을 비견하는 경우가 그러하다.

의분을 갖기 *쉬운* 자란 이러하다. 스스로 가장 큰 재화를 가질 만한 가치가 있다 생각하고, 이를 소유한 자이다. 그리고 선한 자이다. 그리고 야심이 많은 자이다. 그리고 다른 이가 소유한 것이 그보다는 자기에게 더욱 걸맞는다고 생각하는 자가 그러하다.

의분과 *가장 거리가 먼* 자란, 가난하고 비굴하며 천성상 야심 없는 자가 그러하다.

고통을 겪을 만한 자의 역경에 기뻐하거나 괴로워하지 않는 자가 누구이고, 어떤 경우인지는 이미 말한 바와는 상반되는 것으로

---

[178] 로마의 시인 오비디우스Ovid (BC 43~AD 17?)의 『변신 이야기』, 13권에 나오는 내용으로, 사망한 아킬레우스Achilles의 무구를 두고 아이아스Ajax와 오디세우스Ulysses가 겨뤄, 논쟁 끝에 결국 오디세우스가 쟁취한 일을 말한다. 이는 호메로스의 『오뒷세이아』 11권, 553~555행에서도 언급된다. 아킬레우스와 아이아스, 오디세우스는 모두 트로이 전쟁에 참여한 그리스 신화 속 영웅들이다.-역주

부터 깨달을 수 있다.

그러므로 누구든 재판관의 *연민*을 내치고자 하는 자는 *의분*을 갖기 쉽도록 하고, 그 상대가 선에 걸맞지 않고, 그에게 일어난 악에 걸맞음을 보여야 한다.

제12장

시기심에 관하여.

*시기심*은 우리 자신과 같은 자의 번영으로 인한 괴로움으로, 우리가 입은 해가 아니라, 그들이 받은 선에서 비롯된다.

우리 자신과 같은 자란, 혈통, 연령, 능력, 영광, 수단에서 우리와 동등한 자를 그리 칭한다.

*시기*하기 쉬운 자란 이러하다. 최고 자리에 있는 소수이다. 그리고 어떤 특별한 자질, 특히 지혜나 부유함으로 특별한 명예를 얻은 자이다. 그리고 현명하다고 여겨지고자 하는 자가 그러하다. 그리고 모든 행위에서 영광을 잡고자 하는 자가 그러하다. 그리고 영혼이 가난한 자가 있으니, 왜냐하면 그들에게는 모든 것이 대단해 보이기 때문이다.

사람이 다른 이에게 시기하는 *것*이란 이러하다. 영광을 가져오는 것이 그러하다. 그리고 재물운이다. 그리고 우리가 자기자신을 위해 바라는 것이 그러하다. 그리고 소유했을 때 그로 인해 우리가 다른 이보다, 혹은 그들이 우리보다 약간 우월해지는 것이다.

*시기*로 미움을 사는 자란 이러하다. 우리 시대, 우리 나라, 우리 연령의 인물, 그리고 영광에서의 경쟁자가 있으니, 따라서 명예를 위해 다투는 자이다. 그리고 우리와 같은 것을 탐하는 자이

다. 그리고 우리가 거의 또는 전혀 얻지 못하는 것을 빠르게 얻는 자이다. 그리고 우리가 행한 것은 아니나, 우리에게 치욕을 되는 것을 얻거나 행한 자이다. 그리고 우리가 지금까지 소유해왔던 것을 소유한 자이니, 고로 늙고 노쇠한 사람은 젊고 튼튼한 이를 시기한다. 그리고 거의 애쓰지 않은 자는 같은 것에 대해 크게 애쓴 자에게 시기의 대상이 된다.

이와는 반대되는 것에서 다른 사람이 입은 해로 인한 기쁨과 관련된 원리가 도출될 수 있다.

그러므로 적을 이기지 못하게 하려는 자는, 그가 *동정심*이나 다른 호의를 갈망할 때, 재판관을 *시기심*에 빠지게 하고, 위에서 설명한 바와 같이 상대를 다른 이의 *시기* 대상이 되도록 보여야 한다.

제13장

경쟁심에 관하여.

*경쟁심*은 우리와 동등한 자들이 명예로이 보유한 선을 소유하고 있고, 우리는 그럴 역량이 있지만 보유하지 못하는 데에서 오는 괴로움이며, 이는 그들이 이를 가지고 있기 때문이 아니라, 우리도 또한 갖고 있지 못하기 때문이다. 그러므로 누구도 자기가 역량을 갖지 못한 것에서 다른 이와 *경쟁*하지 않는다.

*경쟁*에 빠져들기 쉬운 자란 이러하다. 스스로에게 가진 것보다 더 많은 것을 가질 만한 가치가 있다고 여기는 자가 그러하다. 그리고 젊고 관대한 사람이 있다. 그리고 사람들이 명예로이 여기는 선을 이미 소유한 자가 그러하니, 왜냐하면 가진 것으로 자신의

가치를 측정하기 때문이다. 그리고 다른 이들에게서 가치를 인정받는 자가 있다. 그리고 그 조상, 친척, 친지, 민족, 도시가 어떠한 선으로 유명한 자는, 그러한 선으로 인해 다른 이들과 *경쟁*한다.

경쟁심의 *대상*이 되는 *것*은 미덕이다. 그리고 그에 따라 우리가 다른 이에게 유익함을 줄 수 있는 것이다. 그리고 그에 따라 우리가 다른 이를 즐겁게 할 수 있는 것이다.

*인물*의 경우라면, 그러한 것을 소유한 자이다. 그리고 많은 이가 친구가 되려 하거나, 알고 지내고자 하거나, 좋아하려 하는 자가 그러하다. 그리고 칭찬이 널리 퍼져 나가는 자이다.

*경쟁심*의 반대는 *경멸*이다. 그리고 앞서 언급한 선을 가진 자와 *경쟁*하는 자는, 이를 갖지 못한 자를 *경멸*한다. 따라서 사람들이 명예로이 여기는 선을 갖지 못하는 한, 충분히 행복하게 살아가고 있더라도, 그럼에도 불구하고 *경멸*받는다.

제14장

청년기의 태도에 관하여.

*정념*에 관해 우리는 이미 이야기하였다. 다음으로는 *태도*에 관해 이야기하고자 한다.

*태도*는 *정념*과 *습관*, *연령*, *운*에 따라 구별된다.

*정념*에서, 그리고 *미덕*과 *악덕*, 즉 *습관*에서, 어떤 종류의 *태도*가 비롯되는지는 이미 밝혀졌다. 여러 *연령*과 *운*에 특유한 *태도*에 대해 이야기되어야 하는 것이 남아있다.

연령에는 *청년기*와 *장년기*, *노년기*가 있다. 첫번째로는 *청년기*

이다.

*젊은이*란 이러하다. 욕망에 있어 격렬하다. 욕망을 즉시 실행하려 한다. 자제력이 약하다. 변덕스럽고, 이전에 원했던 것을 쉽게 버린다. 갈망이 거세며, 금방 만족한다. 분노하기 쉽고, 분노했을 때 격렬하며, 분노를 자기 손으로 처리할 준비가 되어 있다. 아직 부족함을 겪어본 적이 없어, 돈보다는 명예와 승리를 더 사랑한다. 악의를 많이 접해보지 못해, 성격이 좋다. 아직 좌절을 자주 겪어보지 않았기에, 그리고 다른 연령이 술을 마시고 갖게 되는 성향을 본연의 열기로 갖기에, 희망으로 가득하다. 청년기는 일종의 본연의 취기이고, 게다가 희망은 다가오는 시간에 관한 것이므로, 그에 따라 청년기에는 많은 시간이 있지만 지나간 시간은 거의 없다. 아직 자주 속아넘어가지 않았기에, 경솔히 믿는다. 희망으로 가득하기에 쉽사리 속아넘어간다. 분노하기 쉽고 희망으로 가득하기에 용감하며, 그에 따라 자신감을 낳고, 한편으로는 두려움을 막는다. 법의 계율에 따라 행동의 명예로움을 가늠하기에, 수줍어한다. 아직 인생의 불행으로 낙담한 적이 없기에, 관대하다. 그리고 이성보다는 관습에 따라 사는데, 이성으로는 유익함을 얻지만, 관습으로는 미덕을 얻기에, 유익함보다는 명예를 더욱 사랑한다. 친구와 동료를 사랑한다. 킬론[179]의 계율, *무엇도 지나치지 않게*Ne quid nimis와는 반대로, 너무 많이 사랑하고, 너무 많이 미워하고, 그들은 모든 것에서 지나치게 하기에, 결핍보다는 과잉에서 오류를 범하기 쉽다. 스스로 현명하다 생각하기에, 한 번 내린 의견에 완고하다. 해악을 행하는 자인데, 해를 입히기 위해서라기

---

[179] Chilon. 기원전 6세기 스파르타 출신의 인물로, 그리스 7현인 중 하나이다.-역주

보다는 오만불손하기 위해서이다. 자비로우니, 왜냐하면 자신의 순수함으로 다른 이를 평가하여, 실제보다 더 좋게 생각하고, 그러므로 그들이 겪는 것을 덜 탓하는데, 이는 동정심의 원인이 되기 때문이다. 기쁨을 사랑하므로, 결과적으로 다른 이에 대한 농담하는 것을 사랑하는 자이다.

*농담*은 재치 있는 오만불손함이다.

제15장

노인의 태도에 관하여.

*노인*의 태도는 어떤 면에서 *청년*과는 정반대이다. 그들은 무엇도 정하지 않는다. 모든 것을 적절한 정도보다 덜 격렬하게 행한다. 결코 안다고 말하지 않으며, 모든 것에 대해 아마도와 혹시를 말하는데, 이는 오래 살아왔으므로, 자주 실수하고 속아왔다는 데에서 비롯된다. 모든 것을 최악으로 해석하기에, 짜증을 낸다. 그리고 쉽게 믿지 못해 의심하며, 경험을 이유로 쉽게 믿지 못한다. 사랑하고 미워하면서, 어느 쪽이든 계속 그러려 하지 않는 것처럼 한다. 그리고 삶의 우연에 따라 겸손해졌기에, 영혼이 가난하다. 그리고 잃기란 얼마나 쉽고, 얻기란 얼마나 어려운지 알기에 탐욕스럽다. 그리고 세월에 따라 차가워졌기에, 겁이 많다. 그리고 삶에 탐욕스러운데, 좋은 것이 그들의 결핍으로 인해 더욱 크게 보이기 때문이다. 그리고 무기력으로 인해, 자기자신을 사랑한다. 그리고 자기자신을 사랑하기에 명예보다는 유익함을 추구하는데, 유익함은 선 가운데에서 단순한 선이 아니라 본인을 위한 선이기 때문이다. 그리고 수줍음이 없는데, 왜냐하면 겉으로 보이는 것을

경멸하기 때문이다. 그리고 희망이 거의 없으니, 경험으로 많은 경우 좋은 충고란 나쁜 사건에 뒤따라왔음을 알기 때문이며, 또한 겁이 많기 때문이다. 그리고 희망보다는 기억으로 사는데, 기억은 지난 시간에 관한 것이고, 그에 따라 노인은 훌륭히 비축해 두었기 때문이다. 그리고 기억하면서 기뻐하기에, 말이 넘쳐난다. 그리고 분노할 때 격렬하지만, 이를 실행할 만큼 충분히 튼튼하지는 않다. 욕망이 약하거나 없으므로, 절제하는 듯 보인다. 그들은 이득의 노예이다. 그리고 관습보다는 이성에 더욱 따라 사는데, 왜냐하면 관습이 명예로움으로 이어지듯, 이성은 유용함으로 이어지기 때문이다. 그리고 오만불손에서가 아니라 해를 가하기 위해 해악을 행한다. 그리고 연민에 따라, 혹은 스스로에게 그 같은 악을 상상하여 자비로우니, 이는 일종의 허약함으로, *젊은이*와 같은 인간성이 아니라, 악을 겪는 자들에 대한 선량한 견해에서 비롯된다. 그리고 허약함으로 인해 스스로 악에서 멀지 않다고 생각하기에, 불평으로 가득하다.

만인이 본인의 태도와 가장 잘 맞는 사람과 그들과의 대화를 사랑하니, 청자가 *젊건 늙었건*, 어떻게 연설가와 그 연설을 받아들이도록 할 수 있는지를 추론하기란 어렵지 않다.

제16장

중년의 태도에 관하여.

*중년*의 태도는 *젊은이*와 *노인* 사이에 있다. 그러므로 그들은 감히 도전하지도, 너무 많이 두려워하지도 않으면서, 양쪽 모두 적절하다. 모든 것을 믿지도, 모든 것을 거부하지도 않으면서, 판단

한다. 그저 명예로운 것만을 추구하지도, 그저 유익한 것만을 추구하지도 않으면서, 양쪽 모두를 추구한다. 탐욕스럽지도 방탕하지도 않으면서, 중간에 선다. 쉽게 분노하지도, 어리석지도 않으며, 양자 사이에 있다. 용감하면서 한편으로 절제한다.

그리고 일반적으로 *젊은이*와 *노인* 간에 나뉜 것이라면 무엇이든, *중년*에 혼재된다. 그에 따라 *젊은이*나 *노인*에게 과잉이나 결핍이 있다면, *중년*에는 그 평균이 있다.

*육체*적으로 중년은 서른에서 서른 다섯까지의 시기를 말하며, *정신*적으로는 대략 마흔아홉 즈음이다.

제17장

태생이 훌륭한 자의 태도에 관하여.

여러 *연령대*에서 비롯되는 태도에 관해 우리는 이미 이야기하였다. 다음으로 여러 *운*에서 비롯되는 것에 대해 이야기하고자 한다.

*태생이 훌륭한 자*의 태도란 이러하다. 야심이 있다. 그 조상과 동등한 자를 저평가하는데, 왜냐하면 행운은 오래될수록 더 귀하게 보이기 때문이다.

*태생의 훌륭함*은 혈통상의 미덕이다. 그리고 *고귀함*이란 혈통상의 미덕에서 쇠락하지 않는 것이다. 식물처럼, 씨족에도 어떤 과정이 있는데, 어떤 지점까지는 점점 더 성장하다가, 변하는 바, 즉 교묘한 기지는 광기로, 차분한 기지는 어리석음과 고리타분함으로 변하는 것이다.

第18장

부자의 태도에 관하여.

부유한 사람은 오만불손하고 교만한데, 이는 그 부에서 비롯되니, 왜냐하면 돈으로 모든 것을 가질 수 있기에, 돈이 있으면 좋은 것 전부를 가진다고 생각하기 때문이다. 그리고 나약한데, 왜냐하면 욕정을 만족시킬 자금을 갖고 있기 때문이다. 그리고 그 부를 뽐내며, 어리석게도 정신나간 듯 말하는데, 왜냐하면 인간은 자기가 사랑하고 경탄하는 것에 대해 기꺼이 말하려 하고, 다른 이들이 자기와 같은 것에 영향을 받는다고 생각하며, 사실인 즉, 모든 종류의 인간은 부자에게 복종하기 때문이다. 그리고 명령을 내릴 자질을 갖추었기에, 자기가 명령을 내릴 만한 가치가 있다 생각한다. 그리고 일반적으로 그들은 운 좋은 바보의 태도를 갖는다. 해를 가하려는 의도 없이, 불명예스럽게 하기 위해 해악을 행하며, 또한 부분적으로는 자제력이 약해서 그러하다.

새로운 부자와 *오랜* 부자 사이에는 차이가 있다. 새로이 부를 이룬 자들은 이 같은 잘못을 더 크게 범하는데, 왜냐하면 *새로운 부자*는 일종의 무례함이요 *부*의 견습상태이기 때문이다.

第19장

권력자의 태도, 그리고 그 번영에 관하여.

*권력자*의 태도는 *부자*의 것과 같거나 더 낫다. 그들은 부자보다 더 큰 명예심을 가지며, 그 태도는 보다 남자답다. *권력*은 근면함으로 유지되기 때문에, 부자보다 더욱 근면하다. 그들은 엄숙하지

만 엄격하지는 않은데, 눈에 띄는 지위에 있어, 스스로 더욱 겸손하게 행동하며, 그리스어로는 *셈노틱*σεμνότης이라 부르는, 일종의 온화하고 적당한 진지함을 갖기 때문이다. 해악을 가할 때는 크게 가한다.

*번영*하는 자의 태도는 *태생이 훌륭한 자*와 *부자*, 그리고 *권력자*의 태도와 복합된 것이니, 모든 *번영*은 이 중 일부와 관련되기 때문이다.

자녀와 육체적 장점에 있어 *번영*은 인간에게 행운으로 다른 이를 능가하고자 바라게 한다.

*번영*하는 자는 이러한 악을 가지는데, 다른 이들보다 더욱 교만하고 배려심이 없는 것이다. 그리고 이러한 선을 가지는데, 신을 경배하고 신뢰하니, 자신의 근면함에서 비롯되는 것보다 더 많은 선을 얻는다고 믿기 때문이다.

가난한 자, *무명*인, *권력 없는* 자, 그리고 *역경에 처한* 자의 태도는 말해온 바와 반대되는 것에서 추론될 수 있다.

제20장

일어날 수 있는 것, 일어난 것, 일어날 것에 관한 공통의 요소 또는 원리, 혹은 가능한 사실 및 과거와 미래에 관하여. 또한 큰 것과 작은 것에 관하여.

지금까지 우리는 여러 종류의 연설에 특유한 *원리*에 대해 썼다. 이제 이 모두에 *공통*되는 *요소*에 대해 이야기해야 하는 바, 이는 *가능한 것*, *일어난 것*, 또는 *과거*, *미래*, *큰 것*, *작은 것*이다.

*가능한 것*이란 이러하다. 그 반대되는 일이 가능하다는 것이다.

그리고 그 비슷한 일이 가능하다는 것이다. 그리고 더 어려운 어떤 일이 가능하다는 것이다. 그리고 그 시작이 가능하다는 것이다. 그리고 그 끝이 가능하다는 것이다. 그리고 그 통상적 결과가 가능하다는 것이다. 그리고 무엇이든 우리가 원하는 것이다. 그리고 그 시작이 우리가 강요하거나 설득할 수 있는 자의 힘에 달려 있는 것이다. 그리고 그 일부가 가능하다는 것이다. 그리고 전체의 일부가 가능하다는 것이다. 그리고 특수한 것이 가능하다면, 일반적인 것도 그러하다. 그리고 일반적인 것이 가능하다면, 특수한 것도 그러하다. 그리고 상대적으로, 한쪽이 가능하다면, 다른 쪽도 가능하다. 그리고 기술과 근면함 없이 가능한 것은 기술과 근면함을 갖추었다면 훨씬 더 그러하다. 그리고 더 못하고, 더 약하고, 덜 숙련된 사람에게 가능한 것은, 또한 더 낫고, 더 강하고, 더 숙련된 이에게는 훨씬 더 그러하다.

*불가능한 것*과 관련된 원리는 이와 반대되는 것이다.

*일어난 것*이란 이러하다. 그보다 더 어려운 일이 일어난다는 것이다. 그리고 그 결과가 일어난다는 것이다. 그리고 가능한 것이란, 할 의지를 가졌으며, 아무런 방해도 받지 않았다는 것이다. 그리고 분노했을 때 가능했던 것이다. 그리고 하고자 갈망했던 것이다. 그리고 행위 시점 전에 있었던 것이다. 그리고 선행사건이 일어났거나, 일어나고는 했던 것이다. 그리고 우리가 원인이 되는 것을 한다면, 일어난다.

*일어나지 않은 것*과 관련한 원리는 이와 반대되는 것이다.

*일어날 것*이란 이러하다. 어떤 사람이 할 수 있으면서, 하려고 하는 것이다. 그리고 어떤 사람이 할 수 있으면서, 하고자 바라는 것이다. 그리고 과정 중에 있고, 어느 시점에 일어나게 되는 것이다. 그리고 그 선행사건이 과거에 있는 것이다. 그리고 그 동기가

과거에 있는 것이다.

*큰 것*과 *작은 것*, *더 많은 것*과 *더 적은 것*에 관해서는 제1권의 제7장을 참조하라.

제21장

예증과 비유, 우화에 관하여.

*증명*이 도출되는 *원리*에 관해서는, 일반적인 것과 특수한 것 모두 이미 이야기되었다. 이제 *증명* 그 자체, 즉 *예증* 또는 *생략삼단논법*으로 넘어가자.

*예증*이란 과거의 어떤 행동으로 *적절하게 회자되는* 예증이거나, 혹은 비화parable라고도 또한 불리우는 *비유*, 혹은 꾸며낸 어떤 행동을 담은 *우화*이다.

적절하게 회자되는 예증이란 이러하다. *다리우스*Darius I (BC 550?~BC 486)*는 먼저 이집트를 정복하기 전에는 그리스로 오지 않았고, 크세르크세스*Xerxes I (BC 518?~BC 465) *또한 이집트를 먼저 정복하고서야 헬레스폰트*[180]*를 넘었으니, 우리는 페르시아 왕이 이집트를 정복하지 못하도록 방해해야 한다.*

비유 내지는 *비화*란 다음과 같다. *제기뽑기로 치안판사를 선출하는 자들은 자신들의 용사로 가장 힘센 자보다는 오히려 제비뽑기로 낙점된 자를 선출하는 자들이라든지, 자신들의 선장으로 솜씨가 능숙한 자가 아니라 항아리에서 그 이름이 나온 자를 선출하는 자들과 같다.*

---

[180] Hellespont. 현재의 다르다넬스 해협이다.-역주

*우화*는 이런 식이다. *말이 공유 목초지에서 사슴을 쫓아내고자 하여, 자기를 도울 어떤 사람을 데려와, 입에 재갈을 물고 등에 기수를 태워 자기 의도를 달성했지만, 그 사람에게 복종하게 되었다. 그러니 히메라 그대들도 적에게 복수를 희망하여, 팔라리스*[181] *에게 주권을 주었으니, 즉 말하자면 그대들 입에 재갈을 씌운 것이요, 만약 그의 신변을 위해 호위병을 주게 된다면, 즉 그를 그대들 등에 태운다면, 과거를 되찾고는 곧 그의 노예가 될 것이다.*

그러므로 *예증*, 즉 우리의 목적에 부합하도록 일어난 행위를 찾는 것은 우리 능력 내에 있지 않기에 어렵다. 하지만 *우화*나 *비유*를 찾는 것은 더 쉬운데, 왜냐하면 철학적으로 이야기함으로써, 본질상 당면한 경우와 같은 무언가를 꾸며낼 수 있기 때문이다.

예증 및 *비유*, *우화*는 연설을 시작하면서 *생략삼단논법*이 부족한 경우, 귀납법으로 쓰일 수 있으며, 그렇지 않으면 생략삼단논법 다음에, 증언으로 제시되어야 한다.

제22장

금언에 관하여.

*금언*은 일반적인 삶의 행동이나 정념에서 바람직하거나 피해야 하는 것들에 관한 보편적인 명제이다. *현명한 사람은 그 자녀가 지나치게 많이 배우도록 놓아두지 않는다* 같은 것이다. 그리고 수

---

181 Phalaris. 기원전 6세기 시실리의 아크라가스Akragas(현재의 아그리겐토)를 다스린 참주. 시인 스테시코로스Stesichorus (BC 630?~BC 555)의 경고에도 불구하고 히메라인Himera은 그를 권력자로 선출했는데, 이후 식인을 비롯, 잔인한 행위들을 했다고 한다.-역주

*수사학*에서 *생략삼단논법*에 대한 것인데, *논리학*에서 *삼단논법*에 대해 명제가 있는 것과 같다. 그러므로 *금언*은 이유가 제시되는 경우 *결론*이 되고, 양자가 합쳐져 *생략삼단논법*을 이룬다. 예를 들면 이러하다. *지나치게 많이 배우는 것은 나약함을 낳는 한편, 시기심을 일으킨다. 따라서 현명한 자는 그 자녀가 지나치게 많이 배우도록 놓아두지 않는다.*

*금언*에는 네 가지 종류가 있다. 증명을 요구하거나 그렇지 않거나, 즉 명백하거나 그렇지 않기 때문이다

명백한 것이란 입 밖에 내자마자 그렇게 여겨지는 것으로, *건강은 커다란 선이다*와 같은 것이다. 혹은 생각해보면 곧 그런 것으로, *인간은 자기가 해를 가한 자를 미워하고는 한다*와 같은 것이다.

명백하지 않은 것이란 *생략삼단논법*의 결론이 그러한데, *현명한 자는 그 자녀가* 등등 같은 것이다. 혹은 *생략삼단논법적인* 것, 즉 그 자체로 *생략삼단논법*의 효력을 갖는 것으로, *필멸의 인간이 불멸의 분노를 품어서는 안 된다* 같은 것이다.

명백하지 않은 *금언*은 *추론*되거나 *확인*되어야 한다. *추론된다*는 것은 이러하다. *마음이 나약한 것은 좋지 않으며, 동료 시민에게 시기받는 것도 좋지 않다. 그러므로 현명한 사람은 그 자녀가 지나치게 많이 배우도록 놓아두지 않는다. 확인된다*는 것은 이러하다. *현명한 사람은 그 자녀가 지나치게 많이 배우도록 놓아두지 않는다. 지나치게 많이 배우면 마음이 나약해지고, 동료 시민에게 시기심을 일으키기 때문이다.*

명백한 *금언*에 이유를 더하는 경우, 짧게 하라.

*금언*은 모든 사람이 아니라, 노인과 직무에 정통한 자들에게만 어울린다. 젊은이가 말하는 금언을 듣는 것은 우스꽝스러우며, 무

지한 자가 말하는 금언을 듣는 것은 터무니없기 때문이다.

일반적으로 받아들여지는 *금언*이 우리 목적에 맞을 때 소홀히 해서는 안 되니, 왜냐하면 이는 참을 전달하기 때문이다. 그러나 부정하는 자가 그에 따라 칭찬할 만한 관습이나 유머를 드러낼 수 있다면, 부정될 수 있다.

*금언*의 유용성에는 두 가지가 있다. 하나는 청자의 허영심에서 비롯되는데, 청자는 오직 어떤 특수한 것에서 참으로 발견한 것을 보편적으로 확인된 참으로 여기려 한다는 것으로, 그러므로 만사에서 청자가 어떤 의견을 갖고 있는지 고려해야 한다. 또 다른 것은 금언은 화자의 태도와 성향을 드러내므로, 선한 금언이라 여겨지면 선한 사람이라 여겨질 것이요, 악한 금언이라 여겨지면 악한 사람이라 여겨지게 된다는 것이다.

*금언*이란 무엇이고, 얼마나 많은 종류로, 어떻게 사용되며, 누구를 위한 것인지, 그리고 그 유익함이 무엇인지는 이로써 충분하다.

제23장

생략삼단논법의 창안에 관하여.

생략삼단논법은 논리적 삼단논법과는 다르니, 결론을 모든 것이나 먼 원리에서 내리지 않으며, 그로부터 논증할 수 있는 *요소*는 확실하고 단호해야 한다.

왜냐하면 수사학적으로든 다른 식으로든 *삼단논법*을 구성하는 자라면 누구라도 문제시되는 바의 전부 또는 대부분을 알아야 하기 때문인데, 전쟁을 할지 말지 아테네인에게 해당 문제에 대해 조언하고자 하는 자는 누구라도 그들의 세입은 무엇인지, 어떤 종류의 힘을 갖고 있는지를 알아야만 하며, 그들을 칭찬하고자 하는 자는 살라미스, 마라톤 등에서 그들이 했던 행위를 알아야 하는 것과 같다[182]. 좋은 화자는 무엇이든 말할 수도 있다고 예상되는 것의 가장 특징적인 세부내용을 준비해야 할 필요가 있다.

*즉석에서*ex tempore 말하고자 하는 자는 그 연설에서 당면한 문제에 가장 *적절한* 것이 무엇인지 가능한 한 많이 이해해야 한다.

*적절한 것*은, 다른 이들에게 가장 흔하지 않은 것을 칭하니, 아킬레우스를 칭찬하려는 자는 그가 왕자였으며 트로이인에 맞서 전쟁에 참여했다는 것처럼 그와 디오메데스 모두에게 공통되는 것이 아니라, 그가 헥토르와 키크노스를 죽였으며, 나이가 어리고 자발적으로 전쟁에 나갔다는 것처럼 오직 아킬레우스에게만 적절한 일을 알려야 한다[183].

그러므로 *적절한 것에서*를 하나의 일반적인 요소로 삼아야 한다.

---

182 기원전 480년에 그리스 도시국가들은 살라미스 앞 바다에서 크세르크세스의 페르시아군과 해전을 벌여 대승을 거두었다. 또한 기원전 490년에는 마라톤에서 다리우스 1세의 페르시아군과 전투를 벌여 승리를 거두었다.-역주

183 디오메데스Diomedes는 그리스군으로 트로이 전쟁에 참여했던 아르고스의 왕이다. 헥토르Hector는 트로이군의 장군으로 『일리아스』의 주역 중 하나이다. 키크노스Cygnus는 콜로나이의 왕으로 트로이 편에서 전투에 참여했다.-역주

제24장

명시적 생략삼단논법의 요소에 관하여.

생략삼단논법은 진실되게 추론하거나, 오직 그러는 듯 보일 뿐이므로, 실제로 추론하는 것은 *명시적*이거나, 혹은 어떤 *불가능성*을 이끌어내는 것으로, 우리는 먼저 *명시적* 생략삼단논법의 요소들에 대해 기술할 것이다.

명시적 생략삼단논법은 어느 정도 당연한 것으로부터 문제를 결론 내리는 것이다.

*불가능성*을 이끌어내는 생략삼단논법이란 상대방이 주장하는 것으로부터 명백히 *불가능하다*는 결론을 내리게 하는 생략삼단논법이다.

모든 *요소*는 어떤 면에서 *선*과 *악*, *정의*, *불의*, *명예*, *불명예*라는 상기의 명제에서 이미 설명되었으니, 즉 *특정*대상에 또는 *구체적*으로 적용되는 방식으로 설명되었다. 여기서는 또 다른 방식으로, 즉 *추상적*이거나 *보편적*으로 설명되어야 한다.

그러므로 첫번째 *요소*는 *상반되는 것*에서 비롯되니, *구체적*이거나 특정한 예는 이처럼 제시된다. *무절제가 해롭다면 절제는 유익하고, 무절제가 해롭지 않다면 절제도 유익하지 않다.*

또 다른 *요소*는 단어의 *가족성* 내지는 친화성에서 비롯되니, 구체적으로는 이러하다. *정의로운 것이 선하다면, 정의로운 것은 좋지만, 정의롭게 죽는 것은 좋지 않으니, 따라서 정의롭다고 해서 전부 선은 아니다.*

세번째는 *관계*에서 비롯되니, 이와 같다. *이 사람은 정당하게 행동했으므로, 다른 자가 겪는 고통은 정당하다.* 하지만 이 *요소*

는 때때로 기만적인데, 왜냐하면 누군가가 겪는 고통이 *정당*하더라도, 그에게서 비롯되지 않을 수 있기 때문이다.

네번째는 *비교*에서 비롯되는데, 세 가지 방식이다.

*작은 것에 대해 큰 것*에서 비롯되는 것으로, *그는 자기 아버지도 때렸으니, 따라서 이 사람에게도 그러했다*와 같은 식이다.

*큰 것에 대해 작은 것*에서 비롯되는 것으로, *신이 모든 것을 알지는 못하니, 인간은 더더욱 그러지 못한다*와 같은 식이다.

*대등한 것*에서 비롯되는 것으로, *승리를 잃었다고 하여 대장이 언제나 더 나쁜 평가를 받는 것은 아니건만, 소피스트에게는 왜 그래야 하겠는가*와 같은 식이다.

또 다르게는 시간에서 비롯되니, 필리포스[184]가 테바이인에게 했던 것과 같다. *짐이 포키스인에 맞서 그대들을 돕기 전에 짐의 군대와 함께 그대들 나라를 통과하고자 요구했더라면, 그대들이 이를 약속했으리라는 데에는 의심의 여지가 없다. 그러므로 짐이 그대들을 믿은 지금, 이를 거부한다니 터무니없다.*

여섯번째는 *상대가 스스로 말한 것*에서 비롯되니, *이피크라테스*Iphicrates (BC 418?~BC 353?)*가 아리스토폰*Aristophon*에게, 뇌물을 받고 군대를 배신하겠느냐고 물었을 때, 그는 아니라 대답하였고, 이에 이피크라테스가 아리스토폰이 그러지 아니하는데, 자기에게 어떻게 군대를 배신할 가능성이 있겠느냐고 하였던 것*과 같다.

이 요소는 *피고*가 *고발인*보다 훨씬 더 나은 평가를 받지 못하는 경우, 우스꽝스러워진다.

일곱번째는 *정의*에서 비롯되니, 소크라테스가 *영이란 신이거나*

---

[184] Philip II (BC 382~BC 336), 마케도니아 왕국의 왕으로, 알렉산드로스 대제의 아버지이다.-역주

*신의 피조물이므로, 영이 있다고 자인한 자는 신이 있음을 부인하지 않는다*고 했던 바와 같다.

여덟번째는 *모호한 단어의 구별*에서 비롯된다.

아홉번째는 *구분*에서 비롯되니, *만인이 세 가지 이유로 자기가 행하는 것을 한다면, 그 중 두 가지는 불가능하며, 고발인은 피고에게 세번째 이유로 혐의를 제기하지 않았으니, 따라서 그는 그 일을 행하지 않은 것이다*와 같은 식이다.

열번째는 *귀납*에서 비롯되니, *아테네에서, 테바이에서, 스파르타에서 등등, 그러므로 모든 곳에서*와 같은 식이다.

열한번째는 *권위*, 또는 선례의 금언에서 비롯되는데, 사포Sappho (BC 630?~BC 570?)가 *죽음은 악이니, 왜냐하면 신이 스스로를 필멸성에서 면함으로써 그리 판단했기 때문*이라고 했던 바와 같다.

열두번째는 *결과*에서 비롯되니, *시기받는 것은 좋지 않으므로, 배우는 것도 좋지 않다. 지혜로운 것은 좋으므로, 가르침 받는 것도 좋다*와 같은 식이다.

열세번째는 *두 가지 상반되는 결과*에서 비롯되니, *연설가가 되는 것은 좋지 않은데, 왜냐하면 진실을 말한다면 사람들을 불쾌하게 할 것이요, 거짓을 말한다면 신을 불쾌하게 하기 때문이다*와 같은 식이다.

여기서 주의해야 할 점은 때때로 이러한 논증이 반박될 수도 있다는 것이다. *만약 진실을 말한다면 신을 기쁘게 할 것이요, 진실되지 않게 말한다면 사람들을 기쁘게 할 것이므로, 반드시 연설가가 되어야 한다*와 같은 식이다.

열네번째는 *사람들이 한 가지 것을 칭찬하고 다른 것을 인정해야 하는 대등성*에서 비롯된다. *우리는 선행하는 피해를 입지 않고는 아테네인들과 전쟁을 해서는 안 되니, 만인이 불의를 비난하기*

*때문이다. 또 우리는 아테네인들과 전쟁을 해야 하는데, 다른 식으로는 우리의 자유가 그들의 자비에 맡겨지니, 즉 어떤 자유도 없으며, 자유의 보존은 만인이 인정하는 것이기 때문이다*와 같은 식이다.

열다섯번째는 *비례*에서 비롯되니, *우리가 이방인을 그 미덕으로 인해 귀화시켰으니, 왜 이 이방인을 그 악덕으로 인해 추방해서는 안 되겠는가*와 같은 식이다.

열여섯번째는 *결과에 대한 비유*에서 비롯되는데, *신의 불멸성을 부인하는 자는 신의 생성에 대해 쓴 자보다 더 나쁘지 않으니, 양쪽 모두 같은 결과가 따르기 때문으로, 때로는 신이 존재하지 않는다는 것이다*와 같은 식이다.

열일곱번째는 *사람들이 그 마음을 바꾼다는 것*에서 비롯되니, *우리가 추방되었을 때, 고국을 되찾기 위해 싸웠는데, 어찌 지금은 이를 지키기 위해 싸우지 말아야 하겠는가*와 같은 식이다.

열여덟번째는 *꾸며진 목적*에서 비롯되니, *디오메데스는 오디세우스가 다른 자보다 더 용감해서가 아니라, 영광에 덜 챙겨갈 자로 자기와 함께 가도록 선택했다*와 같은 식이다.

열아홉번째는 *원인*에서 비롯되니, *그는 그리 할 이유가 있었다*는 데에서, 그리 했음을 추론하는 식이다.

스무번째는 *믿기 어려우나 사실인 것*에서 비롯되는데, *소금물에서 자란 물고기도 소금이 필요하듯이, 법에도 이를 고치기 위한 법이 필요하다*와 같은 식이다.

제25장

불가능성으로 이어지는 생략삼단논법의 요소에 관하여.

첫번째로는 상대방이나 화자, 혹은 양쪽 모두의 *시점*과 *행동*, *말*을 조사하는 데에서 비롯된다. 상대방에 관해서라면, *그는 백성들을 사랑한다 말하면서도, 30인의 음모에 가담했다*와 같은 식이다. 화자에 관해서라면, *그는 내가 다투기 좋아한다 말하지만, 결코 내가 소송을 시작하지는 않았다*와 같은 식이다. 양쪽 모두에 관해서라면, *그는 코먼웰스의 편익에 결코 어떤 것도 기여한 바 없지만, 나는 내 돈으로 여러 시민의 몸값을 지불했다*와 같은 식이다.

둘째는 *잘못되어 보이는 원인을 드러내는 것*에서 비롯되며, 좋은 평판을 받는 사람이 고소당했을 때 도움이 되는데, 아들을 껴안고 있었다는 이유로 근친상간으로 고발당한 어머니가 아들의 도착에 따라 인사로 껴안았다고 보이자마자 용서받은 것과 같은 식이다.

셋째는 *원인을 제시하는 것*에서 비롯된다. 백성들이 석비에 새겨 두었던 이름이 30인 참주 아래에서 지워졌던 레오다마스는 그 불명예에 관해 이의를 제기하며 답하기를, *그는 그리 하지 않았는데, 왜냐하면 그것을 그대로 두어, 그럼으로써 백성들의 증오에 대한 증언으로 참주들이 그를 총애하도록 하는 편이 그에게는 더욱 유용했을 것이기 때문이다*와 같은 식이다.

넷째는 *더 나은 분별*에서 비롯되니, *그는 자신을 위해 더 잘할 수도 있었으므로, 그는 이것을 하지 않았다*와 같은 식이다. 하지만 *더 나은 분별*이 사후에야 심중에 떠오른 경우에는, 이 요소로 기만당하게 된다.

다섯째는 *행해져야 하는 것의 양립불가능성*에서 비롯된다. 레우코테아[185]의 장례에서 애도하면서 희생제의를 해야 하는가에 대해 숙고하던 자들에게 말해지기를, *만약 그녀를 여신으로 생각한다면 애도하지 말아야 하고, 필멸자로 생각한다면 희생제의를 하지 말아야 한다*고 했던 것과 같은 식이다.

여섯째는 (심사 연설에 적합한데) *오류에 관한 추론*에서 비롯되니, *그가 그 일을 하지 않았다면 현명치 못한 것이므로, 그는 그 일을 했다*와 같은 식이다.

*불가능성*으로 이어지는 생략삼단논법은 *명시적인* 것보다 더 많은 즐거움을 준다. 서로 상반되는 것을 비교하고 함께 두어, 그에 따라 청중에게 더 잘 드러나고 더욱 뚜렷하기 때문이다.

모든 생략삼단논법 중에서, 우리가 듣자마자 동의하는 것이 최고이다. 그러한 동의는 우리를 기쁘게 하고, 화자에게 호감을 갖도록 하기 때문이다.

제26장

외양상의 생략삼단논법의 요소에 관하여.

외양상의 생략삼단논법의 경우, 첫번째 요소는 *말하기의 형태*에서 비롯된다. 어떤 사람이 여러 문장을 반복할 때, 비록 실제로는 아니더라도, 그 결론이 반드시 뒤따르는 것처럼 결론을 이끌어내는 식이다.

---

[185] Leucothea. 고대 그리스 신화에서 바다의 여신이다.-역주

두번째는 *모호한 단어*에서 비롯된다.

세번째는 *참*된 것을 *나누고*, *거짓*된 것을 *합치*는 데에서 비롯된다. 오레스테스[186]가 *아버지의 죽음을 복수하는 것이 정의이고, 어머니가 아버지를 살해하였으니 죽어야 하는 것이 정의이므로, 나는 정당하게 어머니를 죽였다*와 같은 식이다. 혹은 *참*된 것을 *합치고*, *거짓*된 것을 *나누*는 데에서 비롯된다. *한 잔의 포도주, 또 한 잔의 포도주는 해로우므로 한 잔의 포도주는 해롭다*와 같은 식이다.

네번째는 *범죄의 과장*에서 비롯된다. *피고*는 그가 *과장하*는 범죄를 저질렀을 가능성이 없고, *고발인*은 열정적일 때 그 고발의 근거가 부족하지 않는 듯 보일 수 있기 때문이다.

다섯번째는 *징표*에서 비롯되니, 누군가가 그 삶의 태도에 따라 범행을 결정하는 때와 같다.

여섯번째는 *우연에 의한 것*에서 비롯된다. 이로부터, 히파르쿠스의 참주는 하르모디오스에 대한 아리스토게이톤의 사랑으로부터 전복되었으므로[187], 누군가가 자유로운 코먼웰스에서 소년을 사랑하는 것은 유익하다고 결론을 내리는 것과 같다.

일곱번째는 *결과*에서 비롯되니, *추방은 추방당한 사람에게 거주*

---

186 Orestes. 클리타임네스트와 아가멤논의 아들로, 스파르타의 전설적인 왕이다. 아가멤논이 트로이 전쟁에서 돌아왔을 때, 아내 클리타임네스트는 연인 아이기스토스와 함께 그를 살해하였는데, 오레스테스는 이후 이 두 사람을 살해함으로써 아버지의 죽음에 복수하였다.-역주

187 히파르쿠스$_{\text{Hipparchus}}$의 형제, 히피아스는 아테네의 참주였는데, 히파르쿠스는 하르모디오스$_{\text{Harmodius}}$를 괴롭히다가 그 연인인 아리스토게이톤$_{\text{Aristogeiton}}$에게 살해당했다.-역주

*할 장소를 선택하도록 하기에 바람직하다*와 같은 식이다.

*원인이 아닌 것을 원인으로 만드는 것*에서 비롯된다. *데모스테네스*Demosthenes (BC 384~BC 322)*의 정부에서 전쟁이 시작되었으니, 데모스테네스는 잘 다스렸다. 펠레폰네소스 전쟁과 함께 전염병이 시작되었으니, 전쟁을 설득했던 페리클레스*Pericles (BC 495?~BC 429)*는 악했다*와 같은 식이다.

아홉번째는 *어떤 상황의 생략*에서 비롯된다. *헬레네가 파리스와 함께 도망칠 때, 자신의 남편을 선택하도록 아버지의 동의를 받았기 때문에 적법한 일*[188]이라 했으나, 이는 오직 그녀가 아직 선택한 적이 없었을 동안에만 참이었던 것과 같은 식이다.

열번째는 *일부 사례*에 *가능성 있는 것을 단순히 가능성 있는 것*으로 하는 데에서 비롯된다. *그가 그 일을 했다면 의심받게 되리라는 것을 예견했을 가능성이 높으므로, 그 일을 하지 않았을 가능성이 높다*와 같은 식이다. 이 요소에서 *그가 그 일을 하지 않았다*는 것을 양쪽 모두의 방법으로 추론해볼 수 있다. 만약 그가 그 일을 할 가능성이 없다면, *그가 그 일을 하지 않았다*고 생각될 수 있다. 또, 만약 그가 그 일을 했을 가능성이 있다면, *그가 그 일을 하지 않았다*고 생각될 수 있으니, 그 이유는 *그가 의심받게 되리라는 것을 알았기* 때문이다.

이 요소에서 그토록 혐오받았던 프로타고라스Protagoras의 기술이 근거하는데, 더 좋은 원인을 더 나쁘게 보이게 하고, 더 나쁜 것을 더 좋게 보이도록 하는 것이었다.

---

188 트로이의 왕자 파리스Paris가 스파르타의 왕 메넬라오스Menelaus의 아내였던 헬레네Helen를 빼앗아 데려간 사건으로, 이로 인해 트로이 전쟁이 촉발되었다.-역주

제27장

상대방의 논증에 반박하는 방법에 관하여.

*논증*은 *반대 삼단논법*, 또는 *이의*로 반박된다.

*반대 삼단논법*의 요소는 삼단논법 혹은 생략삼단논법의 요소와 같으니, 수사학적 삼단논법이 생략삼단논법이기 때문이다.

*이의*의 요소는 네 가지이다.

첫째로 *같은 것*에서 비롯된다. 생략삼단논법으로 사랑이 선임을 증명하려는 상대방에게 *이의가 제기*될 수 있으니, 즉, *결핍은 선이 아닌데, 사랑은 결핍이다*라고 하거나, 특히 *아버지를 향한 뮈라*[189]*의 사랑은 선하지 않았다*는 식이다.

둘째로는 *반대되는 것*에서 비롯되니, 상대방이 *선한 사람은 친구에게 선하다*고 말하는 경우, 그렇다면 *악한 사람은 또한 친구에게 악할 것*이라고 *이의*를 제기할 수 있는 것과 같다.

셋째로는 *비유*에서 비롯된다. 상대방이 해악을 당한 모든 사람은 그들에게 해악을 입힌 자를 미워한다고 말한다면, *편익을 받은 모든 사람은 그 은인을 사랑해야 한다*, 즉 말하자면, 감사해야 한다고 *이의*를 제기할 수 있는 것과 같다.

넷째로는 *유명인의 권위*에서 비롯된다. 누군가가 술 취한 사람은 자기가 무엇을 하는지를 알지 못하기 때문에, 만취 상태에서 한 행위는 용서받아야 한다고 할 때, *피타코스*[190]*는 달리 생각했으*

---

[189] Myrrha. 스미르나Smyrna라고도 한다. 그리스 신화에서 아버지 키니라스Cinyras와 사랑에 빠져 속임수로 관계를 맺고, 아도니스Adonis를 낳았다.-역주

[190] Pittacus (BC 640?~BC 568). 그리스 7현인 중 한 사람이다.-역

*니, 그러한 행위에 대해 이중의 처벌을 정했는데, 하나는 행위에 대한 것이요, 다른 하나는 만취 상태에 대한 것이었다*와 같은 식이다.

그리고 모든 생략삼단논법은 *개연성*이나 *예증*, *오류가 있는* 징표, 또는 *오류가 없는* 징표에서 도출되므로, *개연성*에서 비롯되는 생략삼단논법은, 대부분의 경우 다른 식이라는 것을 보임으로써 *실제로* 반박될 수도 있지만, 오직 언제나 그렇지는 않다는 것을 보임으로써 *겉보기에* 혹은 *궤변적으로* 반박될 수도 있으니, 이에 따라 재판관은 *개연성*이 선고의 근거로 충분치 않다고 생각하게 된다. 그 이유란 이러하니, 재판관은 *가능성*이 입증된 사실을 들으면서, 이를 참으로 이해하는 것이다. 이해에는 *참* 이외에는 어떠한 대상도 없기 때문이다. 그러므로 반대되는 *사례*를 듣고, 그로 인해 그것을 *참*이라 생각해야 할 필요가 없음을 깨닫게 되면, 곧 의견을 바꿔 *거짓*이라 생각하며, 결과적으로 *가능성*이 없는 일이라 여긴다. 그는 동시에 같은 것을 *가능성 있는 것*이자 *거짓*이라 생각할 수 없으며, 어떤 것이 *가능성 있다*고 말하는 자는 그것을 *참*이라 생각하면서도, 이를 증명하기에 충분한 논증을 찾지 못했을 뿐이기 때문이다.

*오류가 있는 징표*에서 비롯되는 생략삼단논법은 그 징표가 오류가 있다는 것을 *보임*으로써 반박한다.

*예증*에서 비롯된 생략삼단논법은 *개연성*에서 비롯되는 생략삼단논법처럼, 그와 반대되는 *더 많은 예증*을 보임으로써 *실제로* 반박하며, *필요치 않아* 보일만큼 *예증*을 제시하는 경우라면 *겉보기에* 그러한 것이다.

주

상대가 우리보다 더 많은 예증이 있다면, 해당 사례에 적용할 수 없는 것으로 보여야 한다.

*오류가 없는 징표*에서 비롯되는 생략삼단논법은 명제가 *참*이라면, 반박불가능하다.

제28장

과장과 축소는 일반적인 요소가 아니다.
논증을 반박하는 생략삼단논법은 해당 문제를 증명하거나 반증하는 것과 같다. 반론은 생략삼단논법이 아니다.

첫째로 *과장*과 *축소*가 *일반적인 요소*가 아니라는 것은 이로써 드러나는 바, 과장과 축소는 어떤 사실의 *크고 작음*을 증명하는 것이고, 그러므로 생략삼단논법은 일반적인 요소에서 *도출되는* 것이므로, *요소* 그 자체는 아니다.

둘째로 논증을 반박하는 생략삼단논법은 해당 문제를 증명하는 것과 같은 종류이며, 이로써 분명한 바, 이는 다른 것으로 증명된 것과는 반대인 것을 추론한다는 것이다.

셋째로 *반론은 생략삼단논법*이 아니라는 것은, 이로써 드러나는 바, *반론*은 상대의 논증이 결론 내리지 못함을 드러내기 위해 제기된 *의견*이나 *예증*, 혹은 여타 *사례*에 지나지 않는다는 것이다.

*예증*과 *금언*, *생략삼단논법*, 그리고 일반적으로 *논증*에 속하는 모든 것에 관해, 어떠한 *요소*로 이러한 것들이 도출되거나 반박되는지는 이로써 충분하다.

남은 것은 다음 권에서 이야기될 *웅변술*과 *배치*이다.

제3권

제1장

웅변술과 발음의 본질에 관하여.

연설에는 세 가지가 필요하니, 즉 *증명*과 *웅변술*, *배치*인데, 첫 번째는 이미 다루었고, 다음으로 다른 두 가지에 대해 말하고자 한다.

*행동*이나 *발음*에 관해서는, 연설가에게 필요한 만큼 『시학』이라는 책에서 가져올 수 있는데, 여기에서 *무대*에서의 *행동*에 대해 다루었다. *비극작가들*은 그러한 *행동*을 최초로 창안했으나 최근의 일이며, 이는 *목소리*의 *크기*와 *어조*, *운율*을 제대로 제어하는 것으로 구성되는 바, *증명*이나 *웅변술*보다 *기술*에 덜 종속되는 것이다.

그러나 *시*에 도움이 되는 한에서, 그에 관한 규칙이 전해져 왔다. 하지만 *연설 행위*는 지금까지 *기술*로 환원되지 않았다. 그리고 처음에 *연설가*는 빈약하고 꾸며낸 논증에도 불구하고 *시인*이 대단한 명성을 얻는 것을 보고, 그것이 단어의 선택이나 연결에서 비롯되었다고 간주하고는 문체에 빠져들었고, 그들을 모방하여 운문에 접근하고는 단어를 골랐다. 하지만 *시인*이 문체를 바꾸고, 보통 쓰이지 않는 단어를 준비하자, *연설가*도 똑같이 했고, 마침내 스스로에게 적절한 단어, 그리고 목소리와 운율의 제어에 빛을 비추었다

그러므로 *연설가*에게도 또한 어느 정도 *발음*이나 *행동*이 요구되

므로, 그 지침은 『시하』에서 가져와야 한다.

그동안 하나의 일반 규칙은 이것일지도 모른다. *단어*, *어조*, 목소리의 *크기*, 신체적 *몸짓* 및 *표정*이 전부 하나의 정념에서 비롯되는 듯 보인다면, 제대로 발화된 것이다. 그렇지 않다면 아닌 것이다. 한 번에 하나 이상의 정념이 나타나면, 화자의 마음이 부자연스럽고 산만해 보이기 때문이다. 그렇지 않다면, 화자의 마음처럼, 언제나 청자의 마음도 그러하다.

제2장

단어와 형용어의 선택에 관하여.

*단어*의 미덕은 두 가지인데, 첫째로는 *명료*해야 한다는 것이고, 둘째로는 *품위* 있어야 한다는 것이니, 즉 의미하는 것 *이상*도 *이하*도 아니고, 지나치게 천하지도 지나치게 고상하지도 않아야 한다는 것이다.

*명료함*이란 *적절한* 모든 단어이다.

고상한 단어란 다른 의미로부터 *빌려오거나*, 또는 *옮긴* 것으로, 그에 관해서는 『시학』에 있다.

빌려온 단어가 즐거움을 주는 이유란 이러하다. 인간은 *인간*에게 영향을 받듯 *단어*에도 그러하며, *낯선* 것과 *새로운* 것 모두에 경탄한다.

*시*를 우아하게 만드는 데에는 많은 것이 도움이 되지만, *연설*에는 소수만이 그러하다. *시인*에게는 그가 말할 수 있는 *단어*로, *시*를 말하는 것으로 충분하기 때문이다. 하지만 *연설가*는 그리 하면서도 그러지 않는 듯 보여야 하니, 그렇지 않으면 생각하는 대로

가 아니라, 부자연스레 말하는 것으로 여겨져, 그로 인해 덜 믿음직스러워지는데, 반면 *믿음*이 연설의 목표이기 때문이다.

*연설가*가 써야 하는 *단어*는 세 가지 종류이니, *적절한* 것과 *받아들여지는* 종류, *은유*이다.

낯선 언어에서 따온 *단어*, 합성어, 신조어는 거의 쓰이지 않는다.

*동의어*는 *시인*에게, *모호한* 단어는 *소피스트*에게 속한다.

연설가가 *적절한* 단어와 *받아들여지는* 단어, *좋은 은유*를 사용하면, 웅변을 *아름답게* 만들면서도 그리 의도한 듯 보이지 않게 하며, *명료하게* 말하게 된다. *은유*만으로도 *명료함*과 *참신함*, *달콤함*이 있기 때문이다.

*은유*와 관련하여 규칙은 이와 같다.

1. 어떤 것에 관해 최선을 다하고자 하는 자는 더 나은 무언가에서 *은유*를 끌어내도록 하라. 예를 들어 *범죄*를 *오류*라고 부르는 것과 같다. 반면에 무언가를 최악으로 하려는 자는 더 나쁜 것에서 *은유*를 끌어내도록 하라. *오류*를 *범죄*라고 부르는 것과 같다.

2. *은유*는 너무 억지스럽지 않아야 하는데, 유사성이 쉽게 드러나지 않을지도 모르기 때문이다.

3. *은유*는 가장 고귀한 것에서 끌어내야 하는데, *시인*이 *붉은 손가락을 지닌 새벽*보다는 *장밋빛 손가락을 지닌 새벽*[191]이라 말하는 편을 선택하는 것과 같다.

같은 식으로 *형용어*의 규칙은 돋보이게 하고자 하는 자는 더 나은 종류를 쓰고, 불명예스럽게 하고자 하는 자는 더 나쁜 종류를

---

[191] 호메로스의 『일리아스』와 『오뒷세이아』에 여러 차례 등장하는 표현이다.-역주

써야 한다는 것이다. 시모니데스Simonides (BC 556?~BC 468?)는 어떤 노새가 경주에서 얻은 승리를 기리기 위해 *송시*를 썼는데, 보수가 적었을 때에는 그 이름을 엉덩이에게 가까운 의미인 *이뮈온*Hμ ιόν8ς이라 불렀지만, 더 큰 보상을 받자 *발 빠른 준마의 후예*로 꾸몄다.

제3장

연설을 밋밋하게 만드는 것에 관하여.

연설을 *밋밋하게* 또는 *무미건조하게* 만드는 것은 네 가지이다.

1. *합성어*. 그러나 간단한 단어가 결여되어, 쉽고 거의 쓰이지 않는 단어가 필요할 때, 단어를 합성할 수 있다.

2. *낯선 단어*. 예를 들어 라틴어에서 새로이 파생된 것이 있으니, 비록 그들 사이에서는 그 혀에 적절하겠지만, 다른 언어에서는 낯설며, 그럼에도 쓰일 수 있지만 적당해야 한다.

3. *긴 것*, *무례한 것*, 그리고 *흔한 형용어*.

4. *부적절하고 모호한 은유*. *모호한 것*이란 억지스러운 경우이다. *부적절한 것*이란 *희극*에서처럼 *우스꽝스럽거나*, *비극*에서처럼 *너무 심각한* 경우이다.

제4장

비유에 관하여.

*비유*는 오직 다음과 같은 비교 요소에 의한다는 점에서만 *은유*

와 다르니, *처럼, 바로 ~처럼, 그렇게, 바로 그렇게* 등과 같은 것이다.

따라서 *비유은 확장된 은유*이며, *은유*는 하나의 단어로 *축소된 비유*이다.

*비유*는 연설에서 유용한데, 그렇다고 너무 잦아서는 안 된다. 시적이기 때문이다.

*비유*의 예는 페리클레스가 있는데, 그는 연설에서 말하기를, *보이오티아인은 숲에서 수많은 참나무와 같아서, 서로를 패배시키는 것 이외에는 아무 것도 하지 않았다*라는 것이었다.

제5장

언어의 정결함에 관하여.

언어를 정결하게 만들기 위해서는 네 가지가 필요하다.

1. 어떤 선행 *요소*가 요구하는 *요소*를 올바르게 표현하는 것. *뿐만 아니라*와 *또한 아니다* 같은 경우이며, 너무 오래 유예되지 않을 때, 올바르게 표현된다.

2. *완곡한 표현*이 아니라, *적절한 단어*를 사용하는 것. 목적상 그러고자 하는 동기가 없는 한 그러하다.

3. 목적상 그러고자 하는 이유가 없는 한, *이중 구성*이 있어서는 안 된다는 것. 예언의 진실성을 주장하는 데에 더 나을 수 있는 목적에 따라 일반적인 용어로 말하는 이방의 선지자와 같은 경우로, 이는 *구체적*이기보다는 *일반적*으로 주장하기가 더 쉽기 때문이다. 숫자가 *얼마인지*보다는 *짝수*인지 *홀수*인지를 점치기가 더 쉽고, *무엇이* 일어날 것인지보다는 어떤 일이 *일어나리라*고 하는

편이 더 쉽기 때문이다.

4. 성별, 숫자, 인물을 일치시키는 것. *그*를 *그녀*라고, *사람*을 *사람들*이라고, *가졌다*를 *가진다*라고 말하지 않는 것과 같다.

요약하면, 한 사람의 언어는 다른 이가 읽고 발음하고 가르키기에 쉬워야 한다.

또한, 여러 *선행항*에 대해, 여러 *관계항* 또는 그 모두에 대한 하나의 공통항이 상응해야 한다. 색을 *보았다*, 소리를 *들었다*, 또는 색과 소리 모두를 *인식했다*와 같은 식이며, 결코 양쪽 모두를 *듣거나 보지*는 못하는 것과 같다.

마지막으로 *삽입구*로 끼워 넣은 것은 빨리 맺어야 한다. *나는 그와 (이런저런 것에 대해) 이야기하고는, 이후 떠나려 했다*와 같은 식이다. *그와 이야기한 후에 떠나려고 결심했는데, 내 말의 주제는 이런저런 것에 대한 것이었다*처럼 미루는 것은 나쁘기 때문이다.

제6장

언어의 충만함과 빈약함에 관하여.

다음과 같은 방식에 따르는 경우에만, 인간은 자기 언어에 *충만함*이나 *품위*를 더하게 된다.

1. 경우에 따라, *명칭*을 *정의*하여 바꿈으로써 그러하다. *명칭*이 부적절한 경우, *정의*를 사용하거나 그 반대로 하는 것과 같다.

2. *은유*로써 그러하다.

3. *단수형*에 *복수형*을 사용함으로써 그러하다.

4. *부정적인 형용어*로써 그러하다.

제7장

웅변술의 편의성 또는 적절성에 관하여.

*웅변술*은 다음과 같이 *적절*해진다.

1. *감정적으로* 말함으로써, 즉, 처한 문제에 적합한 정념을 담음으로써 그러하니, *해악*의 문제에서 *분노*하는 것과 같다.

2. *화자*의 *인격*에 어울리게 말함으로써 그러하니, *젠틀맨*이 *박식하게* 말하는 것과 같다.

3. 문제에 *비례하여* 말함으로써 그러하니, *큰 일*에는 *고조*되어, *평범한 일*에는 *낮은* 자세로 말하는 것과 같다.

4. *합성어*와 *외래어*를 삼가함으로써 그러하니, *열정적으로* 말하여 청자들을 이미 감동시키고, 말하자면 흠뻑 젖게 들게 했거나, 혹은 *반어적으로* 말하지 않는 한 말이다.

또한 통상적인 말하기 형식을 사용하는 것으로 매우 대단한 설득력을 부여하니, *만인이 안다, 모두가 자인한다, 누구도 부정하지 않는다*와 같은 것이다. 청자는 그저 무지한 사람으로 여겨질까 하는 두려움으로 놀라 동의하기 때문이다.

또한 문제가 요하는 것이상을 의미하는 단어를 사용했을 때, 그러한 단어에 속하는 *발음*과 *표정*을 삼가는 것이 좋으니, 그럼으로써 문제와의 불균형이 덜 드러나게 될 수 있다. 그리고 너무 많이 말했을 때, 스스로를 바로잡는 것이 좋게 보이니, 말한 바를 숙고하는 듯 보임으로써 믿음을 얻게 되기 때문이다. 하지만 이 경우 이러한 숙고를 보이는 데에 너무 정교하지 않도록 주의해야 한다. 왜냐하면 신중함의 과시는 흔히 거짓말에 대한 논증이니, 요구되는 것보다 더욱 정교한 진실을 말한다고 여겨질 때, 쉽사리 관찰되지 않는 특수성을 말하는 것처럼 보일 수 있기 때문이다.

제8장

두 종류의 문체에 관하여.

*문체*에는 두 종류가 있다. 하나는 *계속 이어지는 것*, 또는 *한 번에 이해되어야 하는 것*이고, 다른 하나는 *나뉘어진 것*, 또는 절로 *구분되는 것*이다.

첫번째 유형은 옛 저술가들에게 사용되었지만, 지금은 구식이 되었다. 이러한 *문체*의 예는 헤로도토스Herodotus (BC 484?~BC 425?)의 『역사』에 있는데, 거기에서는 전체 역사가 끝날 때까지 절이 없다.

절로 구분되는 다른 종류의 *문체*에서, *절*은 그 자체로 완벽한 부분을 이루며, 이해력으로 쉽사리 이해될 수 있을 만한 길이를 갖는다.

후자의 종류는 유쾌하고, 전자는 불쾌하니, 왜냐하면 후자는 유한하게, 다른 것은 무한하게 보이기 때문이다. 후자에서 청자에겐 언제나 무언가가 시작되고 마무리되며, 다른 것에선 끝이 예견되지도 않고 무언가가 끝나지도 않는다. 전자는 운율과 종지로 인해 쉽게 기억에 남을 수 있으니, 이는 운문이 쉽게 기억되는 이유이며, 다른 것은 그렇지 않다.

모든 문장은 *절*로 끝나야 하며, 어떤 것도 중간에 끼어들어서는 안 된다.

*절*은 *단순*하거나, *부분들로 나뉜다.*

*단순한 것은 나눌 수 없는 것*이니, *그대가 그대의 행동을 모방하는 그들의 목적이 두렵지 않은지 궁금하다*와 같은 식이다.

*나뉘어진 절*은 완전성과 호흡에 편리한 길이 뿐만 아니라, *부분*들을 갖는다. *그대가 그대를 모방하는 그들의 행동을 보고, 그 목적이 두렵지 않은지 궁금하다*와 같은 식인데, *그대가 그대를 모방하는 그들의 행동을 보고*라는 말이 한 *마디* 또는 *부분*이요, *그 목적이 두렵지 않은지 궁금하다*가 또 다른 것이니, 양자가 함께 절을 형성한다.

연설의 *부분* 또는 *항목*, *절은 너무 길어서도, 너무 짧아서도* 안 된다.

*너무 길다는 것*은 청자의 예상을 넘어 연장된다는 것이다. *너무 짧다는 것*은 청자의 예상 이전에 끝난다는 것이다.

너무 길면 청자를 뒤처지게 하는데, 통상적인 보행로를 넘어서서, 그에 따라 함께 걷던 자를 따돌리는 것과 같다.

너무 짧으면 청자를 비틀거리게 하는데, 그가 멀리 앞을 바라보고 있을 때, 미처 깨닫기도 전에 그 끝이 그를 멈춰 세우기 때문이다.

부분들로 *나뉘어진 절은 단순히 나뉘었을 뿐*이거나, 각 *부분*들이 서로 *반대*되기도 한다.

*단순히 나뉘었을 뿐인 것*이란 이러하니, *원로원도 알고, 집정관도 아노니, 그 사람은 살아있노라*[192]와 같은 식이다.

*반대되는 부분*을 갖는 *절*은 또한 *대조법*이라 불리우며, *대조되는 부분*이란 *상반되는 부분*이 함께 있거나, 또한 제3의 것이 합쳐지는 경우이다.

---

192 키케로가 원로원을 대상으로 음모를 꾸민 카틸리나Catiline (BC 108?~BC 62)를 고발하는 연설, 「카틸리나에 대한 툴리우스 키케로의 연설Tullii Ciceronis Orationes in Catilinam」에 나오는 구절.-역주

*상반되는 부분*이란 다음과 같이 함께 하는 것이니, *한쪽은 영광을 얻었고, 다른 쪽은 부를 얻었으니, 모두 나의 편익이라*와 같은 식이다.

따라서 *대조되는 것*은 *반대되는 것*이기에 더 제대로 보일 뿐만 아니라, *불가능성*으로 이어지는 종류의 생략삼단논법의 외양을 갖추고 있기에, 수용될 수 있다.

*절*의 *부분* 또는 *항목*은 음절수가 완전히 혹은 거의 동일한 경우, *동일하다*고 한다.

*절*의 *부분* 또는 *항목*은 *시작* 또는 *끝*이 비슷한 경우, *비슷하다*고 하며, 더욱 *유사성*이 많을수록, 그리고 음절의 *동일성*이 더욱 클수록, 절은 더욱 우아해진다.

제9장

연설을 우아하게 하고, 기쁘게 만드는 것에 관하여.

쉽게 이해하고 배우는 데에서 발견하는 것보다 더 인간에게 기쁜 일이란 없는 만큼, 반드시 그에 따르는 바, 눈앞에서 의미 있는 것을 보여주는 듯 하는 *단어*가 귀에 가장 *고맙게* 들리게 된다.

그러므로 *낯선* 단어는 *모호*하기 때문에 불쾌하고, *평이한* 단어는 *너무 뻔하기* 때문에 새로운 어떤 것도 배우지 못한다. 하지만 *은유*는 즐거움을 주니, *종*$_{\text{genus}}$에 따라, 혹은 다른 것과 *공통되는* 어떤 것에 따라, 일종의 *과학*을 우리에게 낳기 때문이다. *노인*이 *그루터기*라고 불리우면, *그루터기*와 *노인*에게 공통되는 특성을 염두에 두게 되면서, 인간이 풀과 같이 성장하여 번성하고 시드는 것을 돌연 깨닫게 된다.

*은유*가 하는 것을 *비유*도 똑같이 하지만, 보다 *장황*하기 때문에, 덜 *우아*하다.

그러한 생략삼단논법은 가장 *우아*하니, 곧 아주 뻔하지도, 이해하기에 아주 어렵지도 않으며, 발언하는 동안 이해되거나, 혹은 전에는 이해하지 못하더라도 곧 그렇게 된다.

연설을 *우아*하게 만드는 것이란 이러하니, *대조*와 *은유*, *생기*이다.

*대조*와 *대조법*에 관해서는 이전 장에서 이야기했다.

관해 가장 *우아한* 것은 *비례*에서 비롯된 것이다.

아리스토텔레스는 『시학』 12장에서 *은유*를 하나의 의미에서 다른 의미로 명칭을 옮기는 것으로 정의하는데, 그 종류는 네 가지이다. 1. *일반적인 것*에서 *특수한 것*으로. 2. *특수한 것*에서 *일반적인 것*으로. 3. *특수한 것*에서 다른 *특수한 것*으로. 4. *비례*로부터.

비례로부터의 은유란 이러하니, *젊은이 없는 국가란 봄이 없는 한 해이다*와 같은 식이다.

*생기*는 그 일을 우리 눈앞에 보이는 듯 만드는 표현이다. *아테네인은 시칠리아에 자기들 도시를 쏟아부었다*라고 한 자와 같으니, 그 의미는 그들이 만들 수 있는 최대의 군대를 그곳으로 보냈다는 것이다. 그리고 이것이 연설 중 가장 우아한 것이다.

그러므로 같은 문장에서 *은유*와 *생기*, 또한 *대조법*이 동시에 작용한다면, 매우 *우아*하지 않을 수가 없다.

연설은 은유와 생기, 대조법에 의해 *우아*해진다고 말했으나, *어떻게* 우아해지는가에 대해서는 다음 장에서 이야기될 것이다.

제10장

앞서 말한 것들에 의해 연설이 어떤 식으로 우아해지는가.

생물의 행동을 무생물에 부여하면, *생기*에 의해 우아해지니, *검이 삼킨다*고 말하는 경우와 같은 식이다.

이 같은 *은유*는 서로 유사성과 비례를 갖는 사물을 관찰함으로써 마음 속으로 들어온다. 그리고 사물이 다른 식으로 더욱 비슷하지 않고 비례하지 않을수록, *은유*는 더욱 *우아*해진다.

생기 없는 *은유*는 청자가 그러한 단어의 사용으로 무언가를 배움을 깨닫게 될 때 *우아함*을 더한다.

또한 *역설*은 *우아*하니, 고로 사람들은 내심으로 이를 믿는다. 왜냐하면 이는 단어의 유사성에 근거한 농담과 다소 비슷하기 때문이니, 통상적인 의미 하나와 당면한 다른 의미를 지니며, 사람의 예상을 속이는 데에 근거한 농담과 다소 비슷하다.

그리고 *말장난*, 즉 단어의 암시는 잘 배치되어, 너무 길지 않은 절로, *대조법*을 갖추면 우아하다. 이런 방식으로 모호함이 사라지기 때문이다.

그리고 이 중, 즉 *은유*, *생기*, *대조법*, *항목의 동일성*이 절에 더 많을수록, 더욱 우아해진다.

*비유*가 *은유*를 또한 포함할 때, 연설이 우아해진다.

그리고 *속담*은 우아한데, 왜냐하면 이는 *은유* 또는 한 종류의 말을 다른 종류로 옮긴 것이기 때문이다.

그리고 *과장법*이 있는데, 그 또한 *은유*이기 때문이다. 하지만 이는 젊고, 격렬하게 터져 나오며, 분노한 자에 의해 가장 우아하게 쓰이는데, 그런 이유로 노인에게는 알맞지 않다.

제11장

글에 쓰이는 문체와 변론에 쓰이는 문체 간의 차이에 관하여.

읽히게 될 *문체*는 보다 꼼꼼하고 정확해야 한다. 하지만 *변론자*의 *문체*는 행동과 발음에 적합해야 한다.

*변론*하는 자의 연설은 듣는 것과 함께 사라진다. 하지만 *쓰여진* 것은 사람들이 가지고 다니면서 여유가 있을 때 숙고하기에, 그러므로 면밀한 조사와 검토를 견뎌내야 한다.

쓰여진 연설은 *변론*시에 밋밋해 보인다. 그리고 *변호사*를 위해 작성된 연설은, 동작이 제거되면, *읽을* 때 무미건조하게 보인다.

쓰여진 연설에서 반복이 비난받는 것은 정당하다. 하지만 *변론*에서는 동작의 도움으로, 그리고 *변론자*의 어떤 변화로, 반복은 확대를 낳는다.

쓰여진 연설에서 동어반복은 해로우니, *나는 왔다, 나는 그를 찾았다, 나는 그에게 청했다*와 같은 식인데, 행위에 따라 구별되지 않기에 이는 불필요해 보이며 한 가지 것에 불과하기 때문이다. 하지면 *변론*에서는 확대이니, 왜냐하면 한 가지에 불과한 것을 여러 가지처럼 보이게 하기 때문이다.

*변론*의 경우, *심사적*인 것은 *대중 앞에서* 하는 것보다 보다 정확해야 한다.

그리고 *대중에 대한* 연설은 *심사적*인 것보다 동작에 보다 적합해야 한다.

그리고 *심사* 연설의 경우, *소수의* 재판관에게 발언되는 것은 보다 정확해야 하며, *다수*에게 발언되는 것은 동작에 보다 적합해야 한다. *그림*에서 보는 자가 멀리 떨어져 있을수록 색채가 정교해야 할 필요가 줄어들듯이, *연설*에서도 청자가 멀리 떨어져 있을수록 연설이 품위를 갖추어야 할 필요가 줄어든다.

그러므로 *표명* 연설은 *글쓰기*에 가장 적합하며, 그 목적은 *읽히*는 것이다.

제12장

연설의 부분들과 그 순서에 관하여.

연설에서 *필수적인* 부분은 둘 뿐인데, *명제*와 *증명*, 즉 말 그대로 *문제*와 *논증*이다.

*명제*는 *증명*되어야 하는 사안에 대한 설명 내지는 서언이다. 그리고 *증명*은 *제시된* 사안에 대한 *논증*이다.

이러한 *필수적인 부분*에 때때로 다른 두 가지 것이 추가되는데, *머리말*과 *맺음말*로, 어느 쪽도 *증명*은 아니다.

따라서 몇몇 연설에는 *네 부분*이 있으니, *머리말*, *명제* 또는 다른 말로는 *서술*, *확인* 및 *반박*, *확대*, *축약*을 포함하는 *증명*, 그리고 *맺음말*이다.

제13장

머리말에 관하여.

*머리말*은 연설의 시작이며, 말 그대로 연설에 들어가기 전에 길을 준비하는 것이다.

어떤 종류의 연설에서 이는 *음악가*의 *전주곡*과 닮았는데, 그들은 연주목록의 처음을 연주한 다음, 의도했던 곡조를 연주한다. 다른 종류에서는 *연극*의 *발단*을 닮았는데, 이에는 요지가 담겨 있다.

첫번째 종류의 머리말은 *표명* 연설에 가장 적합한데, 주장하고자 하는 논지를 예고하든 그렇지 않든 자유롭다. 그리고 대부분은 그러지 않는 편이 더 나으니, 왜냐하면 누군가가 특정 사안에 대해 의무를 갖지 않은 경우 *여담*은 *다채로움*으로 보이지만, 그 스스로와 관계된 경우 *다채로움*이 *여담*으로 간주되기 때문이다.

*표명*에서, *머리말*의 문제는 어떤 *법률*이나 *관습*에 대한 *칭찬*이나 *비난*, 또는 *권유*나 *만류*, 또는 청자를 그 목적에 집중하도록 돕는 무언가로 구성된다.

두번째 종류의 머리말은 *심사* 연설에 가장 적합하다. 극의 *발단*과 *서사*시의 *서론*이 시의 논지를 몇 마디 말로 제시하듯, *심사 연설*에서 연설자는 연설의 본을 보여주어야 청자의 마음이 흩어지지 않고, 예측 부족으로 실수하거나 방황하지 않게 된다.

무엇이든 *머리말*에 속하는 다른 것은 넷 중의 하나로부터 끌어내니, *화자* 또는 *상대방*, *청자*, *사안*으로부터 그러하다.

*화자*와 *상대방*으로부터는, 원인에 기인하지 않는 혐의제기와 무고주장을 머리말로 끌어낸다.

*피고*에게는 머리말에서 *상대방*의 고발에 반박해야 할 필요가 있으며, 이를 깨끗이 털어내는 것으로, 나머지 연설에 더 유리하게 진입할 수 있다.

하지만 *원고*에게는 혐의제기를 *맺음말*에 전부 넣는 것이 더 나은데, 재판관이 이를 보다 쉽게 기억할 수 있기 때문이다.

*청자*와 *사안*으로부터는, 필요에 따라 *청자*에게 호감이나 분노를

갖게 하거나, 집중하거나 집중하지 않도록 도움이 되는 것들을 머리말로 끌어낸다.

그리고 *청자*는 *선하다*는 평판을 얻은 *인물*에 대해, *큰 결과*를 가져오거나, 혹은 *자신과 관련*되거나, *이상*하거나, *기쁨*을 주는 *것들*에 집중하고는 한다.

하지만 *청자*를 집중하게 하는 것은 *머리말* 부분이 아니라, 연설의 다른 부분, 오히려 머리말 이외의 다른 부분이다. *청자*는 어디에서나 처음보다는 더욱 소홀해지기 때문이다. 그러므로 필요한 곳이라면 어디든, 연설자는 자기 *인격*의 *정직성*에 아울러, *당면한 사안*이 *큰 결과*를 가져온다는 것, 혹은 *청자*와 관련된다는 것, *새롭다*는 것, *기쁨을 준다*는 것을 드러내야 한다.

다른 한편으로 청자가 *그*에게 집중하되, 그 *원인*에는 그렇게 하지 않으려는 자는 *사안*이 *청자*와는 무관한 *사소한* 일이며, *흔하고 지루한* 것처럼 보여야 한다.

*청자*가 *화자*에게 호감을 가질 수 있게 하려면, 둘 중의 하나가 필요하니, 청자가 화자를 *사랑*하거나 *동정*하는 것이다.

표명 연설에서 *청자*가 본인이나 자신의 태도, 인생역정, 자신이 사랑하는 어떤 것이 그 같은 *칭찬* 내에 포함된다고 생각하게 되면, *칭찬*하는 자는 *청자*의 호감을 얻게 된다.

반대로 *청자*가 자신의 *적*이나 *그 행적*, 자신이 *미워하는* 어떤 것이 그 같은 *비난*과 관련됨을 깨닫게 되면, *비난*하는 자는 호의적으로 들리게 된다.

숙의 연설의 *머리말*은 *심사* 연설의 *머리말*에서 취해지는 바와 같은 것에서 취해진다. *숙의* 연설의 사안은 이미 알려져 있기에, 말하고자 하는 바를 보여주는 본연의 *머리말*이 필요치 않다. 여기에서 *머리말*은 오직 *화자*나 *상대방*을 위해서, 혹은 그러고자 하는

대로 *사안*을 *크게* 또는 *작게* 보이기 위해 이루어지며, 따라서 *심사* 연설에서처럼 *원고*나 *피고*의 *인격*에서, 혹은 *청자*나 *사안*에서 취해져야 한다.

제14장

혐의제기와 무고주장의 요소.

하나는 상대방이나 다른 식으로 청자에게 각인된 *나쁜 의견을 제거하는 것*에서 비롯된다.

다른 것은 이로부터 비롯되는 바, 행해진 일이 *해롭지 않거나, 그에게 행한 것이 아니거나, 그리 크지 않거나, 불의하지 않거나, 대수롭지 않거나, 불명예스럽지 않다*는 것이다.

세번째는 *보상*에서 비롯되는데, *내가 그에게 해를 끼쳤으나, 한편으로는 그를 명예롭게 하였다*와 같은 식이다.

네번째는 *변명*에서 비롯되는데, *그것은 착오였다* 내지는 *불운한 일, 거북스런 일이었다*와 같은 식이다.

다섯번째는 *의도*에서 비롯되는데, *그 일이 행해졌지만, 다른 의미였다*와 같은 식이다.

여섯번째는 고발인에 대한 *이해*에서 비롯되는데, *내가 행한 바는, 고발인이 그 아비나 친족, 친구에게 똑같이 한 일이다*와 같은 식이다.

일곱번째는 평판 좋은 자들에 대한 *이해*에서 비롯되는데, *내가 했던 바는, 선한 사람이라 하더라도 똑같이 했던 일이다*와 같은 식이다.

여덟번째는 잘못 고발되거나 그릇되게 의심받았지만, 그럼에도 올바르다고 밝혀진 경우와의 *비교*에서 비롯된다.

아홉번째는 *혐의 맞받아치기*에서 비롯되는데, *고발자는 악한 삶을 산 인간이므로, 믿어서는 안 된다*와 같은 식이다.

열번째는 *판단*이 다른 장소나 때에 속한다는 데에서 비롯되는데, *나는 이미 대답하였다*, 또는 *다른 곳에서 이 사안에 대해 대답할 것이다*와 같은 식이다.

열한번째는 혐의제기에 대한 *혐의제기*에서 비롯되니, *그것은 판단을 왜곡하는 역할을 할 뿐이다*와 같은 식이다.

열두번째는 혐의제기와 무고주장 모두에 공통되며, *어떤 징표*로부터 취해지는데, *테우크로스를 믿어서는 안 되니, 왜냐하면 그의 어머니는 프리아모스의 누이였기 때문이다*와 같은 식이다. 다른 한편으로는, *테우크로스를 믿어야 하니, 왜냐하면 그의 아버지는 프리아모스의 적이었기 때문이다*와 같은 식이다.[193]

열세번째는 오직 혐의제기에만 적절한 것으로, *칭찬과 비난을 뒤섞는* 데에서 비롯되니, 작은 것을 칭찬하고 큰 것 하나를 비난하거나, 많은 말로 칭찬하고 효과적인 한 마디로 비난하거나, 많은 선한 것을 칭찬하고는 악한 한 가지, 그러나 큰 것 하나를 더하는 것과 같은 식이다.

열네번째는 *혐의제기*와 *무고주장* 모두에 공통되며, *사실에 관한 해석*으로부터 취해진다. 스스로를 *무죄*로 하려는 자는 *사실*을 언

---

[193] 테우크로스Teucer는 아이아스의 이복형제로, 그와 함께 트로이 전쟁에 참여하였으며, 살라미스 시를 창건했다고 알려진 그리스 신화 상의 영웅이다. 그의 어머니였던 헤시오네Hesione는 트로이의 왕 프리아모스Priam의 여동생이었으나, 그의 아버지 텔라몬Telamon이 트로이 약탈을 도운 공로로 친우 헤라클레스에게 하사 받은 선물이었다.-역주

제나 최선의 의미로 *해석*하며, *유죄*로 하려는 자는 언제나 최악의 의미로 *해석*하니, 오디세우스가 말하기를, *디오메데스는 그의 업적을 도울 자로, 그리스인 중 최고로 유능한 자를 동료로 선택하였다라고* 하였으나, 그의 상대는 말하기를, *그와 영광을 나눌 가능성이 가장 적은 자로, 비겁한 자를 선택하였다*라고 했던 것과 같은 식이다.

제15장

서술에 관하여.

*서술*이 언제나 연속적이지는 않으며, 단편적인 경우가 있으나, 이따금씩일 뿐인데, *표명*에서 연설 전체에 걸쳐 중단되고 흩어지는 경우와 같다.

*서술*에는 기술 아래에 속하지 않는 무언가, 즉 행위 그 자체가 있으니, 이는 연설가가 창안해내는 것이 아니므로, 최선을 다해 그에 대한 *서술*에 담아야 한다. 예를 들어, 어떤 사람을 칭찬할 때, 시작하자마자 중단없이 그의 모든 행위에 대해 *서술*한다면, 이후 해당 행위를 다시금 되풀이해 말해야 함을 깨닫게 되며, 그 중 일부로 그 용기를 칭찬하고 다른 일부로 그 지혜를 칭찬하는 경우에 반해, 연설은 다채로움이 떨어지고, 즐거움이 덜하게 된다.

*서술*이 언제나 짧아야 할 필요는 없다. 그에 대한 진정한 척도는 드러내야 할 *사안*에서 취해야 한다.

*서술*에서, 그럴 수 있는 한 자주, 본인 자신에게는 칭찬이 될 만한 무언가를, 상대방에게는 비난받을 만한 것을 집어넣는 것이

좋으니, *나는 그에게 충고했지만, 그는 어떠한 조언도 받아들이려 하지 않았다*와 같은 식이다.

서술 시에, 청자에게 목적 이외에 연민, 의분 등등을 낳는 것이라면 무엇이든 생략해야 하니, 호메로스에서 오디세우스가 알키노오스Alcinous에게 여행담을 이야기하면서는, 연민을 일으키기 위해 여러 권의 책으로 구성될 만큼 길게 하지만, 집으로 돌아와 아내에게는 같은 이야기를 30행으로 말하면서, 그녀를 슬프게 만들지도 모르는 바를 생략하는 것과 같다.

*서술*은 또한 *태도*를 논하는 것과 같은 말로 되어야 하는 바, 비록 표현되지는 않더라도 우리가 이야기하는 자에 관하여 어떤 덕스럽거나 악의적인 습관에 관한 것이다. *그는 양팔을 허리에 괴고 대답했다 등등*으로, 그렇게 대답한 자의 자부심을 빗대는 것과 같다.

*연설*에서 사람은 판단보다는 애정을 드러내는 편이 더 나으니, 즉 *이것이 더 낫다*고 말하기 보다는 *나는 이것이 좋다*고 말하는 편이 더 낫다. 전자로는 *현명하게*, 후자로는 *선하게* 보이게 되기 때문이다. 그런데 *호의*는 *선함*을 따르는 반면, *지혜*는 *시기심*을 불러일으킨다.

하지만 이러한 애정이 믿을 수 없게 보인다면, 안티고네[194]가 그랬듯, 이유를 제시해야 한다. 그녀는 *남편이나 아이들보다 형제를 더 사랑한다*고 말하면서, 덧붙이기를 *남편과 아이들은 더 가질 수*

---

[194] Antigone. 그리스 신화에서 오이디푸스Oedipus와 이오카스테Jocasta의 딸이다. 소포클레스Sophocles (BC 497~BC 406)가 쓴 비극 『안티고네』에서 친형제의 장례를 금하는 통치자 크레온Creon에게 반발하다가 자결하였다.-역주

*있지만, 또 다른 형제는 그럴 수 없으니, 부모님이 모두 돌아가셨기 때문*이라 하였다. 아니면 이런 식으로 이야기해야 하는데, *나의 이런 애정이 그대에게는 이상하게 보이리라는 것을 알지만, 그럼에도 그러하다*는 것이다. 어떤 사람이 본인의 선을 위한 것이 아닌 무언가를 하기 위해 마음먹는다는 것이 쉽게 믿어지지는 않기 때문이다.

그 외에도 *서술*에서는, 행위 그 자체 뿐만 아니라, 그에 수반되는 정념과 징표도 드러내야 한다.

그리고 *서술*에서는 가능한 한 빠르고 은밀하게, 자신과 상대를 이러저러하다고 생각하도록 만들어야 한다.

*서술*은 때때로 도입부에서는 있어서는 안 될지도 모른다. *숙의* 연설에서, 즉 문제가 다가오는 일에 관해서일 때라면 언제든, *서술*은 언제나 과거의 일에 관한 것이므로 그 자리가 없다. 그러나 과거의 일을 재고할 수는 있는 바, 이로써 사람은 미래를 더 잘 *숙고*할 수 있다. 하지만 *서술*이 아니라 *증명*으로써 그러하니, *예증*이기 때문이다.

또한 *서술*은 *숙의*에서 혐의제기와 칭찬이 나오는 부분이 될 수도 있다. 하지만 그 부분은 *숙의*가 아니라 *표명*이다.

제16장

증명 또는 확인, 논박에 관하여.

*증명*은 논란이 되는 무언가에 적용되는 것이다.

심사 연설에서 논쟁은 그것이 *일어났는지*, *해*가 되었는지, 사안이 *그토록 큰지*, *정의로운지 아닌지*에 대한 것이다.

*사실*의 문제에서, 필요 당사자 중 한쪽에 잘못이 있는 경우, *사실*에 대한 무지는 어떠한 변명도 되지 못하므로, *사실*이 주로 주장되어야 한다.

*표명*에서, 대부분 *사실*을 가정하지만, 그 사실의 *명예로움*과 *유익함*은 *증명*되어야 한다.

*숙의*에서, 문제는 그 일이 *그렇게 되거나 그토록 클 가능성이 있는지*, 또는 *정의로운지*, *유용한지*이다.

문제에 대해 *증명*을 적용하는 것 외에도, 상대방이 어떤 점에서 원인을 갖지 않은 채로 거짓말을 하는지 지켜보아야 한다. 그것은 그가 원인에 대해서도 똑같이 한다는 징표이기 때문이다.

증명 그 자체는 *예증*, 또는 *생략삼단논법*이다.

숙의 연설은 다가올 일에 관한 것이기 때문에, *생략삼단논법*보다는 *예증*을 요구한다.

하지만 *심사* 연설은 과거의 일에 관한 것이기에, 그에 대한 필요성이 있고, 삼단논법적으로 결론 내릴 수 있으므로, 오히려 *생략삼단논법*을 요구한다.

*생략삼단논법*은 너무 빽빽하게 뭉쳐 있어서는 안 되니, 청자를 혼란케 함으로써 서로의 힘을 방해하기 때문이다.

또한 몇몇 철학자들처럼 *알려진 것*을 *덜 알려진 것*으로부터 추론하지 않도록, 생략삼단논법으로 모든 것을 증명하려 애써서는 안 된다.

또한 청자에게 어떤 감동을 일으키고자 한다면, 생략삼단논법을 사용해서는 안 된다. 여러 움직임이 상호적으로 서로를 파괴하거나 약화시키므로, *생략삼단논법* 또는 일으키고자 했던 *감동* 중 어느 쪽을 잃게 되기 때문이다.

같은 이유로, *태도*를 표현할 때 생략삼단논법을 사용해서는 안

된다.

하지만 *감동*을 일으키려 하든, 혹은 자신의 *태도*를 암시하여 말하려 하든, 한편 *금언*을 사용할 수 있다.

숙의 연설은 *심사*보다 더 어려운데, 왜냐하면 *미래*에 관한 것이기 때문으로, 반면 *심사*는 *과거*에 관한 것이므로, 결과적으로 알 수 있고, *원칙*, 즉 *법률*이 있으며, *원칙*에서 *증명*하는 것이 *원칙*이 없는 것보다 더 쉽기 때문이다.

그 외에도 *숙의* 연설은 *상대방을 향하거나, 본인에 대해 말하거나, 정념을 일으키는 데*에 도움이 필요하다.

그러므로 숙의 연설에서 사안이 부족한 자는 칭찬하거나 비난할 어떤 인물을 불러와야 한다. 그리고 표명에서 *주요 당사자*에 대해 *찬양*하거나 *비판*할 말이 없는 자는 그 *부친*이나 *친척*처럼 다른 누군가, 또는 *미덕*이나 *악덕* 그 자체를 *칭찬*하거나 *비난*해야 한다.

*증명*이 부족하지 않은 자는 강력하게 *증명*할 뿐만 아니라, 자기 *태도*를 암시해야 하며, *증명*하지 못하는 자도 그럼에도 불구하고 자기 *태도*를 암시하여야 한다. *선한 사람*은 *정확한 연설*만큼 받아들여질 수 있기 때문이다.

*증명 중 부조리로 이어지는 것*은 *직접적*이거나 *명시적*인 것보다 더욱 즐거움을 주는데, 왜냐하면 반대되는 것, 즉 *참*과 *거짓*의 비교에서 삼단논법의 힘이 더욱 잘 나타나기 때문이다.

반박 또한 *증명*의 일부이다. 논쟁에 다른 많은 사안이 포함되지 않는 한, 먼저 말하는 자는 이를 자신의 증거 *뒤에* 놓는다. 그리고 나중에 말하는 자는 이를 *앞에* 놓는다. 앞서 말한 자의 이의를 없앰으로써, 자기 연설을 위한 길을 열어야 할 필요가 있기 때문이다. 마음은 이미 정죄당한 사람과 그 연설 모두를 혐오하기 때문이다.

만약 어떤 사람이 자기 *태도*가 잘 드러나기를 바란다면, 본인 자신에 대해 말하는 한 추해지거나 말썽이 생기거나 경멸을 사 미움받게 되고, 다른 이에 대해 말하는 한 오만불손하거나 야비하게 보이게 되므로, 다른 인물이 소개하도록 해야 한다.

마지막으로, 청자가 *생략삼단논법*으로 진력이 나지 않도록, 때때로 *금언*을 사용하여 변화를 주되, 같은 힘을 갖도록 해야 한다. 이와 같은 *생략삼단논법*이니, *평화를 이루기에 가장 좋은 때, 평화를 위한 최상의 조건을 갖춘 때가 있다면, 그 때는 바로 지금이요, 우리의 재산이 온전한 동안이다*와 같은 식이다. 그리고 다음은 이와 동일한 힘을 지닌 금언이다. *현명한 사람은 그 재산이 온전한 동안에 평화를 이룬다.*

제17장

심문과 답변, 농담에 관하여.

상대방에게 *질문*을 하기에 적절한 때란 주로 네 가지이다.

첫째로는 부조리한 결론으로 이어지는 두 명제 중 하나를 이미 발언했을 때, 우리는 *심문*으로 다른 것을 자인하도록 이끌어내게 된다.

둘째로는 부조리한 결론으로 이어지는 두 명제 중 하나가 그 자체로 명백하고, 다른 것은 *질문*으로 끌어낼 가능성이 있는 경우, *심문*은 적절하게 되며, 명백한 명제를 더하지 않고서도 부조리한 결론이 곧 추론된다.

셋째로는 상대방이 그 스스로와 모순됨을 보이고자 하는 때이다.

넷째로는 상대방에게 다음과 같은 변화를 취하게 하려는 때이니, *어떤 종류에선 그러하고, 어떤 종류에선 그렇지 않다*와 같은 식이다.

이러한 경우 외에는 *심문*하기에 적절치 않다. 성공적으로 질문하지 못한 자는 패배한 것으로 여겨지기 때문이다.

모호한 *질문*에 대해서는 너무 간략해지지 않도록, 충분히 답변해야 한다.

우리의 목적에 반하는 *답변*을 우리에게서 이끌어내기 쉬우리라 예상되는 *심문*에 대해서는, *답변*과 더불어, 곧 *질문*에 내포된 이의에 대한 *답변*도 제시해야 한다.

그리고 질문이 우리에게 불리한 결론으로 이어지는 답변을 끌어내는 경우, *답변*과 더불어, 곧 *구별*해야 한다.

*농담*은 심각하고 진지한 논의를 약화시키며, 진지한 논의는 *농담*으로 오도된다.

『시학』에는 여러 종류의 농담이 적혀 있다. 그 중 한 종류는 *반어법*으로, 본인 자신을 즐겁게 하는 경향이 있다. 다른 것은 *상스러운 말*로, 다른 이를 즐겁게 하는 경향이 있다.

이 중 후자에는 일종의 천박함이 있으며, 전자는 훌륭히 성장한 사람에게 어울릴 수 있다.

第18장

맺음말에 관하여.

*맺음말*은 다음 네 가지 중 하나로 구성되어야 한다.

재판관이 자기 편에게 호의를 갖게 하거나 상대편에 대해 호의

*를 읽도록 만드는 것*이다. 원인에 대해 모든 것이 말해졌을 때, 그때가 당사자를 *칭찬*하거나 *비난*하기에 가장 적절한 시기이다.

혹은 *확대*하거나 *축약*하는 것이다. 선악이 무엇인지가 드러나는 때, 그때가 그 선악이 *얼마나 큰지* 혹은 *작은지*를 보일 때이다.

혹은 *재판관을 분노나 사랑*, 또는 다른 정념으로 *이끄는 것*이다. 선악이 어떤 종류로, 얼마나 큰지가 명백해질 때, 그때가 재판관을 *흥분*시킬 기회가 되기 때문이다.

혹은 *반복*하는 것인데, 재판관이 이야기된 바를 기억할 수 있도록 하는 것이다.

*반복은 사안*과 *태도*로 구성된다. 연설가는 연설을 시작할 때 약속했던 바를 수행했음을 보여주어야 하며, *어떻게 했는지*, 즉 자신의 논증을 상대방의 논증과 하나씩 비교하면서, 이야기한 순서에 따라 반복함으로써 그리해야 한다.

궤변술

궤변술 규칙은 논리가 완벽한 이들에게는 불필요하지만, 그에 대한 지식이 미묘한 논증에 관해 준비된 대답이자, 논리학과 수사학의 향상된 연습으로, 젊은 초보자들에게 약간의 유용함을 가져다주므로, 우리는 이를 영문으로 옮기는 것이 좋으리라 생각하였다.

*궤변*은 *논쟁*의 꾸밈술, 즉 채색된 추론이다.

채색된 추론, 즉 *논쟁*은 한편으로 속이기 위한 추론을 보여주는 것이다. 이는 속임수가 *단어* 속에 있거나, 논리의 기초에 있는 것으로 *궤변학*이라 불리우는 경우이다.

*단어*의 경우, 속임수는 *단어 하나*에 있거나, *한데 합쳐진 단어*들 속에 있다. *만약 그렇다면, 누구든 그리 하게 된다.*

*단어 하나*에 있다면, 단어의 *맹목성*, 또는 단어의 *의심스러움*이다.

단어의 *맹목성*, 또는 거만함은 단어의 낡음이나 새로움을 통해서든, 혹은 부풀어오르는 허영심을 통해서든, 그 기이함이 이성으로 그 의미가 이해되지 않을 때 속이는 것인데, 후자의 종류는 베드로후서 2장 18절[195]에서 이야기된다.

이러한 잘못에 따라 교황주의자들은, 선한 일로 자격을 갖추었기에 교부들이 자기들 편에 서야한다고 결론 내린다.

---

[195] 그들이 허탄한 자랑의 말을 토하며 그릇되게 행하는 사람들에게서 겨우 피한 자들을 음란으로써 육체의 정욕 중에서 유혹하는도다-역주

인간의 공로가 왕관을 씌운다고 말하는 자라면 누구든, 인간이 한 일이 자격을 준다고 말한다.

그런데 교부들은 인간의 공로가 왕관을 씌운다고 말한다.

그러므로 교부들은 인간이 한 일이 자격을 준다고 말한다.

*공로*는 오래된 단어로, 보상에 대한 희망 아래 이루어지는 일을 칭하며, 그것이 자격에서 오는지, 약속의 자유에서 오는지와는 무관하다[196].

단어의 *의심스러움*, 명칭의 *유사성*은 *동음이의어*라고 불리우거나, 혹은 전의$_{\text{trope}}$ 내지는 발언의 순도에 의한다.

명칭의 *유사성*, 즉 *동음이의어*는 하나의 단어가 여러 것을 의미하는 데에 주어진 경우이니, 이와 같다.

믿는 자는 구원받으리라[197].

위선자들은 우리 구주 그리스도께서 그분 자신을 그들에게 맡기려 하지 않으시리라 믿었다.

그러므로 그들은 구원받으리라.

신앙은 의롭게 하는 신앙과 죽은 신앙 모두를 지적한다.

전의에 의한 의심스러움은 단어가 비유적이거나 반대되는 의미로, 그대로 받아들이는 경우이니, 이와 같다.

그리스도께서 말씀하는 것은 참이다.

그리스도께서는 빵이 자신의 육신이라 말씀하셨다.

---

[196] merit이라는 단어에 대한 내용이다. merit은 라틴어 meritum에서 유래하였는데, 본래는 상이든 벌이든 받을 만한 것을 의미하였으나, 이후에는 주로 긍정적인 의미의 보상이라는 의미로 사용되었다. 16~17세기에는 구원을 위해 공적을 쌓는 사람이라는 의미로 공적장사치$_{\text{merit-monger}}$라는 멸칭이 쓰이기도 하였다.-역주

[197] 마가복음 16:16.-역주

그러므로 그 말은 참이다.

여기서 *육신*이란 그분 육신의 징표 내지는 성사를 의미한다.

첫번째에 대해, 완벽한 논리학자는 참의 규칙에 따라, *공로*의 오랜 의미와 새로운 의미의 의심스러움으로 인해, 그 명제가 반드시 참인 공리는 아니라고 답할 것이다. 그리고 그 단어가 너무 낡아서 이해되지 않는다면, 이해하지 못하겠다든가, 혹은 평이한 단어로 공리를 말해달라고 대답해야 한다.

두번째에 대해, 적절한 주어와 부사가 한데 결합되지 않았기에, 그 명제 또는 첫 부분이 공의의 규칙에 따르지 않는다고 답할 것이다. *의롭게 하는 신앙, 또는 진실한 믿음을 가진 자는 구원받으리라*는 것이니, 그렇다면 그 같은 의미에서 추론되는 경우 가정은 거짓이다.

세번째에 대해, 가정이 반드시 참은 아니니, 왜냐하면 *육신*이라는 단어를 그대로 받아들인다면 규정된 바는 참이 아니나, 비유적으로 받아들인다면 참이니, 그러므로 해당 가정을 반드시 참이라 간주하면서, 그리스도께서 *그것은 내 육신*이라고 말 그대로 말씀하셨다고 말하는 경우에는 거짓이기 때문이라고 답할 것이다.

지금까지는 단어 하나상의 오류에 관한 것이었다. 그럼 한데 합쳐진 것에 관해서이다.

이는 *모호한 문법* 내지는 발언의 의심스러움, 또는 *설명* 내지는 추론에 대한 부적절한 규정이다.

첫째는 발언의 틀이 의심스러운 경우인데, *만약 누군가가 문자로 쓴 우리 말에 순종하지 아니하거든, 주의를 주어라*[198]와 같은

---

[198] 편지와 문자를 의미하는 letter와 주의와 쪽지를 의미하는 note를 활용한 말장난이다. 이 문장은 *누군가가 편지로 쓴 우리*

시이니, 누군가는 *문자로*라는 말로 문장의 앞부분을 가리키고, 누군가는 뒷부분을 가리키는데, 여기서 단어의 의미와 올바른 지시는 앞부분을 가리킨다는 것을 보여준다.

답은 문장의 올바르고 현명한 배치가 왜곡되어 있다는 것이다.

추론에 대한 부적절한 규정은 다루어진 질문과 추론의 일부가 적절한 단어로 규정되지 않은 경우이니, 이와 같다.

모든 죄는 악하다.

하나님의 모든 자녀는 죄를 짓는다.

그러므로 하나님의 모든 자녀는 악하다.

여기서 논리에 따른 대답은, 가정은 명제에서 논증을 취하는 것이 아니라 다른 것에다 놓는 것이므로, 가정이라는 정의에서 드러나듯, 결론의 틀로 올바르지 않다는 것이다.

지금까지는 추론의 속임수 중, *단어*로 속이는 것이었다. 그럼 논리의 기초에 있는 것으로 *궤변학*이라 불리우는 경우이다.

이는 *일반*이거나 *특수*이다. *일반은 논리의 어떤 부분*으로 언급될 수 없는 것이다. 이는 논점선취로 불리우는 선결문제 요구의 오류이거나, 또는 증명이 전무한 허풍이다.

선결문제 요구의 오류는 질문이나 의심스러운 것 이외에는 무엇으로도 증명할 수 없는 경우이니, 이와 같다.

믿음과 행함 모두에서 비롯되는 의로움은 정당하다.

하지만 이 의로움은 내재적 의로움이다. 그러므로.

여기서 명제는 사실상 질문에 지나지 않는다.

그리스도의 보혈과 더불어, 우리가 천국에 가기 전에 우리

---

*말에 순종하지 아니하거든, 쪽지를 주어라*라고 해석될 수도 있다.-역주

의 죄를 완전히 변제해야 한다면, 완전하지 못한 채로 죽는 자를 위한 연옥이 있어야 한다.

그런데 전자는 그러하다. 따라서.

제시하는 논증이 의심스럽고, 질문만큼이나 많은 증명이 필요한 경우가 있다.

답은 삼단논법의 정의에서 비롯되는 바, 새로이 창안되는 논증이 전무하므로, 어떠한 결론의 틀도 될 수 없다는 것이다.

증명이 전무한 허풍은 제시된 것이 너무 많아 *과잉*이라 불리우는 경우이다.

또 다른 사안으로 주제에서 벗어나는 것으로 *논점이탈*이라 불리우는 것, 혹은 헛된 반복으로 *동어반복*이라 불리우는 것이다.

주제에서 벗어나는 것 내지는 목적에 맞지 않는 것은, 당면한 사안과 무관한 무언가를 증명으로 제시하는 경우이니, 일반적인 속담이 답을 주는 바, *나는 치즈에 대해 물었건만, 그대는 분필에 대해 답하고 있다*는 것이다.

헛된 반복은 말로는 같지 않더라도, 사실상 같은 것을 반복하는 경우이니, 오랜 시간 기도한 후에, *기도합시다*라고 말하는 것과 같은 식이다. 그리고 우리 구주 그리스도께서는 기도자의 이러한 그릇됨을 정죄하신다(마태복음 6:5[199]). 그리고 이는 방법상의 잘못이다.

*특수*는 논리의 특정 부분을 일컬을 수 있는 것으로, 두 종류이

---

199 또 너희는 기도할 때에 외식하는 자와 같이 하지 말라 그들은 사람에게 보이려고 회당과 큰 거리 어귀에 서서 기도하기를 좋아하느니라 내가 진실로 너희에게 이르노니 그들은 자기 상을 이미 받았느니라–역주

다. *창안*이라 불리우는 추론의 샘, 또는 판단이라 일컫는 것들이다.

창안이라 일컫는 것은, 원인이 아닌 것을 원인으로, 결과가 아닌 것을 결과로, 그런 식으로 추론에 무언가를 두는 경우이다.

이는 배열상에서 특유한 오류로, 무언가가 단순히 또는 일반적으로 인정될 때, 그에 따라 의미하지도 의도하지도 않은 특정한 점이나 특수한 것을 추론하는 경우이니, 다음과 같은 식이다.

일곱 가지 성사[200]*가 없다 말하는 자는 참을 말하는 것이다.*

세 가지만 있다고 말하는 자는 일곱 가지가 없다고 말하는 것이다.

그러므로 세 가지가 있다고 말하는 자는 참을 말하는 것이다.

올바른 답은 명제가 반드시 참은 아니라는 것인 것이니, 일곱 가지가 없다고 말하면서도, 참이 아닌 것을 단언하는 방법이 있을 수 있기 때문이다.

판단의 오류는 하나 이상의 문장의 판단에 대해 일컫는 것이다.

문장 하나에 관해서는, 공리의 속성 내지는 그 종류에 대한 것이다.

속성에 대해서는, 참을 거짓으로 놓거나, 그 반대의 경우와 같으니, 긍정을 부정으로 놓거나, 그 반대의 경우이다. 그래서 일부는 성 요한의 말, *이에 관하여 나는 구하라 하지 않노라*[201]를 부정

---

200 가톨릭의 세례성사, 견진성사, 성체성사, 고해성사, 혼인성사, 병자성사, 성품성사를 일컫는다. 개신교에서는 이 중 세례성사와 성체성사만을 인정하며, 성공회는 나머지 5가지에 대해 차등을 두어 양쪽을 절충하는 입장이라 할 수 있다.-역주

201 요한1서 5:16. 단, 본문은 *이에 관하여 나는 구하지 말라고 하*

이 아니라 받아들이는데, 이는 그 죄에 대한 기도를 부정하는 경우이다.

종류에 대해서는, 단순한 것 또는 복합된 것이라 일컬어진다.

첫번째는 일반을 특수로 받아들이거나, 그 반대의 경우이다. 따라서 교황주의자들은 이러한 오류에 따라, 바울의 일반적인 말, *사람이 의롭다 하심을 얻는 것은 율법의 행위에 있지 않고 믿음으로 되는 줄 우리가 인정하노라*[202]에 대해 답하는 바, 그들은 이를 신앙에 앞서 이루어진 일로 이해하는데, 이는 결코 신앙이 의심의 대상이 되었던 적이 없었던 때이다.

복합 공리라 일컬어지는 오류는 *분리* 공리 내지는 *짜여진* 공리로 지칭되는 것이다. *분리* 공리라는 것은, 부분들이 실제로 *분리*되지는 않은 경우이니, *솔로몬은 왕이었거나, 아니면 통치를 하였다*와 같은 식이다.

짜여진 공리라는 것은, 부분들이 반드시 한데 짜여져 있지는 않은 경우이니, *로마가 불에 타면, 교황의 의자도 불탄다*와 같은 식이다.

지금까지 오류의 첫번째 종류는 판단에 관한 것이었다. 그럼 두번째로 넘어가자.

그리고 이는 *삼단논법* 내지는 *방법론*이라 일컬어지는 것들이다. 그리고 다시금 *일반*과 *특수*이다. *일반*이란 삼단논법의 일반적인 속성을 지칭한다. 모든 부분 또는 *특정* 부분이 *부정*된다. 모든 부분이 부정되는 경우란 이러하다.

---

*지 않노라*로 해석되어야 하나, 단순 오기로 생각되어 성경의 번역을 따랐다.-역주

202 로마서 3:28.-역주

어떤 교황도 악마가 아니다.

어떤 사람도 악마가 아니다.

그러므로 어떤 사람도 교황이 아니다.

그리고 이는 언제나 하나의 긍정명제가 있어야 한다는 부정 삼단논법의 정의에 따르지 않았다는 것으로 반박되어야 한다.

전부 특칭이란 이러하다.

몇몇 불법적인 일은 고통을 겪어야 한다는 것, 즉 없앨 수 없다는 것이다.

매춘은 불법적인 일이다.

그러므로 매춘한 자는 고통을 겪어야 한다.

이는 특칭 삼단논법의 정의에 따라, 즉 일반적인 부분 하나를 갖는다는 것으로 반박되어야 한다.

*특수*는 단순한 것 또는 복합된 것이다.

*단순한 것*은 두 종류이다. 첫째는 더 분명한 것이다. 둘째는 덜 분명한 것이다.

더 분명한 것은 가정이 부정되거나, 질문이 특칭이 아닌 경우인데, 다음과 같은 식이다.

모든 사도는 외국에서 설교할 수 있다.

몇몇 사도는 교황이 아니다.

그러므로 몇몇 교황은 외국에서 설교할 수 없다.

또한 이런 식이다.

모든 교황은 영주이다.

몇몇 교황은 칙서를 내릴 수 있다.

그러므로 모든 영주는 칙서를 내릴 수 있다.

덜 분명한 것은 명제가 특수인 경우, 공통항에서 하나의 오류를 범하는데, 다음과 같은 식이다.

어떤 배우는 도적이다.

모든 부랑자는 도적이다.

그러므로 모든 배우는 부랑자이다.

또한 이런 식이다.

어떤 배우는 도적이다.

모든 부랑자는 배우이다.

그러므로 모든 배우는 도적이다.

첫번째 종류의 오류는 모든 부분이 긍정인 경우이니, 이와 같다.

모든 바울의 주교는 통합을 위해 성임되었다.

모든 대주교는 통합을 위해 성임된다.

그러므로 모든 대주교는 바울의 주교이다.

두번째 종류의 오류는 가정이 부정되는 경우이니, 이와 같다.

모든 청교도인은 기독교인이다.

어떤 주교경도 청교도인이 아니다.

그러므로 어떤 주교경도 기독교인이 아니다.

지금까지 오류는 *단순* 삼단논법에 관한 것이었다. 다음으로는 *복합된* 것에 관해서이니, *접속사*나 *분리사*로 지칭되는 것이다.

첫번째 종류 중 하나는 첫 부분이나 선행부가 부정일 때, 두번째 부분이나 결과부도 아마도 마찬가지인 경우이니, 이와 같다.

누군가가 두 개의 성직록을 지니면, 주교의 손에 처벌받지 않고 피할 수 있다.

하지만 두 개의 성직록을 갖지 못할 수 있다.

그러므로 주교의 손에 처벌받지 않고 피할 수 없다.

두번째 부분이 긍정이며, 첫번째도 또한 그러할 수 있으니, 이와 같다.

모든 무지한 목사가 교회에서 쫓겨나고, 그 자리에 설교자를 세운다면, 우리는 훌륭한 질서를 갖추게 되리라.

그런데 우리는 훌륭한 질서를 갖추고 있다.

그러므로 모든 무지한 목사가 교회에서 쫓겨나고, 그 자리에 설교자가 세워져 있다.

분리사로 언급되는 것 중 첫번째는 분리사 또는 명제의 모든 부분이 긍정이 아닌 경우이니, 이와 같다.

모든 무지한 목사는 허용되거나 그러지 않아야 한다.

그런데 그는 그렇지 않다.

그러므로 그는 그렇다.

두번째 종류는 결합 부정 공리의 두번째 부분이 부정인 경우로, 첫 부분도 그리 될 수 있으니, 이와 같다.

비거주자는 신실하거나 신실하지 않은 목사이다.

그런데 그는 신실하지 않다. 고로, 등등.

삼단논법에서 많은 오류가 이런 식이다.

방법론에서 오류란, 속이기 위해 끝을 처음에, 특수를 일반에 앞서 두는 경우로, 훌륭한 순서가 사라지고 혼란스러워져, 결국에는 모호하고 길고 딱딱함이 뒤따르게 되는 때이다.

옮긴이의 말

『베히모스』는 토머스 홉스가 영국 내전에서 보고 들은 바를 기록한 책이다. 본 저술은 찰스 2세 재위기인 1668년경에 완성되었지만, 국왕에게 출간을 허락받지 못하고 거의 10여년 넘게 해적판으로만 떠돌다, 사후인 1681년에야 그의 출간인 윌리엄 크룩에 의해 겨우 정식으로 출간될 수 있었다. 군주제의 지지자이자 한결같은 왕당파였고, 또한 찰스 2세의 수학강사직을 맡았던 이력에도 불구, 1651년 『리바이어던』에서 드러낸 강경한 세속주의적 성격으로 인해 그의 입지는 늘 불안하였다. 1640년 영국 내전의 발발로 의회를 피해 프랑스로 도피했던 그는, 『리바이어던』의 출간으로 왕당파에게 목숨을 위협받다가 역설적이게도 의회의 보호 아래 영국으로 귀국하였다. 1666년에는 이단으로 몰려 『리바이어던』이 불태워지는 일을 겪기도 하였는데, 이후로는 생전에는 더 이상 그 자신의 정치철학을 세상에 내놓을 수가 없게 되었다.

그러나 또 한편으로 그의 사상 저변에 깔린 철저한 현실주의적 시각이 아마도 찰스 2세를 비롯, 많은 이들을 불편하게 했던 게 아닐까라고 감히 추측해본다. 마치 마키아벨리가 『군주론』으로 힘있고 교활한 군주상을 예찬하는 듯 하였지만, 실제의 삶에서는 기회가 있을 때마다 공화주의에 동조하는 모습을 보였던 것처럼, 토머스 홉스 역시 언제나 왕권의 편에 서있는 듯 보이지만, 조금만 자세히 들여다보면 오히려 그 허위성을 드러내고자 하는 것처럼 보이기 때문이다. 그의 왕권 옹호는 당시 유행했던 왕권신수설이나 신분제에 기반하지 않았다. 오늘날 정치학이 국가를 일종의 필요악으로 설명하는 것처럼, 그런 것이 없을 경우 인간들은 서로 싸우고 파멸시킬 것이기에 계약에 따라 사회를 유지시키는 괴물로 묘사하는 것이다.

그의 현실주의는 당시 뿐만 아니라 현재에도 상당히 파격적이다. 홉스는 『리바이어던』에서 자유에 대해 논하며 이렇게 말한다. “가령 다수의 사람들이 한 무리가 되어 부당하게 주권자의 권력에 저항했거나, 또는 사형에 해당하는 중죄를 범하여, 한 사람도 남김없이 사형에 처해질 것이 분명한 경우, 그들 모두는 단결하고 협력하여 [자신들의 목숨을] 지킬 자유는 없는 것일까? 이 경우 확실히 그럴 자유가 있다. 자신들의 생명을 지키는 것이기 때문이다. 이것은 죄가 있고 없고를 떠나서 모든 인간에게 허락된 자유이다.”[203] 제아무리 흉악한 범죄를 저질러 합당한 처벌이 내려졌다 하더라도, 자신의 생존이 위험에 처한 경우 이에 불복하여 저항하거나 도망치려 하는 것은 당연하다는 것이다. 이러한 현실주의는 다음의 대목에서도 다시 한 번 확인된다. “심한 기근이 들어 식품을 돈 주고도 살 수 없고, 주는 사람도 없어서, 강탈하거나 훔치거나 한 경우, 혹은 자신의 목숨을 지키기 위해 다른 사람의 칼을 빼앗은 경우, 그는 완전히 면죄된다.”[204] 눈 앞의 생존이 걸렸을 때, 법, 즉 말이란 아무런 효력을 갖지 못한다.

그러므로 『리바이어던』이라는 괴물이 필요해진다. 『리바이어던』이 국가 권력이라는 필요악을 상징하는 괴물이었다면, 『베히모스』는 그러한 필요악을 필요하게 만드는 괴물, 즉 권력욕을 상징한다. 수많은 분파로 갈라져 저마다 정의를 외치지만, 결국에는

---

[203] 『리바이어던』, 「제21장 백성의 자유에 대하여」. 본 인용문의 번역은 <진석용 옮김, 나남, 2008.>을 그대로 옮겼다.

[204] 같은 책, 「제27장 범죄, 면죄 및 정상참작에 대하여」.

현존하는 왕을 제거하고 스스로 왕이 되고자 정치 및 종교적 교리를 이용하는 현실을 성경의 두 괴물로 은유하고자 했던 것이다. ‘세상이 감당할 수 있는 온갖 종류의 불의와 온갖 종류의 어리석음’을 드러내고자 한다는 도입부가 잘 드러내듯, 그래서 『베히모스』는 홉스의 통렬한 냉소로 가득하며, 왕당파로서 비록 온도차가 있기는 하더라도 그 대상을 가리지도 않는다. 곤란한 질문이라 해도 의뭉스레 피해가지 않는 지적 성실성이야말로 그 내용에 대한 동의 여부를 떠나 배울 만한 자세가 아닌가 생각된다.

또한 ‘만인의 만인에 대한 투쟁’이라는 유명한 문구로 요약될 수 없는 다양한 면모가 드러나는 바, 이름과 명칭이 갖는 힘이라든지, 비합리적인 정념과 타성, 다른 의견을 이단으로 몰아세우는 종교적 광신주의, 권위를 얻기 위해 취하는 정치적 책략 등에 대해서도 폭넓은 시야를 드러내 보여준다. 실제로 『베히모스』에서 다루는 테마 중 일부는 『이단 및 그 처벌에 관한 역사론』, 『보통법에 관한 대화편』, 그리고 아리스토텔레스의 수사학을 요약한 『수사술』에서 더 자세히 들여다볼 수 있기도 하다. 오늘날 중세를 소위 암흑기라는 말로 함축되는 정체의 시기로 해석하지 않는 것처럼, 홉스적 관점으로도 중세는 결코 평온한 시기가 아니었다. 오히려 최고주권을 둘러싸고 수없는 타협과 음모, 전쟁이 반복되었고, 평화를 구축하고자 하는 여러 시도들이 있었던 반면, 그로 인해 또 수많은 이단자들이 만들어졌다. 단지 차이가 있다면, 현대와 같은 대량생산과 대량학살의 도구가 부재했기에, 어디까지나 상대적으로 변화 없는 안온한 시기로 보일 뿐이다. 기독교적 사랑과 자비라는 허구적 개념에 대해 마키아벨리는 이미 그 저변에 깔려 있는 위선을 드러내었고, 홉스 역시 마찬가지였다. 그리고 그러한 허구성에 얼마나 사람들의 마음이 사로잡히는지에 대해서도 말이다.

아울러 다른 홉스의 저술도 『베히모스』를 이해하는 데에 도움이 되리라 생각되어 함께 번역하여 수록하였는데, 이를 간략해 정리해보면 다음과 같다.

『이단 및 그 처벌에 관한 역사론』은 본래 단순한 견해차이 정도를 의미했던 이단이라는 단어의 기원을 밝히고, 그리고 어떻게 탄압이 대상이 되었는지를 추적하는 소고로, 잉글랜드에서 이단을 처벌하는 법이 어떻게 생겨났다 사라졌는지를 논하고 있다.

『토머스 홉스의 명성과 충성심, 태도 및 종교에 관한 고찰』은 『리바이어던』의 출간으로 쏟아진 비판에 대해 반박하는 글이다. 그는 의회파와 왕당파 모두에게서 격렬하게 비판받았는데, 이에 대해 그는 마치 제3자가 논하듯 자신의 입장을 유머러스하면서도 신랄하게 드러낸다.

『보통법에 관한 대화편』은 잉글랜드의 주권과 사법체계, 형벌이 어떻게 정립되었는지를 철학자와 법률가의 대화형식으로 논하는 저술이다. 영미법 체계의 토대를 쌓은 것으로 평가받는 에드워드 코크의 『법학제요』를 바탕으로 당시의 잉글랜드 법제에 대해 고찰하고 있다. 비록 수세기 전에 쓰이기는 했지만, 성문법과 형평성으로 구성되는 영미법 특유의 논리를 비판적으로 들여다볼 수 있는 대화편으로, 오늘날의 영미법을 이해하는 데에도 상당한 역사적 통찰력을 가져다 준다.

『수사술』은 아리스토텔레스의 『수사학』을 요약한 저술이다. 전반적인 내용은 원저술을 따라가지만, 홉스가 독창적으로 재구성하고 추가한 부분도 적지 않다. 아리스토텔레스의 철학도 기본적으로 현실주의적 입장이었던 만큼, 그가 홉스에게 어떠한 영향을 끼쳤는지를 살펴보기에 좋은 문헌이라 할 수 있다.

『궤변술』은 논리학에서 발생할 수 있는 오류들을 간략히 정리한 논고이다. 개념정의와 삼단논법에서 주의해야 할 점을 기록한 것으로, 어떤 면으로는 홉스가 『수사술』에 추가한 부분이라고도 할 수 있다.

영국내전은 영국사 뿐만 아니라, 민주주의의 역사와 근대국가의 수립에도 중요한 사건이다. 현재의 유럽 판도를 사실상 결정지었다고 이야기되는 30년 전쟁과도 직간접적으로 영향을 주고 받았으며, 영국 최초의 헌법인 통치장전과 영연방의 수립이 올리버 크롬웰 통치 하에서 이루어졌다. 또한 영란전쟁으로 영국이 일약 세계사의 중심으로 등장하던 때이기도 하다. 그리고 이후 프랑스혁명과 미국독립의 사상도 이 시기에 뿌리를 두고 있기도 하다.

이러한 역사적 의의는 물론, 사람들 사이의 의견다툼이 도저히 평화적으로 해결하기 어려울 만큼 중오로 점철되어가는 모습은 오늘날에도 그리 낯선 풍경이 아니라는 데에서 영국내전은 충분히 되새겨볼 만한 사건이라 할 수 있다. 모쪼록 홉스의 사상 뿐만 아니라 이러한 역사를 좀 더 자세히 들여다보고 현시대를 고민해보고자 하는 이들에게 조금이나마 도움이 될 수 있다면 더 바랄 나위가 없겠다. 부족한 부분에 대해서는 독자들의 양해를 구한다.

2024년 6월

김주현

연표

1588 년	4 월	토머스 홉스 출생
1603 년	3 월	엘리자베스 1 세 사망
		제임스 1 세 등극
1618 년	5 월	30 년 전쟁 발발
1625 년	3 월	제임스 1 세 사망
		찰스 1 세 등극
	6 월	헨리에타 마리아 왕비와의 결혼
1628 년	1 월	의회 소집 (찰스 3 세 3 차 의회)
		올리버 크롬웰 의원 선출
	6 월	권리청원 제출
1629 년	3 월	의회 해산
1639 년	3 월	제 1 차 주교전쟁 발발 (p.289)
	6 월	베릭 조약으로 휴전
1640 년	2 월	의회 소집 (단기의회) (p.293)
	5 월	의회 해산 (p.294)
	11 월	의회 소집 (장기의회) (p.297)
		스트래퍼드 백작 탄핵 (p.335)
		토머스 홉스 파리 망명
1641 년	2 월	삼년제의회법 통과 (p.345)
	5 월	스트래퍼드 백작 처형 (p.346)
	7 월	인신보호법 통과
	10 월	아일랜드 반란 (p.352)
1642 년	1 월	찰스 1 세의 5 인의 의원 체포 시도 (p.362)
	3 월	민병대 조례 통과 (p.378)
	4 월	킹스턴-어폰-헐 시의 찰스 1 세 입성 거부 (p.380)

	6 월	19 가지 제안 제출 (p.383)
	8 월	찰스 1 세의 소집령, 제 1 차 영국내전 발발 (p.386)
	10 월	에지힐 전투 (p.404)
1643 년	1 월	브래독 다운 전투
		찰스 1 세와 의회 간의 평화회담 개시
	4 월	평화회담 결렬
	7 월	라운드웨이-다운 전투 (p.409)
	8 월	스코틀랜드와 의회 간에 엄숙동맹과 언약 체결 (p.408)
		글로스터 공성전 (p.409)
	9 월	제 1 차 뉴베리 전투 (p.410)
	12 월	의회 지도자 존 핌의 사망
1644 년	6 월	크로프레디 교 전투 (p.414)
	7 월	올리버 크롬웰 중장 승진
		마스턴 무어 전투 (p.413)
1645 년	1 월	찰스 1 세와 의회 간의 평화회담 개시
	2 월	신형군 창설 (p.415)
		평화회담 결렬
	6 월	네이즈비 전투 (p.417)
	7 월	랭포트 전투
1646 년	2 월	토링턴 전투
	4 월	스코틀랜드로 찰스 1 세의 도주 (p.418)
1647 년	1 월	스코틀랜드가 의회에 찰스 1 세의 신변 인도 (p.419)
	11 월	찰스 1 세의 탈출 시도 (p.430)
	12 월	찰스 1 세와 스코틀랜드 언약자 간의 비밀조약 체결
1648 년	5 월	왕당파 봉기, 제 2 차 영국내전 발발 (p.437)
	6 월	메이드스톤 전투 (p.438)
	8 월	프레스턴 전투 (p.439)

	10월	베스트팔렌 조약 체결, 30년 전쟁 종결
	12월	잔부의회 시작 (p.444)
1649년	1월	찰스 1세 기소 및 처형 (p.443)
	2월	웨일스 공의 찰스 2세 선포
	3월	해밀턴 공작, 홀랜드 백작 등 처형 (p.452)
	5월	영연방 출범
	8월	라스만 전투
		올리버 크롬웰의 아일랜드 원정 (p.453)
1650년	4월	카비스데일 전투
		몬트로즈 후작 처형 (p.458)
	7월	제3차 영국내전 발발 (p.459)
	9월	던바어 전투 (p.461)
1651년	4월	『리바이어던』 출간
	9월	우스터 전투 (p.465)
	10월	항해법 통과 (p.469)
1652년	2월	스코틀랜드의 연합 합류 선언
	7월	제1차 영란전쟁 발발 (p.471)
1653년	2월	포틀랜드 해전
	3월	레그혼 해전 (p.475)
	7월	베어본 의회 시작 (p.478)
		스헤베닝겐 해전
	12월	올리버 크롬웰의 호국경 취임 (p.481)
		보호령 출범
1654년	4월	웨스트민스터 조약 체결, 영란전쟁 종결 (p.482)
	9월	제1차 보호령의회 소집 (p.483)
1655년	1월	의회 해산 (p.484)
1656년	9월	제2차 보호령의회 소집 (p.485)
1657년	6월	연합법 통과

1658년	2월	의회 해산 (p.490)
	9월	올리버 크롬웰 사망 (p.490)
		리처드 크롬웰의 호국경 취임 (p.491)
1659년	1월	제3차 보호령의회 소집 (p.492)
	4월	잔부의회 복귀 (p.495)
	5월	리처드 크롬웰의 호국경 사임 (p.494)
1660년	4월	장기의회 종료, 컨벤션 의회 시작 (p.505)
		찰스 2세, 브레다 선언으로 대사면령 선포
	5월	찰스 2세의 복위
1679년	12월	토머스 홉스 사망
1681년		『베히모스』 출간

찾아보기

용어

19가지 제안nineteen propositions, 287, 383-85

가톨릭Catholic, 23, 26, 34, 180, 181, 284, 330

게르만족Germans, 231, 348, 349, 350

격리원들the secluded members, 444, 489, 490, 495, 497, 503

고등판무관High Commission, 38-39, 184, 185, 187, 188, 189, 266, 360

공동기도서Book of Common Prayer, 54, 283

공의righteousness, 333

공의회general Council, 35, 38-39, 38-39, 184, 186, 266-68

- 니케아 공의회Council of Nicaea, 30, 32, 33, 40, 179, 267
- 에베소 공의회Councils of Ephesus, 33, 267
- 카르타고 공의회Council of Carthage, 33, 34
- 칼케돈 공의회Chalcedonian Council, 33, 267
- 콘스탄티노플 공의회Councils of Constantinople, 32, 33, 267

과두정oligarchy, 347, 444, 447, 527

교황권popery, 102, 183, 270, 331, 421

국무원Council of State, 448, 473, 478, 481, 489, 495

군주정monarchy, 39, 93, 97, 98, 229, 257, 259, 287, 294, 341, 351, 393, 396, 398, 402, 431, 434, 447, 450, 468, 479, 512, 527

권리청원petitions of right, 287, 384

궤변Sophistry, 617

귀납법inductions, 517, 573

귀족원House of Peers, 68, 95, 102, 115, 147, 228, 235, 237, 288, 295, 315, 337-42, 347, 348, 354, 362, 363, 372, 375, 379, 384, 394, 440, 443, 444, 445, 448, 457,

483, 495, 501
귀족정aristocracy, 229, 341, 398, 527
극형capital, 36, 38, 147-75, 182, 189, 214
남작Baron, 124, 238, 349, 350
내 것meum, 109, 116, 119, 228-38
네 것tuum, 109, 116, 119, 228-38
네번째 속성proprium quarto modo, 120
노르만족Normans, 91, 162, 228, 349
논점선취petition of the principle, 620
논점이탈heterogenium, 621
니케아 신경Nicene creed, 25-30, 182, 183, 186, 267
대인장Great Seal, 95, 103, 106, 135, 136, 141, 148, 157, 202, 230, 412, 413, 420, 432
대학university, 51, 74, 75, 275, 283, 302, 303, 304, 322, 324, 325, 331, 332, 342, 344, 365, 407, 435, 436, 500
동어반복tautologia, 621
동음이의어homonymia, 618
러쉬버그Lushburgh, 148
롤라드파Lollards, 36, 37, 183
마네스Manes, 32
맨오브워men-of-war, 471, 472, 473, 475
민병대militia, 91, 93, 97, 201, 353, 374-79, 384, 387, 400, 405, 406, 418, 422, 426-29, 432, 434, 437, 465, 483, 493, 505
민주정democracy, 229, 261, 283, 287, 341, 364, 398, 444, 445, 447, 527
반역죄treason, 54, 58, 114, 118, 119, 147-57, 163, 164, 184, 204-6, 218, 220, 221, 266, 267, 302, 310, 335, 337, 338, 340, 342, 344, 354, 362, 363, 372, 381, 440, 445, 471
백성의 안녕salus populi, 149, 338, 387, 477, 478, 499
법령
  교황존신죄premunire, 189-99
  리처드 2세 13년13 Richard II, 217, 220, 221
  리처드 2세 16년16 Richard II, 191, 193, 194, 202

리처드 2세 17년17 Richard II, 138
마그나 카르타Magna Charta, 83, 98, 121, 122, 123, 159, 162, 225, 300, 358
망각법안Act of Oblivion, 114, 115, 223-25, 505
메리 1세 1년1 Mary I, 151
메리 1세 2년2 Mary I, 151
무청원의결vote of non-addresses, 433, 439, 440, 444, 448
에드워드 1세 6년6 Edward I, 214
에드워드 1세 25년25 Edward I, 92, 93
에드워드 2세 17년17 Edward II, 151, 233
에드워드 3세 2년2 Edward III, 216
에드워드 3세 25년25 Edward III, 147, 151, 163, 184, 190, 191
에드워드 3세 27년27 Edward III, 190
에드워드 3세 36년36 Edward III, 146
에드워드 6세 1년1 Edward VI, 155, 184, 185
엘리자베스 1세 1년1 Elizabeth I, 103, 155, 184
엘리자베스 1세 5년5 Elizabeth I, 135
엘리자베스 1세 13년13 Elizabeth I, 155
엘리자베스 1세 27년27 Elizabeth I, 129, 130, 137
제임스 1세 1년1 James I, 175
찰스 2세 12년12 Charles II, 223, 224
찰스 2세 13년12 Charles II, 91
펠리페 2세 및 메리 1세 2년2 Philip II & Mary I, 184
헨리 3세 52년52 Henry III, 161, 209
헨리 4세 2년2 Henry IV, 139, 176, 183, 184, 185, 188, 206
헨리 4세 4년4 Henry IV, 126, 129, 130
헨리 5세 2년2 Henry V, 183, 184, 188, 206
헨리 6세 31년31 Henry VI, 140
헨리 7세 3년3 Henry VII, 168
헨리 8세 1년8 Henry VIII, 117
헨리 8세 5년5 Henry VIII, 37
헨리 8세 20년20 Henry VIII, 37
헨리 8세 24년24 Henry VIII, 213

헨리 8세 25년25 Henry VIII, 37, 183, 184, 207
헨리 8세 28년28 Henry VIII, 222
법의 영혼anima legis, 95
베어본 의회Barebone' s Parliament, 496
보통법common law, 81-238, 300, 401
부당함unjust, 537
분리된 본질separated essences, 305
불복조항non-obstante, 133, 134
사권박탈attaint, 127, 128, 129, 219, 340
사도신경Apostle' s Creed, 25-30
사면pardoning, 39, 52, 56, 98, 113-15, 163, 164, 212, 216-25, 342, 385
산파술Elenchus, 76
삼년제의회triennial Parliaments, 345, 346, 360, 471
삼단논법syllogism, 516, 517, 574, 575, 585, 611, 621, 623, 624, 625, 626
삼십인 정권Thirty Tyrants, 224, 581
삼위일체Trinity, 23, 31, 332
상대성comparatives, 524-27, 539
색슨족Saxons, 124, 159, 161, 203, 225, 231, 235-38, 348
생략삼단논법enthymeme, 516, 517, 518, 572-87, 598, 599, 610, 612
서민원House of Commons, 68, 95, 102, 115, 138, 139, 147, 228, 235, 237, 259, 288, 295, 315, 335, 337, 340, 341, 342, 344, 347, 348, 350, 351, 354, 362, 363, 373, 375, 379, 384, 385, 394, 402, 412, 415, 433, 439, 440, 443, 444, 445, 447, 448, 453, 483, 489, 490, 492, 493, 504
선good, 522-29
선결문제 요구의 오류begging of the question, 620
선박세ship-money, 294, 299, 326, 329, 358, 360, 399
선의bona fide, 59
성공회 기도서common-prayer-book, 285, 288, 416, 435
성문법statute law, 81-238, 299, 300, 538, 540, 541
성변화transubstantiation, 273, 306
성실청Star-chamber, 202, 298, 346, 358

성직의 편익Benefit of Clergy, 165
성직후임자provisor, 189, 190, 191, 195
소작권Tenures, 83, 172, 228
소집령commission of array, 386, 387, 397, 400, 401, 405, 406, 413
소환장subpœna, 129, 140, 345
수동적 순종passive obedience, 314, 315
수사학rhetoric, 86, 180, 339, 613-14
수장 선서Oath of Supremacy, 278
숙의deliberative, 517, 520-22, 604, 609, 610, 611
시민법civil law, 68, 95, 195, 222, 262, 308, 322, 324, 347, 538, 540, 542
신형군new modelled army, 415, 416
실정법positive laws, 104, 105, 117, 128, 173, 181, 202, 218
실체substance, 26, 27-33, 61-65, 325
  무형적incorporeal, 61-65, 325
  비물질적immaterial, 61-65
심사judicial, 517, 531, 582, 601, 603, 604, 609, 611
아니무스 펠레우스animus felleus, 159, 161, 173
악evil, 522-29
안전위원회Committee of Safety, 496, 498-501, 502
암보이나 사건Amboyna massacre, 470
앵글로족Angles, 348
엄숙동맹과 언약Solemn League and Covenant, 408
영적 질서in ordine ad spiritualia, 189, 262
예배규칙서Directory, 54
예증examples, 517, 572, 573, 586, 587, 609, 610
올바른 이성recta ratio, 94
완전사유지allodial, 232
위격hypostasis, 33, 267, 325
이단heresy, 17-40, 64, 117, 155, 175-89, 198, 206, 264-67
이단자 화형 영장writ de hæretico comburendo, 188, 206
자기부정 조례self-denying ordinance, 425
자연법law of nature, 57, 181, 218, 225, 226, 231, 233, 299, 308, 322, 338, 400, 538, 540, 541, 542
자연적 이성natural reason, 62, 63,

84, 94, 101, 200, 205, 425
자유보유권freehold, 172, 197
자유의지free will, 305, 331, 344
잔부파the Rump, 39, 444, 447-506
장기의회Long Parliament, 97, 100, 111, 113, 153, 261, 383, 444, 476, 477, 486, 495, 505, 506
장미 전쟁Wars of the Roses, 70
재판소
고등재판소High Court of Justice, 130, 266, 418, 442, 449, 452, 476, 484, 490
고등판무관재판소 High Commission Court, 346, 359
국고재판소Court of the Exchequer, 118, 120, 121
국고청Exchequer, 130, 139, 141, 358
남작재판소Court of Barons, 118, 124
다른 의회Other House, 489, 490, 492, 493
대법관청Chancery, 118, 120, 123, 128, 130, 134, 138-41, 141, 144, 146, 191, 193, 196, 197, 358
보안관재판소Courts of Sheriffs, 118
어사이즈Assizes, 119, 148, 164
와드재판소Court of Wards, 358
왕립재판소King' s Bench, 118-32, 137, 138, 141, 193, 196
일반탄원재판소Court of Common Pleas, 118-32, 193, 196
제독재판소Court of the Lord Admiral, 132, 192, 196, 222
지주재판소Court of Landlords, 118
카운티 재판소county-courts, 124, 345, 441, 480
정당방위se defendendo, 163, 209, 211-14
정당함just, 537
정의justice, 88-89, 302, 306, 308, 333
제2차 남작전쟁Second Barons' War, 350
제일원동자first giver of motion, 305
젠트리gentry, 277, 289, 290, 294, 326, 401
젠틀맨Gentlemen, 50, 73, 260, 277, 283, 287, 301, 302, 326, 335, 372, 380, 381, 394, 398, 401, 412, 427, 466, 468, 595
종파sects, 22, 180, 259, 265,

422, 463
교황파Papists, 67, 259, 261, 265, 280, 285, 331, 352, 355, 356, 359, 384, 391, 420, 455, 477
네스토리우스파Nestorians, 34, 182
눈티오파Nuntio' s party, 455
독립파Independents, 259, 422, 423, 429, 432, 444, 450, 456, 457, 458, 495
마니교도Manichees, 182
민주파democratical, 279, 287, 289, 290, 291, 293, 302, 339, 493
브라운파Brownists, 422
소요학파Peripatetics, 21, 26, 178, 265
수평파levellers, 434, 453, 454
스토아파Stoics, 21, 22, 178, 179, 199, 265
신인동형론자Anthropomorphites, 32, 182
아담파Adamites, 259
아리미니우스파Arminians, 356
아리우스파Arian, 26, 28, 34, 186
아카데미파Academics, 21, 178
에피쿠로스파Epicureans, 21, 22, 178, 179, 265
연합파confederate party, 455
왕당파royal party, 312, 313, 338, 343, 399, 406, 408, 411, 417, 425, 438, 457, 460, 462, 463, 470, 476, 482, 484, 485, 490, 491, 497
장로파Presbyterians, 259, 261, 279, 280, 282, 283, 288, 290, 291, 293, 297, 311-14, 323, 331-33, 347, 352, 356, 363, 364, 371, 372, 387, 393, 415, 416, 418, 422, 423, 425, 429, 432, 433, 445, 450, 451, 456, 458, 459, 460, 462, 463, 467, 470, 471, 493, 495, 497, 504, 505
재세례파Anabaptists, 182, 186, 259, 422, 500
제5군주파Fifth-monarchy-men, 259, 422, 463, 479
퀘이커교도Quakers, 259, 422
피타고라스파Pythagoreans, 21, 178
주교제episcopacy, 39, 67, 289,

290, 291, 348, 363, 364, 408
주권 권력sovereign power, 53, 68, 88-102, 104, 105, 106, 109, 112, 201, 205, 224, 229, 230, 287, 310, 317, 321, 353, 357, 362, 372, 381, 387, 400, 408, 421, 459, 477, 494, 506
중범죄felony, 114, 137, 148, 159-74, 206-15, 217, 219-25, 381
총체적 이성summa ratio, 84, 85, 94, 95
최고재판관supreme judge, 102-15, 131, 200, 264, 266, 318, 368
추밀원King' s council, 126, 127, 128, 139, 141, 168, 169, 283, 337, 351, 357, 383, 384, 491
충성맹세oath of fealty, 232, 233
치안판사magistrate, 63, 64, 103, 314, 479, 572
칸켈리cancelli, 136
코람 노비스Coram nobis, 122, 127
코먼웰스Commonwealth, 35, 39, 61, 68, 74, 104, 134, 142, 145, 181, 189, 217-18, 229, 259, 260, 275, 282, 283, 308-10, 317, 319, 324, 332, 335-36, 341-42, 348, 365, 366, 368, 403, 410, 448, 449, 456-57, 466, 467, 473, 480, 487, 497, 503, 515, 519, 527, 538, 541, 581, 583
쾌락pleasure, 533
통치장전Instrument of Government, 481, 483, 485, 489
트레인드 밴즈Trained Bands, 325, 391, 405, 409, 414
파문excommunication, 35, 189, 191, 194, 195, 262-65, 358
페르소나persona, 33, 35
펠레폰네소스 전쟁Peloponnesian War, 224, 584
포기서약abjuration, 219, 220
표명demonstrative, 517, 528, 530, 531, 602, 603, 604, 607, 609, 610, 611
해악injury, 531, 534-37, 539
형평성equity, 50, 52, 68, 81-238, 129, 296, 299, 302, 308, 322, 341, 400, 538, 540, 541
호모우시우스ὁμοούσιος, 26,

30
혼합정mixed constitution, 398
화약 음모Gunpowder Plot, 155, 280

인명

가이 포크스Guy Fawkes, 156
가이우스 마리우스Gaius Marius, 229
갈릴레오 갈릴레이Galileo Galilei, 67, 72
곤트의 존John of Gaunt, 36
교황 갈리스토 1세Pope Callixtus I, 271
교황 갈리스토 2세Pope Callixtus II, 271
교황 그레고리 7세Pope Gregory VII, 272
교황 디오스코루스 1세Pope Dioscorus I, 33
교황 레오 3세Pope Leo III, 269
교황 리베리오Pope Liberius, 34
교황 실베스테르 1세Pope Sylvester I, 268
교황 알렉산더 1세Pope Alexander I, 24
교황 우르바노 8세Urban VIII, 329
교황 율리우스 2세Pope Julius II, 277
교황 인노첸시오 3세Pope Innocent III, 269
교황 자카리아 1세Pope Zachary, 269
네스토리우스Nestorius, 33, 267
네헤미야 본Nehemiah Bourne, 472
니콜라스 케메이스Nicholas Kemeys, 437
다리우스 1세Darius I, 572, 576
다마스쿠스의 요한John Damascene, 28
데모스테네스Demosthenes, 584
덴질 홀레스Denzil Holles, 372
도미티아누스Domitian, 135
둔스 스코투스Duns Scotus, 276, 304
디오도로스 시켈로스Diodorus Siculus, 366, 367, 369
디오메데스Diomedes, 576, 580, 607
라이스 파월Rice Powell, 437
라파엘 홀린쉐드Raphael Holinshed, 188
랄프 홉튼Ralph Hopton, 405, 411, 417
레오다마스Leodamas, 525, 581
레오폴드 대공Archduke Leopold Wilhelm of Austria, 474
레오폴트 폰 랑케Leopold von Ranke, 249
로버트 그레빌, 브룩 영주Robert

Greville, 406
로버트 데버루, 2대 에식스 백작 Robert Devereux, 292
로버트 데버루, 3대 에식스 백작 Robert Devereux, 292, 373, 387, 392, 404, 405, 406, 409, 410, 414, 415, 421
로버트 리치, 워릭 백작Robert Rich, 379, 391
로버트 바틀렛Robert Berkeley, 360
로버트 버티, 3대 린지 백작Robert Bertie, 404
로버트 보일Robert Boyle, 70, 76
로버트 블레이크Robert Blake, 416, 472-75, 481
로버트 오버턴Robert Overton, 464, 498
로버트 티크본Robert Tichborne, 440
로버트 해먼드Robert Hammond, 430
로타르 3세Lothair III, 271
로타르Lotharius, 271
롤런드 로안Rowland Laugharne, 437
루시안Lucian, 178
루크레티우스Lucretius, 17
루퍼트 공Prince Rupert of the Rhine, 393, 405, 406, 409, 411, 413
르네 데카르트René Descartes, 72
리처드 2세Richard II, 36, 137, 194, 198, 237, 383
리처드 딘Richard Deane, 464, 474, 475, 482
리처드 백스터Richard Baxter, 71
리처드 스타이너Richard Stayner, 485
리처드 엠슨Richard Empson, 199
리처드 크롬웰ichard Cromwell, 490-94, 491, 496, 499, 506
마르쿠스 안토니우스Marcus Antonius, 224, 343, 396
마르턴 트롬프Maarten Tromp, 472-75, 481
마르틴 루터Martin Luther, 277, 278, 279, 422
마케도니우스Macedonius, 267
매튜 해먼드Matthew Hamont, 185
머로우 오브라이언, 인치킨 영주 Murrough O'Brien, 454
메넬라오스Menelaus, 584
메리 1세Mary I, 37, 102, 117, 184, 279, 282, 421
메리 헨리에타 스튜어트Mary Henrietta Stuart, 375
메텔루스 스키피오Scipio Africanus, 292
메티우스 푸페티우스François Ravaillac, 204

모리스 공Maurice of the Palatinate, 393
뮈라Myrrha, 585
므두셀라Methuselah, 76
미힐 드 로이테르Michiel de Ruyter, 474, 475
바솔로뮤 레게이트Bartholomew Legate, 185, 186, 188, 207
발렌스 황제Valens, 32
발렌타인 월튼Valentine Walton, 498
비텔리우스Vitellio, 73
사도 도마St. Thomas, 24
사도 바울St. Paul, 31, 39, 54, 104, 623
사도 요한St. John, 24, 318, 622
사로비데스Sarovides, 366
사뮈엘 소르비에르Samuel Sorbière, 71
사포Sappho, 579
성 도미니코Saint Dominic, 274
성 베드로St. Peter, 261, 278, 318
세네카Seneca, 322, 445, 450
세스 워드Seth Ward, 71
셉티미우스 세베루스Septimius Severus, 135
소포클레스Sophocles, 608
솔론Solon, 90
수에토니우스Suetonius, 135
술라Sulla, 229
스키피오 아프리카누스Scipio Africanus, 292
스테시코로스Stesichorus, 573
스트라보Strabo, 366
스펜서 콤프턴, 노샘프턴 백작 Spencer Compton, 406
시모니데스Simonides, 592
시몬 드 몽포르Simon de Montfort, 350
아가멤논Agamemnon, 583
아리스토게이톤Aristogeiton, 583
아리스토텔레스Aristotle, 21, 22, 28, 31, 62, 88, 177-80, 223, 275, 276, 304-7, 310, 322, 372, 450, 613-14
아리스토폰Aristophon, 578
아리우스Arius, 24-34, 26, 31, 181-82, 267
아서 카펠, 카펠 영주Arthur Capell, 449, 452
아서 해슬릭Arthur Haselrig, 372
아서 헤이즐리그Arthur Haselrig, 495, 498, 501
아우구스투스Augustus, 343, 396
아이기스토스Aegisthus, 583
아이아스Ajax, 561, 606
아이작 도리슬라우스Isaac Dorislaus,

456
아킬레우스Achilles, 561, 576
아타나시우스Athanasius, 28, 29, 31, 34
아타우알파Atabalipa, 268
아펠레스Apelles, 26, 31
안티고네Antigone, 608
알렉산더 레슬리Alexander Leslie, 462
알렉산더 카레브Alexander Carew, 416
알렉산드로스 대제Alexander the Great, 21, 92, 177, 578
알키노오스Alcinous, 608
앙리 4세Henry IV, 204, 276
앤서니 아샴Anthony Ascham, 456
앤서니 영Anthony Young, 471, 472
앤서니 피쳐버트Anthony Fitzherbert, 119, 185, 188, 207
야코부스 아르미니우스Jacobus Arminius, 331
에드거 왕Edgar the Peaceful, 134
에드먼드 더들리Edmund Dudley, 199
에드먼드 왕Edmund Ironside, 135
에드워드 1세Edward I, 92, 119, 350
에드워드 2세Edward II, 111, 198
에드워드 3세Edward III, 36, 100, 155, 164, 190, 272, 275
에드워드 6세Edward VI, 37, 184, 185, 187, 279
에드워드 고백왕Edward the Confessor, 135
에드워드 리틀턴Edward Littleton, 412
에드워드 몬태규, 맨체스터 백작 킴볼튼 경Edward Montagu, 372, 378, 385, 411, 412, 413, 415
에드워드 코크Edward Coke, 83, 84, 86, 103, 104, 106, 107, 109, 112, 120, 121, 122, 123, 124, 126, 131, 132, 133, 134, 136, 137, 138, 139, 140, 141, 143, 144, 146, 152-76, 152, 153, 185, 187, 191-95, 203-28, 235, 237
에드워드 허버트Edward Herbert, 374
에르가메네스Ergamenes, 370
에설레드 왕Æthelred the Unready, 134
에우티케스Eutyches, 33, 182, 267
에이브러햄 레이너드슨Abraham Reynardson, 422, 426-29, 452
에피쿠로스Epicurus, 21, 177
엘리자베스 1세Elizabeth I, 37, 95, 117, 183, 184, 185,

187, 188, 189, 198, 207, 222, 266, 279, 282, 283, 286, 421, 493
오디세우스Ulysses, 561, 580, 607, 608
오레스테스Orestes, 583
오비디우스Ovid, 561
오스만 2세Osman II, 325
오이디푸스Oedipus, 608
올리버 세인트 존Oliver St John, 466, 468, 469
올리버 크롬웰Oliver Cromwell, 49, 51-60, 98, 388, 405, 411, 413, 415, 417, 421-40, 447, 452, 453, 454, 455, 459-66, 470, 471, 476-98, 506
요한 드 비트Johan de Witt, 475
울릭 버크, 클랜리카르드 백작 Ulick Burke, 454
월터 스트릭랜드Walter Strickland, 468
월터 에를레Walter Earle, 419
윌리엄 1세William I, 272
윌리엄 라우드, 캔터베리 대주교 William Laud, 199, 288, 331, 344, 346, 360, 416, 426
윌리엄 램바드William Lambarde, 159, 161, 235, 237
윌리엄 렌설 씨William Lenthal, 495
윌리엄 루시William Lucy, 71
윌리엄 릴리William Lilly, 487
윌리엄 몰즈워스William Molesworth, 248
윌리엄 브레리턴 경William Brereton, 406, 417
윌리엄 스탬포드William Stanford, 198
윌리엄 스트로드William Strode, 372
윌리엄 워버튼William Warburton, 248
윌리엄 월러William Waller, 405, 411, 414
윌리엄 캐번디시, 뉴캐슬 백작 William Cavendish, 380, 405, 407, 410, 412, 413, 416, 471
윌리엄 크룩William Crooke, 46, 245, 254
윌리엄 프리네William Prynne, 340
유베날리스Decimus Junius Juvenalis, 509
유세비우스Eusebius, 30
유스타치오 디비니Eustachio Divini, 72
유스티니아누스Justinian I, 90
유클리드Euclid, 73
율리우스 카이사르Julius Caesar, 115, 135, 224, 229, 231,

292, 366
이브라힘Ibrahim, 325
이오카스테Jocasta, 608
이피크라테스Iphicrates, 578
장 칼뱅John Calvin, 422
정복자 윌리엄William the Conqueror, 101, 153, 183, 228, 401
제논Zeno, 21, 177
제임스 1세James VI and I, 127, 145, 155, 185, 199, 207, 222, 249, 258, 282, 287, 295, 296, 331, 358
제임스 2세Charles II, 375, 439
제임스 그레이엄, 몬트로즈 후작James Graham, 406, 420, 458, 459
제임스 네일러James Naylor, 486
제임스 버틀러, 오몬드 후작James Butler, 454, 455
제임스 스튜어트, 리치먼드 공작James Stewart, 418
제임스 투셰, 캐슬헤이븐 백작James Tuchet, 454
제임스 하워드, 서퍽 백작James Howard, 419
제임스 해밀턴, 해밀턴 공작James Hamilton, 292, 413, 420, 438, 439, 449, 452, 457, 465
조지 고링, 고링 영주George Goring, 416
조지 고링, 노리치 백작George Goring, 437, 438, 452
조지 리슬레George Lisle, 438
조지 몽크George Monck, 466, 474, 481, 482, 498, 499, 500, 501, 502, 503, 504, 506
조지 부스 경George Booth, 497
조지 애스큐George Ayscue, 474
조지 조이스George Joyce, 423
조지 컨George Conn, 329
존 겔John Gell, 406
존 데스버로우John Desborough, 491, 494, 498
존 데이비스John Davies, 156
존 램버트John Lambert, 464, 476, 486, 488, 490, 491, 495, 497-503
존 멜드럼John Meldrum, 411
존 밀턴John Milton, 456
존 배스트윅John Bastwick, 340
존 브라운John Browne, 464
존 브람홀John Bramhall, 253
존 설로John Thurloe, 491
존 셀든John Selden, 237
존 스토우John Stow, 188
존 알러드John Alured, 466

존 오브리John Aubrey, 246, 247
존 오언John Owen, 51, 437, 452
존 왕John, 276
존 위클리프John Wycliffe, 36, 183
존 월리스John Wallis, 43
존 제라드John Gerard, 482
존 케이드Jack Cade, 141
존 페닝턴 경John Penington, 379
존 포이어John Poyer, 437
존 핌John Pym, 53, 372
존 햄든John Hampden, 372
존 호섬John Hotham, 381, 402, 416, 471
존 히스James Heath, 243
존 히피슬리John Hippisley, 419
찰스 1세Charles I, 38, 113, 199, 249, 257-60, 280, 287-301, 331, 334-39, 336, 341-48, 351-64, 358, 371-445, 452, 458, 460, 462, 495, 503, 504, 506
찰스 2세Charles II, 51, 114, 249, 375, 417, 431, 439, 444, 455, 457-61, 462, 464, 465, 470, 484, 496, 504, 505, 506
찰스 루카스Charles Lucas, 438
찰스 플리트우드Charles Fleetwood, 491, 496, 498
카누투스Canutus, 162
카롤루스 대제Charlemagne, 269, 275, 303
카를 5세Charles V, 268
카를로 로세티Carlo Rossetti, 329
카브리아스, 525
카토Cato, 450
카틸리나Catiline, 597
칼리스트라토스Callistratus, 525
캐서린 왕비Catherine of Aragon, 199
콘스탄티누스 대제Constantine the Great, 24-34, 181-82, 268
크레온Creon, 608
크리스토퍼 러브Christopher Love, 470
크리스티안 하위헌스Christiaan Huygens, 72
크세르크세스Xerxes I, 572, 576
클로드 살마시우스Claude Saumaise, 456
클리타임네스트라Clytemnestra, 583
키케로Cicero, 224, 307, 322, 343, 445, 450, 597
키크노스Cygnus, 576
키프리아누스Cyprian, 33
킬론Chilon, 565
킬페리쿠스 3세Chilperic III, 269

테르툴리아누스Tertullian, 26, 31, 64
테우크로스Teucer, 606
텔라몬Telamon, 606
토머스 레인즈버러 Thomas Rainsborough, 417
토머스 리틀턴Thomas de Littleton, 83, 112, 171
토머스 모어Thomas More, 71
토머스 모튼Thomas Morton, 280
토머스 울시Thomas Wolsey, 199
토머스 웬트워스, 스트래퍼드 백작Thomas Wentworth, 199, 335-38, 340, 343-46, 360, 399, 408, 426
토머스 위드링턴 경Thomas Widdrington, 488
토머스 페어팩스Thomas Fairfax, 411, 412, 413, 415, 417, 418, 421, 422, 423, 427, 429, 437, 438, 454, 459, 498, 501
토머스 하워드, 아룬델 백작Thomas Howard, 291
토머스 해리슨Thomas Harrison, 463, 476, 479, 480
툴루스 호스틸리우스Tullus Hostilius, 204
파리스Paris, 584
팔라리스Phalaris, 573
페란도 2세Ferdinand II, 278
페르디난도 페어팩스, 페어팩스 영주Ferdinando Fairfax, 405, 411
페르디난트 퇴니스Ferdinand Tönnies, 249
페리클레스Pericles, 584, 593
펠림 오닐Phelim O' Neale, 476
프란시스코 수아레스Francisco Suarez, 276
프란체스코 바르베리니Francesco Barberini, 329
프란치스코 호마루스Franciscus Gomarus, 331
프랑수아 라바이약Mettius Fuffetius, 204
프랜시스 루스Francis Rous, 478
프랜시스 마세레스Francis Maseres, 249
프랜시스 베이컨Francis Bacon, 72
프랜시스 윈더뱅크Francis Windebank, 330, 359, 360
프레데릭 바르바로사Frederick Barbarossa, 183
프레이즈갓 베어본Praise-God Barebone, 496
프로타고라스Protagoras, 584

프리드리히 5세Frederick V, 358
프리아모스Priam, 606
프톨레마이오스 2세Ptolemy II, 370
플라톤Plato, 21, 62, 177-80, 322
피에르 가상디Pierre Gassendi, 72
피에르 롱바르Peter Lombard, 276, 303
피타고라스Pythagoras, 21, 177, 366
피타코스Pittacus, 585
피피누스Pepin the Short, 269
필리포스Philip II, 578
필립 드 모네이Philippe de Mornay, 280
필립 허버트, 펨브로크 백작Philip Herbert, 419, 434
하르모디오스Harmodius, 583
허버트 몰리Herbert Morley, 498
헤네이지 핀치Heneage Finch, 360
헤라클레스Heracles, 343, 606
헤로도토스Herodotus, 596
헤시오네Hesione, 606
헥토르Hector, 576
헨리 2세Henry II, 160, 257
헨리 3세Henry III, 119, 160, 198, 350
헨리 4세Henry IV, 36, 164, 183, 187, 207, 382, 383
헨리 5세Henry V, 36, 100, 207
헨리 6세Henry VI, 156, 198
헨리 7세Henry VII, 199, 324
헨리 8세Henry VIII, 37, 117, 145, 199, 277-78, 278, 279, 280, 307, 322, 324, 358, 421
헨리 가넷Henry Garnet, 155
헨리 그레이, 스탬포드 백작Henry Grey, 405
헨리 드 브랙튼Henry de Bracton, 104, 110-11, 118, 119, 126, 153, 162, 166, 171
헨리 리치, 홀란드 백작Henry Rich, 438, 449, 452
헨리 버튼Henry Burton, 340
헨리 베넷, 알링턴 남작Henry Bennet, 243
헨리 베인Henry Vane, 466, 497, 499
헨리 아이어튼Henry Ireton, 423, 455
헨리 크롬웰Henry Cromwell, 482, 496
헨리 클리포드, 컴벌랜드 백작 Henry Clifford, 411
헨리 해먼드Henry Hammond, 430
헨리에타 마리아 왕비Henrietta

Maria, 329, 330, 375, 406,
408, 414
헬레네Helen, 584
호라티우스Quintus Horatius Flaccus, 72
호메로스Homer, 65, 160, 223,
591, 608
히파르쿠스Hipparchus, 583
히피아스Hippias, 583

지명

그리스
마라톤Marathon, 576
살라미스Salamis, 576
스파르타Sparta, 292, 368, 579
아테네Athens, 90, 115, 223, 224, 291, 368, 450, 579
테바이Thebes, 525, 579
트로이Troy, 303
헬레스폰트Hellespont, 572
네덜란드
도르트Dordt, 331
헤이그Hague, 456, 468
덴마크
질랜드Zealand, 473
독일
슐레비히-홀슈타인Schleswig-Holstein, 250
팔츠Pfalz, 358
함부르크Hamburgh, 413
후줌Husum, 250
로마
니케아Nicaea, 25, 182, 267
알렉산드리아Alexandria, 24, 181
카르타고Carthage, 33, 292
카이세리Caesarea, 30
칼케돈Chalcedon, 267
콘스탄티노플Constantinople, 32, 33, 65, 267, 269, 325
벨기에
안트베르펜Antwerp, 469
스위스
제네바Geneva, 421
스코틀랜드
노스페리Northferry, 464
던디Dundee, 464, 466
던바어Dunbar, 461, 469, 481, 497
리스Leith, 462
베릭Berwick, 461, 500
세인트 존스톤St. Johnstone, 464, 466
스쿤Scone, 463
스털링Stirling, 462-66
애버딘Aberdeen, 466
에든버러Edinburgh, 289, 439, 458, 459, 461, 462, 463, 464, 466
오크니 제도Orkney Island, 473, 474
코퍼스피스Copperspeith, 461
프리스Frith, 462, 463, 464
하이랜드Highlands, 420, 466

스페인
마드리드Madrid, 456
산타 크루즈Santa Cruz, 490
카디스Cadiz, 292, 485, 490
아일랜드
더블린Dublin, 352, 455
렌스터Leinster, 377
먼스터Munster, 377
얼스터Ulster, 377
코노트Connaught, 377
에티오피아
메로에Meroe, 370
이집트
멤피스Memphis, 367
테베Thebes, 367
히에로폴리스Hieropolis, 367
이탈리아
레그혼Leghorn, 475
아크라가스Akragas, 573
잉글랜드
굿윈 샌드Goodwin Sands, 472, 475
그레셤 칼리지Gresham College, 73, 436
그레이브젠드Gravesend, 438
그리니치Greenwich, 375
글로스터Gloucester, 409, 410, 412
네이즈비Naseby, 417
노섬벌랜드Northumberland, 297
노팅엄Nottingham, 386, 404
뉴마켓Newmarket, 378
뉴베리Newbury, 410, 414, 415
뉴어크Newark, 411, 418
뉴캐슬Newcastle, 297, 418, 419, 420, 462, 464
뉴포트Newport, 439, 440
다운스Downs, 472, 474
더럼Durham, 297
데본셔Devonshire, 411, 497, 501
데비즈Devizes, 409, 411
도버Dover, 375
도체스터Dorchester, 412
독스 섬Isle of Dogs, 438
라운드웨이-다운Roundway-Down, 409, 414
랜즈다운Lansdown, 411
램버스Lambeth, 192
랭커셔Lancashire, 413, 439
랭커스터Lancaster, 70
런던 교London-bridge, 428
런던London, 118, 123, 258, 259, 287, 291, 297, 299, 334, 359, 362, 373, 378, 382, 388, 391, 394, 396, 404, 405, 406, 409, 412, 414, 418, 422, 424, 426,

427, 429, 434, 436, 437-39, 454, 457, 459, 464, 465, 487, 496, 498, 499-503, 500, 502, 506
런던탑Tower of London, 107, 342, 344, 346, 358, 363, 373, 374, 391, 428, 429, 452
레스터Leicester, 417
리버풀Liverpool, 413, 497
리스커드Liskeard, 405
리치필드-클로즈Litchfield-Close, 406
리폰Ripon, 297
린Lynn, 412
링컨Lincoln, 411
마스턴 무어Marston Moor, 413
맨 섬Isle of Man, 471
메이드스톤Maidstone, 438
무어필즈Moorfields, 436
미들버그Middleburgh, 469
바윅Barwick, 459, 460
반스터블Barnstable, 412
밴버리Banbury, 404
버밍엄Birmingham, 409
버퍼드Burford, 454
벌링턴Burlington, 406
베벌리Beverley, 411
베이싱스토크Basingstoke, 414
보우Bow, 438
볼턴Bolton, 413
브라이드웰Bridewell, 410, 486
브라이트-헴프스태드Bright-Hempstead, 466
브래드포드Bradford, 411
브램햄 무어Bramham Moor, 411
브렌트포드Brentford, 404
브리스톨Bristol, 409, 486
블랙히스Blackheath, 438
사우샘프턴Southampton, 430
사우스워크Southwark, 428
사이렌세스터Cirencester, 405, 410
살타쉬Saltash, 405
서레이Surrey, 437
서머셋 하우스Somerset House, 330
서섹스Sussex, 466
서퍽Suffolk, 405
성 마가렛 성당St. Margaret's churchyard, 498
성 제임시즈 공원St. James's park, 498
세인트 제임스St. James, 378
세인트 존스 칼리지St. John's College, 247
솔즈베리Salisbury, 236, 454
슈루즈베리Shrewsbury, 404, 405

스태퍼드셔Staffordshire, 406
스토포드Stopford, 413
스트래튼Stratton, 411
실리Scilly, 417, 471
애더튼 히스Adderton Heath, 411
에식스Essex, 405, 428, 438
에지힐Edgehill, 404
엑서터Exeter, 412
옥스퍼드 대학Oxford University, 434
옥스퍼드Oxford, 183, 247, 275, 303, 357, 404, 405, 406, 412, 413, 414, 416, 417, 419, 436, 454, 504
올드 새럼Old Sarum, 236
와이트 섬Wight, 430, 439, 440, 460
요크York, 70, 123, 287, 297, 375, 377, 379, 380, 402, 406, 407, 412, 413
요크셔Yorkshire, 380, 386, 412, 497, 501
우드스탁Woodstock, 417
우스터Worcester, 404, 414, 465, 469, 481
욱브리지Uxbridge, 416, 470
워릭셔Warwickshire, 465
월링포드 하우스Wallingford House, 491, 493, 494, 498, 501
웨스트민스터 홀Westminster Hall, 339, 440, 442, 495
웨스트민스터Westminster, 107, 192, 293, 297, 299, 337, 340, 345, 362, 401, 412, 416, 429, 437, 453, 466, 468, 480, 498, 503
윈저Windsor, 375
윈체스터Winchester, 405
윌트셔Wiltshire, 411
체셔Cheshire, 497
체스터Chester, 417, 497
치체스터Chichester, 405
칩사이드Cheapside, 167
칼라일Carlisle, 465
캠브리지Cambridge, 405, 436
켄트Kent, 437
코카뉴Cocagne, 100
콘월Cornwall, 405, 413, 414, 415, 430, 486, 497, 501
콜체스터Colchester, 438
퀸스 채플Queen' s Chapel, 330
크로프레디 교Cropredy-bridge, 414
클러클웰Clerkenwell, 330
킹스턴 Kingston, 438
킹스턴-어폰-헐Kingston-upon-Hull,

228, 380, 386, 391, 402, 403, 404, 416, 471
타인 강river of Tyne, 297, 412
태드캐스터Tadcaster, 406
테오볼드Theobald, 377
템스 강river of Thames, 437, 438, 474, 475
톤턴Taunton, 416
펜데니스 성Pendennis Castle, 413, 420, 438
포츠머스Portsmouth, 475, 501
프레스턴Preston, 439
플리머스Plymouth, 414, 416, 474
하운슬로 히스Hounslow Heath, 428
핼리팩스Halifax, 411
햄프턴 궁전Hampton Court, 375, 376, 424, 429, 430
헌팅던Huntingdon, 379
혼캐슬Horncastle, 411
홈비Holmeby, 420, 423
홉튼 히스Hopton Heath, 406
화이트홀Whitehall, 375, 443, 480, 481, 488, 490, 492, 494, 503
카리브해
바베이도스Barbadoes, 471, 474
산토 도밍고Santo Domingo, 484, 485
세인트 키츠St Christopher, 471
자메이카Jamaica, 484
히스파니올라Hispaniola, 484
프랑스
덩케르크Dunkirk, 474
마르세유Marseilles, 160
샬롱쉬르손Chalons-sur-Saone, 303
칼레Calais, 357, 392, 475
파리Paris, 50, 275, 417, 455, 456

문헌

anon., A Remonstrance of the State of the Kingdom (1641), 355

anon., Fleta, 111

anon., Modus Tenendi Parliamentum, 237

anon., The whole Duty of Man laid down in a plain and familiar way (1658), 311

Anthony Fitzherbert, Natura Brevium (1534), 119, 207

Aristotle, Poetics, 589, 590, 599, 613

Aristotle, Politics, 528

Aristotle, Rhetoric, 509

Cicero, Tullii Ciceronis Orationes in Catilinam (BC 63), 597

Edward Coke, Institutes of Law, (1628~1644), 83, 84, 94, 95, 106, 120, 122, 124, 131, 135, 139, 141, 146, 147, 152, 161, 163, 165, 168, 169, 170, 171, 173, 175, 185, 203, 209, 210, 215, 216, 219, 222, 223

Francis Maseres, Select tracts relating to the civil wars in England in the reign of King Charles the First, by writers who lived in the time of those wars, and were witnesses of the events which they describe (1815), 247

Herodotus, Histories, 596

Homer, Iliad, 65, 591

Homer, Odyssey, 561, 591

James Heath, Chronicle of the Late Intestine War (1661), 243

John Aubrey, Letters from the Bodleian, 247

John Damascene, De Fide Orthodoxa, 28

John Selden, Titles of Honour (1614), 237

Leopold von Ranke, History of England (1859~1867), 249

Lucretius, De Rerum Natura, 17
Modus Tenendi Parliamentum, 237
Ovid, Metamorphoses, 561
Samuel Sorbière, Relations, Lettres et Discours de Mr Sorbière sur diverses matières curieuses (1660), 71
Sophocles, Antigone, 608
Tertullian, De Carne Christi, 64
Thomas Hobbes, A Dialogue of the Common Law (1666), 511
Thomas Hobbes, Answer to Archbishop Bramhall (1668), 253
Thomas Hobbes, Behemoth (1681), 45, 245
Thomas Hobbes, Considerations upon the reputation, loyalty, manners, and religion of Thomas Hobbes (1662), 246
Thomas Hobbes, De Cive (1651), 50, 62
Thomas Hobbes, De Corpore (1655), 63
Thomas Hobbes, De Homine (1658), 73
Thomas Hobbes, Discourse of Heresy (1680), 253
Thomas Hobbes, Elements of Law (1640), 511
Thomas Hobbes, English Works (1839~1845), 248
Thomas Hobbes, Human Nature (1650), 511
Thomas Hobbes, Leviathan (1651), 39, 49, 51, 55-62, 69, 74, 249
Thomas Hobbes, Moral and Political Works of T. H. (1750), 247
Thomas Hobbes, Physical Problems (1662), 254
Thomas Morton, The Grand Imposture, 280
Thomas Morton, The Mystery of Iniquity, 280
성경
고린도전서, 31
골로새서, 319
누가복음, 319

디모데후서, 40
로마서, 104, 319, 623
마가복음, 618
마태복음, 29, 261, 262, 268, 315, 621
베드로전서, 319
베드로후서, 617
사도행전, 205, 270, 274, 318
사무엘하, 201, 205, 263
시편, 205
신명기, 261, 270
에스더, 205
열왕기상, 204, 431
요한1서, 623
요한복음, 24, 27
잠언, 29
창세기, 27, 76
출애굽기, 281, 368
히브리서, 27

지은이 **토머스 홉스**

1588년 4월 5일 잉글랜드 맘스베리에서 태어난 잉글랜드의 철학자이다. 1608년 캠브리지 대학을 졸업하고 유럽 전역을 여행하며 갈릴레오 등과 교류하였다. 1640년 영국내전의 발발로 신변의 위협을 느끼고 프랑스 파리로 망명, 1647년에는 찰스 2세의 수학강사로 발탁되었다.

이후 1651년 『리바이어던』의 출간과 그 세속주의적 성격으로 인해 목숨의 위협을 받고는 영국 의회에 보호를 요청, 그 해에 다시 런던으로 귀국하였다. 그리고 1666년에는 이단으로 몰려 저술이 불태워지는 등 여러 고초를 겪으며 생전에는 더 이상 그의 정치철학을 세상에 펼 수 없었다.

1679년 10월 병에 걸려, 같은 해 12월 4일 향년 91세를 일기로 세상을 버릴 때까지 계속 저술활동을 하였으며, 그의 사회계약론은 현대 정치철학의 주요 전제 중의 하나로 자리매김하였다.

주요저서로는 『시민론』, 『리바이어던』, 『체론』, 『인간론』, 『베히모스』 등이 있으며, 정치철학 뿐만 아니라 수학과 물리학, 고전에 대한 지치지 않는 관심으로 여러 저술 및 번역서를 남겼다.

옮긴이 **김주현**

영문학을 공부했으며, 경제사를 비롯, 여러 분야에 호기심이 많다. 번역에 관한 문의는 블로그 https://bindlog.blogspot.com/를 방문해주시기 바란다.

아일랜드해
켈트해
영국해협
맨섬
실리 군도
클론스
드로그헤다
던간 힐
더블린
라스만
골웨이
번래티
리머릭
글리쉬
킬케니
뉴 로스
웩스포드
워터포드
던카논
리스카롤
페르모이
욜
코크
밴든
노크나누스
스카버러
리펀
마스턴 무어
요크
프레스턴
에드월턴 무어
폰트프랙트
헐
라솜
셰필드
로우톤 무어
체스터
낸트위치
링컨
윈스비
뉴어크
노팅엄
킹스 린
노리치
리치필드
레스터
피터버러
몽고메리
홉튼 히스
코번트리
네이즈비
포윅 브리지
크로프레디 브리지
캠브리지
톤턴
우스터
에지힐
뉴포트 페그넬
카디건
헤리퍼드
글로스터
옥스퍼드
콜체스터
펨브로크
첩스토우
랜즈다운
웃브리지
런던
세인트 페간스
브리스톨
레딩
뉴버리
윈저
메이드스톤
캔터베리
도버
반스터플
브리짓워터
랭포트
워더
윈체스터
채리턴
칼레
됭케르
스트라턴
포츠머스
아룬델
엑서터
라임 레지스
풀
와이트섬
토서스턴
브래독 다운
플리머스
르 아브르
N
0
50
100
200 km

영국 내전
1642~1651
주둔지
포위망
전투
주요 지역
의회파
왕당파
카비즈데일
오던
인버네스
반프
터리프
발베니
파이비
스트래스던
앨포드
애버딘
카레스톤
블레어 애톨
몬트로즈
알리스
티퍼뮤어
던디
퍼스
세인트앤드루스
인버러레이
스털링
폴커크
리스
그리녹
킬시스
던바어
더넌
에든버러
글래스고
해밀턴
둔스
베릭
루나하오린
어빈
콜드스트림
에어
모이블린
필립호우
켈소
북해